ACTES DE FOI

ERICH SEGAL

ACTES DE FOI

Roman

Traduit de l'américain
par
GILLES MORRIS-DUMOULIN

FRANCE LOISIRS
123, Boulevard de Grenelle, Paris

L'édition originale de cet ouvrage a été publiée en 1992 par Bantam Book Inc., USA, sous le titre :

ACTS OF FAITH

Une édition du Club France Loisirs, Paris,
réalisée avec l'autorisation
des Éditions Grasset & Fasquelle

ISBN : 2-7242-7148-3

REMERCIEMENTS

Tous les chemins mènent à Rome... et à Jérusalem. Mais ils ne conduisent qu'à leurs portes, et je dois beaucoup à tous ceux qui m'ont permis d'accéder, littéralement et spirituellement, à ces grandes citadelles de la religion.

Son Éminence le cardinal Roger Etchegaray, président du Conseil pontifical de Justice et de Paix, a accueilli, au Vatican, le profane que j'étais, m'offrant un tableau de la vie au cœur du pouvoir que, sans lui, je n'aurais pu découvrir. Jamais à court d'idées, son assistante, sœur Marjorie Keegan, m'a non seulement fourni des informations et des documents, mais s'est révélée, de surcroît, une source inépuisable d'anecdotes sur la vie des juifs de New York.

Le père jésuite Jacques Roubert, secrétaire régional de l'Assistanat de la Curie générale pour l'Europe occidentale, m'a reçu au Centre Jésuite mondial du 5 Borgo Santo Spirito, m'expliquant la Société de Jésus qui a enrichi d'une dimension nouvelle tout ce que j'ai lu par la suite.

Au Mishkenot Sha'ananim, havre d'exception des beaux-arts, va également toute ma reconnaissance pour m'avoir procuré, en me donnant l'hospitalité, l'occasion de m'imprégner de l'atmosphère unique de Jérusalem.

7

Toute la documentation sur l'étonnante caducité du célibat, dans le clergé catholique américain, provient du livre d'A.W. Richard Sipe, *Un monde secret : sexualité et quête du célibat,* New York, 1990.

Dresser la bibliographie complète de tout ce que j'ai consulté au cours des quatre années consacrées à la rédaction de cet ouvrage serait impossible. Mais comment ne pas souligner ma dette à l'*Encyclopédie Judaïque,* au *Peuple de Dieu,* de Penny Lernoux, aux *Jésuites,* de Malachi Martin, et à *Toute la vie d'un Juif,* de Hayyim Schauss ?

Et naturellement, au livre le plus important de tous, la Sainte Bible.

E. S.,
Oxford, 1991

Sero te amavi, pulchritudo tam antiqua et tam nova, amavi ! et ecce intus erat...

SAINT AUGUSTIN,
Confessions X, 27

(Trop tard j'en suis venu à t'aimer, ô Beauté si ancienne et si neuve ! Trop tard j'en suis venu à t'aimer... et pourtant, tu étais en moi depuis toujours...)

PROLOGUE

1

DANIEL

J'ai été baptisé dans le sang. Mon propre sang. Il ne s'agit pas là d'une coutume juive. Simplement d'un fait historique.

L'alliance que mon peuple conclut jadis avec Dieu exige que nous Lui confirmions, deux fois par jour, notre allégeance. Et pour que nul d'entre nous ne risque d'oublier à quel point nous sommes différents, Dieu a créé les Gentils qui partout nous le rappellent.

Dans mon cas, le Père de l'Univers avait cru bon de placer, entre mon école et chez moi, une enclave d'Irlandais catholiques. De telle sorte que bien souvent, à l'aller comme au retour de la yeshiva, les soldats chrétiens de Saint-Grégoire me voyaient arriver et me lançaient des insultes.

– Youpin !
– Youtre !
– Assassin du Christ !

J'aurais pu prendre mes jambes à mon cou, sitôt que je les apercevais au loin. En laissant tomber mes livres : ma Bible, mon livre de prières. Quel sacrilège ! Alors, cloué sur place par le poids conjugué des livres et de la terreur, je

13

les regardais s'avancer vers moi, roulant les épaules, désignant ma calotte et poursuivant leur rituel :

– Visez un peu le mec ! Pourquoi qu'il porte un galure alors qu'on est même pas en hiver ?

– Parce que c'est un youpe ! Ils ont besoin de chapeau pour cacher leurs cornes !

Puis commençaient les bourrades et les coups qui pleuvaient de tous côtés, martelant mon nez, mes lèvres et résonnant douloureusement à l'intérieur de mon crâne. Après toutes ces années, je sens encore le goût de ce sang qui coulait.

Avec le temps, j'avais fini par acquérir quelques tactiques défensives. Surtout, ne jamais s'écrouler. S'adosser à un mur, si possible. Quand la victime est à terre, l'agresseur peut aussi utiliser ses pieds.

Qui plus est, les gros livres peuvent servir de boucliers. Non seulement le Talmud renferme la quintessence des affaires religieuses, mais il est assez épais pour détourner les coups de pied au bas-ventre. Quelquefois, j'avais l'impression que ma mère passait sa vie à m'attendre derrière la porte. Si discrète que fût ma rentrée, après une de ces agressions, elle était là qui m'attendait.

– Danny, mon petit, qu'est-il arrivé ?

– Rien, m'man. Je suis tombé.

– Et tu penses que je vais te croire ? C'est encore cette bande de cosaques irlandais du catéchisme ! hein ! Tu connais les noms de ces voyous ?

– Non.

Je mentais, bien sûr. J'aurais pu décrire, jusqu'au dernier bouton d'acné, la face hilare d'Ed MacGee, dont le père tenait la taverne locale. J'avais entendu dire qu'il s'entraînait pour les « Gants d'or » ou quelque chose dans ce goût-là. Peut-être ne se servait-il de moi que pour son entraînement.

14

– Demain, j'aurai une petite conversation avec leur Mère supérieure ou je ne sais trop comment ils l'appellent.

– Pour quoi faire, m'man ? Qu'est-ce que tu vas bien pouvoir lui raconter ?

– Je vais lui demander comment ils auraient traité le Christ lui-même. Qu'elle rappelle un peu à ces garnements que Jésus était rabbin.

Et je pensais : d'accord, m'man, fais comme tu veux... Mais la prochaine fois, ils me tomberont dessus avec des battes de base-ball !

Je suis né prince. Fils unique du rabbin Moïse Luria, souverain de notre royaume particulier de croyants. Ma famille était venue en Amérique de Silcz, une petite ville des Carpates. Au cours de son histoire, elle avait fait partie de la Hongrie, de l'Autriche et de la Tchécoslovaquie. Mais les règnes pouvaient passer, Silcz demeurait, à jamais, le berceau des *B'nai Simcha* (« Fils de la Joie ») et chaque génération de Luria perpétuait le titre de « rabbin de Silcz ».

Quelques mois avant que le fléau nazi s'abatte sur sa propre communauté, mon père conduisit son troupeau vers une autre Terre promise : l'Amérique. Là, ils recréèrent Silcz dans un petit coin de Brooklyn.

Les membres de sa congrégation n'eurent pas de problèmes pour s'adapter aux coutumes de ce nouveau pays. Ils les ignorèrent tout bonnement et continuèrent à vivre comme ils vivaient depuis des siècles. Les frontières de leur monde ne s'étendaient pas au-delà d'une petite promenade sabbatique, à distance raisonnable de la chaire de leur guide spirituel.

Ils s'habillaient comme toujours avec leur long et solennel manteau noir, le chapeau de castor en semaine, et les jours fériés, le *shtreimel* garni de fourrure. Nous, les garçons, arborions pour le Sabbat le feutre noir, et cultivions la croissance frisottée de nos rouflaquettes en soupirant après le jour où pousserait aussi notre barbe.

Certains de nos coreligionnaires au menton rasé de près et autres israélites intégrés se sentaient gênés par nos allures un peu trop juives. Nous pouvions les entendre murmurer « *Frummers* », et bien que le mot signifiât simplement orthodoxe, leur ton laissait transparaître leur mépris.

Rachel, ma mère, était la seconde femme de mon père. Avec Chava, la première, il avait eu deux filles, Malka et Réna. Puis elle était morte en couches, précédant de quatre jours le petit garçon qu'elle avait mis au monde.

A l'expiration des onze mois de deuil prescrits par la règle, quelques-uns des plus proches amis de mon père lui avaient suggéré, discrètement, qu'il était temps pour lui de se chercher une autre femme.

Non seulement pour des raisons de succession, mais parce que le Seigneur a dit, dans la Genèse, « qu'il n'est pas bon, pour l'homme, de vivre seul ».

C'est ainsi que Moïse Luria épousa Rachel, ma mère, qui avait vingt ans de moins que lui, fille d'un savant lettré de Vilna que le choix du rabbin honora profondément.

Dans le courant de l'année, leur naquit un enfant. Une fille de plus ! Déborah, ma sœur aînée.

A sa grande joie, je fus conçu l'année suivante et mon premier cri fut accueilli comme la réponse directe aux prières les plus ferventes d'un homme pieux.

Il possédait enfin l'assurance que la chaîne d'or ne serait point rompue. Qu'il y aurait un autre rabbin de Silcz, à la fois enseignant, guide et consolateur, et plus important que tout, intermédiaire entre ses ouailles et Dieu.

C'était déjà dur d'être fils unique et de voir traiter ses sœurs comme si elles n'existaient pas, ou presque, juste parce qu'elles n'étaient pas des frères. Mais plus lourd encore était pour moi le fardeau de savoir avec quelle intensité et quelle patience m'avaient appelé les prières. Dès le début, je sentais le poids des espérances paternelles.

Je me souviens de mon premier jour d'école maternelle. J'étais le seul enfant conduit par son père. Et quand il m'embrassa, sur le seuil de la classe, je pus sentir également des larmes sur sa joue.

J'étais trop jeune pour comprendre que c'était un présage. Comment aurais-je pu savoir que je serais un jour la cause d'autres larmes, infiniment plus amères ?

2

TIMOTHY

Tim Hogan était né en colère. Il avait pour cela deux bonnes raisons. Il était un orphelin dont les deux parents étaient toujours en vie.

Au retour d'un long voyage, Eamonn Hogan, son père, navigateur de commerce, avait retrouvé Margaret, son épouse, enceinte. Elle jura ses grands dieux que nul mortel ne l'avait approchée dans l'intervalle. Elle commença à délirer, répétant à qui voulait l'entendre qu'elle avait été bénie et visitée par le Saint-Esprit. Le mari bafoué reprit aussitôt la mer. On disait qu'il avait rencontré, à Rio de

Janeiro, une autre femme qui, sans intervention divine, lui avait donné cinq enfants.

L'état de Margaret empirant, le curé de Saint-Grégoire se résolut à la placer dans un asile de l'État de New York tenu par les Sœurs de la Résurrection.

Et quelle autre solution que l'orphelinat pour le chérubin aux cheveux de lin, aux yeux de porcelaine bleue légués par sa mère, qui avait nom Timothy ? Cassie Delaney, la sœur de Margaret, avait déjà trois filles et ne pouvait envisager de nourrir une autre bouche sur le salaire d'un flic new-yorkais.

Qui plus est, Tim arrivait après qu'elle et Tuck avaient décidé, malgré les exigences de leur religion, de ne plus avoir d'enfant. Comment accepter, dans ces conditions, la perspective renouvelée de changements de couches à répétition et de longues nuits d'insomnie ?

Mais Tuck ne l'entendait pas de cette oreille.

– Margaret est de ton sang. On ne peut pas laisser ce gosse livré à lui-même.

Dès qu'il fit irruption dans leur existence, les trois cousines de Tim ne cachèrent pas leur hostilité. Il y répondit bec et ongles. N'importe quel objet lui était bon pour leur taper dessus, mais, à trois contre un, elles ne rataient jamais une occasion de lui mener la vie dure.

Il avait trois ans lorsqu'elles tentèrent, collectivement, de le jeter par la fenêtre. Tante Cassie put intervenir juste à temps, il s'en fallut d'un cheveu, mais c'est lui qu'elle gifla en braillant :

– Les gentils garçons ne frappent pas les filles !

Règle de conduite que Tim eût certainement mieux assimilée s'il n'avait pas souvent entendu son oncle, le samedi soir, battre son épouse !

Tim désirait autant quitter cette maison qu'eux voulaient se débarrasser de lui. Sitôt qu'il eut huit ans, Cassie lui accrocha une clef autour du cou, avec un collier tressé, afin qu'il pût jouir d'une totale autonomie, et l'envoya s'adonner dans les rues à de saines et mâles activités sportives telles que la balle au chasseur et la bagarre avec les autres garnements du voisinage.

Nullement dégonflé, Tim ne tarda pas à défier Ed Mac-Gee, le caïd incontesté de la bande locale. Lors d'une empoignade aussi brève que féroce, dans la cour de récré, Tim pocha l'œil et fendit la lèvre de son adversaire, celui-ci se débrouillant à son tour, tandis que les sœurs s'efforçaient de les séparer, pour décocher un gauche terrible qui faillit briser la mâchoire de Tim. Rencontre homérique dont ils ressortirent, tout naturellement, les meilleurs amis du monde.

Bien que défenseur de l'ordre, Tuck parut assez fier de la performance de son neveu. Mais Cassie, elle, était au désespoir. Non seulement elle perdit quatre jours de travail chez Macy, au rayon lingerie, mais elle dut passer des heures à maintenir des compresses glacées sur les mâchoires de son neveu.

Dans l'album de famille des Delaney, figurait sa mère, Margaret, dont tante Cassie était un peu la caricature.

– Pourquoi j'irais pas la voir ? Juste histoire de l'embrasser ? demandait-il.

– Elle ne te reconnaîtrait pas, disait Tuck. Elle vit dans un autre monde.

– Mais moi, je la reconnaîtrais. Je suis pas malade !

– N'insiste pas, Tim. C'est pour ton bien.

Inévitablement, vint le jour où Tim apprit ce que tout le monde chuchotait depuis des années.

Au cours d'une de leurs scènes du samedi soir, il entendit sa tante hurler à l'adresse de son époux :

– J'en ai marre de tout ce que nous fait ce sale petit bâtard !

– Cassie, surveille ton langage, une des filles va t'entendre !

– Et alors ? C'est la petite saleté de bâtard de ma putain de sœur, oui ou non ? Je sais pas ce qui me retient de le lui dire moi-même !

Tim était atterré. D'un seul coup, il avait perdu un père et gagné une étiquette infamante. Maîtrisant sa rage et sa peur, il se retourna le lendemain contre Tuck et exigea de savoir qui était son véritable père.

Le policier, rouge brique et le regard fuyant, éluda :

– Ta mère était très étrange à ce propos... Elle n'a jamais donné aucun nom... en dehors de ses histoires d'anges... Je suis désolé, Tim.

Par la suite, Cassie continua de critiquer sauvagement tout ce qu'il disait et faisait, et Tuck s'appliqua, au maximum, à fuir sa compagnie. Pourquoi ? Pourquoi cet acharnement à vouloir le punir des fautes commises par sa mère ? Car c'était bien là l'essentiel de sa vie chez les Delaney : une punition permanente.

Il rentrait toujours le plus tard possible. Mais à la tombée de la nuit, l'heure du dîner rappelait tous ses amis et il se retrouvait seul, sans personne à qui parler, sur le terrain de jeu faiblement éclairé par la mosaïque des vitraux de l'église.

Rasant les murs pour ne pas être vu des Ed MacGee et consorts, il se glissait à l'intérieur de l'édifice. Parce qu'il y faisait chaud, bien sûr, mais aussi parce que la statue de la Vierge exerçait sur lui une attraction irrésistible. Il s'en approchait sur la pointe des pieds et, poussé par sa solitude, s'agenouillait devant elle afin de lui dédier la prière que les sœurs lui avaient enseignée :

– *Ave Maria, gratia plena...* Je vous salue, Marie, pleine de grâce, le Seigneur est avec vous, vous êtes bénie entre toutes les femmes... Sainte Marie, mère de Dieu, priez pour nous, pauvres pécheurs...

Il ne savait pas lui-même ce qu'il attendait. Né au milieu d'un nœud de problèmes, il était encore trop jeune pour comprendre que ce qu'il espérait de la Vierge Marie, c'étaient les réponses à toutes ses questions.

Pourquoi suis-je venu au monde ? Qui sont mes parents ? Pourquoi personne ne m'aime ?

Un soir, en levant les yeux, il crut, l'espace d'un instant, voir sourire la statue comme pour lui dire :

– Une chose au moins doit demeurer claire dans le chaos de ton esprit. Moi, je t'aime.

Quand il rentra à la maison, tante Cassie le gifla de toutes ses forces pour le punir de son retard.

3

DÉBORAH

Le plus lointain souvenir que Déborah conservât de Danny se fondait dans l'éclat de la lame acérée qui descendait, lentement, vers le minuscule pénis de son petit frère.

Bien qu'il y eût foule autour du bébé de huit jours, elle le découvrait du haut des bras de sa mère adossée à un coin de la pièce, le regard fixe et plein d'appréhension.

Danny reposait sur un oreiller, en travers des genoux de

son parrain, l'oncle Saul, son oncle, ou plus précisément un simple cousin éloigné qui se trouvait être le plus proche parent mâle de son père, et dont les mains tenaient écartées, doucement mais fermement, les jambes du nourrisson.

Paré d'un tablier blanc et d'un châle de prière, le grand monsieur très maigre, qui s'appelait un *mohel,* plaça un clamp autour de la verge de Danny, puis la coiffa d'une sorte de dé métallique qui la recouvrit jusqu'à la limite du prépuce. Au même moment, sa main droite levée serrait le stylet.

Instinctivement, tous les spectateurs mâles retinrent leur souffle en portant la main à leur propre organe quand, après avoir récité une prière, le *mohel* perça de son stylet la peau du prépuce et, d'un seul geste continu, l'incisa en suivant le rebord de la clochette métallique.

Danny cria. Un instant plus tard, l'officiant montra le prépuce à la ronde et le déposa dans une coupe d'argent.

A pleine voix, le rabbin Luria bénit alors le Roi de l'Univers « pour nous avoir ordonné de faire entrer nos fils dans l'alliance conclue par Abraham notre père ».

La foule exhala son soulagement dans un soupir avant de donner libre cours à son allégresse.

Le *mohel* rendit Danny, en pleurs, à son papa rayonnant qui convia tout le monde à manger, boire, chanter et danser. Conformément au *Code des Lois,* une cloison séparait les hommes des femmes, mais même du côté de celles-ci, dans les bras de sa mère, Déborah pouvait entendre la voix de son père dominer joyeusement toutes les autres.

Sitôt qu'elle fut assez grande pour construire de longues phrases, la première chose qu'elle voulut savoir fut s'il y avait eu semblable cérémonie à sa naissance.

– Non, ma chérie, répondit gentiment sa mère. Mais cela ne veut pas dire que nous ne t'aimons pas tout autant.

– Alors, pourquoi ?

– Je ne sais pas, mon ange. C'est la volonté du Père de l'Univers.

Déborah n'avait pas fini d'apprendre quelles autres lois le Père de l'Univers avait promulguées à l'usage des femmes juives.

Dans les prières du matin réservées aux hommes, il y avait ces bénédictions par lesquelles ils rendaient grâce au Seigneur de leur avoir prodigué tous les dons concevables :

Sois béni, Toi qui as permis au coq de distinguer le jour de la nuit.
Sois béni, Toi qui ne m'as pas fait naître païen.
Sois béni, Toi qui ne m'as pas fait naître femme.

Tandis que les hommes remerciaient Dieu pour leur virilité, les filles devaient se contenter de :

Sois béni, Toi qui m'as fait naître conforme à Ta Volonté.

A l'âge légal, Déborah fut inscrite dans une école traditionnelle « Beis Yakov », dont le seul objectif était de préparer les jeunes filles juives à devenir des épouses juives. Elles y étudiaient le *Code des Lois,* ou plus exactement une version condensée, rédigée au XIXe siècle à leur intention.

Mme Brenner, l'institutrice, leur rappelait sans cesse ce privilège qui était le leur d'aider leur époux à réaliser l'injonction divine de « croître et multiplier », afin de peupler toute la terre.

Est-ce là, songeait Déborah, tout ce que nous sommes ? Rien de plus que des machines à faire des bébés ? N'osant exprimer tout haut ce qu'elle pensait tout bas, elle attendait, avec quelle impatience, des explications complémentaires. Hélas ! Mme Brenner n'en possédait aucune, hormis la plus évidente : née d'une côte d'Adam, comment la femme serait-elle jamais autre chose qu'une pièce détachée, une annexe de l'homme ? Folklore absurde que Déborah, si pieuse qu'elle fût, ne pouvait prendre pour argent comptant. Mais avec qui partager son scepticisme ?

Des années plus tard, alors qu'il poursuivait ses études secondaires, Danny lui montra, par hasard, un passage du Talmud dont elle n'avait jamais eu, durant sa propre scolarité, l'autorisation de prendre connaissance.

Lors du coït, est-il clairement exposé, l'homme doit faire face à la terre, dont il est issu, et la femme regarder vers le haut, l'endroit d'où elle est sortie, la côte d'Adam.

Plus Déborah étudiait, plus grandissait son ressentiment. Moins d'être tenue pour inférieure que de constater à quel point, chaque jour, leurs institutrices s'efforçaient de déguiser cette vérité évidente. Pourquoi la mère d'un garçon retrouvait-elle sa « pureté » au bout de quarante jours après son accouchement, celle d'une fille, au bout de quatre-vingts ? Et pourquoi cette interdiction, quand il manque un homme au chœur de dix juifs exigé par certaines prières, de lui substituer une juive ! Un garçon de six ans conviendrait parfaitement, mais pas une femme !

A la synagogue, elle osait parfois risquer un œil par-dessus le rideau tiré devant le balcon où elle prenait place avec sa mère et les autres femmes. Observant le défilé des vieillards et des très jeunes gens appelés à lire la Torah, elle chuchota :

– Maman, pourquoi nous autres, sur la galerie, on n'est jamais appelées ?

Et la pieuse Rachel ne put que lui répondre :

– Demande à ton père.

Ce qu'elle fit. Pendant le déjeuner du Sabbat. Et le rabbin répondit avec indulgence :

– Ma chérie, il est dit clairement dans le Talmud que

nulle femme ne doit être appelée à lire un passage de la Torah, par respect pour la congrégation.

Déborah, sincèrement perdue, insista :

– Mais pourquoi ?

Et son père ne put que lui répondre :

– Demande à ta mère.

Seul son frère Danny était susceptible de lui donner les bonnes réponses.

– Ils nous ont dit que si des femmes se présentaient devant les fidèles de sexe mâle, ça troublerait leurs esprits.

– Je ne comprends toujours pas, Danny. Tu peux me citer un exemple ?

– Tu sais bien, quoi... répondit-il avec embarras. Comme Ève, quand elle a donné à Adam...

Déborah commençait à s'impatienter.

– La pomme, oui, je sais. Et alors ?

– Alors, ça lui a donné des idées, à Adam.

– Comment ça, des idées ?

Mi-vexé, mi-mal à l'aise, Danny s'excusa :

– Hé, Deb, ça, on ne nous l'a pas encore dit... Mais quand je le saurai... je te promets que je te le dirai.

Aussi loin que remontât sa mémoire, Déborah Luria se souvenait d'avoir toujours désiré les privilèges accordés à son frère lors de la circoncision. Mais plus elle grandissait, plus s'imposait la conclusion douloureuse qu'il lui serait toujours interdit de servir Dieu au maximum de ses forces.

Simplement parce qu'elle n'était pas née dans la peau d'un homme.

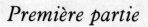

Première partie

1

DANIEL

J'avais quatre ans lorsque mon père m'appela dans son cabinet de travail et me hissa, comme une plume, sur ses gros genoux. Je revois encore les étagères de bois pliant sous le faix d'énormes volumes du Talmud reliés de cuir.

– Nous y voilà, dit-il d'une voix douce. Nous allons commencer par le commencement.

– C'est quoi ? demandai-je.

– Dieu, naturellement. Un commencement qui n'a pas de fin. Mais tu es encore trop jeune pour t'attaquer à ces concepts mystiques. Aujourd'hui, nous commencerons avec *aleph*.

– *Aleph* ?

– Bonne prononciation, ronronna mon père, non sans orgueil. Tu connais maintenant ta première lettre d'hébreu.

Puis, désignant un second signe, dans son livre ouvert :

– La deuxième, c'est *bet*. Nous allons apprendre, aujourd'hui, l'*aleph-bet* hébreu.

Il en fut ainsi pour les vingt autres lettres.

Chose étrange, je ne me souviens pas d'avoir jamais dû réviser ce que mon père m'enseignait. Tout passait directement de son cœur à mon cœur et de son esprit au mien, brûlant comme la flamme éternelle au-dessus de l'arche sainte, à la synagogue.

Bientôt, je sus lire mes premiers mots en hébreu, « Au commencement, Dieu créa le ciel et la terre... », que je transcrivis immédiatement en yiddish.

Né et développé dans les ghettos médiévaux de la région du Rhin, ce mélange d'allemand et d'hébreu était toujours le langage de notre vie quotidienne, l'hébreu demeurant réservé aux textes saints et aux prières. Voici comment je traduisais les premiers mots de la Genèse : « *In Ershten hut Got gemacht Himmel und Erd.* »

Mon père approuvait, caressant sa barbe grisonnante :

– Bien, mon garçon, très bien.

Ses louanges m'enivraient. Je ne pouvais plus m'en passer. Je travaillais encore plus dur, afin de les mériter toujours davantage. Et parallèlement à mon zèle, croissait la spirale de ses espoirs.

Sans qu'il l'eût jamais exprimée, je percevais sa certitude que toutes ces connaissances s'imprégnaient à mesure de leur acquisition, d'une manière indélébile, dans la fibre même de mon être. Et miraculeusement, c'était vrai. Depuis les saintes paroles jusqu'aux lois sacrées en passant par l'histoire, les coutumes et toutes ces tentatives inextricables des lettrés à travers les âges pour extraire du moindre mot la plus légère nuance de la pensée divine.

J'aurais aimé, simplement, que mon père fût un peu moins fier de moi. Parce que plus j'en savais, plus je découvrais l'étendue de ce qu'il me restait à apprendre.

Chaque matin, mon père remerciait le Seigneur de lui avoir fait ce don grandiose. Non seulement celui d'un fils, mais, selon son expression favorite, celui d'un *tel* fils. Chaque matin, s'aggravaient mon angoisse, ma terreur de le décevoir un jour.

Physiquement autant que spirituellement, mon père dominait les autres rabbins comme il me dominait moi-même. C'était un grand gaillard de plus d'un mètre quatre-vingts aux yeux noirs et perçants, et si ma sœur et moi avions hérité de son teint mat, Deb seule, hélas ! promettait d'atteindre sa taille.

L'ombre de mon père se projetait, démesurément, sur ma vie. Chaque fois qu'on me réprimandait, en classe, pour quelque faute mineure, revenait ce leitmotiv :

– J'attendais mieux de la part d'un fils du grand Rav Luria !

Contrairement aux autres élèves, je ne pouvais me payer le luxe de commettre la moindre erreur. Ce qui était innocent chez n'importe lequel de mes condisciples, devenait indigne lorsqu'il s'agissait de moi :

– Échanger des cartes de base-ball ! Joli passe-temps pour un futur rabbin de Silcz !

C'est pour cette raison, je pense, que père ne m'avait pas fait inscrire à notre propre école ouverte à deux pas de chez nous, dans la même rue. Là, m'eussent été sans doute réservés certains égards. Là, des péchés véniels tels que rire en classe ou jeter des bouts de craie sur le tableau quand le maître avait le dos tourné fussent probablement demeurés impunis.

Au lieu de cela, chaque jour, il me fallait entreprendre le long et souvent périlleux voyage de notre domicile à la terrible Etz Chaim Yeshiva, à quelque dix pâtés de maisons vers le nord, dont le proviseur avait la réputation d'être le plus grand rabbin du siècle. Du XIIe siècle.

Debout dès l'aube, les jours d'école (dimanche compris), je disais les prières du matin dans la même pièce que père qui, revêtu de ses phylactères et du châle rituel, se balançait sur place, tourné vers Jérusalem, en priant pour le

31

retour de notre peuple à Sion. Chose qui m'intriguait, puisqu'il existait, désormais, un État d'Israël. Mais jamais je n'osais remettre en question un seul geste, un seul mot du grand homme.

Les cours débutaient à huit heures et, jusqu'à midi, nous travaillions la grammaire hébraïque, sur les textes de la Bible : les livres « historiques » avec l'arche de Noé, la tour de Babel et le manteau multicolore de Joseph. Plus tard, à l'âge mûr d'onze ou douze ans, nous commençâmes à étudier le Talmud, cette compilation massive de nos lois civiles et religieuses.

Codifiés par sujets, les préceptes énumérés dans sa première partie ne comptent pas moins de quatre mille règles et spécifications. Parfois, je cherchais à comprendre comment mon père pouvait tout avoir en tête. Non seulement il semblait connaître par cœur les règles proprement dites, mais aussi tous les commentaires.

La classe talmudique ressemblait à un cours de droit élémentaire. Nous y apprenions, par exemple, les obligations concernant les objets perdus. A la fin du semestre, en présence de fruits répandus sur la chaussée, je savais tout de suite s'il m'était permis de les garder, ou si je devais me mettre en quête de leur propriétaire.

Au moment du déjeuner, à midi pile, nous apercevions de loin, au bout de la vaste salle, les écolières tenues à l'écart des cours d'hébreu. Après le dessert (la sempiternelle salade de fruits en conserve), nous chantions les grâces, et les grands remontaient en vitesse à la synagogue pour dire les prières de l'après-midi, avant de reprendre les études laïques.

D'une heure à quatre heures et demie, nous vivions dans un monde tout à fait différent, très proche de celui d'une école laïque new-yorkaise. Nous commencions, naturellement, par réciter l'acte de foi, garçons et filles réunis. J'ignore quel sage à l'esprit moderne avait décrété que l'instruction civique, l'anglais, la géographie, pouvaient s'étudier dans une même salle peuplée d'élèves des deux sexes.

Nous ressortions rarement avant la nuit. Sauf le vendredi, en hiver, où nous terminions de bonne heure, en vue du Sabbat.

Je traînais jusqu'à la maison ma carcasse fatiguée, et, si j'y arrivais intact, m'asseyais pour engloutir tout ce que maman nous avait préparé. Après le repas, je restais à table et faisais mes devoirs, religieux et laïcs, jusqu'à ce que ma mère décidât que j'étais trop épuisé pour continuer.

Je passais très peu de temps au lit à cette époque de mon enfance. Les seules « grasses matinées » dont je puisse me souvenir eurent lieu à l'occasion de ma rougeole.

Bien que nous y fussions traités un peu comme des galériens, je n'en aimais pas moins mon école, dont mon esprit affamé transformait les journées doubles en festins de connaissances. Mais j'appréhendais le samedi, véritable jour du Jugement où bon gré, mal gré, il me fallait bien montrer à mon père ce que j'avais appris durant le reste de la semaine.

Il représentait, dans ma vie, le Pouvoir tout-puissant et, tout comme j'imaginais le Dieu des juifs, totalement incompréhensible. Inconnaissable.

Et capable de grandes colères.

TIMOTHY

L'école paroissiale Saint-Grégoire cultivait deux religions. Garçons et filles y commençaient la journée en réaffirmant leur double foi. Dans les États-Unis et dans l'Église catholique.

Quel que pût être le temps, les élèves se rassemblaient dans la cour de récréation cimentée où sœur Marie Immaculée leur faisait dire l'acte de foi, suivi du Notre Père. Par les matins glacés de la saison hivernale, les mots jaillissaient en bouffées de vapeur symboliques qui transformaient, brièvement, la cour en nuage terrestre.

Ensuite, tout le monde allait en classe, dans un silence respectueux, car autant et plus que les feux de l'enfer et la damnation éternelle, on craignait la règle de sœur Marie Bernard.

Seuls des durs authentiques tels que Tim Hogan ou MacGee avaient l'audace de compromettre leur vie éternelle pour le simple plaisir de tirer les nattes d'Isabelle O'Brien.

En fait, les mauvaises farces des deux voyous possédaient le don d'entraîner de tels chahuts que la sœur désespérait, souvent dès la fin septembre, de leur salut, et parfois même implorait la Sainte Vierge d'accélérer le cours du semestre pour que l'incorrigible duo pût aller terroriser des âmes plus fortes que la sienne.

Près de la porte de chaque classe, s'encastrait un bénitier qui permettait aux élèves d'exécuter le signe de croix ou, suivant l'exemple d'Ed et de Tim, d'arroser au passage quelque innocente victime.

Côté programme, l'école paroissiale ne différait guère des écoles laïques : anglais, mathématiques, instruction civique et géographie, avec toutefois un ajout significatif. Dès la maternelle, les sœurs ne cachaient pas qu'à Saint-Grégoire la matière la plus importante ne pouvait être que la « doctrine chrétienne » : comment vivre et mourir en bon catholique, dans ce monde, afin d'être heureux avec Dieu dans l'autre.

Le sort des premiers martyrs obsédait sœur Marie Bernard. Souvent, elle se faisait un plaisir de lire à sa classe les épisodes les plus sanglants de *La Vie des saints*, de Samuel Butler. Son visage déjà rubicond devenait écarlate, la sueur de son front brouillant les verres de ses épaisses lunettes qui, parfois, soulignaient en descendant sur son nez la montée de sa ferveur :

– Néron, l'empereur fou, était particulièrement cruel. Il faisait mettre en pièces nos saints martyrs par des chiens affamés, ou les enduisait de cire et les empalait sur des piquets pointus avant de les transformer en torches vivantes...

Même l'évocation de ces atrocités n'empêchait pas toujours Ed MacGee de souffler à l'oreille de son acolyte :

– Ça doit être marrant, ça, Timo. Pourquoi qu'on essaierait pas avec O'Brien ?

Quand sœur Marie Bernard était sûre de tenir son auditoire, elle refermait le livre, s'essuyait le front et tirait, toujours, la même conclusion morale :

– N'oubliez pas, mes enfants, que c'était un *privilège*. Car si vous n'êtes pas chrétien, même les feux de mille enfers ne vous vaudront jamais la noble appellation de « martyrs ».

Sentence invariable qui débouchait, en général, sur un autre de ses thèmes de prédilection : le monde extérieur des non-baptisés. Des païens. Des hérétiques voués à la damnation éternelle.

– Gardez-vous ou, pour mieux dire, évitez à tout prix de frayer avec des non-catholiques. Car ces gens-là n'observent pas la vraie croyance et finiront en enfer. Il est facile de reconnaître les juifs à leur physique, à la façon dont ils s'habillent. Plus dangereux encore sont les protestants, difficiles à identifier car ils essaient souvent de vous convaincre qu'ils sont de bons chrétiens !

Sachant désormais comment éviter le châtiment suprême, les élèves de Saint-Grégoire pouvaient se concentrer sur l'objectif prioritaire suivant : leur première communion.

La préparation commençait avec l'étude du catéchisme.

Chaque semaine, il leur fallait apprendre par cœur un certain nombre des questions et des réponses de cette doctrine fondamentale de l'Église catholique.

Quels sont les principaux châtiments d'Adam dont nous héritons à cause du péché originel ?

Les principaux châtiments d'Adam dont nous héritons à cause du péché originel sont : la mort, la souffrance, l'ignorance et une forte propension au péché.

Quel est le message essentiel du Nouveau Testament ?

Le message essentiel du Nouveau Testament est le salut dans la joie, par la grâce de Jésus-Christ.

Et leur manuel regorgeait de sujets de discussion pris dans la vie quotidienne.

– Isabelle O'Brien, appelait sœur Marie Bernard en désignant la fillette aux cheveux roux assise près de la fenêtre.

36

– Oui, ma sœur ? répondait l'interpellée en se mettant docilement debout.

– Isabelle, quand une fille préfère sa radio à son rosaire, est-elle sur le droit chemin qui conduit au ciel ?

Les nattes d'Isabelle suivaient comiquement les secousses négatives de sa tête.

– Non, ma sœur. Une fille qui ferait ça irait tout droit en enfer.

– Très bien, Isabelle. A nous deux, Ed MacGee.

Le jeune garçon trapu adoptait paresseusement une posture verticale approximative.

– Oui, ma sœur ?

– Supposons qu'un garçon passe cinq heures par jour à jouer au ballon et seulement cinq minutes à prier. Fait-il tout ce qu'il peut pour aimer Dieu ?

Tous les yeux de la classe se fixaient sur Ed, car il était évident que sœur Marie avait gardé cette question bien au chaud, à l'intention de la plus forte tête de la classe.

– Eh bien, Ed MacGee ?

– Ben... c'est vraiment dur-dur, comme question, ma sœur.

Vingt-quatre paires de petites mains tentaient d'étouffer vingt-quatre rires aigus.

– Viens ici, tout de suite ! tonnait la sœur.

Ed marchait alors vers son bureau et, sachant fort bien ce qui allait se passer, présentait ses paumes sans attendre que sœur Marie le lui ordonnât. Elle le foudroyait du regard, puis, d'un geste vif, frappait de sa règle les mains tendues, Ed s'efforçant de conserver, sous la douleur cinglante, son habituel petit rictus de supériorité satisfaite.

– Voilà, menaçait la sœur, ce que je réserve à tous ceux qui oseront me manquer de respect !

Toute la classe se tenait à carreau, mais retrouvait le sourire à l'appel du nom de Timothy.

– A nous, Tim Hogan. Récite-moi le Symbole des apôtres.

– Par cœur ? s'étonnait-il, faussement ingénu.

– Par cœur... et avec tout ton cœur ! aboyait sœur Marie, la règle prête à s'abattre.

Mais à sa profonde surprise, Tim récitait le credo à la perfection. Détaillant chaque syllabe, chaque nuance subtile, sans hésiter une seule fois.

– Je crois en Dieu, le Père Tout-Puissant, Créateur du ciel et de la terre, et en Jésus-Christ Son Fils unique, Notre Seigneur, conçu du Saint-Esprit, né de la Vierge Marie...

– C'est bien... c'est très bien, devait admettre la sœur, à regret.

Jetant un regard circulaire, Tim lisait la déception, dans les yeux de ses condisciples.

Et MacGee, le visage mauvais, lui lançait au passage :

– Fayot ! Rat de bibliothèque !

3

DÉBORAH

Déborah aimait le Sabbat. C'était le plus saint de tous les jours de fête, le seul dont il fût question dans les Dix Commandements originels.

De surcroît, c'était le cadeau particulier de Dieu aux israélites. Il y avait des millénaires que les civilisations anciennes comptaient le temps en mois et en années, mais la semaine de sept jours couronnée par le Sabbat était une invention juive.

C'est un jour de joie sans mélange durant lequel même le deuil observé pour la mort d'un parent ou d'un mari peut et doit s'interrompre.

Au septième jour de la création, déclare la Bible, non seulement le Tout-Puissant interrompit son ouvrage, mais il « renouvela son âme ».

C'est exactement ce que ressentit Déborah Luria en claquant doucement derrière elle, ce vendredi après-midi, la porte de la maison. Non pour s'enfermer. Plutôt pour dresser une barrière entre elle et le monde extérieur, celui des voitures, des boutiques et des usines, du labeur et des soucis. Le vendredi soir, renaissait en elle quelque chose de miraculeux, un mélange ineffable de foi et d'allégresse.

Peut-être était-ce la raison pour laquelle sa maman semblait toujours si heureuse lorsqu'elle attendait, dans la lueur scintillante des chandeliers d'argent, que la douceur du Sabbat s'étendît, telle une tendre écharpe de soie, sur ses épaules lasses.

Alors, pendant que la famille l'observait en silence, elle posait les mains sur ses yeux et rendait grâce d'une voix si contenue que seul Dieu lui-même pouvait l'entendre.

Le vendredi après-midi, Déborah et sa demi-sœur, Réna, aidaient leur mère à nettoyer, briquer, préparer les repas. Lorsque descendait le soir, la maison était digne de recevoir les anges invisibles qui l'honoreraient de leur présence jusqu'à ce que trois petites étoiles apparussent, le samedi, dans le ciel nocturne.

Au crépuscule, papa et Danny rentraient de leurs prières du soir, apportant dans les plis de leurs manteaux noirs les effluves de l'hiver, et tous les membres de la famille échangeaient des salutations comme si ç'eût été leur première rencontre, après des mois de séparation.

Le rabbin Luria plaçait sa large main sur la tête de Danny, puis bénissait, de même, ses deux filles avant de chanter, de sa forte voix grave, les célèbres vers extraits des *Proverbes* 31 :

Une femme parfaite, qui la trouvera ?
Elle a bien plus de prix que les perles !

Enfin, quand tout le monde était réuni autour de la table nappée de blanc, dans la lumière chatoyante des bougies, papa levait sa grande coupe d'argent et bénissait le vin, puis le pain : deux miches pour rappeler la double portion de manne envoyée par Dieu aux israélites dans le désert, afin qu'ils n'eussent pas à chercher leur nourriture au cours du Sabbat.

Le repas qui suivait était un banquet. Même les familles les plus pauvres se privaient encore davantage, au cours de la semaine, pour que les agapes du vendredi soir pussent être somptueuses. Avec, si possible, un plat de poisson *et* un plat de viande.

Tout le reste de la soirée, papa dirigeait l'exécution des chants du Sabbat et des mélodies hassidiques sans paroles issues d'autres temps et d'autres lieux, agrémentées de quelques-unes qu'il avait composées lui-même.

Il suffisait à Déborah, pour survivre aux heures fastidieuses de la semaine, d'évoquer ces précieux moments où finalement elle serait libre. Y compris de laisser son chant dominer ceux des autres. Elle avait une très jolie voix, raison pour laquelle Rachel la pressait de ne pas chanter trop fort à la synagogue, de peur d'induire les hommes au péché de distraction.

Les joues de sa mère brillaient, ces jours-là, et son regard dansait au rythme de la musique. Elle semblait rayonner d'amour. Un petit fait dont Déborah devait apprendre, au fil du temps, la raison particulière.

Elle rentrait de l'école avec Molly Blumberg, une voisine de seize ans récemment fiancée et tout agitée par son prochain mariage, prévu pour l'été, qui venait d'apprendre elle-même l'une des règles les plus fondamentales, et les moins controversées, du mariage juif. C'était un *devoir* pour l'homme que de faire l'amour à son épouse, le vendredi soir, un commandement tiré de *L'Exode* 21.10 et une obligation qu'il n'était pas question, pour le mari, d'accomplir à la va-vite. Car la loi exigeait qu'il donnât du plaisir à sa femme. Les choses pouvant aller jusqu'au procès, s'il ne se montrait pas à la hauteur.

Telle était, en somme, l'une des raisons de ce repas plantureux du vendredi. Et du sourire des femmes juives alors qu'elles officiaient dans leur cuisine.

Après que toute la famille était allée se coucher, Déborah restait seule dans l'unique pièce encore éclairée. Une lumière dont elle ne pouvait, hélas, profiter bien longtemps. Revues et corrigées, à mesure de l'évolution des technologies, les règles du Sabbat interdisaient même de presser un commutateur électrique et, comme la plupart de leurs voisins pratiquants, les Luria payaient un « gentil » pour venir éteindre les lampes, à onze heures.

Déborah lisait avidement la Bible. Avec une préférence pour le *Cantique des cantiques*. Totalement immergée dans sa lecture, il lui arrivait de s'entendre dire, à haute voix :

Sur ma couche, la nuit, j'ai cherché
Celui que mon cœur aime.
Je l'ai cherché, mais ne l'ai point trouvé.

41

Alors, elle refermait doucement le livre saint, l'embrassait pieusement et montait dans sa chambre.

C'étaient les plus belles heures de l'enfance de Déborah. Car pour elle, le Sabbat était synonyme d'amour.

4

TIMOTHY

Un samedi de la fin du mois de mai, Tim et ses compagnons, aussi nerveux que lui, attendaient, agenouillés près du confessionnal, leur tour de souscrire, pour la première fois, à ce rite.

Depuis l'âge de sept ans, ils subissaient, sous la férule implacable de sœur Marie, un entraînement intensif à la confession. Car ce n'est qu'en se purgeant de ses péchés qu'un catholique peut se retrouver en état de grâce et de pureté suffisante pour recevoir la communion.

En contravention flagrante avec les instructions permanentes de la sœur, adepte inconditionnelle du fameux principe « diviser pour régner », Ed MacGee se déplaça de quelques prie-Dieu afin de venir lancer, dans les côtes de Tim, le coup de coude susceptible de le pousser à rompre le silence. Au vrai, malgré ses airs de bravache, Ed avait perdu toute son audace sur le seuil de l'église et peu de chose eût suffi pour lui faire admettre qu'il avait peur.

Consciente du remue-ménage, sœur Marie Bernard se retourna brusquement et transperça le mécréant d'un regard assez scrutateur pour l'envoyer tout droit au purgatoire. Puis elle le prit par la manche de son vêtement et, le poussant, l'admonesta par ces mots :

– A ton tour, Edward MacGee ! Et n'oublie pas d'avouer au Père qu'en plus de tout le reste, tu m'as désobéi jusqu'à l'intérieur de l'église !

Timothy se tordit le cou pour apercevoir son ami lorsque celui-ci quitta le confessionnal quelques minutes plus tard. Mais Ed ne regardait que le sol, en marchant vers la sortie, et Tim se dit qu'après tout, les choses ne devaient pas être si terribles. MacGee semblait encore entier.

Cette conclusion rassurante ne l'empêcha pas de sauter en l'air quand un doigt lui tapota l'épaule avant de lui montrer, fermement, le chemin du confessionnal.

Tête baissée, Tim marcha vers l'alcôve, se répétant comme une litanie : « Ça va être du gâteau. Je sais tout par cœur. Je pourrais même le réciter à l'envers... »

Pourtant, lorsqu'il se fut agenouillé dans le compartiment de gauche, le rideau tiré derrière lui, son cœur se mit à battre la chamade tandis que le panneau de bois glissait de côté, révélant, au-delà de la grille métallique, l'étole pourpre d'un confesseur dont il ne pouvait distinguer les traits.

C'est alors qu'en une fraction de seconde, l'extrême gravité, la pleine signification de l'événement le frappèrent au visage. Le moment était venu. Le moment crucial où, pour la première fois, il allait devoir se livrer jusqu'au tréfonds de son âme.

– Mon Père, bénissez-moi parce que j'ai péché. C'est ma première confession...

Le temps de respirer un bon coup avant de se jeter à l'eau, puis :

– J'ai été en retard trois fois à l'école, la semaine dernière. J'ai arraché la couverture du cahier de Dave Murphy et je la lui ai jetée à la figure !

Courte pause. Et pas d'éclair aveuglant. Aucun abîme ouvert sous ses pieds. Mais peut-être Dieu attendait-il, pour dégainer son épée flamboyante, des péchés plus graves ?

– Jeudi dernier, j'ai flanqué le chapeau de Kevin Callahan dans les toilettes et je l'ai fait pleurer.

Le cœur lui manquait, mais... toujours rien.

Puis une voix lui parvint, teintée d'indulgence, à travers la grille :

– Tu dois respecter le bien d'autrui, mon fils. Dieu n'a-t-il pas dit : « Bénis sont les doux » ? Pour ta pénitence, tu vas...

Telle fut la première confession de Timothy Hogan.

Cinq ans plus tard, il vécut sa première *vraie* confession.

– J'ai regardé par le trou de la serrure pendant que Bridget prenait son bain.

Après un court temps d'arrêt :

– Ensuite, mon fils ?

– Ben, c'est tout. J'ai regardé, quoi. Et j'ai... j'ai eu des pensées impures.

Pas facile à sortir, mais ça y était. Sans autre commentaire de la part du confesseur, comme s'il attendait pire. Avec juste raison puisque :

– Je pense aussi des drôles de trucs.

Au terme d'un nouveau silence, il entendit de l'autre côté de la grille :

– Toujours de nature sexuelle, mon fils ?

– Non, ça, je vous l'ai déjà dit !

– Alors, de quoi s'agit-il ?

Tim hésita, respira profondément, et confessa :

44

– Je déteste mon père.

Cette fois, il y eut un « Oh ! » presque imperceptible, de l'autre côté de la grille. Puis le prêtre dit :

– Notre Sauveur nous enseigne que Dieu est amour. Pourquoi... ressens-tu autre chose à l'égard de ton père ?

– Parce que je ne sais pas qui c'est.

Il y eut un silence solennel, puis Tim murmura :

– C'est tout.

Le confesseur garda le silence avant de conclure :

– Tu as eu des pensées terriblement antichrétiennes, mon fils. Souviens-toi qu'il nous faut toujours lutter contre la tentation d'enfreindre tout commandement de Dieu, quel qu'il soit, en pensée, en parole ou en acte. Pour ta pénitence, tu vas dire trois « Je vous salue, Marie » et réciter, de tout ton cœur, un acte de contrition.

Puis la voix étouffée du prêtre lui donna l'absolution *in nomine patris et filii et spiritus sancti*. Ajoutant pour finir :

– Va en paix.

Timothy s'en alla.

Mais ne trouva pas la paix.

A son corps défendant, Tim avait dû se résigner à ne jamais connaître son père.

Mais il savait qui était sa mère, il savait où elle était et souffrait de n'être séparé d'elle que par deux petites heures d'autocar.

Il ne parvenait pas à se représenter le tableau apocalyptique que lui peignait Tuck d'une folle trop furieuse pour le reconnaître, et dont la seule vision ajouterait encore à sa douleur. Mais ses propres images étaient si fortes qu'il ne pouvait les modifier. Ses nuits étaient peuplées par une femme aux cheveux d'or, aux voiles immaculés flottant

45

dans la brise, une sorte de madone beaucoup trop faible, sans doute, pour s'occuper de lui, mais qui partageait sa nostalgie et n'attendait que sa visite.

Parfois, il rêvait tout éveillé que lorsqu'il serait grand, sitôt qu'il aurait sa propre maison, il pourrait la prendre chez lui et s'occuper d'elle. Il rêvait de le lui dire. Pour son réconfort.

Donc, il devait aller la voir.

C'est ce qu'il demanda, comme cadeau, pour son onzième anniversaire. Il se bornerait, même, à la regarder de loin. Mais Tuck et Cassie refusèrent.

Six mois plus tard, il renouvela sa demande, et essuya un refus plus catégorique encore.

— Mais va la voir ! hurla Cassie, exaspérée. Va la voir, cette cinglée, et je te promets de beaux cauchemars !

Quant à Tuck, il résuma la situation avec son humour habituel :

— Le cadeau qu'on te fait, c'est de ne pas t'emmener la voir ! Et maintenant, la ferme !

Tim se le tint pour dit et n'en parla plus. Mais se promit d'agir en conséquence.

Un samedi matin, il annonça son intention de filer avec les copains voir jouer les Knicks à Madison Square Garden. Cassie lui en accorda la permission, d'un signe de tête, trop heureuse d'être débarrassée de lui pour la journée. Elle ne remarqua même pas qu'il portait son costume de confirmation.

Tim fonça jusqu'au métro, descendit à la gare des cars, au coin de la 8e avenue et de la 41e rue. Au guichet, plein d'appréhension, il demanda un aller-retour pour Westbrook, dans l'État de New York. La caissière cueillit, du bout de ses ongles vernis de rouge, le billet froissé de cinq dollars, mouillé de sueur, que le gosse lui tendait. Elle pressa deux boutons et la machine cracha un ticket. Tim y jeta un coup d'œil et protesta :

– Non, non, ça, c'est le tarif enfant. Moi, j'ai plus de douze ans.

Cessant, un instant, de mâcher son chewing-gum, la femme le fusilla du regard.

– Hé, petit, rends-moi un service. Fais comme si c'était Noël et m'oblige pas à raturer ma feuille de jour. T'es dingue d'être aussi honnête, crois-moi, ça te passera... avant que ça me reprenne !

C'est elle qui est dingue, songea Timothy. Le mot sonnait mal dans la tête de quelqu'un qui allait voir sa mère à l'asile d'aliénés.

Le premier car pour Westbrook partait à dix heures cinquante. Tim acheta, en prévision de son déjeuner, deux barres chocolat-noisettes. Mais l'anxiété, l'impatience, décuplaient sa faim. Il les dévora plus d'une demi-heure avant que le bus embarque ses passagers.

Incapable de tenir en place, à la pensée de son voyage, il retourna s'acheter une BD du Captain Marvel et s'y plongea jusqu'à ce que, vers dix heures quarante-cinq, un conducteur chauve à lunettes de la compagnie Greyhound criât dans son uniforme fripé :

– En voiture !

Le temps de janvier était particulièrement maussade, les passagers ne se bousculaient pas pour cette destination et Tim fut le premier à bondir sur le marchepied.

Juste au moment où il remettait son ticket au chauffeur, une forte poigne lui pétrit l'épaule.

– Minute, papillon ! La comédie est finie !

Pivotant sur lui-même, Tim découvrit un grand Noir au poitrail de colosse, revolver au côté, drapé dans le bleu redoutable de la police new-yorkaise.

– C'est toi, Hogan ?

– En quoi ça vous regarde ? J'ai rien fait de mal !

– C'est ce qu'on va voir. Ton signalement correspond à celui d'un fugueur nommé Hogan.

– Je suis pas un fugueur !

Le chauffeur du car intervint :

– Dites, m'sieur l'agent, j'ai un horaire à respecter, moi.

– Sûr, sûr !

La main du gros flic affermit sa prise.

– Finie, la balade, pour aujourd'hui !

Chasseur et gibier redescendirent, la porte se referma derrière eux et l'énorme véhicule démarra vers ce but magique que Tim n'atteindrait sans doute jamais plus.

Si cruel fut le choc de la frustration qu'il éclata en sanglots convulsifs.

Touché malgré lui, l'agent grommela :

– Hé, te laisse pas abattre, fiston ! Pourquoi que t'essayais de te débiner ? T'as fait une bêtise ?

Tim secoua la tête. C'était maintenant qu'il eût souhaité pouvoir « se débiner », pour toujours. Ne plus jamais revoir son oncle et sa tante.

Hélas, il revit son oncle moins d'une demi-heure plus tard, lorsque celui-ci vint le repêcher au commissariat central.

– Tu croyais m'avoir comme ça, hein, petite frappe ? Mais t'en tiens une drôle de couche, parce que t'aurais pu regarder, dans le canard, si les Knicks étaient bien en ville, aujourd'hui !

Tuck fit face à son collègue.

– Merci pour l'avoir épinglé, vieux. Y a une pièce où je pourrais bavarder un peu avec cette graine de fripouille ?

Le Noir lui indiqua une petite porte. Tuck empoigna son neveu par un coude, mais cette fois, le gosse résista.

– Non, non, j'ai rien fait de mal, j'ai même rien fait du tout !

– A moi d'en juger, petit salaud ! Je vais te parler un peu du pays entre quat'z-yeux !

Resté seul, le policier alluma une cigarette en feuilletant le *Daily News*. Bientôt, il entendit, à travers le battant clos, un bruit qu'il reconnut sans peine, et qui lui arracha une petite grimace : le claquement répété d'un ceinturon de cuir sur des fesses nues, et les grognements étouffés du gosse luttant vaillamment pour ne pas crier.

Dans le métro, en rentrant à Brooklyn, Timothy ne cessa d'observer son oncle, fixement, jurant en son for intérieur :

– Un jour... un jour, je te tuerai !

5

DANIEL

Tout au long des trottoirs enneigés, par ce matin de Noël, je croisais les ombres des fidèles rentrant de la première messe matinale. Et peut-être certains d'entre eux se demandaient-ils où pouvait courir de si bonne heure, chargé de sa grosse Bible, un petit juif de mon âge.

Je faisais ce que mes ancêtres avaient toujours fait : je ne tenais pas compte de leur fête. Voilà pourquoi j'allais à l'école. Et voilà pourquoi les fidèles de mon père se rendaient à leur travail, comme d'habitude. Un bon pense-bête pour ne pas oublier que cette fête n'était pas la nôtre.

Certes, nos yeshivas et nos écoles secondaires accordaient en cette fin d'année à leurs élèves quinze jours de vacances appelées simplement, de façon significative, « vacances d'hiver ». Mais pour accentuer la différence entre nous-mêmes et nos voisins « gentils », un jour d'école coupait en deux ces vacances : le 25 décembre. Geste de défi symbolique qui ne passait pas inaperçu.

Vêtu de son habituel costume noir et coiffé de son feutre souple, notre maître, le rabbin Schumann, nous regardait regagner nos places, l'expression peut-être encore plus solennelle que de coutume, ce qui ne présageait rien de bon, car c'était un mentor exigeant et austère dont les reproches nous écorchaient vifs, à la moindre peccadille.

Comme beaucoup de nos professeurs, il avait passé plusieurs années dans un camp de concentration et sa pâleur livide paraissait incrustée dans la peau de son visage. Rétrospectivement, je suis persuadé que sa dureté à notre égard était aussi sa façon personnelle de déguiser la détresse et le sentiment de culpabilité qu'il éprouvait à l'idée d'avoir survécu au génocide qui en avait broyé tant d'autres.

Le passage de la Bible qu'il avait choisi, ce jour-là, soulignait l'« altérité » de notre religion. A mesure que nous le commentions, grandissait l'émotion mal contenue du rabbin Schumann. Finalement, il referma le livre, avec un profond soupir, et se leva pour nous transpercer de son regard creux, cerné de noir.

– C'est en ce jour affreux, horrible entre tous, qu'ils ont trouvé l'huile alimentant les torches qui nous ont brûlés, partout dans le monde. Au cours des siècles qui se sont écoulés depuis qu'ils nous ont chassés de la Terre sainte, y a-t-il jamais eu un seul pays qui ne nous ait persécutés en *son* nom ? Et notre ère contemporaine n'a-t-elle pas fait preuve de l'horreur ultime : la destruction de six millions d'entre nous par les nazis, avec leur efficacité implacable. *Six millions !*

Des larmes coulaient sur ses joues, qu'il s'efforçait vainement d'endiguer.

– Les femmes, les petits enfants... Tous partis en fumée, dans les fours. Je l'ai vu de mes propres yeux. Je les ai vus assassiner ma femme et mes fils. En me refusant la miséricorde de me tuer aussi. En poussant la cruauté jusqu'à me condamner, pour le reste de ma vie, au supplice de la mémoire.

Sa voix se brisait. Plus personne ne respirait dans la classe. Pas seulement à cause du contenu de son discours, mais parce que le rabbin Schumann, toujours si sévère et si lointain, sanglotait à présent comme un enfant blessé.

– Écoutez, mes petits... Nous sommes là, aujourd'hui, pour montrer aux chrétiens que nous existons toujours. Nous étions là bien avant eux, et nous survivrons, vaille que vaille, jusqu'à la venue de Notre Messie.

Recouvrant partiellement, au prix d'un effort, sa respiration et son équilibre durement compromis :

– Debout, maintenant.

J'appréhendais cet instant où nous devrions entonner les vers chantés par tant de nos frères disparus, à leur entrée dans la chambre à gaz :

Je crois de toute mon âme
A la venue du Messie,
Et même s'Il s'attarde en chemin,
J'y croirai toujours. J'y croirai encore.

Je rentrais chez moi, triste et révolté, sous le ciel hiver-

51

nal qui pesait sur la ville, tel un linceul gris que n'égayaient plus les lumières de Noël.

Car à ce moment-là, je ne voyais plus en elles que les atomes dispersés, indestructibles, de six millions d'âmes.

6

TIMOTHY

Par un bel après-midi de l'été 63, Tim, quatorze ans, Ed MacGee et leur principal admirateur, Jared Fitzpatrick, patrouillaient en zone étrangère, sur le territoire juif adjacent à leur propre fief de Saint-Grégoire, celui où vivaient les *B'nai Simcha*.

Quand ils passèrent devant la maison du rabbin Moïse Luria, Ed ricana :

– Hé, c'est là que crèche le chef des youpes. Si on carillonnait à sa porte ?

– Bonne idée, bâilla Tim, sans grand enthousiasme.

Jared, lui, était plutôt contre :

– Et s'il ouvrait ? Et qu'il nous jette un sort ou quelque chose dans ce goût-là ?

– Fitzy, tu n'es qu'une poule mouillée ! trancha Mac-Gee.

– C'est un truc de mômes de tirer les sonnettes ! T'as pas plus intéressant ?

– Par exemple lui balancer une grenade ? T'en as une ?

Tim, plus réaliste, désigna la tranchée, abandonnée par

les ouvriers à cette heure où la société Edison procédait à l'électrification du quartier.

– Un bon parpaing, ça ferait pas l'affaire ?

En un clin d'œil, Fitzy choisit son projectile, une pierre à peu près grosse et ronde comme une balle de base-ball. Ed cria :

– En avant, les gars ! Qui qui s'y colle pour le premier lancer ?

Précisant, un œil fixé sur Tim :

– Moi, je le ferais bien, mais j'ai encore une patte folle depuis ma castagne avec les négros, jeudi dernier.

Et avant que Tim puisse protester, Ed et Fitzy l'avaient désigné :

– Vas-y, froussard ! Lance-moi cette saloperie de caillou !

Il l'arracha, brutalement, des mains de son copain hilare, ramena son bras en arrière et propulsa le parpaing dans la fenêtre centrale de la maison, la plus grande.

Le vacarme fut assourdissant. Tim se retourna vers ses compagnons d'armes, mais ils étaient déjà loin. A mi-chemin de la frontière.

Trois heures plus tard, quelqu'un sonna chez le rabbin Luria.

Déborah vint ouvrir la porte, mal remise de l'agression. La vue des deux visiteurs l'émut encore davantage. Elle alla, immédiatement, en informer son père.

Au moment où le projectile ennemi avait profané son sanctuaire, le Rav était totalement absorbé dans l'interprétation difficile d'un *midrash* et, depuis lors, il était resté en contemplation devant les quelques morceaux de verre déchiquetés demeurés attachés au cadre de la fenêtre, l'es-

53

prit hanté d'images de pogrom et de soudards marchant au pas de l'oie.

— Papa, haleta Déborah, c'est un agent qui te demande. Il y a un garçon avec lui.

— Ah ? Chercherait-on, pour une fois, à nous rendre justice ? Fais-les entrer.

— Bonjour, mon révérend, dit le policier en ôtant sa casquette. Je suis l'agent Delaney. Pardon de vous déranger, c'est au sujet du dommage causé à votre fenêtre.

— Dommage ! C'est bien le mot qui convient, approuva le rabbin, l'œil sombre.

— Dans tous les cas, voilà le coupable !

Empoignant Timothy par le devant de sa chemise, l'agent le déplaça d'un geste de chasseur hissant dans sa gibecière l'animal pris au piège.

— J'ai honte de l'admettre, mais il s'agit de mon ingrat de neveu, que nous avons pris chez nous quand sa mère est tombée malade.

— Oh, constata le rabbin, c'est le fils de Margaret Hogan. J'aurais dû le reconnaître, rien qu'à ses yeux.

Tim hoqueta :

— Vous avez connu ma mère ?

— De loin. A la mort de ma femme, le bedeau Isaacs a engagé ta mère pour venir faire le ménage chez moi, quelques heures par semaine.

Tuck Delaney réprima un juron, de justesse.

— Je n'en ai que trois fois plus honte ! Ça va, Tim, dis-le-lui. Dis au rabbin ce que je t'ai dit de lui dire.

Tim fit une grimace. La pilule était amère. Il réussit à marmonner :

— Je reg...

— Plus fort ! ordonna son oncle. Tu t'adresses à un représentant de Dieu !

– Je regrette ce que j'ai fait, mon révérend.

Puis, récitant machinalement les phrases qui lui avaient été dictées :

– J'avoue ma responsabilité dans ce crime et je rembourserai tous les dommages.

Le rabbin l'observait, secrètement amusé au-delà de son masque sévère.

– Assieds-toi.

Incapable de maîtriser sa nervosité, Tim se percha, du bout des fesses, sur le bord d'une chaise, en face du grand bureau encombré de livres. Marchant de long en large devant les étagères de bois surchargées, fléchissantes, les mains jointes derrière son dos, le juif barbu amorça doucement :

– Timothy, peux-tu me dire ce qui t'a poussé à commettre cet acte hostile ?

– Je... je savais pas que c'était chez vous, m'sieur.

– Mais tu savais qu'il s'agissait d'une maison juive ?

Tim baissa la tête.

– Oui, m'sieur.

– Tu ressens... une animosité particulière envers notre peuple ?

– Ben... j'ai des copains qui disent... J'entends des choses qui...

Impossible d'aller plus loin. Près de lui, Tuck Delaney commençait à transpirer, lui aussi.

– Et tu crois qu'elles sont vraies, ces choses ? Je veux dire par là... est-ce que cette maison te paraît différente de celles de tes amis ?

Après un long regard au décor environnant, Tim admit en toute candeur :

– Ben... qu'est-ce qu'y a comme bouquins !

– C'est vrai. Mais à part ça, ma famille et moi-même, avons-nous l'air de démons ?

55

– Non, m'sieur.

– Alors, j'espère que ce malheureux incident t'aura donné l'occasion de voir que les juifs sont exactement comme tout le monde... avec peut-être quelques bouquins de plus !

Il se retourna vers l'agent Delaney.

– Et merci de m'avoir donné, à moi, l'occasion de bavarder avec votre neveu.

– Mais on n'a pas parlé du remboursement. Une grande fenêtre comme ça, ça doit coûter un joli paquet ! Et si vous voulez me passer l'expression, puisque Tim ne veut pas balancer ses complices, il va bien falloir qu'il paie tout seul.

– Mais, oncle Tuck...

Le Rav intervint de nouveau :

– Quel âge as-tu, Timothy ?

– Je viens d'avoir mes quatorze, m'sieur.

– Comment espères-tu gagner un peu d'argent ?

Tuck répondit à la place de son neveu :

– Tim peut faire les courses, porter les paquets pour les voisins, et gagner chaque fois quelques sous...

– Combien de sous ?

– Oh, une petite pièce de cinq ou dix cents.

– A ce train-là, il lui faudra des années pour me rembourser ma fenêtre.

L'agent Delaney se contenta de regarder le rabbin et précisa :

– Même si ça doit lui prendre un siècle... il vous paiera quelque chose toutes les semaines.

Le rabbin porta ses deux mains à son front comme pour en presser les idées. Puis il releva la tête et dit :

– Je crois avoir une solution satisfaisante pour les deux parties. Agent Delaney, je vois très bien qu'au fond votre neveu n'est pas un mauvais sujet. A quelle heure va-t-il se coucher, normalement ?

– Les jours d'école, à dix heures.

– Et le vendredi soir ?

– Dix heures et demie, onze heures. Plus tard quand il y a un match à la radio. Jusqu'à la fin, quoi !

– Très bien.

Le Rav se retourna vers Timothy, un sourire éclairant son visage.

– Je crois que j'ai un travail pour toi...

– Il le prend ! déclara l'oncle aussitôt.

– Je préférerais qu'il en décide lui-même, dit doucement le rabbin. C'est un travail de haute responsabilité, Tim. Sais-tu ce qu'on appelle un *Shabbes goy* ?

– 'Mande pardon, rabbin, s'immisça, une fois de plus, l'agent Delaney. « Goy », c'est pas comme ça que vous appelez les chrétiens ?

– Si. Mais le mot signifie simplement « gentil ». Un *Shabbes goy* est un non-juif à la moralité irréprochable qui vient chaque vendredi soir, après le commencement de notre Sabbat, afin de s'acquitter des fonctions qui nous sont interdites, telles que modérer les feux, éteindre les lumières, etc. Généralement, la personne en question fait aussi certaines de nos courses, durant la semaine, acqué-rant ainsi, peu à peu, quelques notions de nos lois. Par exemple que ce serait un péché, pour nous, de lui *dire* ce qu'il doit faire, après le commencement du Sabbat.

Ne s'adressant plus qu'à Timothy :

– Il se trouve que Lawrence Conroy s'apprête à nous quitter pour entrer au collège de la Sainte-Croix, et commencer des études de médecine. C'est lui qui nous assistait, depuis trois ans, dans l'accomplissement de ces tâches, nous les Luria ainsi que les Kagan, M. Wasserstein et les deux frères Shapiro. Tous les mois à peu près, chaque famille lui versait le salaire convenu et, tous les vendredis, laissait à son intention une part de leur dessert du jour. Si cette proposition t'intéresse, Tim, tu n'en auras que pour quelques mois à payer ta dette.

Un peu plus tard, en rentrant chez lui, l'agent Delaney tira la conclusion de cette malheureuse histoire.

– Écoute-moi bien, Timmy. La prochaine fois que tu t'en prends aux fenêtres d'un juif, assure-toi d'abord que c'est pas celles d'un rabbin de cette importance !

7

DÉBORAH

Déborah n'avait pas quatorze ans lorsqu'il lui fut donné d'assister à une querelle aussi violente qu'inégale, entre sa demi-sœur et leur père.

– Non, je ne l'épouserai pas, non et non !

– Réna, tu as plus de dix-sept ans. Malka, ta sœur aînée, s'est mariée à cet âge. Et tu n'es même pas encore fiancée. Tu peux me dire ce que tu as contre le fils du rabbin Epstein ?

– Il est gros !

Moïse Luria se retourna vers son épouse.

– Tu entends ça, Rachel ? Voilà que notre fille envisage le mariage comme un concours de beauté ! Elle considère qu'un garçon lettré issu d'une famille respectable est indigne d'elle simplement parce qu'il a quelques kilos de trop.

– Quelques, tu es modeste ! explosa la jeune fille.

– Réna... C'est un garçon très pieux qui fera un mari parfait. Pourquoi cette obstination à le repousser ?

– Je ne veux pas de lui, c'est tout !

Bien envoyé, Réna, songea irrévérencieusement Déborah.

– Je ne veux pas de lui ! singea le rabbin, théâtral. Et depuis quand « je ne veux pas » est-il une raison acceptable ?

Inopinément, Danny vola au secours de sa demi-sœur :

– Et le *Code des Lois,* papa ? *Even Ha Ezer* 42.12 ? N'y est-il pas spécifié qu'une femme a le droit de refuser un projet de mariage, si la perspective ne l'enchante guère ?

De toute autre personne que son fils adoré, héritier du nom, jamais le Rav Luria n'eût accepté ce style de contradiction. Mais là, il ne put contenir un sourire d'orgueil. Son petit garçon, qui n'avait pas encore reçu sa *bar mitzvah,* ne reculait pas devant une querelle doctrinale avec le rabbin de Silcz ! Mais pour l'heure, la discussion était close.

Les jours suivants furent, chez les Luria, des jours de tension et de conversations téléphoniques confidentielles, chuchotées tard dans la nuit.

Au sortir d'une de ces conversations particulièrement prolongées, le Rav regagna solennellement le salon où toute la famille était réunie, regarda son épouse et déclara d'une voix douce :

– Le rabbin Epstein s'impatiente. Il affirme qu'il a une offre des Belzer, pour une de *ses* filles.

Non sans un gros soupir parfaitement délibéré :

– Quel dommage de renoncer à aussi beau parti.

Puis, s'adressant directement à Réna :

– Jamais je ne te forcerai à faire ce que tu ne veux pas, ma chérie. La décision ne peut dépendre que de toi.

Dans le silence retombé, Déborah sentit, comme une force tangible, l'étau se resserrer sur la volonté chancelante de Réna.

– D'accord, papa. Je vais l'épouser, murmura doucement Réna.

– Merveilleux. C'est une merveilleuse nouvelle, fiançailles dans quinze jours, ce n'est pas trop tôt ?

Moïse Luria explosait de joie en se retournant, volubile, vers sa propre femme.

– Qu'en penses-tu, Rachel ?

– Très bien pour moi. Tu vas arranger ça avec le rabbin Epstein ?

Le Rav sourit malicieusement.

– C'est déjà fait !

Grinçant des dents, Déborah se promit, sur-le-champ, de ne jamais se laisser manipuler d'une telle manière, curieuse, par avance, de savoir si leur père se montrerait aussi intransigeant avec son bien-aimé Danny.

Danny, lui, se souvint vaguement de cette visite au cours de laquelle le rabbin Epstein vint mettre au point les modalités du mariage, celle, entre autres, concernant la dot de Réna, et surtout la date et le lieu où serait célébrée la cérémonie.

Mais ce qui resta gravé, à tout jamais, dans la mémoire de Danny fut le bris de vaisselle symbolique qui, selon la tradition, scella l'entente des parents. Une seule assiette suffisait, en principe, mais la plupart du temps, et c'était le cas aujourd'hui, plusieurs femmes se munissaient de vaisselle dépareillée dont l'écroulement cacophonique suivait l'annonce de l'accord conclu, aux cris joyeux de :

– *Mazel tov ! Mazel tov !*

– Ça rime à quoi, cette casse idiote ? demanda Danny à son père.

– Eh bien, mon fils, certains disent qu'une assiette cassée étant irréparable, tel est le sort qui ne devra jamais advenir à l'union des futurs mariés. Mais il y a une autre explication, plus pittoresque : ce vacarme est censé effrayer les esprits mauvais qui pourraient lancer une malédiction sur le mariage de Réna.

Même Déborah, qui avait longtemps fait la tête à l'idée de ce mariage «imposé», finit par prendre part à la liesse universelle qui précéda la fête des fiançailles.

Lors du dernier Sabbat avant la cérémonie du mariage, le corpulent Avrom Epstein fut honoré, en tant que « promis », par une invitation à monter en chaire pour y lire le texte choisi, cette semaine-là, dans le Livre des Prophètes.

Il gagna la chaire sous une averse de raisins secs, d'amandes, de noix et de bonbons jetés par les dames, du haut de leur galerie, en guise de porte-bonheur. La plupart des femmes lançaient leurs projectiles sans viser, à pleine poignée. Seule, Déborah exprima silencieusement sa réprobation, pour la dernière fois, en ajustant soigneusement, noix après noix, la tête de celui qui allait devenir son beau-frère.

Restait à Rachel le devoir d'expliquer à sa belle-fille les « choses de la vie », version juive. Déborah n'avait aucune raison d'y assister, mais elle y tenait tout spécialement et ni Rachel, ni Réna ne tentèrent de l'écarter.

Le gros des conseils de Rachel se rapportait à la pureté

féminine. Plus exactement, à son impureté. Le rabbin avait poussé le scrupule jusqu'à demander à Rachel les dates du cycle de leur fille, afin que celle-ci se marie en état de pureté. Maintenant, Rachel expliquait en détail à Réna comment elle devait procéder, tous les mois, pour déterminer le commencement et la fin de ses règles. Ensuite, elle changerait chaque jour ses sous-vêtements et les draps de son lit, et sept jours plus tard, pourrait reprendre, avec son mari, des relations sexuelles normales.

Interdiction formelle de toucher son mari, d'une façon quelconque, pendant la quinzaine de sa « pollution » spirituelle. Même leurs lits jumeaux devraient être largement séparés. Les lois étaient si strictes qu'un mari ne pouvait manger le reste d'un plat laissé par son épouse. A moins qu'il n'eût été transvasé, au préalable, dans une autre assiette.

– Tu as bien tout compris, Réna ?

La jeune fille acquiesça d'un signe de tête.

Rachel lui tapota gentiment la main, soulignant à mi-voix :

– Je sais ce que tu ressens, ma chérie. Moi aussi, j'aurais souhaité que tu puisses apprendre tout cela de la bouche de ta propre mère.

Sur un nouveau signe de tête, Réna se retira en murmurant :

– Merci.

Pour Déborah, la pensée qu'un jour, elle aussi serait déclarée, durant une quinzaine, impure, souillée, intouchable, aux yeux de son propre mari, était révoltante. A la limite du supportable. Et quand, six semaines plus tard, Rachel conduisit Réna au *mikveh,* le bain rituel, pour sa première purification, Déborah resta chez elle à ruminer, dans la solitude, ce qui allait se passer, là-bas.

Elle savait, par les descriptions de maman, que sa demi-sœur entrerait dans une salle de bains où elle ôterait tous ses vêtements, sa montre, ses bagues et jusqu'au sparadrap protégeant la coupure qu'elle s'était faite au doigt. Là, elle se laverait, se brosserait les dents, peignerait ses cheveux et sa toison pubienne, couperait et nettoierait soigneusement ses ongles. Puis sous le regard sévère de la matrone préposée à cet office, elle descendrait, nue, les marches de pierre menant à la grande citerne alimentée d'eau courante et s'y plongerait tout entière.

Le rôle de la matrone était de s'assurer que l'immersion était bien totale. Un traître cheveu demeuré au-dessus de la surface et l'opération serait déclarée nulle et non avenue.

Elle se répéterait de mois en mois, tant que Réna serait en âge d'avoir des enfants, c'est-à-dire pendant un bon quart de siècle.

Durant les deux jours qui suivirent, Réna se montra nerveuse et taciturne. Parfois, Déborah croyait l'entendre pleurer doucement, dans sa chambre. Elle frappait alors à sa porte, mais apparemment, Réna ne tenait pas à lui faire partager ses états d'âme.

– C'est normal, expliqua Rachel aux deux sœurs. Le mariage est l'événement le plus important de la vie d'une femme. Mais c'est aussi un déchirement... quitter la maison familiale... aller vivre avec quelqu'un...

Elle s'interrompit d'elle-même, et Déborah termina pour elle, avec une indicible amertume :

– Quelqu'un que tu connais à peine !

Rachel, mal à l'aise, haussa les épaules.

– Bien sûr, il y a ça, aussi. Mais tu sais quoi, Déborah ? Les mariages arrangés par les familles marchent mieux, la plupart du temps, que ces prétendus mariages romantiques ! Comparé aux autres, le pourcentage des divorces, chez les *orthodoxes,* est comme un petit grain de sable. Presque imperceptible.

Naturellement, songea Déborah. Parce qu'il est presque impossible d'obtenir un divorce !

– Réna, ma chérie, ajouta tendrement Rachel, je vais te confier un grand secret. Quand mon père m'a proposé le rabbin Luria, Moïse, je veux dire, comme futur mari, je n'étais pas... en toute franchise... très enthousiaste.

Elle s'interrompit, l'air coupable, et pour s'assurer que l'aveu n'irait pas plus loin, ajouta :

– Mais rappelez-vous... pas un mot de tout ceci à âme qui vive !

D'un geste impulsif et plein d'affection, Réna posa sa main sur celle de sa belle-mère. Rachel continua :

– Après tout, j'étais encore plus jeune que vous ne l'êtes. Moïse me faisait l'effet d'un père plutôt que du mari dont j'avais rêvé. Il était déjà d'âge mûr, il avait des enfants... et c'était le légendaire rabbin de Silcz.

Elle ferma les yeux, perdue dans ses souvenirs.

– Et puis nous nous sommes rencontrés, seul à seul. Et j'ai compris, tout de suite, qu'il lisait en moi à livre ouvert. Il savait exactement ce que je ressentais. Alors, il m'a raconté une petite histoire, une de ces légendes mystiques du peuple juif. L'âme descend du ciel en deux parties, l'une mâle, l'autre femelle. Elles se séparent et s'installent dans deux corps différents. Mais si ces deux personnes suivent le sentier de la vertu, le Père de l'Univers les réunit finalement en un seul couple.

J'ai cessé, à ce moment-là, d'appréhender ce mariage avec quelqu'un de deux fois plus âgé, j'ai beaucoup pensé à cette moitié d'âme trouvant son autre moitié, et bientôt, je suis tombée vraiment amoureuse de lui.

Et vous serez d'accord, je pense, pour dire que notre union est aussi solide que celle du lierre et du chêne !

Les trois femmes échangèrent sans mot dire des regards éloquents :

Rachel était étonnée de sa propre franchise, Réna, partiellement consolée. Et Déborah, profondément troublée, vaguement effrayée d'en savoir si peu sur le monde extérieur.

Le jour du mariage, Réna ne descendit pas, comme d'habitude, à l'heure du petit déjeuner. Car il est prescrit que les futurs époux devront observer le jeûne jusqu'à ce que les cérémonies soient terminées. Lorsque, pleine de sollicitude, Déborah monta demander à sa sœur comment elle se sentait, celle-ci répondit simplement :

– Tout va bien. Je n'ai pas faim du tout.

Parents et amis conviés à la fête emplissaient déjà la cour de la synagogue quand Avrom Epstein, portant un châle de prière sur le traditionnel costume blanc du marié, apparut sur le seuil et, sous la conduite des femmes, gagna le salon où Réna l'attendait.

Gambadaient dans son sillage trois jeunes musiciens kletzmers à longue barbe composant le classique trio hassidique, violoniste, clarinettiste et percussionniste, échappés d'un tableau de Chagall, qui jouèrent encore plus fort, encore plus joyeusement lorsque la fiancée se leva pour accueillir son futur époux.

Avrom Epstein s'arrêta devant elle et la regarda, murmurant :

– C'est un beau jour, Réna. Nous allons mutuellement nous apporter le bonheur.

Il l'aida à se voiler le visage et repartit comme il était venu, suivi de sa mini-parade musicale.

Moins d'une heure plus tard, ils se retrouvèrent face à face sous le dais nuptial, dans la cour de la synagogue, et le jeune Epstein passa la bague au doigt de Réna en disant :

– Sois consacrée mon épouse selon la loi de Moïse et d'Israël.

Puis, en harmonie avec la dimension de l'événement, les sept bénédictions rituelles leur furent données par sept grands rabbins différents dont plusieurs venus d'États voisins.

Ce fut ensuite Yakov Ever, le célèbre chantre arrivé tout exprès de Manhattan pour enregistrer les moments cruciaux de la cérémonie, qui chanta les bénédictions sur le vin sacramentel dont un verre fut placé, selon la tradition, près des grosses chaussures noires d'Avrom Epstein.

Quand il eut fracassé le verre sous sa large semelle, la foule réunie cria « *Mazel tov ! Mazel tov !* » et les musiciens, renforcés, entre-temps, d'une contrebasse et d'une batterie complète, cymbales comprises, jouèrent les premiers accords du psaume qui parle d'un « bruit joyeux destiné au Seigneur ».

Le banquet fut splendide, hommes et femmes festoyant, selon la règle, aux deux extrémités de la salle, à des tables séparées. Seuls les enfants avaient toute licence de franchir la frontière des sexes. Ils en usaient et en abusaient, dans le désordre et le tumulte. C'est ainsi que Déborah passa le plus clair de sa soirée avec un ou deux des cinq enfants de Malka sur les genoux, et ce fut aussi le meilleur souvenir qu'elle garda de cette journée.

Si communicatif était l'enthousiasme des jeunes musiciens que le chantre Ever bondit littéralement au micro pour y clamer à pleine voix la chanson la plus importante de tout mariage hassidique : *Le monde entier n'est qu'une étroite passerelle,* exhortant les mariés à ne jamais oublier qu'au cœur même du bonheur, infortune et tristesse les assaillent de toutes parts.

A la fin du long banquet suivi des ultimes bénédictions du marié et de la mariée, on poussa tables et chaises contre les murs et le lieu des agapes se convertit rapidement en une vaste salle de danse.

Sur les accords liminaires de « Bonne étoile, bon signe », les deux belles-mères – Rachel et la plantureuse rabbetzin Epstein – ouvrirent le bal, suivies des jeunes mariés eux-mêmes. Moment unique dans le déroulement des réjouissances : la *seule* occasion qu'un homme et une femme eussent dans toute leur vie de danser ensemble.

Les autres hommes et les autres femmes se mirent également à danser, chacun de leur côté du local. Et longtemps après que les femmes se furent assises, épuisées et en sueur, les hommes barbus en liesse poursuivirent leur large ronde jointe par des mouchoirs tenus aux deux bouts.

Sur une œillade complice du clarinettiste à ses compagnons, l'orchestre alors se lança dans une chanson toute particulière dont les paroles étaient simplement « Biri biri boum biri boum », la plus célèbre des mélodies composées par le Rav Luria en personne et dûment incluse dans le *Grand Livre des chansons hassidiques,* en deux volumes.

Des applaudissements extatiques saluèrent l'interprétation du morceau et tout le monde encouragea le rabbin à chanter sa propre chanson. Il s'exécuta sans se faire prier, les yeux clos pour plus de concentration et le pied marquant la mesure.

Danny, survolté, s'efforçait de suivre le rythme de ses aînés qui, papa en tête, semblaient infatigables. A deux doigts de l'épuisement, il s'excusa auprès d'eux pour aller, au buffet, étancher sa soif. Mais comme il but tout un verre de vin, à peine coupé d'eau gazeuse, il sentit bientôt sa tête tourner, perdant toute retenue au point de taquiner sa sœur qui se tenait, songeuse, à l'écart.

– Allez, Deb ! Reste pas assise. Va danser !

Sans conviction, elle rejoignit les quelques femmes qui se balançaient encore, en se tenant par la main, au son de la musique.

Danny ne pouvait savoir que l'humeur de Déborah venait de changer, flétrie par l'exubérance d'« oncle Saul » :

– Est-ce que tu te rends compte, Déborah, que la prochaine fois, ce sera ton tour !

8

DANIEL

Ce coup-ci, j'ai vraiment cru qu'il allait me tuer.

Belle récompense pour mes heures supplémentaires d'étude de la Torah !

C'était l'année de ma *bar mitzvah* et papa m'avait ménagé, chaque soir, une leçon particulière avec le rabbin Schumann pour étudier à fond la partie du Livre des Prophètes que j'aurais à lire en ce jour extraordinaire. Mes retours à la maison étaient donc plus tardifs et plus solitaires que jamais.

Je ne sais quel caprice du destin plaça le terrible Ed MacGee sur ma route, ce soir-là. Peut-être m'attendait-il, en embuscade, dans la mesure où son plus grand plaisir semblait être de me tomber dessus à l'improviste. Je fus pris dans une sorte de croix de feu. Il n'était pas seul à me persécuter. Tous les autres me jalousaient parce que j'étais le fils d'un homme aussi pieux, aussi réputé. Ils me lançaient, à tout propos, des défis et des injures, mais Mac-Gee, pour les mêmes raisons, préférait se servir de ses poings.

Et pas un témoin, cette fois, j'en avais le sang glacé. Nul ne l'arrêterait s'il se déchaînait totalement. Il faisait si froid que les rares passants ne conservaient, entre leur col relevé et leur chapeau rabattu sur les yeux, qu'une étroite meurtrière leur permettant de voir tout juste où ils allaient ; et j'aurais beau crier, autant en emporterait le vent nocturne. Mes seules armes défensives étaient mes livres que j'abaissais ou remontais aussi vite que possible. Soudain, Ed surpassa tous ses précédents forfaits. D'un violent coup de poing, il arracha la couverture de mon Talmud qui atterrit, en morceaux, sur le trottoir.

J'ignore si ce fut la puissance du choc ou l'importance du sacrilège qui me causa, sur le moment, la plus grande douleur alors même que l'infernal MacGee s'étouffait de rire.

— Tu les a plus, hein, sale petit youpin, tes précieux bouquins juifs pour te planquer derrière ! Fais-moi face, et prépare-toi à te battre comme un homme !

Puis, dans un brusque accès de vantardise, la garde basse et le menton haut :

— Tiens, je t'offre même le premier coup. Vas-y, cogne, c'est gratuit !

Jamais de ma vie je n'avais frappé qui que ce fût, mais soudain ma terreur fit place à la rage et j'y allai de bon cœur. Non pas au menton, mais au plexus. Je tapai dans le mille et j'entendis un drôle de bruit d'air brutalement rejeté, comme par un ballon crevé qui se dégonfle.

69

Ed se plia en deux, recula en s'efforçant de garder son équilibre. Je savais que c'était le moment ou jamais de prendre mes jambes à mon cou, mais j'étais paralysé. Incapable de faire autre chose que de rester là, cloué sur place, à regarder mon adversaire trébucher et suffoquer.

Pourquoi n'ai-je pas pris la fuite tant qu'il en était encore temps ? Je ne pouvais croire à ce que je venais de faire.

Le choc, d'une part. Et le résultat de mon geste.

Et le fait que, d'une façon ou d'une autre, je me sentais coupable d'avoir causé, à mon prochain, une réelle souffrance physique.

Ed, remis de sa surprise, semblait cracher le feu.

– Je vais te tuer, mon salaud !

– Fous-lui la paix, MacGee, espèce de foireux !

Le cri nous fit sursauter l'un et l'autre. C'était Timothy Hogan qui arrivait en courant.

Ed s'emporta :

– Mêle-toi de tes oignons ! J'ai un compte à régler avec ce sale youpin.

– Fous-lui la paix, répéta Timothy. C'est un fils de rabbin... Rentre chez toi, Danny !

MacGee ricana :

– T'es son garde du corps ou quoi ?

– Son ami, simplement.

– Son ami ! A cette lope de youpin ?

Le calme de Tim Hogan m'impressionnait.

– Ouais. Tu y trouves à redire ?

Ed en béait de stupéfaction.

– Tu parles sérieusement ?

– Viens-y voir si t'es pas sûr... Danny, barre-toi !

Je m'inclinai, comme pour remercier Tim, mais en réalité pour rassembler les morceaux de mes pauvres livres.

Du coin de l'œil, je distinguais les deux gladiateurs, face à face. En m'éloignant, un peu plus tard, je perçus le bruit des coups. Portés, parés, encaissés. Je n'osai pas me retourner. Puis j'entendis le son caractéristique d'un corps tombant sur le trottoir. Et ces mots étranges de Tim Hogan :

– Excuse-moi, Ed, mais tu l'avais bien cherché !

9

TIMOTHY

A l'insu de son mari, Cassie Delaney ne déposait plus, chaque semaine, l'intégralité de son salaire dans la cagnotte commune.

Durant toute son enfance, Margaret, sa sœur aux yeux bleus, avait été « la jolie » tandis qu'elle-même, dans la bouche de leur propre mère, restait « l'épouvantail ». Et les choses ne s'étaient pas arrangées, à l'âge adulte.

Rien que son mari pût lui dire n'entamait sa certitude d'être sexuellement sans attraits. Elle l'imaginait rêvant éveillé de femmes plus désirables.

Puis l'occasion lui vint de changer tout cela. Ils avaient reçu, au magasin, de ravissants déshabillés noirs, chefs-d'œuvre de la lingerie française capables de transformer n'importe quelle femme en une Brigitte Bardot.

Il lui fallait un de ces déshabillés. Mais où pêcher les quatre-vingt-six dollars nécessaires ? Même avec la remise accordée aux vendeuses, elle ne pouvait se permettre un tel luxe.

Coup de chance inattendu, la direction des magasins Macy augmenta son salaire de 4,68 dollars par semaine. Gardant pour elle et la bonne nouvelle et le supplément, elle commença à faire des économies. Quand toute la maison dormait, elle se glissait dans la cuisine, montait sur un escabeau et cachait quatre dollars dans une vieille boîte de *cornflakes* Kellog.

Lentement, mais sûrement, le pécule s'enflait au fil des semaines. Jusqu'à ce que la date fût en vue où il atteindrait la somme fatidique.

En rentrant chez elle, un samedi soir, elle trouva un petit mot de son policier d'époux l'informant qu'il emmenait les gosses manger une pizza. Si lasse qu'elle fût de sa journée au magasin, elle grimpa à l'échelle, non sans un frisson de plaisir, afin d'ajouter quatre autres dollars à son trésor.

Chose bizarre, la boîte paraissait moins pleine qu'elle n'aurait dû. Elle recompta son argent, billet par billet, et découvrit avec horreur qu'il n'y avait là que cinquante-deux dollars.

– Bon sang, il y a un voleur dans cette maison !

Elle n'aurait pas besoin de chercher beaucoup pour trouver le coupable.

Effectivement, dans les baskets de Timothy, elle dénicha, au terme d'une fouille frénétique, une somme très supérieure à tout ce qu'il eût pu mettre à gauche, sur ses vingt-cinq *cents* hebdomadaires d'argent de poche. Et il n'existait qu'un seul endroit où il avait pu se la procurer.

Cassie avait atteint la limite de sa patience.

– Dès demain, dit-elle à Tuck, je vais parler au père Hanrahan. Il faut qu'on se débarrasse de ce gosse.

Toute voix tant soit peu furibarde traversait aisément les minces cloisons du domaine familial des Delaney. De sa chambre, au premier étage, Tim ne perdit pas un mot de la discussion.

Une affreuse sensation de vide naquit au creux de son estomac. Il s'entendit chuchoter :

– Mon Dieu !

Mais que faire ? Auprès de qui chercher la réponse à son problème ?

Un dimanche après-midi, Rachel était allée, avec Danny et Déborah, rendre visite à sa mère, dans le quartier de Queens, mais le rabbin travaillait, là-haut, comme d'habitude – il y avait toujours tant à faire – lorsque Tim se présenta chez lui.

Absorbé dans une affaire particulièrement complexe soumise à sa juridiction religieuse, concernant une femme abandonnée, une *aguneh*, qui sollicitait l'autorisation de se remarier, Moïse Luria tressaillit au son d'une voix toute proche :

– Excusez-moi, monsieur le rabbin...

– Oh, c'est toi, Timothy ? J'oublie toujours que tu as une clef.

Il plongea la main dans le tiroir supérieur de son bureau. En sortit une enveloppe.

– Ton argent du mois...

Puis, vaguement conscient que le gosse n'était sûrement pas venu réclamer son salaire, il ajouta en poussant vers lui une assiette :

– Assieds-toi un peu... dit-il en désignant la chaise qui faisait face à son bureau. Une galette maison ?

Tim secoua la tête, mais seulement pour refuser les gâteaux. Visiblement, il avait envie de rester, et peur de parler.

Le rabbin décida de lui faciliter la tâche :

– C'est un plaisir pour moi de te rappeler, Timothy, à quel point toutes les familles apprécient ton travail.

– Merci, monsieur le rabbin. Mais je crois que je ne vais pas pouvoir continuer.

– Oh ? Qu'est-ce qui ne va pas ?

– Rien. C'est juste qu'on va sans doute m'envoyer en pension.

– Mon Dieu... je suppose que je devrais te féliciter, mais très égoïstement, je le regrette un peu.

– A vrai dire, monsieur... sûrement pas tant que moi !

Tous deux savaient, à présent, quel était le sens véritable de leur conversation.

– Et... qui t'y obligerait ? s'enquit le rabbin après un silence.

– Mon oncle et ma tante... mais je ne veux pas vous faire perdre votre temps...

– Non, non, je t'en prie, insista le rabbin. Continue.

Tim prit son courage à deux mains.

– C'est à cause de l'argent volé.

– Par toi ?

– Non, c'est là qu'est le problème. Quelqu'un a pioché dans les économies de ma tante, et quand elle a trouvé l'argent que j'ai gagné grâce à vous...

– Tu ne le lui as pas expliqué ?

– Mon oncle a dit que ça ne lui plairait pas.

Le rabbin fronça les sourcils.

– Tu vas bien être obligé de le lui dire, maintenant.

– C'est déjà trop tard. Elle doit voir aujourd'hui le père Hanrahan, pour régler mon cas.

Il y eut un nouveau silence et, presque involontairement, pour la seconde fois, Tim se jeta à l'eau :

– Vous pourriez m'aider, monsieur le rabbin ?

– Moi ? Tu peux me dire comment ?

– En parlant au père Hanrahan. Je sais qu'il vous croirait.

Moïse Luria ne put réprimer un petit rire amer.

– Tu ne crois pas que tu mises un peu trop sur la foi, mon garçon ?

– Ça se passerait entre hommes d'Église, pas vrai ?

– Mais d'Églises très différentes. Je vais l'appeler, de toute manière, et voir s'il veut bien me parler.

Tim se leva.

– Merci. C'est drôlement sympa de votre part.

– Sans vouloir me mêler de tes affaires, Tim..., glissa prudemment le rabbin, même en admettant que tu ne puisses les convaincre de ton innocence, n'y a-t-il aucun moyen pour que ton oncle et ta tante en viennent à te pardonner ?

– Non, monsieur. Je... je crois que vous ne comprenez pas tout à fait, monsieur...

Il s'interrompit, ravalant ses larmes.

– En réalité... ils ne peuvent pas me sentir.

Là-dessus, il tourna les talons et sortit sans se retourner.

Maintenant, songea le rabbin pétrifié sur son siège, maintenant, je sais pourquoi Timothy Hogan casse les carreaux.

En Tchécoslovaquie, le rabbin Moïse Luria avait déjà affronté les armes braquées de policiers en colère. Ici même, à New York, il avait tenu tête, sans broncher d'un poil de barbe, à une demi-douzaine de voyous qu'il avait surpris barbouillant des croix gammées sur le mur de sa synagogue. Mais téléphoner à un prêtre, ça, c'était autre chose. Finalement, il tira quelques bouffées de sa pipe et demanda au central le numéro de l'église. Dès la seconde sonnerie, quelqu'un décrocha le téléphone.

– Bonsoir. Ici, le père Joe.

– Bonsoir, père Hanrahan. Rabbin Moïse Luria à l'appareil.

La surprise du prêtre fut évidente.

– Oh ? Le rabbin de Silcz en personne !

Comment peut-il savoir ça, se demanda le Rav. Mais déjà, Joseph Hanrahan s'informait :

– En quoi puis-je vous être utile ?

– Pourrions-nous avoir une petite conversation ?

– Mais naturellement. Voulez-vous venir prendre le thé, demain après-midi.

– Si cela ne vous ennuie pas, je préférerais que nous nous retrouvions quelque part à l'extérieur.

– En terrain neutre, pour ainsi dire ?

– Ma foi oui, riposta le rabbin en toute candeur.

– Vous arrive-t-il de jouer aux échecs ?

– Rarement. Je n'ai guère le temps de jouer.

– Prenons-le demain, à l'une des tables d'échecs en plein air du parc. Une petite partie relaxante, tout en bavardant.

– Excellente idée. A onze heures, demain matin ?

– Onze heures, confirma le prêtre.

Ajoutant pour finir un énergique :

– *Shalom* !

Ils s'assirent le lendemain, face à face, à l'une des tables de béton, de part et d'autre de l'échiquier incrusté. Le rabbin ouvrit la partie en avançant de deux cases le pion de son roi.

A son tour, le prêtre exécuta, en réponse, le mouvement symétrique.

– Alors ? Que puis-je faire pour vous ?

– C'est au sujet d'un de vos paroissiens.

– Lequel ?

D'autres mouvements symétriques engagèrent fous et cavaliers dans la bataille. Puis :

– Un jeune garçon nommé Timothy Hogan.

– Seigneur ! soupira le prêtre en amenant sa reine devant son roi. Est-ce qu'il a encore démoli une fenêtre ?

Le rabbin roqua côté roi, murmurant sur un ton d'excuse :

– Non, non. Cette fois, c'est tout à fait différent. Je ne voudrais pas me mêler de ce qui ne me regarde pas, mais je me suis laissé dire que ce garçon rencontrait quelques difficultés... Une histoire d'argent volé...

Le prêtre acquiesça.

– C'est un garçon très brillant, mais il semble avoir un talent particulier pour se flanquer dans tous les pétrins possibles !

Tous deux perdirent un cavalier, au onzième mouvement. Puis, à l'aide d'un de ses pions, le rabbin s'empara d'un des fous du prêtre.

– Un garçon brillant, je suis content de vous l'entendre dire. Raison de plus pour ne pas le laisser partir loin d'ici.

Une étincelle de malice brillait dans les yeux du père Hanrahan.

– Puis-je vous demander comment vous savez tout cela ?

– La mère de ce garçon a travaillé pour moi, voilà pas mal d'années. Et le garçon lui-même fait des petites choses pour nous, durant le Sabbat.

Le sourire du père Hanrahan s'élargit.

– C'est-à-dire que vous l'employez en tant que *Shabbes goy* ? Comme vous le voyez, je ne suis pas totalement ignorant de vos pratiques religieuses.

– Alors, vous savez que c'est un poste de confiance et de

responsabilité. Tenu, au fil des années, par des Gentils aussi connus que le grand dramaturge russe Maxime Gorki...

– ... ou notre James Cagney, le grand acteur américain de souche irlandaise.

Simultanément, le prêtre poussa sa reine devant le roi du rabbin, soulignant gentiment :

– Échec !

Sur l'échiquier, le danger se précisait, et pour éviter de se laisser distraire du but essentiel de cette entrevue, Moïse Luria déclara fermement :

– Je ne connais pas ce Monsieur Cagney. Mais je sais que le fils Hogan est innocent.

– Rabbin, je crois que vous avez raison, répondit le père Hanrahan avec son goût de l'énigme.

– Alors, faites quelque chose !

Le prêtre déplaça son cavalier, l'esprit ailleurs. Au moins en apparence.

– Ce n'est pas si facile. Je devrais me servir, pour cela, d'informations protégées par le secret de la confession.

– Mais ça ne vous empêche sûrement pas de faire quelque chose pour ce garçon ?

Le père Hanrahan réfléchit un instant.

– Parler à Tim, peut-être. Le rapprocher de l'Église. Trouver quelque part les arguments susceptibles de dissuader Cassie...

– Ah, parce que c'est elle, surtout...

– L'heure s'avance, éluda le prêtre en consultant sa montre. Il faut que je file. J'espère que vous voudrez bien m'excuser.

Le rabbin se leva, mais Hanrahan parla avant lui.

– Encore une toute petite chose...

– Oui ?

Penché vers l'échiquier, le prêtre déplaça son dernier fou, sur sa diagonale, prenant au vol un des pions du rabbin. Il n'y avait plus aucun moyen de sauver le roi juif. Avec un respect teinté d'espièglerie, le père Hanrahan toucha le bord de son chapeau et s'éloigna.

Il m'a eu, constata le Rav, debout près de l'échiquier balayé par le vent.

Mais l'essentiel, c'est que j'aie *gagné* tout de même !

Avant de convoquer Tim Hogan, le père Joe étudia soigneusement son dossier scolaire. (Son « casier », comme l'eussent appelé les policiers de la paroisse.) Lecture édifiante qui débouchait sur deux conclusions à la fois complémentaires et contradictoires : Tim était de fort loin le sujet le plus brillant de son école, mais tous ses professeurs amputaient ses notes de quelques points, pour mauvaise conduite.

« Diaboliquement intelligent, soulignaient les annotations de sœur Marie Bernard. Une bénédiction pour nous tous, s'il consent un jour à consacrer au bien ses dons indéniables. »

On frappait à la porte. Le Père cria :

– Entrez !

Le battant s'entrouvrit, lentement, ne laissant apparaître, tout d'abord, que le visage anxieux de Timothy Hogan, aussi blanc que sa chemise. Et lui-même ne vit, au premier coup d'œil, que les longues, les interminables rangées de livres superposées du sol au plafond, sur des rayonnages préfabriqués de bois et de béton. Exactement comme chez le rabbin, avec un peu plus d'ordre.

– Vous m'avez demandé, mon Père ?

Bizarrement rapetissé par les dimensions de son énorme

bureau d'acajou, l'ecclésiastique aux cheveux gris acquiesça :

– Je t'ai demandé. Assieds-toi, mon fils.

Avant d'esquisser le moindre geste, Tim explosa :

– J'ai pas volé l'argent, père Hanrahan, je jure devant Dieu que je l'ai pas volé !

– Je te crois.

Calmement, sans la moindre emphase ! Tim en perdit le souffle.

– C'est vrai ?

– Il n'empêche, poursuivit le prêtre, joignant les mains sur son bureau, que même si tu n'as rien à te reprocher, pour un coup, tu as à ton actif une liste de sottises longue comme le bras.

Tim tenta de lire dans les pensées du vieil homme.

– C'est tante Cassie, pas vrai ? Elle me déteste.

Impérieusement, le prêtre leva la main.

– Tout doux, mon fils ! C'est une bonne chrétienne qui ne veut que ton bien.

Penché en avant, au-dessus de son bureau, il enchaîna d'un ton moins sévère :

– Tu reconnaîtras que tu lui as causé pas mal de soucis, depuis des années.

– Ouais, sans doute... Où est-ce que vous allez m'envoyer ?

– J'aimerais t'envoyer ou pour mieux dire, te renvoyer d'où tu viens, chez les Delaney. Mais qui voudrait d'un ouragan déchaîné sous son propre toit ? Tim, tu es un jeune homme fort intelligent. Pourquoi te conduis-tu comme un imbécile ?

Tim haussa les épaules.

– Parce que... parce que tu crois que personne ne t'aime ?

80

Le garçon opina de la tête.

– Tu te trompes, murmura le prêtre. Pour commencer, Dieu t'aime.

– Oui, mon Père, concéda Timothy.

Ajoutant presque automatiquement, sur sa lancée :

– Première Épître de saint Jean, chapitre quatre, verset huit. « Celui qui n'aime pas n'a pas connu Dieu, car Dieu est amour... »

Le prêtre s'étonna :

– Tu connais si bien les Saintes Écritures ?

Tim haussa les épaules.

– Tout ce qu'on a étudié.

Le Père ouvrit une grosse Bible et se mit à la feuilleter.

– Écoute un peu : « Si quelqu'un dit, j'aime Dieu, et qu'il déteste son frère, c'est un menteur. Celui qui n'aime pas son frère, qu'il voit, ne saurait aimer Dieu, qu'il ne voit pas. » Tu vois où ça se trouve ?

– Oui. Dans le même chapitre, verset vingt.

– Extraordinaire.

Hanrahan referma sa Bible, d'un geste sec, luttant contre une exaspération croissante.

– Alors, au nom du ciel, pourquoi passes-tu la moitié de ton temps à tabasser ton prochain ?

– Je ne sais pas, avoua Tim. Je ne sais vraiment pas.

Le prêtre le contempla un instant, sans mot dire. Pour reprendre en fin de compte, avec une ferveur accrue :

– Timothy, je crois que le Seigneur guide tous nos pas. Je crois que tout ce qui s'est passé, avant aujourd'hui, ne visait qu'à nous réunir, face à face. Il m'apparaît tout à coup, avec une clarté aveuglante, que tu es fait pour servir Notre Seigneur.

– Comme quoi ?

– Comme enfant de chœur, pour commencer. Non, tu

es déjà un peu trop vieux pour cet office. Tu vas partager la tâche de thuriféraire avec Marty North. Il est plus jeune que toi, mais il connaît son affaire.

Brièvement, la vieille agressivité de Tim Hogan refit surface.

– Et si ça me plaît pas de balancer le brûle-parfum ?

– Tu pourras toujours tenir un cierge !

Sans laisser à Timothy le loisir de décocher une autre flèche, le père Hanrahan ajouta, sec et net :

– Ou bien tu peux t'inscrire à l'école de garçons Saint-Joseph, en Pennsylvanie.

Pris à contre-pied par la brusquerie calculée du prêtre, Tim marmotta :

– J'ai jamais rechigné à me lever de bonne heure.

Le Père se mit à rire.

– Bravo, Tim. Maintenant, je te sais sur la bonne voie.

– Et qu'est-ce qu'il y a de si drôle ?

– Je suis content, c'est tout. Il y a toujours plus de joie à retrouver la brebis égarée qu'à conduire les quatre-vingt-dix-neuf autres qui sont déjà dans le troupeau.

– Saint Matthieu, opina Timothy. 18. 13. Un peu abrégé, simplement.

Le prêtre rit de plus belle.

– Saint Luc en dit autant, tu te souviens ?

– Franchement, non.

– *Deo gratias* ! Il me restera au moins quelques petites choses à t'apprendre. Maintenant, rentre chez toi, et sois là dès six heures et demie, demain matin.

Même s'il ne fut pas immédiatement converti par l'homme d'Église, Tim fut totalement transformé par la liturgie elle-même. C'était une chose de prier à genoux, c'en était une autre de *servir*, de se sentir pleinement intégré à la prière.

Oter sa veste pour endosser les vêtements sacerdotaux équivalait à troquer, contre l'armure du péché, la pureté protectrice de la simple soutane noire et du surplis blanc dont l'immuable austérité tranchait sur le fond bariolé des prêtres officiants, variable selon les saisons.

Le vert des dimanches ordinaires symbolisait la croissance et l'espoir, le violet du Carême et de l'Avent signifiait pénitence, le rose porté certains dimanches particuliers inclus dans ces mêmes périodes exprimait la joie. Et plus important que tout, le blanc éclairait la Noël, Pâques, la Toussaint et autres jours sacrés tels que la Fête de la Circoncision.

Timothy traînait parfois jusque dans l'école des odeurs d'encens.

– Hé, qu'est-ce qui t'arrive, Hogan ? Tu te parfumes ou quoi ? le provoquait Ed MacGee.

– Occupe-toi de tes oignons !

– Jésus, Marie, Joseph, tu sais que t'es chouette, en jupe ?

C'était plus fort que lui : Tim commençait à bouillir.

– Tu vas la fermer, MacGee, ou je...

– Ou tu quoi, crapaud de bénitier ?

Que faire, se demandait Tim pendant un instant. Tendre l'autre joue ? Ou lui casser la mâchoire restée indemne ?

Finalement, il s'éloignait, repoussant, de toutes ses forces, la tentation de la violence.

Ils avaient atteint l'âge où les adolescents s'aperçoivent, tout à coup, que le sexe opposé n'a rien de répugnant, même si leur orgueil de mâles les empêche encore de le reconnaître.

Dans le cas de Tim, il y avait beau temps que ses compagnes de classe papotaient entre elles à propos de l'éclat de ses yeux bleus, et soupiraient, découragées, devant son indifférence. Et comme il persistait à ne pas les remarquer, elles décidèrent de prendre l'initiative.

Un soir, au sortir d'une séance de latin avec le père Hanrahan, Tim eut la surprise de tomber sur Isabelle O'Brien, le cheveu plus court que naguère et la silhouette plus riche en courbes naissantes, qui semblait l'attendre.

– Il fait noir, Tim, dit-elle nerveusement. Ça t'ennuierait de me raccompagner jusque chez moi ?

Il en fut légèrement déconcerté, car elle le regardait d'une drôle de façon, comme si elle eût cultivé quelque idée de derrière la tête.

Au début, elle ne lui parla que de lui-même et de la façon dont les filles le considéraient, à l'école. Sans soupçonner combien il était mal à l'aise d'apprendre que toutes le trouvaient « mignon », excepté deux ou trois qui le déclaraient « terrible » !

Devant son silence, elle finit par lui demander :

– Laquelle d'entre nous tu préfères ?

– Je... je ne sais pas... Je ne me suis jamais posé la question.

– Oh ?

Quand ils s'arrêtèrent devant la maison des parents d'Isabelle, la jeune fille, malgré la bise glaciale, ne se hâta nullement de rentrer chez elle. Mais surprit Tim Hogan, pour la seconde fois de la soirée, en lui proposant :

– Si tu as envie de m'embrasser, tu peux. Je ne le dirai à personne.

Il en eut le souffle coupé. Souvent, au cœur de ses fantasmes, diurnes ou nocturnes, il s'était demandé ce que ce serait de... toucher une des filles de la classe. Mais il avait peur, à présent, de passer pour un idiot, en montrant qu'il ne savait pas comment s'y prendre.

Elle résolut son dilemme en l'empoignant par la nuque et en l'embrassant carrément, sur la bouche.

C'était très agréable... bien qu'en retenant si fort et si longtemps ses lèvres, elle fît naître en lui des idées, des sensations et des envies qui l'effrayaient presque. Celle de lui pétrir les seins, par exemple. Certains des gars se vantaient d'avoir déjà fait ce genre de chose...

Mais il ne tenait pas à fâcher Isabelle. Au bout d'un moment, il rompit le contact. Murmura gauchement :

– On se voit demain à l'école ?

Elle ronronna, coquette :

– Et tu me raccompagneras encore ?

– Oh... sûrement. La semaine prochaine, peut-être ?

La nouvelle attitude de Tim n'échappait à personne. Même sa tante et ses cousines se rendaient compte, non sans stupéfaction, que toute cette énergie naguère démoniaque s'employait maintenant, tout entière, au service de l'Église.

– Je sais pas ce qu'il a, s'effarait son oncle, mais c'est plus le même ! Un vrai cul-béni !

L'explication partielle était évidemment qu'il pouvait se permettre, aujourd'hui, de témoigner ouvertement toute sa dévotion à la Vierge.

Au bout de six mois à peine, il balançait l'encensoir dans les processions et commençait à traduire des textes latins tels que les premiers versets de l'Évangile selon saint Jean :

In principio erat Verbum
et Verbum erat apud Deum
et Deus erat Verbum.

Au commencement était le Verbe,
et le Verbe était avec Dieu
et le Verbe était Dieu.

Mais son esprit boulimique ne pouvait se contenter de ces quelques bribes, et le père Joe n'était que trop heureux de l'assister dans son absorption gloutonne du langage sacré des Saintes Écritures catholiques, de plus en plus émerveillé, et par la mémoire infaillible du jeune homme, et par cette soif de connaissance jamais étanchée.

– Tim, lui déclara-t-il un jour avec un orgueil non dissimulé, je ne peux que te répéter ce que Notre Seigneur lui-même a dit à Nicodème... Saint Jean, chapitre trois, verset trois... Inutile de te détailler la citation, je suppose ?

– Inutile, en effet. « *Nisi quis natus fuerit desuper, non potest videre regnum Dei.* » A moins de renaître d'en haut, nul ne peut voir le royaume de Dieu... Et c'est vrai, mon père, je me sens comme quelqu'un qui a subi une seconde naissance.

Inébranlable dans sa foi, Tim s'était toujours dit que l'année suivante, quand Tommy Ronan entrerait au séminaire, lui-même serait choisi pour conduire la procession en tant que porteur de la croix.

Mais la Providence nourrissait d'autres projets à son égard.

Un jour d'hiver, en jouant au hockey dans la rue, sur ses patins à roulettes, Tommy Ronan se fractura la cheville, laissant au père Hanrahan la tâche d'élire, plus tôt que prévu, le nouveau porteur du crucifix.

Naturellement, il y avait une question d'ancienneté. Plusieurs des autres garçons servaient depuis cinq ans ou davantage. Toutefois, spécifiait clairement le manuel, quiconque serait chargé de porter la lourde croix devrait être un garçon d'une taille et d'une vigueur au-dessus de la moyenne. Pour ces deux raisons, le port du massif crucifix échut à Timothy.

Élève et maître y virent l'intervention directe de la volonté de Dieu.

10

DÉBORAH

Depuis des années, Déborah vivait dans la terreur de ce jour fatal.

Comme tous les soirs après dîner, Danny était là-haut, plongé dans ses devoirs, et Déborah attendait, en compagnie de papa et de maman, que le thé refroidisse lorsque Moïse Luria aborda le sujet :

– Déborah, mon enfant, le moment est venu.

La réponse jaillit aussitôt :

– Je ne veux pas me marier !

– Jamais ? questionna sa mère.

– Si, bien sûr. Mais pas encore. Il y a tant de choses que je veux faire auparavant.

– Et pourrais-tu m'en donner un exemple ? questionna le rabbin.

– Par exemple poursuivre mes études.

– Tes études ? reprit son père éberlué. A quoi bon ? Est-ce que ta mère a poursuivi ses études ? Et tes sœurs...

– Les temps ont changé, trancha Déborah avec une calme résolution.

Le rabbin prit le temps de réfléchir, puis leva la main pour tapoter affectueusement celle de sa fille.

– Tu as une place à part, Déborah. De toutes mes filles, non seulement tu es la plus intelligente, mais aussi la plus pieuse.

La jeune fille s'efforça de cacher, en baissant la tête, tout le plaisir que, venant de son père, le compliment lui avait apporté.

– Dans ton cas, enchaîna-t-il, nous ne nous bornerons pas à chercher un bon mari à Brooklyn ou même à New York. Je peux t'assurer qu'il y a également à Philadelphie, à Boston ou à Chicago des prétendants en tout point dignes de toi.

– Qu'est-ce qui te permet de l'affirmer ?

– Tu penses bien que j'ai déjà pris la liberté de me renseigner !

Il se pencha pour embrasser sa fille sur la joue, et toucha l'épaule de Rachel en disant :

– J'ai à statuer sur une affaire difficile. Ne m'attendez pas.

Quand il eut disparu dans son antre, Rachel prit entre ses mains celles de Déborah.

– Ne t'inquiète pas, ma chérie. Jamais il ne te forcera.

Réna non plus, s'abstint de répondre la jeune fille, Réna non plus il ne l'a pas « forcée ». Leur père avait une façon bien à lui de créer, goutte à goutte, ces lames de fond qui balayaient tout, sur leur passage...

– Maman, où est-il gravé dans le marbre qu'une fille doit absolument se marier si jeune ? Dieu n'en a jamais parlé à Moïse, sur le mont Sinaï, que je sache ?

Rachel sourit avec indulgence.

– C'est conforme à notre tradition, voilà tout. Et personne ne te presse. Je suis certaine de pouvoir convaincre ton père d'attendre encore un an ou deux.

– Ça ne me fera jamais que dix-huit ans. Je ne me vois pas, à cet âge, obligée de couper mes cheveux pour mettre une perruque !

Elle regretta aussitôt sa phrase, en levant les yeux jusqu'au *sheitel* de cheveux synthétiques que portait sa mère, dont le sourire la rassura.

– Tu sais, ma chérie, ce n'est pas la fin du monde. Je me suis même laissé dire que certaines femmes en vue portaient des perruques.

– Jamais pour se rendre moins attrayantes !

Rachel soupira, exaspérée :

– Calme-toi, Déborah ! Pourquoi ne pas attendre de voir les prétendants que ton père va te proposer ? Peut-être va-t-il te trouver quelqu'un doté de la force de Samson et de la sagesse de Salomon.

– En toute simplicité ! s'esclaffa Déborah. Et c'est le prophète Élie qui viendra nous unir.

– Amen ! conclut sa mère.

Moïse Luria était un homme plein de ressources et le prouva, au mois d'avril de cette même année, en rentrant de la prière du soir avec une grande enveloppe à la main.

– Je savais que Chicago était un bon terrain de chasse !

Agitant l'enveloppe sous les yeux de Déborah :

– Ma fille, ton futur mari est dans cette enveloppe.

– C'est ce qu'on appelle un *petit* mari ! trouva-t-elle la force de plaisanter.

Mais il poursuivit, imperturbable :

– C'est le fils aîné du rabbin Kaplan. Tout ce que n'importe quelle femme peut désirer, il l'a. Est-ce que « grand, brun et beau » te paraît un portrait acceptable ?

– Gary Cooper, à peu de chose près ?

— Je ne sais pas qui est ce Cooper, dit le rabbin. Je te parle d'Asher Kaplan, le prétendant idéal. Non seulement ton futur mari est imbattable sur la Torah et tout ce qui touche à la foi, mais il mesure un mètre quatre-vingt-douze et, sur autorisation spéciale, joue au basket-ball dans l'équipe de l'université de Chicago.

— Avec ou sans sa calotte ?

— Avec, naturellement, contra le rabbin. C'est ce qui fait son originalité. Bien sûr, il ne joue jamais le samedi, à moins que le match ne commence après le Sabbat.

— Super ! intervint Danny, très impressionné. Comme Sandy Koufax, des Dodgers. Il ne joue jamais pendant le Sabbat et les jours de fête.

— Je ne sais pas non plus qui est ce Koufax. Tandis que Kaplan...

Sans y croire vraiment, Déborah tenta de désamorcer, d'une boutade, le danger potentiel.

— Pas tellement idéal, au fond. Trop athlétique à mon goût !

— Si tu acceptais, au moins, de faire sa connaissance...

— J'ai le choix ?

— Bien entendu, ma chérie. Le choix de la date et de l'endroit.

Le sourire de Déborah consomma sa défaite.

Au terme d'une correspondance enthousiaste entre les deux chefs de famille, Asher Kaplan vint mener, à Brooklyn, sa quête chevaleresque. Pour la circonstance, il fut hébergé chez des cousins qui habitaient à deux pâtés d'immeubles des Luria.

Déborah l'aperçut pour la première fois à la synagogue, par-dessus le rideau blanc qui protégeait les femmes des regards concupiscents de l'assemblée masculine. Grand, il l'était. Plus d'un mètre quatre-vingt-dix, sans aucun doute. Beau et brun, idem, avec sa tignasse abondante, d'un agréable châtain foncé, et ses traits ciselés dans le bronze. De surcroît, il ne portait pas la barbe, et bien que ses « pattes » eussent la longueur réglementaire, elles ne s'enroulaient pas, en double tire-bouchon, de chaque côté de son visage.

Lorsque Moïse Luria prit soin d'honorer le visiteur en l'appelant à lire la Torah, non seulement il récita les premières bénédictions par cœur, mais il fit la preuve qu'il pouvait également chanter, fort bien, la musique.

Qui plus est, il fut choisi pour dire, à la fin de l'office, le texte extrait du Livre des Prophètes. Les mêmes honneurs prénuptiaux, ou presque, qui avaient été accordés au mari de Réna. Il ne manquait plus, songea Déborah, non sans un humour sardonique, que maman ne la conduisît, ce soir même, au *mikveh*. Elle admit toutefois honnêtement qu'elle eût trouvé le jeune homme sans doute à son goût si elle n'avait subi, au même moment, une pression semblable.

Assise auprès de sa fille, maman ne pouvait s'empêcher de lui glisser, à l'oreille, tout le bien qu'elle pensait des qualités vocales d'Asher Kaplan.

– Quelle voix d'or !

Non, pas toi, m'man, gémissait Déborah, en son for intérieur. Pourquoi faut-il que tu t'y mettes, toi aussi ?

Après l'office, tandis que le rabbin, flanqué de son fils, allait présenter le visiteur de Chicago aux membres importants de la communauté, Déborah et sa mère se dépêchèrent de rentrer pour ôter le *cholent* du plat de métal dans lequel il avait mitonné toute la nuit, sur le poêle.

Sitôt que les hommes rentrèrent à leur tour, Déborah

comprit que même Danny avait définitivement donné son approbation au choix du visiteur. Ses yeux admiratifs contemplaient Asher, extasiés, comme si la tête de celui-ci eût vogué dans la stratosphère. S'il devait y avoir bataille, elle risquerait fort de succomber sous le nombre.

Quant au Rav Luria, son visage empourpré d'autosatisfaction proclamait sa joie d'avoir trouvé, pour sa fille exceptionnelle, le prétendant exceptionnel. Il laissa même celui-ci prendre l'initiative de la discussion vespérale au cours de laquelle Asher Kaplan démontra, en commentant un passage de la Torah, combien il était digne d'entrer dans la famille du rabbin de Silcz.

Hormis la formule « Heureux de faire votre connaissance » dite en yiddish à son arrivée, c'est à peine si Asher avait paru s'intéresser à Déborah, tout au long de cette journée, et s'il lui avait adressé la parole. Mais alors qu'il évoquait, avec le rabbin, les avertissements de Jérémie aux pécheurs dont les méfaits étaient « inscrits avec un stylet de fer et une pointe de diamant », la jeune fille enchaîna, sans emphase particulière :

– Ils sont gravés à jamais sur les tablettes de leur cœur...

Dans la même fraction d'instant, tous les yeux furent sur elle, écarquillés de stupéfaction.

Déborah s'était préparée, elle aussi, en vue de cette rencontre.

Enfin, le grand moment arriva. Toute la famille alla se promener dans Prospect Park, à deux pas de la maison, le rabbin et Mme Luria prenant grand soin de rester discrètement à la traîne « pour que les enfants aient l'occasion de se connaître un peu mieux ».

Asher désirait ardemment produire une bonne impression sur Déborah. Non seulement parce que Chicago comptait sur lui, mais parce qu'il la trouvait réellement adorable. Séduit, dès l'abord, par ses grands yeux noirs et son attitude distante, il avait admiré sa voix, lorsqu'elle avait chanté les grâces, à la fin du repas, et le cran avec lequel elle s'était mêlée à la conversation des hommes.

– Ils étaient encore au-dessous de la vérité...

– Je vous demande pardon ? murmura Déborah.

– Mes parents m'avaient conté monts et merveilles, sur vous-même et votre famille. Pour une fois, ce n'était pas de la publicité mensongère !

Il s'interrompit, attendant qu'elle lui renvoyât l'ascenseur. Elle le sentit et déclara au bout de quelques secondes :

– Et vous... vous êtes bien aussi grand qu'on me l'avait dit.

C'est tout ? songea-t-il, déçu. Puis, désireux de lui décerner le plus grand satisfecit qu'un homme pût accorder à une fille juive :

– Tout le monde m'a dit que vous étiez une vraie *eshes chayil*.

Piquée au vif, Déborah se rebiffa :

– Autrement dit, « bonne à marier ». Mais en fait, tout dépend de la façon dont vous traduisez l'expression hébraïque. Ce que j'entends par là... puisque *gibor chayil* signifie « un héros au combat », pourquoi *eshes chayil* ne voudrait-il pas dire « une femme au combat » ?

Asher plissa le front en secouant ses boucles brunes. Était-il sage ou non de se laisser entraîner par sa future épouse dans une controverse sémantique de cette sorte ? Finalement, il opta pour la négative :

– Si nous changions de sujet ?

– Je ne connais rien au basket-ball.

– Puis-je vous parler, plutôt, de mes projets d'avenir ?

Déborah se contenta de hausser les épaules. Tous deux

marchèrent quelques instants en silence, faisant semblant d'admirer la végétation. Puis, Asher reprit la parole :

– Juste au cas où ça vous intéresserait, je n'ai pas l'intention de devenir rabbin.

– Et votre père en est désespéré ?

– Pas vraiment. J'ai deux frères aînés qui sont déjà à la tête de leur propre congrégation. Moi, ce que je vais être, c'est médecin. Qu'est-ce que vous en dites ?

– Je trouve ça formidable... Savez-vous ce que je voudrais être ?

– Une épouse... j'espère ?

– Oh oui, tôt ou tard. Mais j'aimerais faire également autre chose.

– Que peut-il y avoir d'autre ?

– J'aimerais poursuivre mes études.

– Mais vous êtes une femme.

– Et alors ? Je serais une femme qui poursuivrait ses études !

Exaspéré, à ce stade, et parfaitement conscient que le temps travaillait contre lui, Asher déclencha l'opération « cour accélérée ».

– Déborah, puis-je vous poser une simple question ?

– Je vous en prie.

– Vous me trouvez comment ?

– Jusque-là, ça va.

– Alors, voulez-vous m'épouser, oui ou non ?

– Oui ou non, sans autre commentaire ?

– Oui.

Elle chercha le regard de ses yeux noisette pour répondre, d'une voix ferme :

– Non.

11

DÉBORAH

Il n'était pas loin de onze heures ce vendredi soir et, seule dans le salon, Déborah Luria lisait sa Bible, gardant, comme toujours, le *Cantique des cantiques* pour la fin.

Toute à sa lecture, elle entendit, vaguement, la clef tournée dans la serrure. Et même alors, ne sortit de sa rêverie que lorsqu'il murmura timidement :

– Bon Sabbat, mademoiselle.

L'adolescente leva les yeux. C'était le jeune « gentil » que sa famille et les voisins avaient engagé pour éteindre les lumières. Sachant qu'il n'était pas convenable qu'elle se trouvât seule avec lui, dans la même pièce, Déborah lui répondit d'un léger signe de tête et se leva précipitamment.

– Excusez-moi. Je ne veux pas vous retarder.

– Je vous en prie. C'est moi qui suis un peu en avance. Je vais aller chez les Shapiro et revenir dans un petit moment.

– Non, non, je peux arrêter ma lecture.

Elle referma son livre, le posa sur la table et quitta la pièce.

– Bonne nuit, chuchota le jeune homme.

Si bas qu'elle ne parut pas l'entendre.

Lorsqu'il était entré au service des Luria, Timothy Hogan avait à peine remarqué Déborah qui n'était, alors, qu'une fillette timide et maigrichonne de douze ans aux cheveux noirs et bouclés. Mais au fil des mois, il n'avait pu s'empêcher de tomber sous le charme de sa beauté *différente*. C'était mal, sans doute, mais dans ses moments de faiblesse, il priait Dieu de lui accorder, si bref fût-il, le plaisir de l'apercevoir au vol, quand il arrivait chaque vendredi soir.

Aujourd'hui, il la regardait se dissoudre dans l'ombre du corridor et se rendait compte, après coup, de l'incorrection qu'il venait de commettre. Ces jeunes filles n'étaient censées bavarder avec *aucun* garçon. Encore moins des garçons irlandais et catholiques ! Et bien qu'elle n'eût prononcé que quelques mots, le son de sa jolie voix s'attardait, en écho, dans la vaste pièce.

Poussé par une curiosité irrésistible, il se pencha sur le livre qu'elle avait refermé. Il n'y avait là rien de surprenant, mais il n'en fut pas moins frappé par l'image de cette fille de rabbin au regard pensif absorbée dans la lecture de la Sainte Bible.

Au premier étage, Déborah se dévêtit, se coucha rapidement dans l'obscurité de sa chambre. Bizarrement éclairée, à l'approche du sommeil, par l'éclat bleu azur des yeux de Timothy Hogan.

Il va falloir, lui soufflait une partie de son esprit, que j'en parle à mon père. Mais alors, papa le renverra et je ne le reverrai plus jamais.

J'ai eu tort de lui répondre. Qu'est-ce qui m'a poussée à le faire ?

Puis la solution lui apparut, évidente.

Tim Hogan s'était exprimé en yiddish.

Bien qu'elle se fût juré de monter se mettre au lit beaucoup plus tôt, le vendredi suivant, Déborah se trouvait toujours au rez-de-chaussée lorsque Timothy entra, à l'heure insolite de dix heures et demie.

– Ne vous dérangez pas pour moi, je vous en prie.

Il y avait un léger tremblement, dans sa voix. Elle fit semblant de ne pas remarquer sa présence, mais ne quitta pas la pièce comme elle l'avait fait la semaine précédente.

– Aimeriez-vous que je revienne un peu plus tard ? demanda-t-il doucement après un silence.

Cette fois, elle se redressa sur sa chaise et s'entendit répondre, sans volonté consciente de sa part :

– Comment se fait-il que vous parliez le yiddish ?

– Oh, depuis quatre ans que je travaille pour vous et les autres familles, j'ai eu tout le temps de m'en imprégner. De toute façon, c'est plus facile de le parler que de le lire.

– Parce que vous le lisez, aussi ?

– Très lentement. Vous savez que monsieur Wasserstein est presque aveugle. C'est lui qui, deux après-midi par semaine, m'en a appris suffisamment pour que je puisse lui lire au moins les gros titres de son *Daily Forward*.

Si touchante était l'idée de cet homme de quatre-vingts ans repêchant dans les profondeurs d'une mémoire embrumée de quoi enseigner les caractères hébreux à un jeune catholique, que Déborah ne put retenir :

– Mais comment peut-il vous apprendre quoi que ce soit sans même voir la page ?

– Oh, il a inventé un système très astucieux. Comme il connaît tous les *Psaumes* par cœur, il me fait prendre l'un de ceux qui commencent par la lettre étudiée. « Le Seigneur est mon Berger », par exemple, a pour première lettre *aleph*. « Quand Israël sortit d'Égypte » commence par la lettre *bet*. Et ainsi de suite.

– Génial ! s'enflamma Déborah. Et tellement chic de votre part.

– Oh ! c'est le moins que je puisse faire. Monsieur Wasserstein est si seul. A part moi, son seul contact avec le monde extérieur est la *shoule*.

Elle vit qu'il réprimait un éclat de rire et s'enquit avidement :

– Qu'est-ce qu'il y a de si drôle ?

– Il n'arrête pas de me blaguer en disant que je ferais un bon rabbin. Et j'ai souvent l'impression qu'il pense ce qu'il dit.

– Les juifs ne font pas de prosélytisme, trancha-t-elle, intriguée de se sentir aussi dogmatique dans une telle circonstance.

– Je ne suis pas inquiet sur ce point.

Tim souriait. Et son expression était si... angélique tandis qu'il poursuivait :

– En fait, si le père Hanrahan trouve à me caser, je vais entrer au séminaire où la connaissance de l'alphabet hébreu me fournira un gros avantage, pour l'étude de l'Ancien Testament.

– Vous allez partir d'ici ?

– A condition que j'en sois jugé digne.

– Ce qui signifie ?

– Eh bien, comme Notre Sauveur, il va falloir que je résiste aux tentations du monde, de la chair et du diable.

Déborah ne savait plus que dire. Et craignait, après coup, d'avoir trahi sa déception à l'idée de ne plus le voir. Il plaisanta gentiment :

– Le diable, j'en fais mon affaire, mais pour le reste...

L'embarras de la jeune fille se transforma en panique. De quoi parlait-il ? Comment avait-elle pu se laisser entraîner dans cette conversation ? Battant le rappel de ses ressources intérieures, elle déclara nerveusement :

– Pardonnez-moi, il est temps que j'aille dormir.

Tourner les talons, sortir de la pièce et monter l'escalier lui coûtèrent un gros effort.

Tim la suivit des yeux, longtemps après qu'elle eut disparu. C'était plus que de la curiosité, maintenant, il brûlait de savoir quel texte elle lisait.

Il s'empara du livre qui était la Bible de Soncino, en hébreu, avec la traduction anglaise en regard. Et ses yeux tombèrent sur les mots :

« Tu es belle, mon amour, tu as les yeux de la colombe... »

Il repartit convaincu qu'un pouvoir surnaturel lui avait placé, à dessein, cette phrase sous les yeux.

Si seulement M. Wasserstein était encore éveillé... Peut-être accepterait-il de lui apprendre les mots magiques, en hébreu, cette nuit même ?

Excitée, effrayée, mal à l'aise, Déborah chercha vainement le sommeil. Elle avait besoin de parler à quelqu'un et la seule personne en qui elle pût avoir confiance était Danny, son frère cadet. Elle frappa doucement à sa porte et se glissa dans sa chambre.

– Qu'est-ce qui se passe, Deb ? grogna le jeune homme, endormi. Tu sais quelle heure il est ?

– Danny, je t'en prie. Il faut que je te parle.

Elle n'avait vraiment pas l'air dans son assiette. Se retenant de bâiller, Danny s'assit dans son lit.

– Alors, qu'est-ce qui te chiffonne ?

– C'est... c'est au sujet du *Shabbes goy.*

– Ce bon vieux Timothy ! Chic type, pas vrai ?

– Euh... je ne sais pas, bafouilla-t-elle.

– Écoute, Déborah. Qu'est-ce que tu veux savoir ?

– Sais-tu qu'il parle yiddish ?

– Oui, il m'en a touché deux mots. C'est pour ça que tu me réveilles la seule nuit où je peux pioncer un bon coup ?

– Tu ne trouves pas ça extraordinaire ?

99

– Tim n'est pas un type ordinaire !

Elle se pencha en avant, avide d'en apprendre davantage sur ce jeune homme qui hantait son imagination.

– Qu'est-ce que tu veux dire par là ?

– Eh bien, la dernière fois que ce *shaygetz* d'Ed Mac-Gee a voulu me massacrer, Tim est passé dans le coin et lui a démoli le portrait. C'est un sacré bagarreur. Je ne l'ai même pas remercié. J'étais trop pressé de sauver ma peau...

Il fit une pause et regarda sa sœur, manifestement suspendue à ses lèvres.

– A part ça, qu'est-ce que tu voulais me dire ?

Confier ce qu'elle éprouvait, fût-ce à son propre frère, eût été trop risqué. Elle éluda :

– Rien, rien... Excuse-moi de t'avoir embêté.

Le murmure de Danny la rattrapa au vol.

– Une minute, Debbie !

A mi-chemin de la porte, elle se retourna.

– Oui, quoi ?

– Est-ce qu'il a voulu... aller trop loin ?

– Comment ça, trop loin ?

– Tu m'as très bien compris. Alors ?

– Ne dis pas de sottises !

– Et toi, n'en fais pas. Bonne nuit.

Toute la semaine, Déborah attendit le Sabbat avec impatience. Bien sûr, c'était la bonne attitude. Mais les raisons de son attente n'étaient pas purement religieuses.

Cette fois, il arriva encore plus tôt. Dix petites minutes après que le reste de la famille se fut retiré au premier étage.

– Il n'est que dix heures un quart, souffla-t-elle, oppressée.

Tim reconnut, avec une franchise désarmante :

– Je guettais du dehors. Quand j'ai vu que vous étiez seule, j'ai pensé que...

– Vous avez mal pensé ! Éteignez les lumières et allez-vous-en. Je ne devrais même pas vous parler.

– Moi non plus, je ne devrais pas !

Il y eut un silence et ce fut Déborah qui le rompit, la première, d'une toute petite voix :

– Pourquoi ça ?

– Parce qu'on nous dit, à l'école, de ne parler qu'à des catholiques. Dernièrement, on nous a même dit que toutes les filles juives étaient des Jézabel.

– Jézabel n'était pas juive. Mais je suppose qu'à votre école, tout le monde croit que le mal ne peut jamais venir que des juifs.

– Non, ça, c'est injuste.

– Citez-moi une seule bonne chose qu'on vous ait jamais enseignée à notre sujet.

– Le Christ a dit : « Ne faites pas à autrui ce que vous ne voudriez pas que l'on vous fît à vous-même. »

– Notre grand sage Hillel a dit exactement la même chose.

– Qui l'a dit le premier ?

– Hillel a vécu dans la première moitié du premier siècle.

– Jésus aussi.

Assis face à face, ils se défiaient du regard. Déborah s'étonna :

– Qu'est-ce qui nous prend de discuter comme ça ?

– C'est la seule façon pour que vous me laissiez vous parler.

– Et qui vous a dit que j'aimerais parler avec vous ?

– Moi, j'aimerais bien parler avec vous.

101

– Et pour quelle raison ? demanda-t-elle, incapable de comprendre pourquoi elle posait une telle question.

– Parce que je vous aime bien. J'espère ne pas vous offenser...

Si anodine que fût la réponse, c'était la chose la plus intime qu'un garçon lui eût jamais dite, et Déborah sentit croître en elle une émotion qu'elle tenta de réprimer en protestant :

– Je ne suis pas offensée, mais comment pouvez-vous... Nous nous connaissons à peine !

Tim sourit.

– C'est suffisant... Vous êtes si jolie.

Pour Déborah, ce fut un véritable choc. Même l'orgueilleux Asher Kaplan n'eût pas osé se montrer aussi familier. Mais la griserie de ce premier compliment qu'elle eût jamais reçu, en tant que femme, n'en était pas moins réelle. Bien qu'elle ne voulût pas y croire, les mots continuaient de résonner, en échos assourdis, à ses oreilles. Troublée, elle suggéra :

– Et si on parlait d'autre chose ?

– D'accord !

Le silence retomba. Brisé, hors de propos, par une nouvelle question de Timothy :

– Vous êtes allée au cinéma ?

– Non. C'est interdit. Et ce serait trop difficile de vous en expliquer les raisons. Pourquoi me demandez-vous ça ?

– Si j'étais juif, je pourrais vous emmener voir un film, non ? Certains d'entre vous vont bien au cinéma ?

– Pas les orthodoxes. Ce que je veux dire par là...

Une pendule sonna, leur rappelant que les deux ou trois mètres de plancher qui s'étendaient entre eux se doublaient d'un abîme beaucoup plus infranchissable : celui qui séparait leurs deux religions.

102

Tim s'éclaircit la gorge, en sourdine.

– J'ai une surprise pour vous.

– Qu'est-ce que c'est ? demanda-t-elle avec un effort.

Il s'éclaircit la gorge et dit comme pour s'excuser :

– J'espère que mon accent n'est pas trop affreux...

Avec une farouche concentration, il cita :

– « Le peuple de Yahvé est descendu aux portes. Éveille-toi, éveille-toi, Déborah. Éveille-toi, éveille-toi, clame un chant... »

Le regard luisant de fierté, il précisa :

– *Livre des Juges*, 5.12.

Touchée, elle ne put s'empêcher de sourire.

– « La Chanson de Déborah ». Mon Dieu ! Je me demande si je dois me sentir flattée ou bien confuse.

– Flattée, affirma Tim Hogan.

Il se déplaça si rapidement qu'elle n'eut pas le temps d'avoir peur. Même lorsqu'il chuchota :

– Je voudrais vous embrasser.

Elle tourna la tête, plongeant ses yeux bruns dans l'océan bleu des yeux de Timothy.

– Mais il ne faut pas...

Sa voix, pourtant, ne disait pas non.

– Déborah...

Il parlait très vite, à présent, comme si cette minute dût être la dernière.

– Déborah, il faut que je vous le dise parce que je n'en trouverai peut-être jamais plus le courage... Déborah... de tout mon cœur... je vous... je vous aime.

Elle avait fermé les yeux et ne bougeait plus. Elle sentit la caresse légère, presque immatérielle, de la main qui effleurait sa nuque. Puis la chaleur des lèvres qui frôlaient sa bouche. Tim, de son côté, éprouvait des sensations qu'il n'avait jamais connues. Trop effrayée pour répondre à ce

103

premier baiser, Déborah ne faisait rien pour l'interrompre. Elle eût désiré que ce moment magique dure éternellement.

C'est alors que le Rav Luria pénétra dans la pièce où ne brûlait plus qu'une lampe unique : celle que Timothy était payé pour éteindre. Ce dernier s'était instantanément mis debout.

Quand, après un silence terrible, le rabbin prit la parole, sa voix était inhumainement calme.

— *Nu*, qu'est-ce que tout ça signifie, mes enfants ?

— C'est ma faute, papa, cria Déborah.

Tim s'interposa vivement.

— Non, monsieur le rabbin, c'est la mienne. C'est moi qui ai eu l'idée de lui lire de l'hébreu.

Sourcils froncés, Moïse Luria s'informa, de la même voix anormalement douce :

— De l'hébreu ? Vraiment ?

— Monsieur Wasserstein donne à Tim des leçons d'hébreu.

La voix de Déborah se perdit dans le vague alors que, toujours miraculeusement contenue, celle du rabbin Luria reprenait :

— Bien sûr, il est admirable qu'un chrétien veuille lire la Bible dans sa version originale. Mais dans quel but ? Et pourquoi choisir Déborah comme seul auditoire ? Pourquoi choisir un aveugle comme unique professeur ? Je lui aurais volontiers fait donner des leçons par quelqu'un de ma yeshiva. Voilà pourquoi je me pose la question : qu'est-ce qui se passe *réellement* ici ?

Timothy, la conscience coupable, riposta bravement :

— C'est ma faute, ma seule faute, monsieur le rabbin. Je vous en prie, ne rabattez pas votre colère sur Déborah.

— Ma colère ? Jeune homme, cette situation demande beaucoup plus qu'une simple colère.

Après une courte pause :

– Si tu veux bien me rendre tes clefs, nous pourrons te dire bonsoir... et adieu !

Tim, en état de choc, sortit les clefs de sa poche et les posa sur la table. Le petit bruit métallique fut comme une profanation dans le silence du Sabbat.

Figé sur place, Tim cherchait le regard de Déborah.

– Je suis désolé, mais je suis sûr que ton papa comprendra que tu étais...

– Bonne nuit ! répéta fermement le rabbin.

La fille se retrouva seule face à son père, dans la lueur de l'unique lampe. Debout, immobile, au cœur de l'obscurité, il n'était guère plus visible que Dieu Lui-même.

A demi morte de terreur, elle percevait, comme une force tangible, le feu maîtrisé de cette rage qui bouillonnait en lui et dont elle appréhendait l'explosion imminente.

Mais il la surprit, une fois de plus.

– Déborah, dit-il avec douceur. J'ai eu tort de m'emporter contre toi. Je ne devrais m'emporter que contre moi-même. Je sais que tu es une fille vertueuse, mais la tentation était là. C'est ainsi que l'inclination au mal nous conduit au péché.

– Je n'ai pas péché, souffla-t-elle.

Les yeux au ciel, il ordonna en levant les mains :

– Va te coucher, maintenant. Nous en reparlerons demain, après la fin du Sabbat.

Elle acquiesça sans mot dire et monta les marches bavardes dont les grincements, cette nuit, résonnaient à ses oreilles comme autant de petites voix accusatrices.

Dans sa chambre, elle s'effondra, tout habillée, en travers de son lit. Elle ne se faisait aucune illusion sur la mansuétude apparente de son père. Demain, quand brilleraient

105

les trois étoiles du crépuscule, il l'écorcherait vive. Après tout, elle l'avait bien mérité.

Elle avait souillé la maison de ses parents, profané le Sabbat et déshonoré sa famille.

Pourtant, les choses ne s'arrêtaient pas là. En contrepartie des péchés accumulés, s'attardait en elle, tel un reflet lointain, une trace de l'étrange exaltation qu'elle avait ressentie, lorsque Tim l'avait embrassée.

En buvant son café du matin, le Rav Luria n'extériorisa aucune trace de la colère suscitée par les événements de la nuit. Lui et Danny partirent très tôt pour la *shoule*, laissant aux femmes le soin de les suivre à une demi-heure d'intervalle. Plus que tout au monde, Déborah appréhendait de se retrouver seule avec sa mère. L'expression de Rachel, le timbre de sa voix, disaient que son mari lui avait tout raconté, la nuit précédente. Mais elle n'y fit aucune allusion.

Vint le soir. Dès qu'elle entendit, de sa chambre, claquer la porte du rez-de-chaussée, Déborah se leva, s'aspergea le visage d'eau froide et descendit.

Impénétrable, le Rav procéda au rite de la *havdalah* qui marque la fin du Sabbat. Ainsi se renouvelait, chaque semaine, la séparation du sacré et du profane. Les anges du Sabbat s'envolaient. Resurgissait alors le monde temporel, avec toutes ses imperfections. Toutes ses tares.

Force de l'habitude, Déborah rejoignit sa mère à la cuisine où les attendaient, ultime souvenir du Sabbat, les travaux ménagers laissés en souffrance. Elle avait la certitude que son père voudrait lui parler seul à seul. Mais il ne vint pas et préféra s'abîmer dans ses études. Presque une heure plus tard, le rabbin ressortit de son cabinet de travail et lança sans élever la voix :

– Déborah. Tu peux venir, s'il te plaît ?

Elle s'était préparée à ce face-à-face, recherchant désespérément, au cours de ces vingt-quatre heures, le moyen de racheter sa faute et d'apaiser la colère de son père. Elle savait qu'il lui faudrait faire un sacrifice expiatoire et s'y était résignée.

– Papa, hoqueta-t-elle en repoussant la porte derrière elle. Papa, je vais épouser Asher Kaplan.

Paisiblement, son père lui fit signe de s'asseoir.

– Non, ma chérie. Eu égard aux circonstances, je ne saurais plus demander au rabbin Kaplan d'envisager une telle union.

Déborah, consternée, se taisait, la tête vide, le cœur en débandade.

– Mon enfant, poursuivit le Rav avec une lenteur, une solennité délibérées, j'estimerais superflu de t'accabler de reproches. Bêtement, j'ai toujours pensé que tu serais déjà montée à l'arrivée de ce garçon.

Il marqua un temps. Soupira. Puis, l'observant avec tristesse :

– Le mieux est que tu t'éloignes de chez nous...

– Mais pour aller où ?

Le Rav sourit à sa véhémence.

– Pas en Sibérie, mon enfant. Je parle de la Terre sainte. Jérusalem, la Ville d'or. Après tout, il n'y a pas plus de quelques mois, le Tout-Puissant n'a-t-il pas décidé de réunifier la Cité de David ? En six jours seulement, pour que les soldats d'Israël puissent se reposer le septième. La perspective, pour toi, d'une nouvelle vie qui ne devrait t'inspirer qu'une grande allégresse.

Une nouvelle vie ? releva mentalement Déborah. M'exilerait-il donc pour toujours ? Elle trouva, enfin, la force de demander :

– Qu'est-ce que je ferais, là-bas ?

– Le rabbin Lazar Schiffman, qui dirige notre yeshiva de Jérusalem, se charge de trouver une famille susceptible de t'accueillir. Tu pourras y terminer tes études.

Se penchant en avant, le regard intense :

– Écoute-moi bien, Déborah. Je t'aime de tout mon cœur. Crois-tu que je veuille, au fond de moi, t'envoyer au bout du monde ? C'est aussi dur pour moi que pour toi, mais je le fais pour ton bien.

Au terme d'un nouveau silence, Déborah demanda :

– Qu'est-ce que tu veux que je te dise, papa ?

– Tu peux me dire que tu oublieras ce chrétien. Que tu vas, en respirant la sainteté de l'air de Jérusalem, purifier ton âme de cette malheureuse histoire.

Il poussa un nouveau soupir.

– Va aider ta mère, à présent.

– Nous avons déjà fini la vaisselle.

– Je veux dire : à faire tes bagages.

– Quand as-tu fixé mon départ ?

Elle se sentait aussi fragile, aussi insignifiante qu'une feuille emportée par le vent.

– Demain, si Dieu le veut, répondit son père.

12

DANIEL

J'ai reçu dès mon plus jeune âge, de la bouche de mon père, certaines notions de sens pratique.

Échappé, d'un cheveu, à l'Holocauste, il avait le don des définitions frappantes. Par exemple :

Un juif intelligent est quelqu'un qui a toujours un passeport en règle pour lui-même et chacun des membres de sa famille. Mais un juif *réellement* intelligent porte sur lui son passeport à toute heure du jour et de la nuit.

C'est ainsi que, très tôt dans la vie, nous étions tous pourvus de pièces officielles tenues soigneusement à jour. Un rite qui, dans mon cas personnel, avait suivi de très près celui de la circoncision. Le premier était un pacte avec Dieu, le second avec les services de douane et d'immigration.

Mais jamais je n'avais imaginé, fût-ce dans mes pires cauchemars, que cette précaution servirait un jour à précipiter l'exil de ma sœur.

La dernière soirée de Déborah à Brooklyn marqua la fin de nos deux enfances. Nous en passâmes chaque minute ensemble, moins pour nous consoler que pour apaiser notre chagrin à l'idée que nous n'allions pas nous revoir pendant des mois, peut-être des années.

Je me sentais si terriblement impuissant, tellement désireux de faire quelque chose que je réagis avec empressement lorsque Déborah me demanda, les yeux pleins de larmes :

– Danny, tu veux me rendre un grand service ? Grand... et peut-être même dangereux.

J'avais peur, mais je tenais à la rassurer.

– De quoi s'agit-il ?

– Je voudrais écrire une lettre à Timothy. Mais je ne sais pas comment la lui faire parvenir.

– Écris-la, Deb. Je la mettrai à la poste, en allant à l'école.

– Mais si quelqu'un d'autre...

– D'accord... Je me débrouillerai pour la lui remettre en mains propres.

Elle jeta ses deux bras autour de mon cou et me serra contre elle, longuement.

– Oh, Danny, je t'aime tant...

Un mot qui me donna le courage de lui demander :

– Et lui, tu l'aimes ?

Elle hésita un bon moment avant de répondre :

– Je ne sais pas.

La nuit suivante, je pris soin d'attendre que tout le monde fût profondément endormi, Déborah comprise, pour me glisser hors de la maison, sur mes baskets, et plonger, tête la première, dans les ténèbres extérieures.

Drôle de sensation que de m'enfoncer ainsi dans le brouillard nocturne à peine dissipé, de loin en loin, par la lueur diffuse des lampadaires. Je naviguais en pleine terre catholique et même les fenêtres de leurs maisons semblaient me fusiller du regard. Je n'avais aucune envie de traîner dans le secteur.

J'arrivai à destination en un temps record et poussai la lettre sous la porte des Delaney. Ce n'était pas tout à fait en mains propres, mais c'était tout comme. D'après Déborah, Tim se levait toujours le premier puisqu'il devait être à l'église pour la première messe basse.

Mon retour fut aussi rapide que l'aller. Sitôt que je pus respirer moins bruyamment, je rentrai chez nous sur la pointe des pieds.

C'est alors que j'entendis ce son étrange émanant du bureau de mon père.

J'encaissai le choc au creux de l'estomac. Car sa voix exprimait, dans une sorte de râle, une douleur insupportable.

En m'approchant de la porte, je constatai qu'il récitait un texte de la Bible. Extrait des *Lamentations*:

Et de la fille de Sion,
S'est retirée toute sa gloire.

Même à travers le battant, je pouvais *sentir* son angoisse.

Je frappai, doucement, à la porte entrebâillée. Il ne parut pas m'entendre. Je la poussai un peu plus. Assis à son bureau, le front pesant sur ses mains, il psalmodiait la détresse de Jérémie.

Je ne savais plus que faire, à peu près certain qu'il m'en voudrait de l'avoir surpris dans cette pitoyable situation. Mais il finit par sentir ma présence et releva les yeux.

– Entre, Danny. Viens t'asseoir et parle-moi.

Je m'assis en face de lui. Mais que dire ? Est-ce que toute parole supplémentaire n'ajouterait pas encore à son désespoir ?

Finalement, il vint encadrer mon visage de ses mains tremblantes. Le sien n'était plus qu'un masque torturé, méconnaissable.

– Promets-moi, Danny, que tu ne feras jamais une chose pareille. Promets-moi que tu ne feras jamais ça à ton père.

J'en étais malade. Mais malgré tous mes efforts, je ne pus me résigner à prononcer les mots qui auraient allégé sa souffrance.

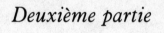

Deuxième partie

13

DÉBORAH

Aux yeux des fidèles de toutes religions, Jérusalem a toujours existé. Son origine remonte au commencement des âges.

A travers les siècles, empereurs et pharaons, croisés et califes, chrétiens, juifs et musulmans ont foulé ses rues vénérables, et c'est là, au sommet du mont Moriah, que le prophète Abraham, dans un suprême acte de foi, conduisit son fils Isaac pour le sacrifier à son Dieu.

Le roi David fit de Jérusalem sa capitale et Salomon, son fils, y construisit, en 955 avant Jésus-Christ, le premier grand temple, afin d'y abriter l'Arche d'alliance.

Dix siècles plus tard, Jésus, descendant direct de David, entra triomphalement dans la ville, cinq jours avant sa crucifixion. Toutes les églises de Jérusalem, éthiopiennes et coptes incluses, célèbrent sa mort et sa résurrection.

Pour les juifs ultra-orthodoxes, le lieu le plus important de la ville, après le mur des Lamentations, est le quartier de Mea Shearim. C'est un ghetto volontairement créé par les dévots, avec cette précision significative que ses barrières ne sont pas destinées à empêcher les juifs de sortir, mais les hérétiques d'entrer.

Le yiddish constitue la langue courante, l'hébreu ne servant qu'à parler à Dieu, par le truchement de la prière. Coiffées de leurs *sheitels*, les femmes portent des robes « décentes », toujours à manches longues et jamais décolletées. Même par les jours les plus chauds de l'été, les hommes conservent leurs épais vêtements noirs et leurs chapeaux de fourrure. Sans oublier le *gartl*, autour du ventre, qui marque la frontière entre les parties sacrées et les parties profanes de leur propre corps.

Dès 1948, certaines des nombreuses sectes reconnurent l'État d'Israël, lors de sa création. Quelques-unes firent même entrer leurs fils (mais, contrairement aux juifs séculiers, pas leurs filles) dans les rangs de l'armée où ils étaient classés par obédiences religieuses. Ils y étudiaient la Torah durant les périodes où ils n'avaient pas à se battre.

Certains extrémistes fanatiques tels que les *Neturei Karta,* les « Gardiens de la Cité », nient toujours l'existence de la nation israélienne. Bien que vivant au cœur de la Ville sainte, ils persistent à se considérer comme des « exilés ». A leurs yeux, l'actuel État juif est un *péché* qui retarde l'arrivée du Messie.

Toutes les factions du Mea Shearim, pourtant, s'accordent sur un point : la sainteté du Sabbat. Malheur à l'automobiliste qui s'aventure, ces jours-là, dans les rues désertes (en supposant que nulle chaîne n'en interdise l'entrée). Une grêle de cailloux sera son châtiment, et pour quelque raison paradoxale, aucun rabbin ne considérera cet acte comme une violation de la paix sabbatique.

Et c'est dans cette forteresse de sainteté que Déborah Luria allait vivre son exil.

Son départ, à l'aérodrome de New York, s'était passé sous le signe des larmes. Visibles chez sa mère et son frère. Invisibles dans le cas de papa. En s'embarquant dans l'avion d'El Al, Déborah n'avait pas manqué de réciter la prière réservée aux voyages aériens :

Si je monte aux cieux, Tu es là... Si j'emprunte les ailes du matin et m'attarde sur les parties les plus lointaines de l'océan, même alors Ta main me guide et Ta main droite me soutient.

Au début, elle se laissa distraire de ses pensées moroses par les efforts que déployaient les hôtesses pour calmer les passagers et convaincre certains d'entre eux que ce n'était vraiment pas l'heure de dire les prières.

Mais ces dérivatifs furent de courte durée. Bientôt, son esprit revint sur tout ce qu'elle venait de perdre : sa mère, son père, sa famille.

Et Timothy.

Elle ne pouvait concevoir la profondeur du bouleversement qu'il avait provoqué en elle. Leurs rapports n'avaient-ils pas été totalement innocents ? Si l'on pouvait appeler cela des « rapports »...

Quel objectif pouvait bien viser Dieu en les réunissant ainsi ou du moins en les rapprochant... pour mieux les éloigner un peu plus tard ? N'était-ce là, au fond, qu'une dure épreuve ?

Même après l'extinction des lumières, elle continua d'entendre les cris des bébés, le murmure des prières, et le bourdonnement des moteurs de l'avion. L'obscurité ne sécha pas ses larmes. Elle ne fit que les cacher, et les autres bruits noyèrent ses sanglots.

Seul l'épuisement finit par l'enfoncer dans un sommeil de plomb. Elle n'en ressortit même pas à l'escale de Londres, où l'appareil acheva de se remplir. Elle sursauta, soudain, au son joyeux de la voix d'une hôtesse :

– Mesdames et messieurs, nous arrivons en vue des rivages d'Israël. Atterrissage dans dix minutes.

Quand la chanson « Nous vous apportons la paix » jaillit de la sono du bord, la jeune fille ne put s'empêcher de ressentir une soudaine excitation.

C'était la Terre sainte. Le berceau de sa religion. Sur le plan spirituel, c'était comme un retour au bercail, après des siècles d'exil en terre étrangère.

La première chose qu'elle remarqua tandis que, portée par le flot des passagers, elle descendait vers la piste écrasée de chaleur, fut la présence de tous ces soldats. Ce pays était en état de siège.

Deuxième constatation, bien qu'elle sût que tout le monde, ici, était juif : peu, dans cette multitude de visages, ressemblaient à ceux de ses coreligionnaires, là-bas, à Brooklyn.

Certains des soldats avaient le poil plus noir, le teint plus sombre que les Portoricains de New York. Et parmi les femmes préposées aux services administratifs de l'aéroport, figuraient des brunes au visage olivâtre aussi bien que des rousses à taches de son, en passant par quelques blondes de type scandinave.

C'est seulement lorsqu'elle dériva vers la sortie, houspillée de toutes parts, sans galanterie aucune, dans l'atmosphère étouffante de la nuit, qu'elle découvrit enfin des physiques plus familiers.

Quelque peu déboussolée, elle s'avança, docilement, entre deux rangées d'hommes et de femmes contenus par des rambardes, qui vociféraient, dans la cacophonie de vingt langues et dialectes différents, des saluts enthousiastes et des formules de bienvenue.

A l'autre bout de ces deux haies parallèles, se tenait une femme d'un certain âge en robe noire à manches longues et fichu de même couleur qui brandissait au-dessus de sa tête un écriteau portant le nom de Luria. A l'approche de Déborah, elle questionna en yiddish :

118

– *Bist du der Rebbe's Tochter ?* (Es-tu la fille du rabbin ?)
– Oui. Je suis Déborah.
– Et moi Leah. La femme du rabbin Schiffman. La voiture est là-bas.

Elle tourna les talons et s'éloigna sans plus de cérémonie, d'un pas aussi sec, aussi rapide que sa parole. Sans regarder, non plus, si malgré le poids de ses bagages, Déborah était en mesure de la suivre.

Le choc de ce premier contact avait été entièrement pour la voyageuse. Elle découvrait que, vue de près, Leah Schiffman n'était nullement une « femme d'un certain âge », mais une fille de moins de trente ans au visage blême et prématurément vieilli, aux yeux inexpressifs et durs.

Après une centaine de mètres, elles rejoignirent une voiture.

En fait de voiture, Déborah s'était attendue à monter dans quelque tas de ferraille, mais, à sa grande surprise, Leah Schiffman lui ouvrit la portière d'un break Mercedes à moteur diesel couronné d'une tiare en plastique qui disait « TAXI ».

Après avoir laissé le chauffeur charger, sur la galerie, les valises de Déborah, Leah la rejoignit sur le siège arrière, présentant simultanément, à la sauvette, les deux autres passagers. Sa sœur Bracha, même allure, même costume, avec un bébé sur les bras, et le mari de celle-ci, Mendel, un jeune homme barbu au visage d'intellectuel

– *Shalom,* dit le couple avec ensemble : le premier mot de bienvenue qui saluât l'arrivée de Déborah.

Elle ne put s'empêcher de remarquer que Mendel ne lui avait accordé qu'un bref regard avant de s'absorber, de nouveau, dans la contemplation du paysage. Pas question de risquer « l'Inclination au Mal » en l'observant plus d'une demi-seconde.

Que savaient-ils, en fait ? Les avait-on renseignés sur la nature de son péché ?

Quelle que fût la réponse, elle avait intérêt, si elle voulait survivre dans une telle ambiance, à gagner, très vite, leur sympathie. Sous peine de ne jamais les voir que de dos, comme elle voyait actuellement le nommé Mendel, plongé dans une conversation animée avec le chauffeur.

A mi-chemin de Jérusalem, le bébé se mit à pleurer et Bracha lui chanta une berceuse qui avait endormi Déborah, jadis, au cours de son enfance. Bizarrement, ce souvenir ne fit qu'accentuer sa sensation d'isolement. Mais elle n'en déclara pas moins :

– Quel merveilleux enfant ! Garçon ou fille ?

– Garçon, Dieu merci. J'ai déjà trois filles.

L'odeur des pins emplissait la voiture, par les fenêtres ouvertes. Moins d'une heure plus tard, une oasis de lumière troua, droit devant eux, l'ombre dense qui enveloppait les collines de Judée. Comment, songeait Déborah, Leah, Mendel et Bracha pouvaient-ils garder un tel silence avec Jérusalem à portée de regard ?

Ils atteignirent les rues étroites de Mea Shearim à la nuit noire. Tout juste si, de loin en loin, une lumière isolée révélait l'insomnie de quelque étudiant penché sur la lecture des textes sacrés.

Le taxi se rangea au coin de la rue Schmuel Salant et tout le monde mit pied à terre. Mme Schiffman tâtonna un instant, avec ses clefs. Puis la porte s'ouvrit en grinçant et tous entrèrent, Déborah fermant la marche.

Assis à une table recouverte d'une toile cirée, dans une pièce qui, le jour, devait servir de salle à manger, un gros homme à la barbe mêlée de gris se leva pour observer, d'un œil sévère, la nouvelle arrivante.

– Voilà donc la fille du rabbin Moïse. Tu m'as l'air en pleine santé. Dieu te préserve du mauvais œil.

120

Vidée, physiquement et moralement, par les émotions des jours derniers et le décalage horaire, Déborah chercha fébrilement que répondre. Le mieux qu'elle pût trouver fut :

– Merci, rabbin Schiffman... Ce que je veux dire par là... merci de bien vouloir m'accueillir.

– Il est tard, coupa-t-il, sans autre commentaire.

Puis, à son épouse :

– Montre-lui où elle va dormir.

Leah regarda Déborah, sans aucune bienveillance, lui fit signe de la suivre et s'engagea dans un étroit corridor sur lequel s'ouvraient plusieurs portes. Elle ouvrit l'une d'elles en disant :

– C'est ici. Je t'ai donné le lit près de la fenêtre.

Déborah comprit, soudain, qu'elle ne serait pas seule dans sa chambre. D'autres personnes dormaient déjà dans cette petite pièce. Elle entendait, clairement, le bruit de leur respiration.

– Il vaudrait mieux que tu te changes dans la salle de bains. Histoire de ne pas réveiller les gosses. Demain, il y a de l'école.

Approuvant d'un signe de tête, Déborah ouvrit sa valise, en tira un peignoir, laissant ses bagages dans une pièce qui – ses yeux le découvraient à présent – contenait quatre lits, dont deux occupés par des enfants endormis dans des couvertures grisâtres.

Elle gagna la salle de bains, heureuse et soulagée à la simple idée de se retrouver seule, ne fût-ce que pour quelques minutes.

Tandis qu'elle se lavait la figure, le miroir piqué lui renvoya l'image de la jeune fille qu'elle avait été jadis, dans un temps qui paraissait, aujourd'hui, fantastiquement lointain, et qu'elle reconnaissait à peine.

De larges cernes lui mangeaient les joues, endeuillant ces yeux qui avaient été les siens et qui lui semblaient, à présent, dépourvus de toute vie.

– Est-ce qu'il y a trois jours, demanda-t-elle à son reflet, tu n'étais pas Déborah Luria ?

Et son reflet lui répondit :

– Mais si ! Il y a trois jours... trois siècles !

14

TIMOTHY

Au cours du mois qui suivit le départ de Déborah, Timothy ne cessa de balancer entre une fureur vengeresse et le sentiment de sa propre culpabilité. Il ne pouvait se pardonner d'avoir causé l'exil de la jeune fille et finit même par écrire au rabbin pour réaffirmer sa responsabilité dans ce malheureux incident et le supplier d'en faire retomber, sur lui seul, les conséquences.

Il n'était jusqu'à la confession qui ne lui apportât aucun apaisement, car le prêtre lui rappelait, alors, les paroles de Jésus dans son Sermon sur la Montagne : « Même celui qui regarde une femme avec concupiscence commet l'adultère, dans son cœur. »

La simple idée que ses sentiments pour Déborah Luria puissent être déclarés impurs le blessait au plus profond de l'âme.

Et elle lui manquait terriblement.

Il acceptait, cependant, la nécessité d'en faire pénitence. Parmi les textes et les prières qu'il lui avait été ordonné d'apprendre par cœur, figuraient les paroles de l'apôtre Paul :

> Je suis persuadé que ni la mort, ni la vie, ni les anges... ne pourront nous écarter de l'amour de Dieu, qui est en Jésus-Christ Notre Seigneur.

Si souvent qu'il se répétât ce passage, rien ne pouvait effacer de sa mémoire les versets du *Cantique des cantiques* qu'il avait lus avec Déborah, dans la mesure où il savait ce que ces mots signifiaient pour elle : « L'amour est aussi fort que la mort. »

Il tenta de s'abîmer dans la prière. Et il se rendit, trois week-ends de suite, à des *cursillos*. Ces retraites intensives organisées par les jésuites offraient la possibilité, à des personnes comme lui, de descendre en elles-mêmes afin de pouvoir remonter ensuite, avec une ferveur accrue, à la rencontre de Dieu.

A l'insu de sa famille, il s'imposait des jeûnes sévères et souvent, le soir, priait à l'église pendant des heures.

Une telle conduite ne pouvait demeurer longtemps inaperçue, particulièrement dans une si petite paroisse. C'est ainsi qu'une nuit où il méditait, à genoux, la tête dans ses mains, le père Hanrahan s'arrêta près de lui en murmurant :

– Timothy, l'évêque Mulroney désire te voir à onze heures, demain matin.

Foudroyé, Tim ne dormit pas de la nuit, certain qu'en dépit du secret de la confession, ses fautes étaient parvenues aux oreilles du prélat dont le jugement allait maintenant s'abattre sur sa personne. Vêtu de son costume de confirmation, il parcourut à pied, pour apaiser les battements de son cœur en déroute, les trois kilomètres qui séparaient Saint-Grégoire de la maison du diocèse.

Mais ses jambes se dérobaient toujours lorsqu'il monta les marches conduisant à la grande maison de grès rouge de l'évêque.

– Hogan, j'ai beaucoup entendu parler de vous.

Tout rond dans son costume noir rehaussé d'une grande croix, l'évêque Mulroney prononça ces mots ambigus alors que Timothy s'agenouillait pour baiser sa bague.

– Asseyez-vous, mon fils. Nous allons bavarder, tous les deux.

Tim se percha, nerveusement, sur le bord d'une chaise. Le prélat reprit place à son bureau. Dans un coin, le jeune prêtre au visage studieux qui lui servait de secrétaire attendait discrètement la suite, crayon et bloc-notes en main.

– Vous savez, poursuivit Son Excellence, je crois sincèrement que Dieu se penche sur certains d'entre nous avec une attention particulière. Il sonde nos cœurs. Il déchiffre le langage de nos âmes...

Maintenant, soupira Timothy, à l'agonie, maintenant, la foudre va frapper, l'éclair vengeur appelé par toutes mes pensées mauvaises...

Mais il avait tort.

– Vos activités ne me sont pas inconnues... Votre zèle, lors des *cursillos*, votre conduite, en général... témoignent d'une piété qui est... surtout en cette époque... assez extraordinaire ! Le père Hanrahan et moi-même sommes persuadés qu'une authentique vocation vous anime...

C'est en écoutant les paroles de l'évêque que Timothy acquit soudainement la conviction qu'il s'agissait là, bel et bien, de la voie choisie par Dieu pour l'aider à résoudre son horrible dilemme.

– Ai-je bien résumé vos sentiments ?

124

– Oui, Votre Excellence. Si vous m'en jugez digne, j'aimerais consacrer toute ma vie au service de Dieu.

Le prélat eut un bon sourire.

– J'en suis ravi. Mon instinct ne m'avait pas trompé en me soufflant que le père Hanrahan était dans le vrai. Aussi ai-je déjà pris quelques dispositions pour votre compte. Une place vous est désormais réservée au séminaire Saint-Athanase. Vous pouvez, à votre guise, terminer cette année scolaire à Saint-Grégoire et commencer l'été prochain, ou bien...

Tim faillit s'étrangler dans sa précipitation :

– Non, non, j'aimerais aller là-bas aussitôt que possible.

L'évêque riait de bon cœur.

– Dieu du ciel, vous êtes le garçon le plus dévot que j'aie jamais croisé sur ma route ! Pourquoi ne pas réfléchir encore un jour ou deux ? En discuter avec votre famille ?

– Je n'ai pas de famille.

– J'entendais par là votre oncle et votre tante.

Que savait-il encore de lui ? Timothy repartit des bureaux du diocèse plus bouleversé qu'il n'y était arrivé. Ce que l'évêque appelait sa « dévotion » n'était rien de plus, il le savait, qu'un désespoir frénétique. Il ne cherchait qu'à fuir, renoncer au monde. Et par la même occasion, s'exorciser du souvenir de Déborah Luria.

Il s'arrêta au premier carrefour, sous un lampadaire, et sortit de sa poche une feuille de papier pliée en quatre déjà froissée par de nombreuses lectures.

Cher Timothy,
Je suis consciente du danger, mais c'est ma dernière chance de communiquer avec toi.

Ils m'envoient en Israël, dès demain. Pour être honnête ; je me sens coupable d'avoir offensé ma religion et mes parents. Mais je me sens encore plus coupable vis-à-vis de toi.

125

Toi qui n'as jamais agi qu'avec une telle amitié, une telle pureté, j'espère que tu n'auras aucun ennui à cause de moi.

Nous ne nous reverrons jamais, sans doute, et mon cœur saigne à cette idée. Mais j'espère, malgré tout, occuper toujours une petite place dans tes pensées.

Bien à toi.
« D. »

P.S. Il paraît que la YMCA de Jérusalem garde les lettres en « poste restante », pour les gens qui voyagent à travers le monde. Si tu le peux, écris-moi là-bas. Si tu le peux et... si tu le désires.

Avec une clarté absolue, Timothy eut soudain conscience de vivre le moment le plus important de sa vie, à la croisée de deux routes menant chacune à un point de non-retour.

Par l'intermédiaire de son évêque, Dieu ne venait-il pas de lui indiquer laquelle suivre ?

Avait-il encore le choix ?

Il se mit à déchirer la lettre.

Mais quand il en dispersa les morceaux dans une proche corbeille, il se brisa, tout entier, en larmes convulsives.

15

DÉBORAH

Si seulement elle avait pu ne jamais se réveiller...

Mais en ce premier matin passé sous le toit du rabbin

Schiffman, la petite fille de cinq ans couchée dans le lit voisin commença, vers cinq heures et demie, à réclamer sa mère.

Au bout de quelques minutes, Leah entra, dormant debout dans un peignoir fané.

– Tu ne pouvais pas essayer de la calmer ?

– Moi ? Je ne connais même pas son nom.

La femme du rabbin s'approcha de la petite fille.

– Qu'est-ce qui te prend, Rivkah ?

– J'ai mouillé mon lit, avoua l'enfant, penaude.

– Encore ? Tu crois que les draps poussent dans les arbres ? Lève-toi et va te laver.

Honteuse, la petite fille obéit, partit vers la porte.

– Et donne tes vêtements à Déborah ! lui cria sa mère.

A moi ? s'étonna mentalement Déborah. Qu'est-ce que je suis censée faire avec le pyjama mouillé de cette gosse ?

Elle ne tarda pas à le découvrir.

– Mets bien le lit à l'air et rince les draps avant de les jeter dans la machine à laver. Mais ne la mets pas en route tant qu'elle n'est pas pleine. L'électricité coûte cher.

Déborah n'avait jamais eu l'intention de se tourner les pouces, mais cette façon impérieuse de lui dicter tout le programme la choqua profondément.

Alors qu'elle dépouillait le petit lit de ses draps humides, l'autre petite fille, d'environ trois ans et demi, couchée dans la même pièce se dressa dans son berceau et s'enquit tout naturellement, en yiddish :

– T'es qui, toi ?

– Je m'appelle Déborah. Je viens de New York.

Un fait qui ne parut guère impressionner la petite fille. Les Schiffman recevaient, constamment, des visiteurs venus du monde entier.

Soûle de fatigue, Déborah mit sa robe de chambre, prit

127

les draps et les transporta dans une sorte de réduit, au bout du couloir, où, sous une fenêtre aux persiennes closes, trônait un vieux lave-linge. Elle emplit l'évier voisin, mit la lessive à tremper et repartit en frissonnant. La nuit était froide et, jusqu'à preuve du contraire, les Schiffman ne semblaient disposer d'aucun moyen de chauffage.

Deux petits garçons faisaient la queue devant la salle de bains déjà occupée. Le teint pâle, les yeux noirs et creux, les fils Schiffman avaient l'air encore plus souffreteux que leurs sœurs. Déborah leur souhaita le bonjour, mais ils ne parurent même pas s'aviser de sa présence.

Quand elle put accéder à la salle de bains, il ne restait plus une goutte d'eau chaude. Elle fit une toilette sommaire, puis s'habilla et gagna la salle à manger.

Toute la famille Schiffman était déjà réunie autour de la table, le père immergé dans la lecture de son journal du matin, les enfants en train de manger – ou de repousser bruyamment – leurs toasts de pain blanc tartinés de confiture. Un autre enfant, un de plus, s'agitait sur les genoux de leur mère.

Le rabbin remplaça son « bonjour » par un léger signe de tête et, d'un ton que Déborah, optimiste, s'efforça de juger cordial :

– Sers-toi. Il y a du café à la cuisine.

Elle se composa un sourire, prit une tranche de pain et, marmonnant la bénédiction de rigueur, l'engloutit en trois bouchées.

Alors qu'elle s'en coupait deux autres tranches, la rabbetzin Schiffman intervint :

– Ne sois pas une telle *chazer*. Pense un peu aux autres !

– Naturellement, approuva Déborah, conciliante.

Puis, dans une nouvelle tentative d'amorcer un dialogue :

– Le vol a été vraiment long.

– Et alors ? grogna Leah. Çe n'est pas toi qui pilotais, non ?

Dans leur attitude glaciale, Déborah lut la preuve évidente que la nouvelle de son infamie l'avait précédée, car ils étaient fort chaleureux avec leurs enfants, les pressant contre leur poitrine et les embrassant plusieurs fois avant de les laisser partir pour l'école.

– Sans quelqu'un pour les accompagner ? s'étonna-t-elle.

– Pourquoi ? bougonna le rabbin. C'est un jour particulier ?

– Chez moi, on les conduit toujours...

Incapable de terminer sa phrase, car elle venait de se rendre compte, en prononçant les deux premiers mots, que pas plus ici qu'elle n'en avait eu le sentiment soudain, à son départ des États-Unis, elle ne possédait encore un « chez moi ».

– Les choses ne sont pas comme en Amérique, expliqua le patriarche. Nous sommes une communauté. Nous veillons les uns sur les autres. Tous les enfants sont nos enfants.

Déborah continua à siroter son café en silence. Elle avait hâte de savoir quelles dispositions le rabbin avait prises pour la suite de ses études, mais à la lecture d'un article encore plus révoltant que les autres, celui-ci pestait à présent dans sa barbe :

– Non mais quel *chutzpah* de la part de ces gens ! Voilà qu'ils veulent ouvrir les cinémas de Jérusalem le vendredi soir !

– C'est ignoble, acquiesça Leah, dans un claquement de langue réprobateur. J'ai entendu dire que ça se passait comme ça, à Tel-Aviv. Des mœurs de *goyim* !

129

Issue d'un environnement où les cinémas étaient ouverts pendant le Sabbat, à l'usage des non-pratiquants, Déborah ne partageait nullement leur indignation. Qui plus est, il n'y avait pas de cinéma à Mea Shearim. Mais elle s'abstint de tout commentaire. Jusqu'à pouvoir s'informer, dans une accalmie :

– Rabbin Schiffman ?

– Oui, Déborah ?

– Où se trouve mon école ?

– Quelle école ?

– La mienne. A quelle heure commencent les cours ?

– Ton école, elle est derrière toi, en Amérique, Déborah.

– Mais je croyais que...

– Tu as bien seize ans, non ? intercala Mme Schiffman.

– Bientôt dix-sept.

– La loi de ce pays prescrit l'instruction obligatoire jusqu'à seize ans. Ça suffit comme ça.

L'univers de Déborah chancelait sur ses bases.

– Mais est-ce que les Sages n'ont pas dit...

– Qu'est-ce que c'est que ce langage ? s'emporta Leah. Qu'est-ce qu'une fille de ton âge peut avoir à faire avec les Sages ? Tu connais ton *Abrégé du Code des Lois*, d'accord ?

– La majeure partie. Mais il me reste tant à apprendre.

– Écoute, Déborah, s'interposa le rabbin Schiffman d'un ton poli, mais définitif. Tu sais fort bien ce qu'on attend d'une épouse. Tout le reste n'est pas une affaire de femme.

– Je commence à comprendre pourquoi elle s'est fourrée dans tous ces ennuis !

La réflexion venimeuse de Leah blessa Déborah et la soulagea du même coup de ses incertitudes. Elle savait, maintenant, qu'ils connaissaient la nature exacte de sa « transgression ».

Il ne serait pas dit, toutefois, qu'elle capitulerait sans livrer bataille.

– Mon père m'a promis que je pourrais parfaire mon éducation ici, protesta-t-elle aussi poliment qu'elle le put.

– Le mot éducation possède plus d'un sens, Déborah. Ton père m'a demandé... comment dire ?

– De me ramener dans le droit chemin ?

Le rabbin Schiffman opina du bonnet.

– En quelque sorte... Il me fait confiance pour t'éduquer comme si tu étais ma propre fille. Et crois-moi, sitôt que ma petite Rivkah aura ses seize ans, je la marierai dans l'année. C'est la meilleure façon de n'avoir ni *tsores* ni *skandal*.

Ni complications, ni scandales, traduisit Déborah, pour elle-même. Quelle idée ont-ils donc de ce que j'ai pu faire ?

– Si je dois renoncer à l'école, comment vais-je passer mes journées ? murmura-t-elle, le cœur lourd.

– Dis-moi, mon enfant, s'enquit le rabbin, as-tu fait le tour de la maison ? Crois-tu que ce soit l'hôtel Hilton ? Et que ma femme ne puisse supporter un peu d'aide ?

Lasse et désorientée, jusque-là, par le changement d'heure et de lieu, Déborah retrouva, d'un coup, la force d'extérioriser sa colère :

– Ce n'est pas ce que je veux faire, rabbin Schiffman !

Le rabbin leva un sourcil, la contempla un instant, sans mot dire, et conclut lentement :

– Écoutez, madame Luria, je suis le chef de cette maisonnée, et mes décisions y font loi.

L'âme à la dérive, Déborah puisa, dans les profondeurs de son être, l'énergie d'affronter, sans insolence mais sans faiblesse, le regard des deux époux rivé sur elle avec la même intensité méprisante.

131

– Alors ? questionna-t-elle.

Leah eut un sourire de triomphe.

– Alors, on dessert la table.

La discussion était close.

16

DÉBORAH

Pour Déborah, jours et nuits s'enchaînaient dans une grisaille monochrome. Chose étrange, la seule explosion de couleurs qui jaillît périodiquement sur ce fond sinistre n'était pas le Sabbat lui-même – bien qu'il l'autorisât à fréquenter la synagogue, le rabbin bannissait obstinément sa pensionnaire de ses groupes d'étude de l'après-midi – mais les trois heures qu'elle passait avec Leah, le vendredi matin, au marché en plein air et dans la foule hurlante de Makhaneh Yehudah, sur la route de Jaffa.

Là, ses yeux voilés de mélancolie s'éveillaient au spectacle d'un énorme tas d'oranges gorgées de soleil.

Même la toujours flegmatique Leah Schiffman paraissait sortir d'elle-même, marchandant avec animation les bonnes choses que sa famille ne pouvait s'offrir qu'un seul jour par semaine.

Cet avant-goût de liberté stimulait Déborah, excitait sa soif d'indépendance. Mais elle n'ignorait pas que la rue conduisant à Mea Shearim et dont le quartier tirait son nom était pour elle à sens unique : celui qui menait à sa prison.

Certain vendredi particulièrement éclatant du mois d'avril, elle crut un instant que le soleil lui avait un peu trop tapé sur la tête.

A moins de dix mètres d'elle, coiffée d'un *sheitel*, mais qui lui seyait à ravir, une jeune femme de son âge passait des paquets à un athlétique rouquin de plus d'un mètre quatre-vingt-dix, au chef couronné de la calotte.

Il l'aperçut, presque à la même seconde, et s'écria :

– Déborah ! Déborah Luria, c'est bien toi ?

Immédiatement, Leah Schiffman pivota sur elle-même, soupçonneuse.

– Quelqu'un que tu connais ?

– Oh oui. C'est Asher Kaplan.

– Connais pas. Il n'est pas des nôtres.

– Il vient de Chicago, commença Déborah.

Mais déjà, Asher les rejoignait, tout sourire.

– Le monde est petit, non ?

– Si !

Bien qu'une voix rugît au fond d'elle-même, Asher, Asher, tu viens d'agrandir le mien plus que tu ne peux le croire, elle ne trouva, sur le moment, rien d'autre à répondre tandis qu'il s'étonnait :

– Mais qu'est-ce que tu fais par ici ?

– Je séjourne chez des amis de mon père. Je te présente la rabbetzin Schiffman. Nous habitons dans le quartier de Mea Shearim.

– Nous ? Tu as épousé son fils ?

– Qu'est-ce que c'est que cette histoire ? se fâcha Leah. Mon fils aîné n'est même pas encore *bar mitzvah*.

Elle n'aimait pas du tout cet Américain tapageur. Bien sûr, il portait la calotte. Mais avec un T-shirt barré de l'inscription « Coca-Cola » en hébreu.

– Et toi, Asher, qu'est-ce que tu fais par ici ?

– C'est ma lune de miel, dit-il avec une pointe de gêne.

S'efforçant d'exprimer l'enthousiasme de rigueur, Déborah riposta :

– *Mazel tov !*

– Merci. Tu es à l'université, c'est ça ? Je me souviens de tes projets académiques. Celle du mont Scopus est formidable. Le père de Channah y est professeur de médecine.

Sa jeune épouse les rejoignait à son tour. Elle était très jolie, même avec sa perruque. Ses yeux marrons, pleins de vie, illuminaient son visage bronzé.

– Encore des amies, Asher ? le taquina-t-elle.

Puis, s'adressant aux deux femmes avec une charmante spontanéité :

– Nous ne sommes ici que depuis trois jours et nous avons déjà rencontré au moins deux cents personnes de sa connaissance !

– Je t'en prie, Channah ! Les trois quarts de la congrégation de mon père ont émigré en Israël.

A retardement, Leah déduisit :

– Le rabbin Kaplan, de Chicago ?

– Exact ! fit fièrement Channah.

Asher eut à l'adresse de Déborah un sourire d'enfant.

– Tu vois pourquoi je veux être médecin ? Au moins la première question que me poseront mes malades ne sera pas : « Vous êtes le fils du rabbin Kaplan ? » Mais tu ne m'as toujours pas dit ce que tu fabriquais par ici.

Nerveusement, Déborah jeta un bref regard dans la direction de Leah.

– Eh bien... mon père a voulu que je... vive un peu dans la Ville sainte.

Courtoisement, Asher fit face à Mme Schiffman.

– Nous permettez-vous d'inviter Déborah à déjeuner

134

dimanche au Roi David ? Nous serons en famille et Channah et sa mère pourront la raccompagner, à pied. C'est dans la limite du Sabbat.

Déborah suppliait, du regard, une Leah quelque peu dépassée qui dit enfin :

– Si elle est raccompagnée, je ne pense pas que mon mari puisse y voir une objection. Vous pouvez m'appeler cet après-midi avant le Sabbat ?

– Parfait ! conclut Asher.

Puis, à Déborah :

– On s'en réjouit d'avance.

Impressionnée par cette rencontre, Leah ne put s'empêcher de s'exclamer alors qu'elles traversaient la place Hakherut, chargées comme des mules :

– Comment as-tu connu ce grand gaillard ?

– Mon père avait arrangé nos fiançailles.

– Et alors ?

– Je l'ai refusé.

– Tu es *meshugge,* dans ta tête, ou quoi ?

– Je dois l'être, en effet, concéda Déborah, saisie de mélancolie.

L'hôtel du Roi David était de très loin l'endroit le plus somptueux que Déborah eût jamais vu. Ses plafonds hauts, soutenus par d'énormes piliers carrés de marbre rose, étaient dignes d'un palais et son légendaire buffet du Sabbat avait la richesse d'un banquet royal.

A perte de vue s'alignaient les tables chargées de poissons farcis, de harengs assaisonnés d'une demi-douzaine de façons différentes, de foie haché, d'un choix d'assiettes anglaises suffisant pour nourrir un régiment et de salades de fruits et de légumes multicolores, sans oublier de nombreuses variétés d'aubergines.

135

Ceci pour les hors-d'œuvre. Ensuite, venaient les plats chauds, *cholent,* ragoût de bœuf, poulet rôti, *kasha varnishkes,* veau farci et *kishkes.*

Étalés sur deux tables, les desserts exposaient toute la palette des gâteaux et des tartes, des mousses au chocolat, dans un arc-en-ciel de sorbets et de glaces. Le tout, bien entendu, sans produits laitiers dans leur composition.

Déborah se sentit un peu libérée sur parole.

Bien que ses parents n'eussent pas cherché à savoir pour quelle raison leur beau-fils avait jugé bon d'inviter cette belle inconnue, Channah, elle, n'était pas dupe. Tandis qu'elles s'émerveillaient, côte à côte, de la splendeur des desserts, elle murmura gentiment :

– Merci, Déborah.

– De quoi, grand Dieu ?

– De n'avoir pas voulu épouser Asher. Je ne sais pas pourquoi tu l'as repoussé, mais je t'en serai toujours reconnaissante.

Ils prirent le café sur la terrasse. Les agapes s'étaient prolongées jusqu'à près de quatre heures.

– Reste encore avec nous, suggéra Channah. Après la fin du Sabbat, on pourra te reconduire en taxi.

– Merci, répondit Déborah. J'en serai très heureuse.

Aussi spontanée que la proposition, l'acceptation de Déborah n'était pas, en fait, totalement désintéressée. Juste en face de l'hôtel du Roi David, s'élevait l'immeuble en brique claire abritant le siège de la YMCA. Sa première chance, et peut-être la seule, de découvrir si Timothy lui avait écrit.

Dès que trois étoiles apparurent dans le ciel de Jérusalem, Déborah appela Leah Schiffman pour lui annoncer qu'elle rentrerait plus tard que prévu.

– Pas trop tard, tout de même, consentit, à regret, la femme du rabbin. Il y a tout un tas de vaisselle à laver.

En raccrochant, Déborah enregistra, distraitement, la montée coutumière des activités réveillées par la fin du Sabbat. Un peu partout, se rallumaient les lumières des magasins, dans le crescendo des conversations, à l'intérieur de l'hôtel, et de la circulation extérieure qui, vingt minutes plus tôt, avait été inexistante.

– J'ai passé une merveilleuse journée, dit-elle aux jeunes mariés. Mais maintenant, il va falloir que j'attrape un bus et que je rentre au bercail.

– Pas question, trancha Asher.

– Comment ça, pas question ?

– D'abord, je sais que tu n'as pas d'argent sur toi, à cause du Sabbat. Ensuite, nous avons promis aux Schiffman de te rapatrier, pas vrai ? Attendez-moi, toutes les deux, que j'aille cueillir mon portefeuille, pour le taxi.

Un dernier obstacle subsistait entre Déborah et la lettre possible, sinon probable, de Timothy.

– Channah, je vais te lâcher une seconde. Juste le temps de traverser la rue et de laisser un message à la YMCA, pour des amis qui doivent venir la semaine prochaine.

– Je viens avec toi !

– Non, non. Asher se demanderait où nous sommes passées. J'en ai pour une minute.

Fendant la foule polyglotte d'étudiants en balade de tous les coins du monde, elle se présenta, hors d'haleine, au comptoir de la réception.

– C'est ici que je peux retirer une lettre ? Si tant est qu'on m'ait écrit...

– Quel nom ? riposta l'employé, elliptique.

– Luria. Déborah Luria.

D'une main blasée, le préposé se mit à fourrager parmi les enveloppes de toutes couleurs et de tous formats empilées sur le plateau « Lettres en instance ».

Déborah, la gorge serrée, insista :

– Je suis pressée.

– Je sais, ronronna l'employé. Tout le monde l'est !

Il poursuivit ses recherches sur le même rythme languissant et admit enfin :

– Déborah Luria, voilà. Vous avez une pièce d'identité ?

Elle balbutia, consternée :

– Mon Dieu non, je n'y ai pas pensé.

– Alors, revenez demain avec votre passeport.

– Impossible. Je... travaille demain.

– Nous sommes ouverts le soir.

Moins d'un mètre la séparait de ce qui serait sans doute le message le plus important de sa vie, et elle ne pouvait s'en emparer !

Elle sentit les larmes envahir ses yeux, couler sur ses joues.

– Je suis Déborah Luria, je vous *supplie* de me croire. Qui voudrait se faire passer pour moi ?

– Ça va, décida-t-il enfin. Je ne devrais pas le faire, mais je vous crois sur parole.

Il lui tendit la lettre qu'elle ouvrit fébrilement, en retraversant la rue. C'était bien Timothy. Elle la fourra dans sa poche, maîtrisant difficilement son excitation alors que les Kaplan venaient à sa rencontre. Asher s'informa :

– Tu as fait ce que tu voulais faire ?

– Oui, oui, formidable. Enfin, je veux dire... tout va bien !

– Super ! Maintenant, cap sur là où tu crèches avant que les Schiffman ne nous accusent de kidnapping !

Comme toujours, la vaisselle s'était accumulée, au cours du Sabbat, et les deux femmes s'y attaquèrent avec une énergie concentrée.

– C'était bien ?

– Quoi donc ? sursauta Déborah, brutalement arrachée à son monde intérieur.

– Le festin. Il arrive à mon époux de déjeuner au Roi David avec des philanthropes d'un peu partout. D'après lui, c'est de la « manne céleste » qu'on mange là-bas.

– Oh, ça ? Oui, c'était génial. En qualité comme en quantité. Mais pour moi, c'est vous la meilleure cuisinière.

Si exagérée qu'elle fût, la flatterie alla droit au cœur de Leah Schiffman. Elle était sympathique, après tout, cette petite bonniche venue d'Amérique et la conversation qui suivit rapprocha les deux femmes.

Malade d'impatience, Déborah put enfin se réfugier dans l'obscurité de sa chambre. L'électricité y était coupée, en permanence, non seulement pour faire des économies, mais parce qu'il était rarissime qu'un enfant au moins ne dormît pas dans la pièce.

Elle sortit sa valise de sous son lit, en tira son plus grand trésor : la petite lampe de poche qu'elle utilisait pour trouver le sommeil, en lisant. La main tremblante, elle déchiffra dans l'étroit médaillon lumineux :

Chère Déborah,

Je prie le ciel pour que cette lettre te parvienne tôt ou tard. Je partage les sentiments exprimés dans la tienne et me sens affreusement coupable d'avoir causé ton exil.

Moi aussi, je quitte Brooklyn pour entrer à Saint-Athanase, un séminaire de l'État de New York.

Contrairement au tien, ce voyage n'est pas une punition, mais plutôt une récompense de mes réussites scolaires, et je ne m'en sens que plus coupable puisque je vais faire, ici, parmi bien d'autres choses, ce que tu as toujours rêvé de faire : étudier l'Ancien Testament, en hébreu.

J'ai tout essayé pour voir ton père et m'expliquer avec lui. A chaque fois, ta mère m'a dit qu'il n'était pas là. J'ai même campé pendant des heures devant son bureau, à la synagogue, mais jamais le rabbin Isaacs, son bedeau, n'a voulu me laisser entrer. Je lui ai écrit, aussi, mais il ne m'a pas répondu.

Je voudrais me convaincre que ce qui s'est passé entre nous n'était qu'une petite étincelle à présent éteinte par le vent d'hiver. J'envisage d'entrer dans les ordres, et ce serait bien naïf d'imaginer que nous nous reverrons un jour. C'est précisément cette impossibilité qui me donne le courage de te dire ce que je ne t'aurais jamais dit, autrement.

Je crois que mes sentiments à ton égard étaient de l'amour, quel que soit le sens terrestre d'un mot trop souvent employé à tort et à travers. Je sais que c'était de la tendresse, ainsi qu'un désir ardent d'être toujours auprès de toi et de te protéger, envers et contre tous.

Mes vœux t'accompagnent, Déborah, et j'espère, moi aussi, que tu laisseras un peu de moi subsister quelque part au fond de tes pensées.

Prie pour moi comme, toujours, je prierai pour toi.

Affectueusement à toi.

Tim

Peu importait, aux yeux de Déborah, qu'il l'eût dit avec maladresse. Seule comptait cette certitude : ils s'aimaient. Et ils ne pouvaient absolument rien faire contre cela.

17

TIMOTHY

Au séminaire Saint-Athanase, la journée commençait avant l'aube. A six heures moins le quart, sonnaient les matines et l'étudiant de service passait entre les rangées de lits, dans le vaste dortoir, réveillant les jeunes séminaristes au cri de « *Benedicamus Domino* » (« Louons le Seigneur »), à quoi chacun répondait « *Deo gratias* » (« Grâces soient rendues à Dieu »).

Ils avaient vingt minutes pour se doucher, faire leur lit et descendre à la chapelle. Le tout en silence. La période comprise entre le couvre-feu, à neuf heures et demie, et le petit déjeuner, était connue, d'ailleurs, sous le nom du « grand silence ».

En soutane noire, ils pénétraient dans la chapelle pour l'heure de méditation. C'était, leur rappelaient constamment les Pères, le moment de descendre en eux-mêmes. De s'interroger sur la façon de mieux vivre la journée à venir. De mieux établir une relation personnelle avec le Christ.

Après la méditation matinale, les séminaristes faisaient la queue dans le réfectoire, chacun portant son plateau et recevant, par un étroit guichet, un petit déjeuner sans saveur, mais qui tenait au corps. Deux mains gantées apparaissaient, qui déposaient la nourriture sur le comptoir. Car les seules femmes admises sur le territoire du séminaire étaient celles qui travaillaient à la cuisine, et dont une règle stricte fixait l'âge minimum à quarante-cinq ans. De peur que les jeunes gens ne fussent exposés à ce que les Pères définissaient comme « les tentations de l'autre sexe ».

Et pourtant, presque tout rappelait Déborah au souvenir de Tim. Mais en dépit ou partiellement à cause des fréquents rappels des Pères, et des interdits qui s'y rattachaient, ces tentations n'en agissaient pas moins, le jour et surtout la nuit, sous forme de rêves érotiques, sur les hormones d'adolescents bien constitués de quatorze à vingt et un ans.

D'où la nécessité impérieuse, pour tous ces jeunes êtres livrés sans défense à leurs fantasmes nocturnes, de se

141

précipiter chaque jour « dans la boîte » pour y recevoir l'absolution.

Le sexe était partout, à l'intérieur du séminaire. En proportion même des efforts que l'on déployait pour l'en bannir.

L'hiver, les salles de classe étaient mal chauffées. A dessein, disait-on. Pour que chacun demeurât bien éveillé et cultivât en lui-même l'humilité née des rigueurs de l'inconfort.

Mais si rude que fût la saison, après déjeuner, le programme prescrivait une demi-heure d'activités de plein air. Ils disposaient d'un cercle de métal sans filet pour s'entraîner au basket-ball, de quelques haltères rouillés et de sentiers boisés réservés à la promenade.

Là, ils pouvaient bavarder librement. Par groupes de *trois* au moins, toujours soumis à surveillance en vertu du principe de « garde à vue » prôné par les Pères afin de prémunir leurs ouailles contre ce qu'ils appelaient « les amitiés particulières ». C'était une chose que d'aimer son prochain. C'en était une autre d'aimer son voisin le plus proche. *Nunquam duo* était le mot de passe : jamais à deux.

Chaque jour, l'horaire était identique. Méditation, prière, étude, récréation en plein air. Excepté le jour du Seigneur.

Le dimanche après-midi, ils ôtaient leur soutane noire, endossaient d'autres vêtements, costume noir, chemise blanche, cravate et souliers noirs, pour sortir dans le monde profane.

Ils allaient jusqu'au village, précédés et suivis de chaperons ecclésiastiques. Non que le but de ces marches dominicales leur apparût clairement puisqu'ils n'avaient la permission, ni d'acheter un journal, ni même une barre de chocolat. Ils défilaient simplement à travers le village, au retour comme à l'aller, sous le regard curieux des autochtones à qui, naturellement, il leur était défendu d'adresser la parole.

Alors que la première année de Tim au séminaire tirait à sa fin, quatre des garçons logés dans son dortoir commirent une infraction grave aux règles établies.

Toute correspondance envoyée ou reçue devait évidemment passer par le bureau du recteur. Sean O'Meara, lui, avait profité de la promenade du dimanche pour jeter une lettre à la poste. Trois autres séminaristes l'avaient vu, mais s'étaient abstenus de signaler la faute.

Lors de l'audience présidée par le recteur, Sean se défendit bravement, quoique maladroitement, en affirmant que la lettre était destinée à son vieux directeur de conscience, le prêtre de son ancienne paroisse.

La gravité de sa transgression n'en fut nullement atténuée, et la sanction s'abattit, dure et tranchante comme le fer d'une hache : un an d'exclusion des principales activités communes, qu'il devrait consacrer à l'étude, à la prière et à la pénitence.

Ceux qui ne l'avaient pas dénoncé s'entendirent condamner à rester au séminaire en juillet et en août, à travailler aux jardins, et à prier.

De son plein gré, Timothy ne quitta pas non plus le séminaire, durant ces mois d'été qu'il consacra à des cours intensifs de grec et d'hébreu, accélérant d'autant sa trajectoire personnelle vers l'ordination.

Où serait-il allé, d'ailleurs ?

Par un chaud après-midi de juillet, au terme d'un de ses cours quotidiens, alors qu'il se rendait à la bibliothèque pour y apprendre par cœur ce qui venait de lui être enseigné, le père Sheehan lui conseilla de sortir au soleil, allant jusqu'à plaisanter :

– Regardez-moi ces gaillards, là-bas, qui taillent les rosiers. Vous croyez qu'ils sont vraiment punis ? C'est une joie de respirer le grand air et le soleil d'été que Dieu nous envoie pour nous récompenser d'avoir supporté les rigueurs de l'hiver !

Timothy obéit, sans enthousiasme au départ, rejoignant au jardin, après le déjeuner, les pénitents occupés à soigner les roses. La première fois en un an, ou presque, que Timothy se retrouvait avec d'autres garçons de son âge, en dehors de toute surveillance « officielle ». Le début fut difficile. Ils n'étaient pas plus à l'aise, vis-à-vis de lui, qu'ils l'étaient entre eux. Mais la chaleur de l'été intensifiant leur soif de communication, peu à peu, les langues se délièrent.

Les trois « prisonniers » souffraient de leur claustration. Pas tellement à cause du travail, car ils savaient apprécier la beauté de la saison et des fleurs. Mais ils avaient tellement attendu cette reprise de contact avec leurs familles.

Le plus nerveux des trois, une espèce d'échalas interminable, maigre comme un clou, du nom de Jamie MacNaughton, voulut finalement savoir :

– Et toi, Tim ? Tu n'as pas de famille ? Ni sœurs ni frères ? Personne qui te manque un peu ?

– Non.

Catégorique. Jamie insista :

– Tes parents sont morts ?

Le temps d'une hésitation brève... Mais la discrétion ne demeurait-elle pas, toujours, la plus sûre marche à suivre ?

– C'est tout comme.

– Une veine pour toi, dans un sens. Franchement, Hogan, j'ai toujours admiré ton autonomie. Ta façon de te suffire à toi-même. Maintenant, je comprends mieux pourquoi le monde extérieur ne te manque pas. C'est parce que personne ne t'y attend nulle part !

144

– C'est ça, confirma Timothy.

Tentant simultanément de repousser, comme il l'avait fait toute l'année, jusqu'aux ultimes profondeurs de lui-même, le souvenir de quelqu'un qui s'appelait Déborah.

18

DANIEL

Deb chérie,

Merci pour ta dernière lettre. J'espère que tu commences à t'acclimater. Et que ton cafard est surtout la conséquence d'un solide « mal du pays ». Je ne veux pas croire que personne puisse être aussi moche que ta description des Schiffman.

Mon propre horizon s'élargit de jour en jour. Passer le pont pour me rendre à l'Université hébraïque représente beaucoup plus que la traversée du fleuve qui sépare Brooklyn de Manhattan. C'est la jonction de deux cultures. Jusque-là, notre vie était insulaire, hermétique, protégée. Alors que ma nouvelle vie fourmille de toutes les tentations du monde extérieur.

Nous ne sommes que vingt-six en première année de programme rabbinique. (Contre une centaine chez les futurs médecins.)

Près des deux tiers de la classe sont mariés et prennent tous les jours le train de banlieue. D'aussi loin, pour certains, que Staten Island. Nous broutons le même gazon que le séminaire de l'Union théologique et l'université de Columbia, c'est te dire si les loyers, dans le coin, sont astronomiques. Et dans la mesure où pas une des futures femmes de rabbin ne travaille – toutes ont déjà commencé à remplir la *mitzvah* pour croître et multiplier – les couples mariés se voient contraints de vivre

145

chez leurs parents et de survivre sur les maigres subsides qui leur sont accordés.

En ce qui me concerne, avec mes études payées par la communauté, je peux vivre ma vie de célibataire insouciant au Foyer pour hommes Hyam Salomon où j'ai ma chambre personnelle, avec plein d'étagères pour mes bouquins talmudiques.

La concurrence est sévère. Mais au moins, on ne me charrie pas à tout bout de champ parce que je suis le prince héritier du royaume de Silcz ! J'ai parmi mes camarades les fils d'autres rabbins distingués.

Le seul trait commun que nous autres dauphins ayons entre nous est la trouille bleue de ne jamais être à la hauteur de nos pères.

Papa m'appelle toujours plusieurs fois par semaine pour me demander comment ça se passe. Je lui repète que c'est une grande aventure, je lui décris les captivants duels mentaux des cours talmudiques, avec en guise d'épées ces mots des Écritures qui tapent dans le mille et remportent les victoires.

Et par-dessus tout, contrairement à la plupart des étudiants de cette époque déchirée par la guerre du Vietnam et le fossé croissant des générations, notre religion me procure une grande sécurité.

Passons maintenant à quelques secrets intimes que je ne saurais partager avec personne d'autre que toi.

Affranchi de toute censure paternelle, je peux aller à Broadway. Certes, ce n'est pas le Haut-Broadway, mais c'est bien assez pour moi. J'y vais boire un coca dans un bar, ou même quelque chose de plus fort. Mais je ne suis pas encore allé jusque-là.

Pas loin du campus, se trouve un cinéma, le Thalia, où passent des tas de vieux classiques. Je voudrais que tu entendes tous les piqués du West Side débiter par cœur des scènes entières !

Moi-même, depuis que je fréquente la salle, je suis accro. Ces films me transportent dans des lieux que je n'ai jamais vus, et que je ne verrai sans doute jamais. On y assiste, on y participe à des événements historiques tels que la Révolution russe, revue et corrigée par l'objectif coloré de Sergueï Eisenstein.

Mais, et ce n'est pas si facile de l'avouer à sa propre sœur,

146

mon meilleur moment, au Thalia, est toujours l'attente du
début de la séance, parmi les rires et les babillages des étu-
diantes de Barnard ! Comme tu le vois, je ne puise pas mon instruction que dans les livres, mais aussi, chaque fois que je les
ferme, dans le spectacle du monde qui m'entoure.

J'aimerais que tu m'ouvres ton cœur comme je t'ouvre le
mien. Écris-moi très vite.

Affectueusement, Danny.

19

DÉBORAH

C'était le Jeûne d'Esther, le jour solennel qui précède
Purim, la fête la plus joyeuse du calendrier juif.

Purim célèbre la bravoure de la reine Esther, qui obtint
de son mari, le roi Assuérus, l'abolition de la peine de mort
qu'il avait prononcée contre tous les juifs de Perse, coreligionnaires de sa propre épouse. La veille, Esther avait
jeûné et prié, dans l'espoir d'obtenir l'assistance divine.
Depuis lors, juifs et juives dévots commémorent, en suivant son exemple, la piété d'Esther.

Malgré la tristesse apparente de ce jour de jeûne, Déborah y avait toujours puisé un grand réconfort. C'était, dans
sa religion, la seule fête qui célébrât les nobles actions
d'une femme.

A son grand dam, pas une seule fois depuis le début de
sa « captivité », Déborah n'avait pu se rendre au mur des

147

Lamentations. Quoi d'étonnant qu'elle eût décidé, ce jour-là, d'aller y prier sur son propre exil ?

Peut-être même espérait-elle pouvoir glisser entre les pierres un de ces *kvitls*, petites feuilles de papier recelant quelque supplique personnelle au Père de l'Univers que, traditionnellement, les pèlerins enfoncent dans ce qu'ils appellent « la boîte aux lettres de Dieu » ?

Elle savait que le rabbin Schiffman s'y rendait souvent, non seulement pour prier, mais pour y conférer avec d'autres chefs religieux. Pourtant, depuis que Déborah séjournait chez les Schiffman, jamais elle n'avait entendu le mari proposer à sa femme de l'y accompagner. Abstention que Leah rationalisait en ces termes :

– A quoi bon ? Ils nous entassent dans un espace clos, entre des barrières, et les hommes prient si fort que tu n'arrives pas à te concentrer.

– Moi, j'y arriverai ! rétorquait Déborah.

Moins par indulgence que par lassitude, le rabbin capitula :

– Puisqu'elle y tient tellement, vas-y avec elle, Leah.

Sa femme fronça les sourcils. Vaquer aux corvées domestiques, s'occuper du dernier-né, porter le fardeau du prochain soumettaient sa résistance à rude épreuve et la perspective de se rendre à pied, au cœur de la vieille ville, ne lui souriait guère. Même avec un aussi saint objectif.

Visiblement contrariée, elle grogna :

– Très bien. Je vais demander à madame Unger, la voisine d'à côté, de garder un œil sur les enfants.

Une heure plus tard, les deux femmes remontaient, côte à côte, la rue Hanevi'im. Les étroites venelles de Mea Shearim baignaient dans une ombre quasi perpétuelle et rien n'eût causé plus de plaisir à Déborah que ce soleil de début de printemps sur son visage.

Quand elles franchirent les murs de l'antique cité, par la porte de Damas, et s'engagèrent dans les ruelles aux pavés inégaux, Déborah, la tête légère, crut qu'elle allait en mourir de joie anticipée. Autour d'elle, planait la présence rémanente des millions de pèlerins dont les prières silencieuses, en toutes langues, avaient laissé derrière eux tant d'atomes invisibles directement issus de leurs âmes dévotes.

Elles atteignirent, après la Via Dolorosa, le rempart qui domine la vaste cour intérieure déblayée par les soldats israéliens, après la guerre des Six Jours.

Lorsqu'un policier militaire exigea de vérifier le contenu du sac de Leah, la femme du rabbin fit la grimace et dit à Déborah, en yiddish :

– Regarde un peu tous ces hommes en armes ! Est-ce que j'ai la tête d'un terroriste poseur de bombes ?

Avant que Déborah pût lui répondre, un autre soldat rétorqua, dans la même langue :

– Vous croyez que ça me plaît, ce boulot, madame ? Mais je le ferais de toute façon... même si vous étiez ma mère !

Leah le foudroya du regard.

– Tu entends ça, Déborah ? Quel manque de respect !

Le soldat se contenta de sourire avec indulgence et leur fit signe de passer.

Dès leur descente vers la première cour d'entrée, leur parvint le bourdonnement de la multitude fervente uniformément vêtue de noir qui se balançait sur place, devant le Mur. Leurs prières s'envolaient vers le ciel en une cacophonie étrangement mélodieuse d'accents aussi divers que ceux de Damas, de Dallas et de Dresde.

Dans le coin de droite le plus éloigné, une barrière de métal délimitait la zone réduite réservée aux fidèles de

sexe féminin. Sur le chemin de cette enclave, Leah se mit
à tirer sur le bras de Déborah afin de l'éloigner au maximum de l'écrasante majorité d'hommes présents sur les
lieux.

– Qu'est-ce que vous faites ? protesta Déborah. Je ne
dérange personne.

– Tais-toi ! Et fais ce que je te dis !

Il y avait foule, dans la minuscule enclave, mais Déborah joua des coudes, parvint au premier rang et, toute fris-
sonnante d'émotion, baisa doucement les pierres sacrées.

Sans ouvrir son livre, elle se joignit à la prière matinale.
Quand ils en furent à l'*ashrey* (« Heureux ceux qui
demeurent dans Ta Maison »), la voix superbe de Déborah
avait gagné peu à peu en volume et en ferveur, galvanisant
à sa suite toutes les autres voix féminines.

> *Loue le Seigneur, ô mon âme :*
> *Je louerai le Seigneur, tout au long de ma vie,*
> *Je chanterai les louanges de mon Dieu*
> *Tant que durera mon être...*

Alors, vint l'attaque.

De l'autre côté de la barrière, naquirent les premiers
hurlements :

– *Shah ! Zoll zein shah !* La ferme ! Baissez la voix !

Mais si captivées étaient les femmes par le zèle de
Déborah qu'en dépit des avertissements renouvelés de
Leah Schiffman, elles continuèrent à chanter avec une
ardeur accrue.

Les hurlements des hommes redoublèrent, sans dimi-
nuer la concentration des femmes. Puis une chaise de bois
vola par-dessus la barrière, frappant une dame âgée que la
violence du choc jeta à terre.

Alors que Déborah l'aidait à se relever, le projectile suivant s'ouvrit au contact du sol, dégageant, en sifflant, une épaisse fumée.

– Mon Dieu, c'est du gaz lacrymogène !

Toute peur oubliée, elle ramassa la grenade, la rejeta vers les hommes, de toute la force de sa fureur. Une clameur d'indignation salua son geste et d'autres projectiles jaillirent que les femmes, suivant l'exemple de Déborah, retournèrent avec énergie.

– Qu'est-ce que vous attendez pour intervenir ? cria Déborah aux policiers qui les regardaient d'en haut.

Mais les gardes ne savaient trop sur quel pied danser. Ils avaient l'ordre strict de ne jamais intervenir sans l'autorisation expresse du ministère du Culte. (Nul ne savait, après tout, qui avait lancé la grenade.)

Finalement, le capitaine Yosef Nahum prit la seule décision qui pût endiguer la violence croissante.

– Sortez-moi les femmes de là ! Et tâchez de tenir les hommes à l'écart !

Les policiers se précipitèrent au secours des femmes effrayées. Une douzaine d'autres fit face aux zélotes pour les empêcher de se lancer à leur poursuite.

Dix minutes plus tard, les femmes, regroupées, purent aller terminer leurs prières ailleurs.

Bien que Déborah fût encore sous le choc, elle ne put s'empêcher de rire en constatant qu'on venait de les reconduire à la « Porte du fumier » par laquelle, durant des milliers d'années, la ville avait évacué ses ordures ménagères.

Le rabbin Schiffman les attendait à la maison, en proie à une fureur difficilement réprimée.

– Tu es déjà au courant de ce qui s'est passé ? demanda son épouse.

– A Mea Shearim, nous n'avons pas besoin de journaux pour savoir ce qui se passe !

Pointant vers Déborah un index accusateur :

– C'est à cause de cette diablesse ! Je savais que nous n'aurions jamais dû lui permettre de s'approcher du Mur !

– A cause de moi ? releva Déborah, stupéfaite.

– Oui, à cause de toi ! Ton père ne m'avait pas dit que tu étais capable de te conduire comme une prostituée !

– Une... prostituée ?

– Tu as chanté ! rugit-il. Tu as chanté à pleine voix !

– Je priais.

– Mais à haute voix ! Tous les hommes pouvaient t'entendre. Tu ne sais pas que le Talmud dit que la voix d'une femme peut engendrer une tentation luxurieuse à laquelle on ne doit pas exposer les hommes ?

A l'adresse de son épouse :

– Je te le dis, Leah, j'ai honte d'héberger cette fille sous mon propre toit. Je ne sais pas ce qui me retient d'écrire à Moïse pour qu'il nous en débarrasse !

Si seulement tu pouvais dire vrai, songea Déborah, meurtrie jusqu'au fond de l'âme.

20

DANIEL

Contrairement à ces séminaires ultra-orthodoxes où la pédagogie juive ne semble pas avoir évolué depuis le Talmud babylonien, notre Université hébraïque était bel et bien une institution du xxe siècle. On y croyait aux activités intellectuelles libérales telles que la philosophie laïque, les beaux-arts et la physique nucléaire. On y admettait même, de temps à autre, la présence en chaire de rabbins conservateurs.

En accord avec ces vues progressistes, nous autres futurs rabbins avions l'obligation de suivre des cours extérieurs à nos matières essentielles. Les maths ou la chimie, par exemple, ou bien encore la littérature anglaise ou un grand nombre d'autres disciplines. Mais en grande majorité, nous étions assez pragmatiques pour choisir des sujets plus ou moins reliés à notre vocation future, entre autres, la philosophie.

Bien que l'UH eût à son programme un magnifique enseignement d'histoire des idées, de Platon à Sartre, nous n'étions pas obligés de nous limiter aux quatre murs de notre école. Grâce aux arrangements bilatéraux conclus avec notre proche voisine, l'université de Columbia, nous avions toute latitude de choisir parmi les prestigieux géants académiques présents dans cette institution mondialement connue.

Feuilleter l'énorme catalogue de Columbia, c'était lire le menu d'un formidable festin de connaissance. Mais avant même de le compulser, je savais déjà quelle matière je choisirais : le cours de psychologie de la religion de l'éminent professeur Aaron Beller, lui-même descendant d'une lignée de rabbins distingués.

Beller était ce que nous appelons péjorativement un *epikoros*, un juif lettré passé à la dissidence. Un de ces libertins de la pensée dont les orthodoxes ont la certitude qu'à la venue du Messie, ils iront tout droit brûler en enfer.

Quelle raison obscure me fit opter pour cette confronta-

153

tion dangereuse avec un serpent susceptible de m'exposer à la tentation de l'apostasie ?

Peut-être parce que je pensais qu'en ma qualité de futur rabbin, je ferais bien de me cuirasser, d'avance, contre les arguments les plus subtils en prêtant l'oreille au diable lui-même, à travers les idées subversives développées par un brillant *epikoros*.

Le mardi et le jeudi matin, je remontais donc les huit pâtés de maisons qui séparaient mon foyer de l'amphithéâtre Hamilton, la plus vaste salle de conférence de Columbia, que Beller remplissait toujours à craquer.

En dehors d'une petite enclave de calottes, j'y retrouvai le premier mardi, fort peu de mes condisciples. La peur, je suppose. Mais, tant issus de Columbia même que venus d'ailleurs, des douzaines et des douzaines d'auditeurs avaient volé, dès ce premier jour, à la rencontre d'Aaron Beller comme autant de phalènes vers une flamme. Probablement curieux de voir jusqu'où ils pourraient s'y roussir les ailes sans réduire en cendres leurs propres croyances.

Éparpillés au sein des « première année » de Columbia en veste de tweed et des « fin d'études » à l'expression blasée, siégeaient des messieurs rasés de près sous le col ecclésiastique, venus évidemment du séminaire de l'Union théologique situé juste en face.

Le brouhaha en cours s'apaisa à l'apparition de la grande carcasse osseuse, détentrice d'un Ph. D., couronnée de cheveux d'argent, qui monta sur le podium et, un sourire méphistophélique aux lèvres, promena son regard sur ses victimes potentielles. Particulièrement ceux d'entre nous qui, en occupant les derniers rangs, comme pour fuir une contagion probable, trahissaient l'appréhension que leur inspiraient ses idées.

Dans le silence restauré, il commença :

– Pour ne point risquer de causer le moindre dommage aux plus fragiles d'entre vous, je vais vous exposer la philosophie d'un programme qui devrait porter le même avertissement que les paquets de cigarettes : dangereux pour votre santé. Mentale en l'occurrence. Ma formation psychiatrique a pleinement confirmé mon opinion, à savoir que l'Homme a créé Dieu, et non l'inverse.

Se penchant en avant du haut de l'estrade, il prit un ton confidentiel :

– Venons-en maintenant au secret bien tenu de toute religion. D'une façon ou d'une autre, l'Homme tend vers Dieu par le truchement de la sexualité.

Dans l'auditoire, commençait à bouillir la révolte, sur les feux de l'indignation.

– Même durant le règne du roi David, plus de cinq siècles après que Moïse eut reçu les Dix Commandements, il y avait toujours des juifs pour adorer « Notre Mère la Terre » ainsi que Baal, son consort phallique. Et tous ces cultes privilégiaient, dans leurs rites, une prostitution sacrée.

A ce point de l'exposé, il y eut de véritables bonds sur place dans la petite escouade orthodoxe dont le chef de file n'était autre que mon camarade de classe barbu, Wolf Lifshitz, stoppé à mi-chemin de la sortie par l'ordre impérieux de Beller :

– Un instant ! Mon propos est d'informer. Nullement d'offenser. Puis-je savoir ce que j'ai dit, jusque-là, qui vous semble tellement inacceptable ?

Confirmé dans sa fonction de porte-parole par les regards et le silence de ses compagnons, Lifshitz acheva de bomber une poitrine déjà imposante pour répondre :

– Vous blasphémez notre religion.

155

– Vraiment ? Votre religion tiendrait-elle la vérité pour un blasphème ?

– Ce que vous dites n'est pas la vérité.

– Pouvez-vous être plus précis ?

Wolf rougissait à vue d'œil.

– Ce que vous avez dit sur... sur la prostitution sacrée.

Le ton de Beller se teinta d'ironie.

– Je suis sûr que votre hébreu est bien meilleur que le mien. Mais pourriez-vous traduire le mot *kodesh* au bénéfice de la classe entière ?

– Il signifie « sainteté », admit Wolf, sur ses gardes. On l'applique même au Saint Temple.

– Parfait. Et savez-vous, par hasard, ce que les mots de la même famille *kadesh* et *kadeshaah* signifient ?

Lifshitz, mal à l'aise, parla brièvement à sa petite bande, puis se retourna vers Beller.

– Quelque chose à voir avec la sainteté, de toute évidence.

– On ne saurait mieux dire, triompha Beller, hilare. Ce sont les mots, en hébreu, pour « prostituées sacrées », mâle et femelle, dans le culte de Baal et d'Astarté.

Le ressentiment et la rage se disputaient les traits mobiles de Lifshitz.

– Où peut-on trouver ces mots dans la Bible ?

– Dans le Deutéronome, chapitre vingt-trois, verset dix-huit. Je peux vous le citer *in extenso*, si vous le désirez.

– Non, non, je crois que je me souviens de ce passage. Mais n'est-il pas dit, dans la Bible, que ce sont là des choses qui ne *devraient pas* exister ?

– Absolument, mon garçon. Il n'en demeure pas moins que, même contraire à notre morale actuelle, cette pratique attirait nos ancêtres puisqu'elle était fort répandue dans tout le Proche-Orient. Je vous renvoie au *Code*

156

d'Hammurabi où l'on rencontre le mot *qadištu,* évidemment apparenté à *kadeshaah.* Que cela vous plaise ou non, nos prêtres devaient alors se plier à ces pratiques qui fournissaient, j'imagine, une puissante motivation supplémentaire aux visiteurs du Temple.

Les rires de la classe déferlèrent sur Lifshitz et ses amis. J'avoue que moi-même me sentais aussi retourné que fasciné tandis que Beller enchaînait sans hausser le ton :

– Voyez-vous, les rabbins qui ont rédigé et codifié les Lois étaient assez astucieux pour reconnaître que la force motrice la plus puissante, chez l'homme, est la *Yetzer Ha,* littéralement « l'inclination au mal » que l'on désigne aujourd'hui, particulièrement dans la littérature psychanalytique, sous le nom de libido.

Beller jeta un coup d'œil malicieux dans la direction des contestataires toujours figés près de la sortie.

– Ainsi que nous le confirmeront nos contradicteurs en instance de départ, la Loi juive enjoint au mari de donner du plaisir à sa femme, le jour du Sabbat. *Lesameach et ishto.* Suis-je dans le vrai, messieurs ?

Wolf Lifshitz avait repris, entre-temps, du poil de la bête.

– Vous parlez d'une *mitzvah,* monsieur Beller. Un commandement de la Torah. Nous devrions tous être fiers que l'on traite les relations conjugales avec un tel respect.

– Tout à fait d'accord, approuva le professeur. Mais savez-vous aussi ce que le *midrash* ordonne à qui sent approcher l'orgasme ?

Wolf, furieux, secoua la tête, incapable de répondre, et Beller cita le passage extrait du *Code abrégé,* volume quatre, chapitre cinquante et un :

– Durant les rapports sexuels, l'homme doit s'efforcer d'évoquer un sujet tiré de la Torah, ou tout autre sujet

157

sacré. N'y a-t-il pas contradiction dans les termes? demanda-t-il au reste de l'auditoire. Quand un juif pieux reçoit l'injonction de faire l'amour, pourquoi lui ordonne-t-on de penser à autre chose, à l'approche du paroxysme? Pourquoi lui dit-on, textuellement, que l'acte sexuel n'est pas destiné à « satisfaire ses désirs personnels » ?

Un murmure parcourut la foule alors que Beller enchaînait :

– Rien de tel que le sexe pour faire ressortir l'Harmaguéddon de l'ambivalence, dans la psyché du mâle !

Et lorsque les rires se furent apaisés :

– Peu importe que la doctrine soit « Tu feras l'amour » ou « Tu n'y penseras pas en le faisant ». La vérité, c'est que, dans les deux cas, le sexe est toujours la force agissante.

Défiant, une fois de plus, l'opposition, il ajouta :

– Vous trouvez cela choquant, messieurs ?

– C'est vous, professeur Beller, que nous trouvons choquant.

Et là-dessus, Wolf Lifshitz donna, en sortant le premier, le signal du départ de ses troupes.

Beller se retourna vers le reste de l'assistance.

– Bien. Au moins, nous savons que ceux qui sont restés possèdent l'ouverture d'esprit adéquate.

Il passa en revue diverses pratiques religieuses d'Orient et d'Occident, démontrant que dans chacune d'elles le sexe jouait un rôle différent, mais toujours essentiel.

– De nombreux cultes encouragent le plaisir sans aucun remords. L'hindouisme, par exemple, voit dans l'union de l'homme et de la femme une preuve de la cohérence de l'univers. Dans l'Inde contemporaine, on trouve des milliers d'autels à la gloire du *linga,* ou phallus en érection, symbole du dieu Shiva ; et selon la doctrine taoïste antique, faire l'amour était un acte solennel, une « joyeuse nécessité » qui amenait le paradis sur terre. Quant aux premiers chrétiens, ils ne pratiquaient pas exactement le célibat ! Combien d'entre eux ne sont parvenus à la sainteté qu'après un détour par une sexualité débridée ? Saint Jérôme et saint Augustin, par exemple, admettent ouvertement leur hédonisme sexuel, avant d'opter pour le célibat. Et comment oublier la fervente supplique au Seigneur du jeune Augustin : « Accorde-moi de rester chaste et maître de mes désirs, ô mon Dieu... mais pas trop tôt ! »

Porté par la vague de rire qui balayait, de nouveau, la salle de conférence, j'observai les hommes d'Église présents parmi nous. Contrairement à mes coreligionnaires braqués contre l'orateur, ils écoutaient respectueusement ses paroles. Certains allaient jusqu'à les souligner de menus hochements de tête. Plus âgés, dans l'ensemble, que le reste de l'auditoire, ils se rendaient parfaitement compte que Beller n'était pas en train de construire une argumentation au pied levé, mais se bornait à marteler des éléments qui ne pouvaient souffrir aucune controverse.

En fait, la démarche de Beller était celle du psychiatre freudien qui tient pour irrationnelle et névrotique toute foi aveugle, et n'y voit que la sublimation subconsciente d'élans érotiques.

Je lus avec avidité tous les ouvrages inscrits au sommaire, plongeant à corps perdu dans le torrent des conflits religieux. Sûr, à peu près, que ma propre foi y laisserait des plumes.

Aucun examen ne sanctionnait ces cours. Seul effort exigé : la rédaction d'un mémoire d'une vingtaine de pages, en fin d'année. Vu le nombre des effectifs, Beller ne pouvait lire personnellement tous les essais. Quatre assistants lui prêtaient main-forte, pour l'attribution des notes.

Mais c'était par lui que je voulais être lu, et je me creusais les méninges en quête du meilleur moyen d'y parvenir.

Les conférences se terminaient à une heure et, plutôt que de retourner déjeuner au séminaire, rien ne m'empêchait d'avaler une salade, vite fait, à la cafétéria de l'amphi John-Jay.

Un jeudi, en ressortant de la queue avec mon plateau, je repérai le professeur Beller assis devant le sien, seul à sa table. Pouvais-je me permettre de le déranger alors qu'il feuilletait, en mangeant, quelque revue savante ? J'hésitais. Mais c'était maintenant ou jamais.

– Excusez-moi, professeur Beller. Puis-je vous tenir compagnie ?

Son sourire était amical.

– J'en serais heureux. Appelez-moi Aaron.

– Merci. Je m'appelle Luria. Euh... Danny, je veux dire. Je suis vos cours.

– Vraiment ?

Il découvrit, après coup, ma calotte et mes vêtements noirs, et releva, avec une satisfaction évidente :

– Un nom qui vous convient, Daniel. Vous êtes le seul *frummer* assez brave pour être resté dans la fosse aux lions.

J'aurais voulu lui dire à quel point j'appréciais ses cours, mais il se mit à m'interroger, cordialement, sur ma famille, mes origines. A ma grande surprise, à ma grande fierté, il connaissait mon père ou, du moins, il savait qui était le rabbin de Silcz.

– Ceux de là-bas ont une merveilleuse tradition de sagesse et d'étude. Avez-vous l'intention de marcher sur ses brisées ?

– Oui. Bien que je n'aie pas sa taille et ne puisse faire d'aussi grands pas.

– La véritable humilité socratique.

160

– Mais je ne me prends pas pour Socrate !

– Ni moi pour Platon. Ce qui ne nous empêche pas, l'un comme l'autre, de poursuivre toutes ces vérités qui se dérobent. Vous avez lu de bons livres, ces temps-ci ?

Je lui avouai, cherchant à lui plaire, que j'avais acheté quelques-uns des siens, non encore publiés en format de poche, afin de les lire au cours de l'année scolaire. Mais apparemment, ce genre de flatterie le laissait insensible. Il protesta :

– Ne gâchez pas votre argent, achetez plutôt Martin Buber ou A.J. Heschel, *Dieu à la recherche de l'homme*. Ceux-là expriment des idées originales. Moi, je ne fais que synthétiser celles des autres.

Il ajouta, l'œil brillant de malice :

– Et semer le trouble dans les esprits.

A mon tour, je protestai bravement :

– Ne soyez pas si modeste. Vous éclairez de vos lumières quantité d'endroits obscurs. Vous m'avez révélé beaucoup de choses que je ne soupçonnais même pas.

Sincèrement touché, cette fois, il dit avec chaleur :

– Merci, c'est le plus beau compliment qu'un prof puisse recevoir. Peut-être écrirez-vous quelque chose, un jour, qui ramènera la brebis égarée au sein du troupeau.

Je m'étonnai :

– Vous avez la nostalgie de la foi ?

La candeur de son regard était celle d'un enfant.

– Bien entendu. Vous ne savez pas que les agnostiques sont des gens qui désespèrent de prouver une bonne fois pour toutes la présence de Dieu dans le ciel ? Le judaïsme existentiel n'attend peut-être que vous, Danny.

Après un rapide coup d'œil à sa montre :

– Pardonnez-moi, mais j'ai mon premier patient à deux heures. J'ai bien aimé notre petite conversation. Reprenons-la un de ces jours, d'accord ?

Je restai là, l'œil dans le vague, tandis qu'il s'éloignait rapidement.

Le plus important, au fond, tenait dans sa dernière réplique puisqu'il m'avait quitté pour aller secourir, au cœur du monde réel, des âmes livrées au doute. Des âmes pour qui la foi n'était pas suffisante.

Je commençais à me demander si mon âme, à moi, n'entrait pas dans la même catégorie.

21

DÉBORAH

C'était au tour du rabbin Schiffman d'aller dîner au Roi David. Il revêtit, pour cette occasion, un costume noir, avec une chemise blanche neuve et une cravate noire. Sa femme brossa même soigneusement son plus beau chapeau, dans une étrange atmosphère de conspiration. La seule allusion que le couple fit à ce déjeuner se résumait en un mot :

« Philadelphie. »

La matinée précédant l'événement, le rabbin la passa à potasser un dossier porteur de signes mystérieux qui firent à Déborah, qui avait osé y jeter un œil lorsqu'il était sorti de son bureau, l'effet d'idéogrammes japonais. Autant pour Leah que pour lui-même, il dit en soupirant, alors qu'elle l'aidait à enfiler sa veste noire :

– Voilà... Quand il s'agit de Philadelphie, seule ma femme peut m'aider à emporter la décision.

162

– Bonne chance, Lazar, dit-elle en lui pressant fortement la main. Il sourit avec gratitude et s'en alla prendre son bus.

Déborah tenta, vainement, de tirer les vers du nez de la rabbetzin.

– C'est sûrement une réunion importante, non ? De quoi s'agit-il au juste ?

– Si on te le demande... D'ailleurs, le Rav Luria... béni soit son nom... doit faire à peu près la même chose.

Déborah nageait en pleine confusion. Jamais, à sa connaissance, son père n'avait été invité à déjeuner au Waldorf Astoria par « Philadelphie » ou toute autre ville.

Le rabbin rentra, rouge d'excitation, peu avant les prières du soir.

– Alors ? s'impatienta Leah.

– Le ciel en soit loué, l'idée plaît à « Madame Philadelphie. » Ils versent un demi-million de dollars.

Déborah, qui commençait à soupçonner les Schiffman d'activités illicites, décida qu'elle avait suffisamment écouté à la porte et rejoignit ses hôtes dans la salle à manger, s'exclamant sans tourner autour du pot.

– Un demi-million de dollars !

Fait sans précédent, le rabbin Schiffman sourit largement au lieu de piquer une crise de colère.

– C'est une merveilleuse journée. Les Greenbaum de Philadelphie nous donnent les fonds pour construire un foyer, auprès de notre yeshiva. Nous allons pouvoir prendre davantage d'étudiants.

– Formidable, commenta Déborah, soulagée. Vous allez pouvoir habiter une plus grande maison. (Mieux chauffée, aussi, ajouta-t-elle en son for intérieur.) Peut-être avec un jardin où les enfants pourront profiter du soleil...

Un geste du rabbin lui coupa la parole.

163

– Tu aurais mieux fait de te mordre la langue ! Dieu me garde de distraire un seul sou de cet argent pour mon usage personnel. Nous ne sommes pas en Amérique où les congrégations offrent des Cadillac à leurs rabbins !

Cet altruisme semblait en tout point respectable. Mais détestable, aussi, quand on voyait dans quel dénuement il faisait vivre sa famille, sans parler de Déborah elle-même. Pas mieux que les pharaons ne faisaient vivre les juifs, au temps de l'esclavage en Égypte.

Déborah ne pouvait plus supporter la condescendance du rabbin, ni la tyrannie de son épouse qui la considérait comme une sorte de prolongement de la machine à laver le linge.

Son propre père avait-il vraiment su à quoi il l'exposait ? Se pouvait-il qu'il eût demandé au rabbin Schiffman d'ajouter au châtiment de l'exil les rigueurs d'un camp de travail ?

Déborah n'en avait aucune idée, puisqu'il ne lui écrivait jamais. Sa mère, oui. Qui lui assurait, périodiquement, qu'elle exhortait Moïse à se montrer plus raisonnable et à la rappeler auprès d'eux.

Qui plus est, selon sa promesse, elle joignait un peu d'argent à chacune de ses lettres. Au prix, c'était évident, de sacrifices personnels puisqu'il s'agissait, à chaque fois, d'au moins dix dollars, souvent un peu plus.

Le coffre au trésor de Déborah était une vieille boîte de café « Élite » rangée au fond du seul tiroir qui lui fût réservé, dans la chambre des filles. Aucune manifestation spéciale ne marqua le jour de son dix-huitième anniversaire. Non qu'elle eût espéré la fanfare ou même un petit gâteau. Mais les vœux classiques, accompagnés d'un gentil sourire, n'auraient pas ruiné la maisonnée !

Sa mère, elle, ne l'avait pas oubliée. Et sa lettre contenait une fortune. Un billet de dix, comme toujours, *plus* un billet de vingt !

La vieille boîte à café débordait, et bien que, selon Leah, il n'y eût pas de voleurs – Dieu les en préserve – à Mea Shearim, ce n'était guère prudent de conserver de telles sommes dans un simple tiroir. Pourquoi ne pas ouvrir un compte d'épargne ?

L'idée n'était pas sans mérites. Dès le lendemain matin, Déborah quitta la maison, de bonne heure, pou. se rendre à la Banque d'Escompte de la rue Hanevi'im.

En dépit de la chaleur estivale, les hommes portaient toujours d'épais caftans et des chapeaux de fourrure. Et quand elle les croisait, sur les trottoirs, ils détournaient les yeux comme à l'approche de la Méduse.

Déborah, elle aussi, se sentait trop habillée pour la saison, mais même sans les harangues de Leah Schiffman, au sujet des manches longues et des cols boutonnés, les affiches omniprésentes lui auraient rappelé, à tout bout de champ, les consignes de pudeur vestimentaire.

Rien, toutefois, ne pouvait ternir cette ivresse de la liberté recouvrée, ce bonheur d'échapper, ne fût-ce qu'une heure ou deux, aux contraintes étouffantes de la maison Schiffman.

Au dernier carrefour avant la banque, elle vit, en levant les yeux, qu'elle allait traverser la *Rechov Devora Hanevia,* la rue de Déborah la Prophétesse. Un miracle, songea-t-elle, que la population mâle orthodoxe du quartier laissât ainsi subsister, en pleine vue, le nom d'une femme. Pourtant, la plaque honorait bel et bien son homonyme biblique : Déborah, la Jeanne d'Arc israélite qui avait conduit l'armée juive à la rencontre des neuf cents chariots caparaçonnés de fer du puissant pays de Canaan.

165

Déborah Luria possédait-elle moins de courage ? Pour l'heure, elle était libre en ce jeudi matin, à plusieurs centaines de mètres de sa prison, avec quatre-vingt-dix dollars *et son passeport* en poche !

Craignant de perdre sa belle et nouvelle résolution, elle prit sa course au milieu des passants stupéfiés, laissant derrière elle la banque, pour filer sur la route de Jaffa, à travers Nordau, jusqu'à la gare centrale des autocars.

Là, elle s'arrêta, hors d'haleine, mais en proie à une grande excitation interne. Elle venait de s'évader. Ou presque !

Il ne lui restait qu'à fuir Jérusalem. Mais pour quelle destination ?

Les tableaux indicateurs lui offraient un choix fantastique de possibilités variées. Jéricho, la plus vieille cité du monde. Tel-Aviv, la plus récente. Et la plus tapageuse. Ou encore la Galilée.

La dernière lui parut la plus attrayante. Pas seulement à cause de sa beauté légendaire, mais parce que c'était l'endroit le plus éloigné des Schiffman où elle pût envisager de se rendre.

Puis une autre idée la frappa. Je suis une femme. Plus exactement, une jeune fille. Je ne peux pas voyager seule. J'ai besoin d'autres personnes.

Elle parcourut la gare en tous sens, cherchant, avec une résolution chancelante, la solution de son problème.

C'est alors qu'elle vit l'écriteau EGGED TOURS.

Deux heures plus tard, et délestée de cinquante-six dollars, elle prit place à bord d'un car bourré de touristes en pèlerinage, venus d'Atlanta, Géorgie, pour un voyage organisé de trois jours à Haïfa, Nazareth et le nord de la Galilée. Elle avait soixante-douze heures, et trente-quatre dollars, pour prendre une décision plus définitive.

166

Ils déjeunèrent dans un restaurant touristique de Haïfa, sur le mont Carmel, assis devant de longues tables disposées près de la baie panoramique. Très loin, en contrebas, le rivage ressemblait à un énorme saphir posé sur une table de marbre blanc.

Tandis que les touristes gâchaient de la pellicule, Déborah se procura trois jetons de téléphone et appela le numéro des Schiffman. Elle regarda sa montre. Il y avait près de cinq heures qu'elle était partie « pour la banque ». Avaient-ils déjà commencé à s'inquiéter ? Voire appelé la police ?

Plutôt improbable. Elle avait si peu d'importance, à leurs yeux, qu'ils ne s'étaient sans doute pas encore aperçus de son absence.

— Allô ?

— Leah... c'est moi, Déborah.

— Eh bien bravo, princesse ! Il a fallu que je me débrouille toute seule avec le déjeuner.

Cette allusion à sa servitude ne fit que renforcer la résolution de Déborah.

— Écoutez, Leah, je ne rentrerai pas. Je ne supporte plus cette situation.

— Tu es folle ou quoi ? Qui t'a donné la permission de...

— Je n'ai plus besoin de permission. Je sais que vous n'avez rien remarqué, mais je viens d'avoir dix-huit ans. Maintenant, je suis libre de faire ce qui me plaît. D'aller où bon me semble.

Saisie de panique, Leah changea de registre.

— Écoute, chérie, je sais que tu es dans tous tes états. Dis-moi où nous pouvons venir te chercher en voiture.

— Laissez tomber, Leah, ce n'est plus votre affaire. Mais je vous propose un marché.

— Tout ce que tu veux.

167

– Ne dites rien à mon père et je vous rappelle dans trois jours, à cette même heure.

– Tu me rappelleras d'où, Déborah ?

– D'où je serai dans trois jours ! ironisa-t-elle en raccrochant.

Où serait-elle, dans trois jours ? Elle n'en avait pas la moindre idée.

Quand elle regagna sa table, la grosse dame répondant au prénom de Marge qui était assise à la place voisine gloussa gentiment :

– Vous avez manqué le potage, mon petit. Si vous faisiez signe au garçon ?

– Pas grave, riposta Déborah en mordant goulûment dans un morceau de pain.

– Non, non, insista sa nouvelle amie, vous l'avez payé. Garçon !

Un peu plus tard, en mangeant sa soupe, Déborah se félicita que Marge eût été tellement à cheval sur ses « droits ». Avec moins de quarante dollars en poche, elle ne pouvait se permettre de snober la moindre calorie.

Vers la fin du repas, elle cueillit même une pomme dans la coupe de fruits disposée au centre de la table et la fourra dans sa poche.

Au programme de l'excursion, figurait ensuite Nazareth, que Déborah trouva totalement paganisée par le mercantilisme attrape-gogo. Mais c'était toujours la ville où le Christ avait passé son enfance et tous les pèlerins y prièrent, dans la nouvelle Basilique de l'Annonciation, subjugués par le spectacle des extraordinaires mosaïques ramenées des quatre coins de la Chrétienté.

A la profonde irritation de leur guide, ils y prirent même du retard et il était neuf heures lorsqu'ils atteignirent finalement l'hôtel Villa romaine, sur les rives du lac de Tibériade.

L'hôtel n'était qu'un bunker de quatre étages, en béton armé, sans ascenseur et sans air climatisé. Dans la salle à manger, tournaient de vieux ventilateurs qui brassaient, tant bien que mal, l'air chargé d'odeurs et de mouches importunes.

Marge se laissa tomber, épuisée, à côté de Déborah.

– J'ai été vraiment très émue, aujourd'hui. Cette visite restera l'un des grands moments de mon existence. Pour vous aussi, Debbie ?

– Oui, c'était... fascinant.

– Vous voyagez seule ?

– Pas exactement. Mes parents doivent me rejoindre un peu plus tard.

L'air brassé n'apportait aucune fraîcheur et les mensonges qu'elle accumulait lui donnaient encore plus chaud.

Marge s'enthousiasma :

– Ça, c'est formidable. On voit tant de ces espèces de hippies qui se baladent avec leurs petits copains... si vous voyez ce que je veux dire.

Ne sachant que répondre, Déborah fit semblant de se concentrer sur la salade de fruits sortie d'une boîte de conserve, dessert incongru dans ce pays d'orangers et d'arbres fruitiers prolifiques.

– Vous n'avez pas trop chaud avec ces manches longues ? continua Marge, sautant du coq à l'âne.

– Si. Je vais d'ailleurs m'en débarrasser tout de suite.

Jusqu'à l'autre bout de la table, ses compagnons de voyage sursautèrent au bruit de la première manche arrachée, puis de la deuxième.

Pour Déborah, ce fut une double libération. Non seulement elle se sentait beaucoup mieux dans sa peau, mais elle arrachait également de sa vie les parties les plus douloureuses de son passé.

Malgré son envie d'être seule, Déborah n'avait pu se permettre de payer le supplément de vingt dollars exigé pour une chambre simple. Institutrice dans quelque école baptiste d'un État du Sud et du genre plutôt coincé, sa compagne de chambre passa plusieurs minutes agenouillée au pied de son lit, les mains jointes et les yeux au ciel, avant de remarquer, le regard désapprobateur :

– Vous me pardonnerez cette impertinence, jeune fille, mais nous sommes en Terre sainte. Est-ce que vous ne devriez pas dire vos prières ?

– C'est fait, riposta Déborah afin de couper court à tout autre dialogue. Pendant que vous étiez... là-bas, au bout du couloir.

Le lendemain matin, par une muette action de grâce, elle bénit le petit déjeuner israélien qui offrait, en plus des œufs accompagnés de pains divers, fruits, yaourts et salades variées.

Cette fois-ci, elle empocha deux bananes.

A huit heures tapantes, leur guide tyrannique les réembarqua dans l'autocar qui partit aussitôt pour l'antique cité et le lac de Tibériade, où saint Pierre fit sa pêche miraculeuse, où les Grecs couraient dans le stade, et où le roi Hérode construisit, pour les empereurs romains, un hôtel de la monnaie.

Ressortant de l'enceinte bâtie au XIIe siècle par les croisés, ils entamèrent ensuite la phase finale de leur voyage d'exploration : la visite d'une de ces unités communautaires plus ou moins autonomes connues sous le nom de « kibboutz ».

Fondé par des Juifs européens du mouvement *Ha-Shomer Ha-Tza'ir* qui s'était éloigné de la religion pour mieux renouer le contact avec la terre nourricière, Kfar Ha-Sharon intéressa beaucoup les pèlerins, même si, selon Marge, il « fleurait un tantinet le communisme ».

Déborah, elle, fut totalement conquise. Ces juifs nouvelle manière étaient radicalement différents de tous ceux qu'elle avait rencontrés jusque-là. Tandis que les rats de bibliothèque immergés en permanence dans les textes de la Torah se caractérisaient par leurs épaules voûtées et leur pâleur cadavérique, les kibboutzniks, à l'inverse, éclataient de vitalité dans leur peau bronzée.

Ici, garçons en short et filles encore plus court-vêtues vaquaient côte à côte aux travaux des champs et des vergers, plantaient d'immenses étendues de pommes de terre, récoltaient le miel d'innombrables ruches. Ils furent accueillis par le chef du kibboutz en personne, un homme nommé Boaz qui lui rappela Falstaff et qui s'adressa à eux dans un anglais teinté d'étranges accents hongrois.

– De nos jours, les petits kibboutzim comme le nôtre ne peuvent survivre grâce à la seule agriculture. En relevant les yeux, vous verrez, sur la colline, un bâtiment qui a l'air d'une petite usine. C'en est une. C'est là que nous congelons nos produits et que nous les conditionnons pour l'exportation. Certains d'entre vous, mesdames et messieurs, demanda-t-il après une pause, aimeraient peut-être assister à la congélation des pommes de terre coupées en fines tranches ?

Les Américains déclinèrent l'invitation. Ils n'avaient pas fait huit mille kilomètres pour voir ce que les pubs leur montraient tous les soirs, à la télé. Ils furent profondément impressionnés, en revanche, par l'idéalisme qui baignait le village, cette façon inédite de travailler pour le bien de tous sans en attendre de profit pécuniaire immédiat.

– Bien sûr, précisa Boaz avec bonhomie, chacun de nous reçoit tout ce qui lui est nécessaire, physiquement et spirituellement. Lorsque nous savons, par exemple, que nous aurons besoin d'un nouveau médecin dans six ou sept ans, nous envoyons un de nos brillants sujets, garçon ou fille, à l'université de Jérusalem ou de Tel-Aviv...

Pour Déborah, ce fut une véritable révélation : « Nous envoyons un de nos brillants sujets, garçon ou *fille*... » Au kibboutz, qu'il s'agît du domaine agricole ou académique, garçons et filles étaient considérés comme des égaux.

Et ce n'était pas tout. Nulle part sur le territoire du kibboutz, un seul homme ne se détourna à son approche. Non seulement ils la regardaient et lui souriaient, mais certains même la détaillaient ouvertement. Au cours du dîner qui devait mettre fin à l'excursion, Déborah décida de parler à Boaz. A sa grande surprise, le chef du kibboutz avait eu la même intention.

– Comment se fait-il qu'une fille comme toi ait entrepris ce voyage organisé pour des chrétiens de la « Ceinture biblique » ? Tu t'es convertie ou quoi ?

– Si j'étais restée une semaine de plus à Mea Shearim, j'aurais peut-être fini par le faire !

Boaz haussa un sourcil.

– Mea Shearim ! Et tu as tout de même dîné à notre table !

– C'était du porc ? questionna Déborah, choquée malgré elle.

– Non. Mais c'était du beurre avec le poulet, pas de la margarine. Tu as mélangé le lait et la viande. Selon tous les critères rabbiniques, c'est anti-kasher au possible !

– Oh ! releva Déborah, le cœur étreint d'un réel sentiment de culpabilité. Je n'ai même pas pensé à ça. Pour moi, tout ce qui se mangeait en Israël était forcément kasher.

– Tu es restée trop longtemps à Mea Shearim. Je peux savoir pourquoi tu t'es embarquée dans ce foutu voyage ?

Déborah lui raconta tout. Enfin, presque tout. A quoi bon lui révéler la cause de son exil ?

172

– Donc, te voilà sans bercail au bercail de ton propre peuple !

La jeune fille haussa les épaules.

– Exact. Et quand je n'aurai plus un sou...

Elle avait toujours refusé de s'interroger, jusque-là, sur ce qu'elle ferait lorsqu'elle aurait dépensé son dernier dollar. Une seule certitude : jamais elle ne remettrait les pieds chez les Schiffman.

Boaz trouva, sans effort, les mots qu'il fallait pour la réconforter :

– Si tu restais un peu au kibboutz ? Un petit mois, par exemple. Le temps de faire le point dans ta tête et de retomber sur tes pieds ! Naturellement, si tu restes, il faudra que tu travailles, comme tout le monde.

– Je suis habituée à travailler dur !

Puis, avec une sorte d'avidité soudaine :

– Dehors, c'est possible ?

– Dehors, dedans, aux champs, à la cuisine, avec les poulets, ou les mouflets... Ici, tout le monde fait un peu de tout.

– Alors, moi aussi, je ferai un peu de tout, affirma-t-elle avec un petit sourire.

Pour la première fois depuis qu'elle avait quitté l'Amérique, frémissaient en elle les prémices d'un bonheur nouveau.

– Je commence quand ?

– Mon Dieu... officiellement, demain matin, officieusement, tout de suite. Je vais dire à ma femme de te trouver un lit chez les filles. Et des frusques plus appropriées que cette *shmatta* ! Pendant ce temps-là, je vais m'expliquer avec ton guide touristique.

– Il ne va pas en revenir !

– Mais non, explosa Boaz, hilare et chaleureux. Je lui

verse une commission pour chaque recrue qu'il nous amène.

Le jour suivant, Déborah donna son second et dernier coup de fil à Mea Shearim, afin de confirmer aux Schiffman qu'elle vivait désormais « dans un kibboutz du Nord ».

La première question de Leah ne la surprit pas outre mesure :

– Ils sont orthodoxes là-bas ? La nourriture est kasher ?

– Non. Mais les gens le sont.

– Tu me donnes ton adresse, que nous puissions la communiquer à ton père ? Je t'en prie, Déborah, c'est une question de respect...

– J'appellerai mes parents moi-même, quand je serai prête à le faire.

Elle conclut, non sans humour :

– Et merci pour votre hospitalité.

En d'autres termes : merci, mon Dieu, que ce soit terminé. Une fois pour toutes !

Malgré l'ironie dont elle avait fait preuve vis-à-vis de Leah Schiffman, Déborah n'appela pas tout de suite ses parents. Elle avait quelques jours de plus – et quelques ongles de moins, rongés jusqu'à la chair – lorsqu'elle en trouva finalement le courage.

Contre toute attente, son père resta calme.

– Déborah, dit-il avec compassion, je te sens terriblement stressée...

– Au contraire, papa, je suis plus sereine que jamais.

– Ce kibboutz n'est pas un endroit pour une fille

comme toi. Il dépend du *Ha-Shomer Ha-Tza'ir,* c'est ça ?
Ce sont tous des gens sans moralité...

– Quelle blague ! s'emporta-t-elle, blessée. Tu peux
dire tout ce que tu veux, moi, je les admire !

Elle le provoquait délibérément, épanchant ainsi la rage
accumulée dans ses veines depuis qu'il l'avait rejetée.

Mais le rabbin répondit avec la même modération
outrancière :

– Écoute-moi bien, Déborah, je n'ai pas de temps à
perdre en vaines discussions. Demain, on viendra te chercher pour te ramener chez toi.

– C'est *ici,* chez moi, maintenant... Qui ça, « on » ?

– Des relations que nous avons... à Jérusalem.

– A t'entendre, on dirait que tu parles de la Mafia !

– Déborah, ma patience a des limites. Tu vas faire ce
que je te dis, ou bien...

– Ou bien quoi ? J'ai dix-huit ans, papa. Officiellement,
je suis une adulte. Que tes... relations essaient de me traîner hors d'ici, et ils vont se retrouver avec deux cents kibboutzniks sur le dos !

Il y eut un silence. Puis la voix de son père résonna de
nouveau, exaspérée, à quelque distance de l'appareil :

– Prends-la, Rachel, et tâche de lui faire entendre raison !

Une seconde plus tard :

– Ma chérie, comment peux-tu traiter ton père de cette
façon ? Tu es en train de lui briser le cœur.

– Je regrette, maman. Mais ma décision est prise.

Quelque chose dans les intonations de Déborah
convainquit Rachel que cette décision était définitive.
Soudain résignée, elle capitula :

– Écris-nous, au moins. Même une carte postale de
temps en temps... juste pour nous dire que tout va bien.

Déborah voulut lui répondre, mais sa gorge atrocement serrée ne laissa passer aucun son. Elle souffrait pour sa mère à jamais cloîtrée dans son ghetto de Brooklyn, prisonnière d'un mariage médiéval et d'une mentalité de l'âge de pierre !

Finalement, en dépit des larmes qui l'étouffaient, elle parvint à promettre :

– Oui, m'man... Je ne te ferai jamais de mal... Embrasse tout le monde pour moi...

Elle s'interrompit, reprit son souffle avant d'ajouter à voix basse :

– Y compris papa.

22

TIMOTHY

Le vingt et unième anniversaire de Timothy marqua la fin de sa troisième année à Saint-Athanase.

Jamais, durant tout ce temps, il n'avait pris de vacances, préférant consacrer ces trêves saisonnières à des cours encore plus intensifs donnés par le père Sheehan, mais aussi par le père Costello, agrégé de langues anciennes de l'Institut oriental du Vatican.

Il y avait belle lurette que le nombre des candidats à la prêtrise déclinait de façon alarmante, sur tout le territoire des États-Unis. Et voilà que tombant de la lune, apparaissait, dans ce désert spirituel, un personnage aussi fascinant que Timothy Hogan, beau, brillant et doté d'un puissant charisme.

Toutes les langues bibliques n'avaient désormais plus de secrets pour lui. Non seulement le latin, le grec et l'hébreu, mais aussi l'araméen, le langage de tous les jours parlé en Terre sainte à l'époque de Jésus.

Ce n'était pas la seule chose qui rendît Timothy unique en son genre : il ne semblait avoir aucun ami. Certains en attribuaient la cause à ses facultés mentales exceptionnelles qui intimidaient les autres séminaristes. Mais les esprits les plus clairvoyants se rendaient parfaitement compte qu'il fuyait toute relation tant soit peu affective. Sauf avec Dieu. Le temps qu'il ne consacrait pas à ses études, il le passait à la chapelle, en prière.

C'est ainsi qu'en ce dernier jour de l'année scolaire officielle, il dit au revoir à ses camarades et, refusant de voir le soleil éclatant, passa dans la bibliothèque.

Plongé dans l'étude comparative de la double version des *Psaumes* réalisée par saint Jérôme, il ne sentit même pas la tape amicale, sur son épaule, ni n'entendit la voix douce de frère Thomas, un des diacres récemment ordonnés.

– On te demande au bureau du recteur, répéta celui-ci, un peu plus fort.

– Qui ça ? Qui me demande ?

– Je n'en sais rien. Mais ils sont arrivés dans la plus longue voiture que j'aie jamais vue.

Quelqu'un viendrait-il lui annoncer la mort de son oncle ? Ou bien de sa tante ? Quoi d'autre, puisque les Delaney mis à part, il n'avait plus aucune attache avec le monde extérieur ?

177

Quand il frappa, la voix amicale du père Sheehan lança cordialement :

– Entrez donc, Timothy !

Cinq visiteurs l'attendaient, en plus du recteur lui-même. Cinq personnages imposants, élégamment vêtus, dont un seul en costume ecclésiastique, l'évêque Mulroney, le cheveu plus gris que naguère.

– Votre Excellence...

– Content de vous revoir, Tim. J'ai entendu conter monts et merveilles sur la progression de vos études. J'en suis extrêmement fier.

Tim regarda le recteur qui approuvait, épanoui.

– Je suis en relations constantes avec le diocèse. Relations qui vous concernent, Tim.

– Oh !

Comment trouver les mots capables d'exprimer ce qu'il ressentait sans risquer, pour autant, de commettre le péché d'orgueil ?

– Je suis... je suis heureux de ne pas vous avoir déçu... Votre Excellence.

– Bien au contraire ! En fait, vous représentez, à vous seul, tout l'objectif de cette visite.

Parmi les quatre autres visiteurs, Tim reconnaissait, à présent, au moins deux visages. Même dans les journaux « expurgés » accessibles aux séminaristes, il avait maintes fois découvert la photo de John O'Dwyer, le jeune sénateur du Massachusetts. Quant à l'homme au costume trois-pièces gris anthracite, il avait la quasi-certitude que c'était l'actuel ambassadeur américain auprès des Nations unies, Daniel Carroll.

Aucun d'entre eux n'ouvrit la bouche pour se présenter, quoique souriant avec bienveillance, alors que l'évêque invitait Tim à s'asseoir et lui offrait, de leur visite, une explication partielle :

178

– Ces messieurs sont tous d'éminents hommes d'affaires ou tout dévoués au service public, ainsi que de fervents catholiques engagés... Tim, votre dossier à Saint-Athanase nous a attirés ici comme un aimant !

Tim baissa la tête, ne sachant que répondre :
– Très flatté !
– Dites-moi, Timothy, intervint le sénateur. Quels sont vos plans pour l'avenir ?

Ses *plans* pour l'avenir ?
– Je... j'espère accéder à l'ordination, dans deux ou trois ans.
– Bien sûr, bien sûr, concéda l'ambassadeur. Le sens de la question était celui-ci : comment voyez-vous votre avenir, à l'intérieur de l'Église ?

Et l'un des autres appuya :
– Nourrissez-vous quelque ambition particulière ?

Ambition ? Encore un terme que Tim trouvait plutôt incongru, dans le contexte ecclésiastique.
– Pas vraiment, monsieur. Je ne veux que servir le Seigneur au mieux des possibilités qui sont les miennes.

Après une courte hésitation, il avoua :
– Comme le père Sheehan vous en a sûrement informés, j'ai beaucoup travaillé sur les Saintes Écritures. Je crois que j'aimerais enseigner, par la suite...

Des regards entendus passèrent à la ronde. Le sénateur O'Dwyer murmura à l'évêque : « Je n'ai plus de doute. » Puis il regarda le recteur qui s'adressa au jeune séminariste :
– Il y a plus d'un chemin qui conduit à Rome, Timothy.

Rome ?

– Le premier est celui que vous suivez déjà : la voie du savoir... L'autre est ce que nous appellerons, faute d'un meilleur mot : la voie du pouvoir...

– J'ai peur de ne pas saisir, murmura Tim, mal à l'aise.

L'évêque voulut alors se montrer persuasif :

– Tim, en tant que pasteurs de l'Église, notre premier devoir est évidemment d'accomplir l'œuvre de Dieu. Mais nous sommes également une institution terrestre. Le Vatican a besoin d'administrateurs habiles. Et l'Église américaine a besoin que ses intérêts soient représentés au Saint-Siège.

Durant le silence qui suivit, Tim tenta de discerner le but de la conversation. Où voulaient-ils en venir ?

Finalement, le sénateur parla au nom de tous les autres :

– Nous voudrions vous envoyer à Rome pour y terminer vos études.

A peine si Timothy, subjugué, put articuler :

– J'en suis honoré... très honoré. Cela veut-il dire que j'entrerais au North American College ?

Le sourire de l'évêque s'épanouit.

– En temps utile. Naturellement, il va vous falloir décrocher une licence de droit canon. Mais pour commencer, nous serions heureux que vous alliez apprendre l'italien pendant un semestre à l'université de Pérouse.

– L'italien ?

– Absolument. C'est la *lingua franca* du Vatican et de tous ceux qui vivent là-bas, depuis les gardes suisses jusqu'au Saint-Père lui-même.

Stupéfié, Tim restait muet.

– Vous partirez le 5 juillet, reprit l'évêque, sur un ton pragmatique. Cela vous laisse deux semaines pour dire au revoir à votre famille et faire la connaissance des quatre autres à l'université de Fordham.

– Les quatre autres ?

– Mais oui, souligna l'un des industriels. Nous sponsorisons cinq jeunes gens choisis parmi les plus doués. Cinq excellents catholiques.

– Cinq excellents catholiques *irlandais*, jugea bon de préciser le sénateur du Massachusetts.

Tim n'envisageait pas sans tristesse la perspective de quitter Saint-Athanase, le seul vrai foyer qu'il eût jamais connu. Et l'idée de revoir sa « famille », fût-ce pour sauvegarder les apparences, ne l'enchantait pas davantage. Trop proche, qui plus est, du théâtre de son « crime ».

Bien que le sentiment ne fût pas partagé, les Delaney parurent heureux de sa visite. Tante Cassie alla jusqu'à déclarer, avec son tact habituel :

– Si seulement ta pauvre mère n'était pas trop cinglée pour voir ça...

Quant à la philosophie de Tuck, face à cette sorte d'événement, elle tenait en peu de mots :

– C'est pas n'importe quel prêtre qu'ils enverraient à Rome. D'autant que tu n'as pas encore ton col blanc. Dieu lui-même t'a choisi, Tim, et je t'aime à cause de ça.

Tim ne put s'empêcher de remarquer que c'était la première fois, depuis qu'ils se connaissaient, que son oncle employait, à son égard, les mots « je t'aime ».

Vint le jour béni du départ.

C'est à peine si Timothy avait respiré une seule fois bien à fond depuis qu'il était rentré à Brooklyn. Chaque matin, il se rendait à la messe où il retrouvait certains de ses anciens professeurs. Mais le plus clair de son temps, il

181

le passait à la maison, un livre à la main. Il ne pouvait même pas se résoudre à s'approcher de la Nostrand Avenue, par crainte de rencontrer un membre quelconque d'une des familles qu'il avait servies. Et particulièrement de la famille Luria.

Ce matin-là, il se leva vers six heures, s'habilla rapidement, embrassa tante Cassie, subit stoïquement l'étreinte musclée de son oncle et partit vers la station de métro, éloignée de trois pâtés de maisons, au moment où les cloches de Saint-Grégoire sonnaient la première messe.

Il allait s'engouffrer dans l'escalier du métro lorsqu'il entendit crier son prénom et découvrit, en se retournant, Danny Luria qui courait vers lui avec une lourde serviette.

Le cœur de Timothy s'emballa follement. Bien qu'il n'eût pas revu Danny depuis cette nuit fatale, il était resté sur l'impression que toute la famille Luria lui avait jeté l'anathème.

En quelques secondes, Danny le rejoignit, la main tendue.

– Content de te savoir de retour. Tu vas rester longtemps ?

Tim lui serra la main, soulagé par son attitude amicale.

– En fait... je repars.

– Pour Manhattan ?

– Oui. Première étape d'un long voyage.

– Impec. On va bavarder en chemin.

Alors qu'ils s'enfonçaient dans les profondeurs de Brooklyn, Tim ne put s'empêcher de penser : « Nous voilà deux futurs hommes de Dieu, un juif, un catholique, habillés comme des jumeaux, avec juste un chapeau en plus dans le cas de Danny ! »

Ils achetèrent leurs jetons, trimbalèrent leurs bagages respectifs au-delà des tourniquets, et les déposèrent à leurs pieds, sur le quai désert.

182

– Déjà prêtre ou quoi ?

– Encore quelques années ! répondit Tim en se demandant lequel parlerait en premier de Déborah et en espérant bien qu'aucun des deux ne s'y risquerait. Et toi, déjà rabbin ?

– Pas demain la veille. Surtout avec ce qui se passe dans ma caboche...

La rame se rangeait le long du quai, les portes s'ouvrirent, un wagon les avala. Ils s'installèrent côte à côte, dans un coin du véhicule presque désert.

– Et alors, ce long voyage ?

– Rome. La prêtrise.

– Eh bien ! Tu dois être drôlement excité, non ?

– Si, naturellement.

Quand, songeait Timothy, écartelé entre l'impatience et la peur, mais quand Danny se déciderait-il à parler du... « scandale » ?

N'y tenant plus, il amorça :

– Comment vont tes parents ?

– Très bien, je te remercie.

Puis, comme sous le choc d'une subite association d'idées :

– Déborah est toujours en Israël.

– Oh ? Elle se plaît là-bas ?

Question qui en cachait une autre : « Est-elle mariée ? »

– Pas facile à dire. Ses lettres sont plutôt... descriptives. Ce que j'entends par là : elle ne parle presque jamais des *gens*.

Donc, elle était toujours célibataire. Alors que durant ces trois années, Tim avait eu, chevillée au cœur, la conviction qu'à son arrivée en Israël, l'attendait un mari commandé sur mesure par son rabbin de père.

Ils voyagèrent un instant sans mot dire, dans le chahut du métro et la pulsation des roues sur les rails.

183

Clairement conscient du malaise de Tim, Danny relança enfin :

– Ça peut paraître idiot après tout ce temps, mais cette histoire me ravage... D'après ce que Deb m'a raconté, il n'y avait pas de quoi fouetter un chat... Tout ça n'a été qu'un terrible malentendu.

– Oui, murmura Tim avec gratitude.

Rectifiant toutefois, en son for intérieur : « Ça n'a *pas* été un malentendu ! »

Il chercha, trouva une question qui ne sortît pas des limites de la simple courtoisie :

– Elle poursuit ses études ?

– Pas vraiment. Elle apprend surtout la langue.

Danny ne voyait aucune raison de cacher à Tim l'audacieux acte d'indépendance de sa sœur, après ses mois de servitude à Mea Shearim. Il conclut ainsi son récit.

– C'est comme ça qu'elle a débarqué à Kfar Ha-Sharon.

– Qu'est-ce que c'est que ça ?

– Un kibboutz, en Galilée. Plus d'un an qu'elle est là-bas, maintenant !

– Un joli nom, commenta Timothy, récitant à la suite, en hébreu : « Je suis la rose de Sharon, et le lys de la vallée... » *Cantique des cantiques,* chapitre deux, versets un et deux.

– Oh dis donc, ton hébreu est meilleur que celui de certains de mes condisciples !

– Merci ! Voilà plusieurs années que je le travaille... Histoire d'essayer de mieux comprendre ce que le Seigneur a vraiment dit à Moïse.

– Tu crois que Dieu lui a parlé en hébreu, à Moïse ?

– Je n'en ai jamais douté, dit-il, interloqué.

– Ça n'est précisé nulle part dans la Bible. Pourquoi pas égyptien ? Ou chinois ? Ou...

184

— Hé, tout ça n'est pas bien respectueux !

— Tu rigoles ? Au bahut, j'apprends surtout à garder l'esprit ouvert. La tour de Babel, c'était avant Moïse, non ? Il y avait alors des centaines de langues, dans le monde. Ils ont pu parler akkadien, ougarite et que sais-je encore ?

Une chaleur interne, une chaleur intense émanait de Danny, qui se communiquait graduellement, par osmose, à Timothy. Le frère de Déborah paraissait tellement ouvert à présent. Tellement adulte.

— Qu'est-ce qui prouve, en fait, que Moïse ne parlait pas chinois ?

Danny s'esclaffa, l'œil pétillant de malice :

— Dans ce cas, nous autres juifs aurions mangé de la meilleure cuisine !

La rame stoppait à la station de la 116ᵉ rue. Danny se leva et Tim le suivit. C'est seulement lorsqu'ils furent tous deux sur le quai que Danny s'étonna :

— Ho ! Tu ne devais pas descendre à la 72ᵉ ?

— Ne t'en fais pas, j'ai du temps devant moi... et j'ai voulu profiter, jusqu'au bout, de notre petite conversation.

— Moi de même, répliqua Danny, la main tendue. Bonne chance à Rome... et donne-moi de tes nouvelles. Tu sais où me trouver, maintenant...

— Toi aussi.

Tim suivit des yeux Danny Luria qui courait vers la sortie. *Je suis la rose de Sharon, et le lys de la vallée...*

Kfar Ha-Sharon.

Il savait, maintenant, où trouver *Déborah.*

Quand Timothy fit enfin la connaissance, à Fordham, de ses futurs compagnons de voyage, il se demanda, avec une perplexité accrue, pourquoi lui-même avait été choisi.

Il leur avait prêté, à tous quatre, des physiques d'intellectuels et sur ce point il fut servi. Deux d'entre eux avaient déjà publié de nombreux articles. Mais, chacun dans son style, les « poulains » du mystérieux comité dégageaient une sorte de magnétisme animal très au-dessus du simple « charisme ».

Pourquoi moi ? se répétait Timothy, perplexe.

Plus tard, seul au milieu du luxe inouï de sa petite chambre personnelle, il se demanda ce qu'il pouvait avoir de commun avec ce quatuor imposant de jeunes séminaristes. L'unique lien qui lui apparût était plutôt superficiel. Ils avaient tous à peu près son âge et ils étaient, tous, de bons catholiques irlandais.

Vers deux heures du matin, lui vint à l'idée que ce n'était pas le mystère de son élection qui le tenait éveillé, pas vraiment. C'était tout ce que n'avait pu manquer de ramener à la surface cette conversation inopinée avec Danny Luria.

Il savait, maintenant, qu'il reverrait Déborah, tôt ou tard. Non pour renouer le fil d'une histoire si mal commencée, mais pour lui écrire une fin qui fût digne d'elle.

Le père Lloyd Devlin, leur nouveau chaperon, était un sexagénaire fort alerte, mais affligé d'une terreur panique des voyages en avion. Il passa toute la traversée à tenter vainement de se redonner du cœur au ventre, égrenant un rosaire, d'une main, et levant un verre de l'autre.

Même après qu'on eut obscurci la cabine pour la projection d'un film, Timothy n'éteignit pas sa lampe individuelle. Sous couvert de feuilleter distraitement le magazine d'Alitalia, il étudiait les itinéraires aériens. En effet il existait de nombreux vols réguliers entre Rome et Israël. Mais comment pourrait-il jamais organiser son escapade ?

Et comment, s'il y parvenait, se dérouleraient ses retrouvailles avec Déborah, rien que tous les deux, face à face, à des milliers de kilomètres des autorités qui avaient décidé de leur séparation ? Que lui dirait-elle ? Quels seraient ses sentiments ?

A toutes ces questions, il n'osait imaginer la moindre réponse.

Mais il savait qu'il ne pourrait continuer à vivre sans tenter de les découvrir.

23

DANIEL

Ce fut la nuit la plus traumatisante de mon existence.

J'avais la tête pleine de l'étude minutieuse de *La Sagesse de Salomon*, le travail notoire effectué sur les différents chapitres du Talmud, vers le milieu du XVIᵉ siècle, par le Rav Salomon ben Jehiel Luria, un nom qui explique, en partie, l'intensité de mon étude.

J'allais ôter mes chaussures pour me mettre au lit quand un type logé à l'autre bout du couloir vint me dire qu'on me demandait au téléphone.

A cette heure ?

C'était ma mère, en pleine hystérie.

– Qu'est-ce qu'il y a, maman ? C'est papa qui ne va pas ? demandai-je le cœur battant à tout rompre.

– Non, non, c'est Réna...

Elle semblait trop bouleversée pour en dire davantage. Puis, entre deux sanglots convulsifs, elle hoqueta :

– Réna est possédée. Elle a des hallucinations... elle est dans une sorte de transe... elle râle avec une voix qui n'est pas la sienne... Ton père croit qu'il s'agit d'un *dybbuk*.

– Un *dybbuk* ?

Je n'aurais su dire ce qui m'affectait le plus, l'incrédulité ou la crainte.

– Pour l'amour du ciel, maman, nous sommes au vingtième siècle. Les démons n'entrent plus dans le corps des gens ! Tu as appelé le médecin ?

– Le docteur Cohen est là. Il parle avec ton père.

– Et qu'est-ce qu'il dit ?

Sa voix n'était plus qu'un murmure apeuré.

– Qu'il faut appeler... un exorciste !

– Papa n'est sûrement pas d'accord là-dessus.

– Danny, il l'a déjà convoqué.

A présent ma peur dominait mon incrédulité.

– Maman, tu n'es pas en train de me dire que papa croit à l'existence d'un prétendu démon qui occuperait le corps de Réna et parlerait par sa bouche ?

– Danny... Je l'ai entendu moi-même.

– Eh bien, mais... qui prétend-il être, ce démon ?

Elle hésita un instant.

– C'est Chava.

– La première femme de papa ?

– Oui, elle dit que l'âme de Réna lui appartiendra tant qu'on ne lui rendra pas justice. Je t'en supplie, Danny, viens aussi vite que tu peux, implora-t-elle.

Je regagnai ma chambre en trois enjambées, attrapai mon imperméable au vol et me précipitai vers le métro. Frappé, tout à coup, par une autre idée. Qu'est-ce que j'allais pouvoir y faire, puisque je ne croyais pas moi-même aux *dybbuks*. Les morts sont morts, nom d'un chien.

Subitement, je me rendais compte que je ne pouvais pas aller là-bas tout seul.

Mort de honte et d'appréhension, je me regardai composer le numéro du professeur Beller. Une voix endormie répondit :

– Oui ?

Le vent qui passait à travers les interstices de la cabine téléphonique me frigorifiait jusqu'à la moelle.

– Ici Danny Luria, professeur, vous savez, le *frummer* qui suit votre programme. Je suis affreusement désolé de vous appeler si tard, mais il s'agit d'une affaire très sérieuse...

Instantanément, il puisa dans sa formation psychiatrique le sang-froid nécessaire pour me répondre :

– Vous êtes toujours le bienvenu, Danny. De quelle affaire s'agit-il ?

– Je vais vous le dire. Et je vous supplie de m'écouter jusqu'au bout avant de conclure que j'ai perdu la boule et de me raccrocher au nez. Je suis tout à fait désemparé. Ma mère vient de me téléphoner pour me dire que Réna, ma demi-sœur, était possédée par un *dybbuk*.

– Pure superstition, naturellement, lâcha-t-il de la même voix apaisante, sans hausser le ton le moins du monde.

– Je sais, professeur, mais d'après elle, ma sœur serait victime d'hallucinations accompagnées de délire verbal...

– Ça, je n'en doute pas un seul instant. Mais quoi qu'elle puisse dire... même avec la voix de quelqu'un d'autre... tout cela prend son origine dans les profondeurs de son psychisme. Je vais appeler un de mes collègues de Brooklyn...

– Non, je vous en prie... Même mon père pense qu'elle est possédée. Il a déjà convoqué un exorciste.

– Pas possible, réagit Beller. Pas le rabbin de Silcz ! Où êtes-vous, Danny ?

– A la station de la 116ᵉ rue.

– Je m'habille en vitesse et je vous y retrouve dans dix minutes.

Tandis que le métro se traînait vers Brooklyn avec une lenteur désespérante, le professeur Beller tenta de m'expliquer ce qu'il savait sur la cérémonie à laquelle il espérait pouvoir s'opposer.

– S'il s'agit d'une grave dépression nerveuse... ce qui pour moi ne fait aucun doute... cette sorte de vaudou médiéval ne peut qu'aggraver les choses.

Nous atteignîmes la synagogue vers une heure et demie du matin. Seules y brillaient au sein des ténèbres les lumières allumées devant l'arche d'alliance.

Une demi-douzaine d'hommes entouraient mon père qui, prostré sur une chaise, se tordait les mains. Parmi eux, mon oncle Saul et deux de mes beaux-frères : David, professeur de yeshiva et mari de Malka, ma demi-sœur aînée. Et le mari de Réna, Avrom Epstein, blême et chancelant sur ses jambes.

Le rabbin Isaacs, bedeau de la synagogue, faisait la navette entre eux et le coin écarté où les femmes, ma demi-sœur et ma mère, s'efforçaient, à tour de rôle, d'apaiser Réna qui s'exprimait, par intermittence, dans un langage incompréhensible.

Évidemment nanti du feu vert de papa, le docteur Cohen se tenait auprès des femmes, haussant les épaules et multipliant les gestes d'impuissance. Je me rendis compte, à retardement, que le professeur Beller ne portait pas de calotte. Par bonheur, j'en ai toujours une de

190

rechange, dans ma poche. Je la lui tendis, craignant un peu qu'il refusât de la porter. Mais il l'accepta d'un léger signe de tête et s'en coiffa.

Dans le groupe des hommes, je découvris une étrange silhouette dressée au côté de mon père. Un vieillard desséché à grande barbe affublé d'un long caftan, le chef couronné d'un chapeau à large bord, qui marmonnait sans cesse, ponctuant ses mots de gesticulations emphatiques.

A deux pas derrière lui, l'attitude respectueuse, se tenait un grand jeune homme au teint cadavérique qui, selon toute évidence, devait être une sorte d'assistant.

C'est à ce moment que mon père nous aperçut. Son visage avait la couleur d'une pierre tombale. De toute ma vie, je ne l'avais vu dans une telle détresse. Il avait ouvert son col et drapé son châle de prière sur un veston froissé. Il se précipita vers moi et m'entraîna à l'écart, la voix rauque.

– Danny... je suis heureux que tu sois là... J'ai vraiment besoin de ton soutien.

Lui, besoin de *moi* ? Ce renversement des rôles me bouleversa encore plus que tout le reste.

Quand je lui demandai qui était ce drôle de bonhomme, il tourna vers moi un masque torturé, pathétique.

– C'est le rabbin Gershon de la *Talmidey Kabbala* de Williamsburg. Il est venu à ma demande. Tu sais que nos ancêtres étaient des mystiques, mais je n'ai jamais cru, moi-même, à cette sorte de magie noire. Jusqu'à ce que je la voie au travail, cette nuit, sous mes yeux.

Il secoua la tête avant d'ajouter, désespérément :

– Qu'est-ce que je pouvais faire d'autre ? De toute façon, nous avons un autre problème. Il nous faut dix hommes. Dix hommes de confiance. Le rabbin Saul, mes deux gendres, le rabbin Isaacs, le rabbin Gershon et son

191

apprenti, le docteur Cohen, moi... et toi, maintenant, ça ne fait que neuf. Il nous manque encore un homme. Est-ce que ce monsieur...

— Je te présente le professeur Beller, papa.

— Oh... Vous êtes juif, professeur ?

— Athée, spécifia Beller. Pourquoi ne pas demander à l'une de ces dames ?

Sans tenir compte de sa réponse, mon père insista :

— Je ne vous demande que de vous joindre à nous. Votre présence. C'est tout ce que la Loi exige.

— Très bien, concéda Beller.

Un cri perçant monta dans la nuit et rebondit en échos lugubres sur les poutres de la synagogue. Les hommes avaient amené Réna devant la chaire et l'entouraient. Je parvins, cette fois, à distinguer les mots qu'elle prononçait :

— Je suis Chava Luria, et je ne pourrai jamais accéder à la vie éternelle tant que l'homme qui m'a assassinée n'aura pas fait pénitence.

Beller se pencha vers mon oreille.

— Votre sœur parle comme ça, d'habitude ?

— Non. C'est la première fois de ma vie que j'entends cette voix.

Réna s'agitait sur sa chaise, au milieu du cercle. Elle avait arraché son *sheitel* et c'est à peine si je pouvais identifier ce visage convulsé, grotesque. Pâle et terrifié, son mari se tenait près d'elle.

Je m'approchai doucement, tombai à genoux et, malgré mon cœur emballé, murmurai d'un ton rassurant :

— C'est moi, Danny. Dis-moi ce qui ne va pas.

Elle remua ses lèvres, et un autre son inhumain en sortit :

— Je suis Chava. Je me suis attachée à l'âme de Réna, et je la dominerai jusqu'à ce que j'aie eu ma vengeance.

J'étais glacé d'effroi, et les autres spectateurs, pétrifiés, partageaient mes affres. Seul Beller réagit. Au grand dam du rabbin Gershon, il vint s'agenouiller, lui aussi, auprès de ma demi-sœur. Il n'essaya pas de discuter avec la « voix ». Il lui parla, tout bonnement, comme s'il engageait la conversation avec l'épouse défunte de mon père.

– Chava, je suis le docteur Beller. Pourquoi parlez-vous de vengeance ? Selon vous, qui vous aurait fait du tort ?

La réponse jaillit avec la violence d'une éruption volcanique :

– C'est lui qui m'a tuée. Rav Moïse Luria m'a assassinée !

Tous les yeux étaient braqués sur mon père lorsque le professeur questionna doucement :

– Avez-vous une idée de ce qu'elle entend par là, monsieur le rabbin ?

Mon père, horrifié, tremblait des pieds à la tête.

– Je n'ai jamais fait quoi que ce soit qui puisse lui nuire.

– Tu m'as tuée, hurla la voix. Tu m'as laissée mourir.

– Non, Chava, non, gémit mon père. J'ai supplié les médecins de tout faire pour te sauver.

– Mais tu les as fait attendre. Tu voulais avoir ton fils...

– Non, non...

Le visage de mon père avait la couleur de la craie.

– Tu as mon sang sur les mains, Rav Moïse Luria !

Tête basse, mon père semblait fuir les regards des spectateurs et ne cessait de répéter, au comble de la souffrance :

– Ce n'est pas vrai... Ce n'est pas vrai...

Puis, se maîtrisant au prix d'un effort surhumain, il dit à l'exorciste :

– Que faut-il faire à présent, rabbin Gershon ?

193

– Ouvrir l'arche sainte et prier pour chasser ce démon du corps de Réna.

Je gagnai la chaire d'un seul bond, ouvris les portes, écartai les rideaux, dévoilant les rangées de rouleaux sacrés rangés côte à côte dans leurs fourreaux de soie brodés d'or et couronnés d'argent. On eût dit que par cette nuit de noirceur surnaturelle, ils brillaient d'un éclat plus vif que de coutume.

Le rabbin Gershon se retourna vers les hommes figés en cercle.

– Nous allons, sans cesser d'entourer cette femme, réciter le psaume 91.

Nous cherchâmes rapidement la page correspondante, attendant ses instructions.

Il nous fit signe de commencer.

Habituellement, nos prières étaient des torrents de mots qui s'écoulaient à vitesses différentes, créant cette cacophonie sacrée où les oreilles des incroyants ne perçoivent qu'une sacrée cacophonie. Mais cette fois, nous parlâmes tous à l'unisson, comme si le Seigneur lui-même eût battu la mesure.

Nous avions étudié, en classe, ce psaume qui possédait jadis, aux yeux des juifs superstitieux, des pouvoirs anti-démoniaques puisque, dès sa première strophe, Dieu y est invoqué de quatre manières différentes :

Celui qui demeure sous la sauvegarde du Très-Haut et s'abrite à l'ombre du Tout-Puissant, qu'il dise à l'Éternel : Tu es mon refuge, ma citadelle, mon Dieu en qui je place toute ma confiance.

Je voyais, par-dessus mon épaule, ma mère et mes demi-sœurs prier avec une farouche concentration. J'observais les visages crispés des hommes, évitant celui de mon père. Je ne pouvais supporter l'idée de le voir dans cet état.

Soudain, pendant que nous priions, le menton de Réna tomba sur sa poitrine. Elle tressautait comme si son corps eût accusé les coups de boutoir de l'esprit mauvais qui assaillait son âme en un combat mortel. Puis elle perdit connaissance. Le professeur Beller se hâta de lui prendre le pouls, et dans le silence restitué, les sautes du vent furieux nous emplirent les oreilles.

– Est-ce que tout va bien, maintenant, Réna ? s'enquit anxieusement mon père.

Sa fille releva la tête, le regard suppliant. Du plus profond d'elle-même, le démon hurla encore :

– Je ne partirai que lorsque tu auras imploré le pardon du Tout-Puissant.

La tête dans ses mains, papa ne savait plus que faire. J'aurais aimé le serrer dans mes bras, lui apporter un certain réconfort. Mais avant d'avoir pu faire le moindre geste, le rabbin Gershon intervint.

– Il faut vous confesser, ordonna-t-il finalement.

Mon père lui jeta un coup d'œil effaré.

– Mais ce n'est pas vrai !

– Je vous en conjure, Rav Luria. Ne doutez pas du Seigneur de l'Univers. S'il vous juge coupable, il faut vous confesser.

– Mais j'ai bien dit au médecin que la vie de Chava comptait en priorité. Vous savez que je l'ai dit, c'est la loi de notre religion. Je suis innocent !

Après un silence terrible, le rabbin Gershon déclara :

– Nous ne savons pas toujours ce que nous faisons. Mais Celui qui siège au plus haut des cieux peut même nous absoudre, si nous l'en implorons, des péchés que nous aurions *pu* commettre.

– D'accord ! cria mon père.

Il se jeta à genoux devant l'arche sainte et, pleurant à

gros sanglots, chanta l'*Al chet,* la « grande confession des péchés » que nous récitons par neuf fois pour le *Yom Kippour.*

Sans y être invités, nous entonnâmes le répons traditionnel à la prière :

O Dieu de miséricorde, pardonne-nous, accorde-nous d'expier nos fautes.

Quand nos voix cessèrent de résonner dans la synagogue déserte, mon professeur prit la parole :

– Rabbin Luria, je crois que votre fille devrait consulter un psychiatre aussitôt que possible.

Mon père releva la tête, nerveusement, et ses yeux affrontèrent, sans ciller, les yeux de Beller.

– Restez en dehors de ça.

– Comme vous voudrez. Tout au moins pour le moment. Mais n'oubliez pas qu'en ma qualité de médecin, j'ai toute autorité pour la faire hospitaliser si je l'estime nécessaire.

Tous assassinaient Beller du regard et peut-être seraient-ils allés jusqu'à l'expulser si nous n'avions eu besoin d'un dixième homme. Puis tout le monde se retourna vers mon père et quelqu'un posa la question :

– Qu'allons-nous faire, maintenant, Rav Luria ?

Mais mon père, à ce stade, n'était plus vraiment dans la course. Il abdiqua :

– Demandez au rabbin Gershon.

– Il n'y a pas deux solutions, statua son aîné. Nous allons procéder à la cérémonie intégrale d'excommunication, avec les cornes de bélier, la Torah, les cierges et tout le reste. A circonstances exceptionnelles, mesures exceptionnelles. Vous êtes bien d'accord, Rav Luria ?

– Dites-moi simplement ce qu'il vous faut...

– D'abord, nous allons tous endosser des *kittels*...
Ephraïm, sortez-les, tout de suite.

Le maigre assistant au teint bilieux tira d'une grosse
valise les vêtements blancs que portent les juifs à l'occasion des fêtes religieuses, et dans lesquels ils sont enterrés.

– Nous allons prendre sept cornes de bélier, enchaîna
le rabbin Gershon. Ainsi que sept cierges noirs.

– Des cierges noirs ? releva mon père, incrédule.

– J'ai tout apporté. J'ai laissé le sac dans votre bureau.

Papa acquiesça et, comme l'assistant du rabbin en avait
déjà plein les bras, je gagnai, moi-même, quatre à quatre,
sur l'injonction de mon père, le petit bureau du premier
étage. Il semblait avoir subi un cambriolage. Des livres
ouverts gisaient un peu partout. De savants ouvrages sur le
mysticisme et la démonologie. Plusieurs traitaient des
théories mystiques émises au XVIᵉ siècle par le « divin rabbin » Isaac Luria. J'avais toujours ignoré que mon père
possédât ces volumes. A moins que l'exorciste les eût également apportés ?

Je contemplai un instant le vieux sac de voyage du rabbin Gershon, me demandant avec angoisse quels sombres
secrets il pouvait bien receler. Puis je l'empoignai nerveusement et redescendis l'escalier en vitesse.

Tous, dans l'intervalle, y compris le professeur Beller,
avaient revêtu les linceuls blancs.

Alors que je remettais le vieux sac au rabbin Gershon,
mon père me jeta un *kittel*.

– Dépêche-toi, Danny. Finissons-en au plus vite.

Toujours prostrée au centre de la scène, Réna – ou
Chava ? – continuait d'égrener, sur le mode plaintif, des
paroles incohérentes.

Sur l'ordre du rabbin Gershon, sept des hommes, mon
père inclus, prélevèrent des Torah dans l'arche d'alliance.

Et c'est à moi qu'échut la charge de distribuer les sept cierges noirs.

Mon père marchait de long en large, se frappant le front, à intervalles irréguliers, comme pour en chasser une douleur lancinante.

Maman s'approcha timidement de l'exorciste.

– Rabbin Gershon, nous voulons faire quelque chose. Tenir des cierges, par exemple. A distance convenable, bien entendu...

Il l'écarta d'un geste. Puis se retourna vers moi et je compris, sans l'aide d'aucune parole, qu'il m'ordonnait d'éteindre toutes les autres lumières. Bientôt, la vaste synagogue fut plongée dans l'obscurité, en dehors de la minuscule oasis lumineuse dispensée par les sept cierges noirs.

C'est au sein de cette flaque dansante que l'exorciste distribua les sept cornes de bélier. Je sentis sa main se crisper autour de la mienne. Pas sûr du tout, le moment venu, de pouvoir en tirer le moindre son. Mes lèvres étaient de cuir.

Sur un nouveau signe du rabbin Gershon, nous entourâmes Réna toujours assise, toujours immobile, le dos rond, les paupières hermétiquement closes.

Debout en face d'elle, le rabbin respira profondément, débita d'une seule haleine :

– Esprit du mal, puisque tu ne veux pas entendre nos prières, c'est à la puissance du Très-Haut que je demande de te chasser.

Puis, s'adressant à nous sur un ton de commandement :

– Sonnez de la corne. *Tekiah.*

Le son d'une seule corne de bélier, les jours de fête solennelle, m'avait toujours glacé le sang.

C'est ainsi que j'imaginais la trompette du Jugement

dernier. Mais *sept* cornes de bélier sonnant à la fois, voilà qui dépassait l'imagination ! Nos regards fixaient le visage de ma sœur.

Réna sursauta, se débattit, cria de cette même voix qui n'était pas la sienne :

– Lâchez-moi ! Vous ne pourrez pas m'arracher ! Je ne partirai pas !

Elle retomba sur sa chaise, complètement inerte, et le front ruisselant de sueur dans la lumière des cierges, le rabbin Gershon s'acharna :

– Puisque tu ne veux pas obéir aux esprits supérieurs, j'invoque à présent les puissances les plus cruelles de l'univers qui, elles, sauront t'arracher.

A nous autres, pour la seconde fois :

– Sonnez de la corne. *Shevarim.*

Trois notes graves, soutenues, emplirent la synagogue. Après quoi nous nous rapprochâmes de Réna. Le démon était toujours en elle, mais visiblement il faiblissait.

– Toutes les puissances de l'univers sont liguées contre moi... Elles me déchirent sans merci, mais je resterai, malgré la souffrance... Je ne partirai pas.

Le rabbin Gershon ordonna :

– Rangez les Torah et refermez l'arche sainte.

Tout le monde s'empressa d'obéir, la mort dans l'âme. Que pouvait encore tenter l'exorciste, à présent ?

Quand nous eûmes reformé le cercle, autour du *dybbuk,* le rabbin Gershon revint se planter devant Réna, et, sans jamais la quitter des yeux, rugit comme un lion.

– Apparais, ô Seigneur ! Que tes ennemis soient dispersés, éparpillés à la surface de la terre... Moi, Gershon ben Yakov, je tranche les fils qui relient le démon au corps de cette femme.

Il reprit son souffle, parvint à crier encore plus fort :

– *Tu es excommunié par le Seigneur Tout-Puissant !*

Enfin, pour la troisième fois :

– Sonnez ! *Teruah.*

Poussés par une crainte aveugle, nous produisîmes un son qui plongea l'intérieur de la synagogue dans le chaos originel. Bien que nous fussions tous à peu près hors d'haleine, le rabbin nous faisait signe de continuer. Car les spasmes qui agitaient le corps de ma sœur étaient maintenant si violents qu'ils la soulevaient littéralement au-dessus de sa chaise.

Brusquement, elle s'affaissa, sans connaissance.

Le rabbin Gershon nous intima, d'un geste, l'ordre d'arrêter. Mon père fut le premier au côté de Réna ; il lui releva la tête.

– Oh Réna, ma petite fille, est-ce que tout va bien ?

Elle ouvrit les yeux, égarée, sans mot dire.

– Parle-moi, mon enfant, je t'en supplie.

Elle se taisait toujours, promenant autour d'elle un regard qui ne voyait rien.

Puis quelqu'un me frappa doucement sur l'épaule. Je me retournai. C'était Beller.

– Il faut aller à elle, Danny.

J'obéis, le pas incertain. Par quelque miracle, elle sembla me reconnaître.

– Danny... Où sommes-nous ?... Qu'est-ce qui se passe ?

– Rien. Tout va bien. Ton mari est ici...

Je fis signe à Avrom, qui vint se pencher sur son épouse et l'embrassa. Le rabbin Isaacs avait rallumé les lumières et l'assistant du rabbin Gershon rangeait les cierges éteints.

C'est avec un soulagement évident que les hommes se dépouillèrent des linceuls blancs pour se retrouver en costumes de ville. Déjà, Beller reprenait le pouls de Réna, empruntait une petite torche électrique au docteur Cohen et relevait les paupières de ma sœur. Finalement, il se redressa, l'expression plus sereine.

– Mettez-la au lit et surtout... beaucoup de repos. Je vais envoyer quelqu'un de l'hôpital pour s'occuper d'elle.

J'attendis les objections de mon père. Elles ne vinrent pas. A ma grande surprise, lui aussi semblait être devenu, à la faveur de ces événements, un simple patient du docteur Beller.

– Puis-je vous parler un instant, rabbin Luria ?

Mon père acquiesça, docilement, et suivit le professeur. Ils échangèrent, à l'écart, quelques propos que je n'entendis pas. Puis ils s'inclinèrent imperceptiblement, l'un vers l'autre, et papa nous rejoignit.

Avrom pressait Réna contre lui, avec une tendresse dont la profondeur me toucha. Père prit alors la parole :

– Comme vous pouvez le constater, le Seigneur de l'Univers a entendu nos prières. Merci, rabbin Gershon. Merci à tous.

Puis il ajouta, avec une sévérité surprenante :

– Mais je vous ordonne de garder le silence sur ce que vous avez vu et entendu cette nuit.

Sur le chemin du retour, je trouvai le courage de demander à Beller :

– De quoi avez-vous parlé, avec mon père ?

– De sa première femme, Chava. De la façon dont elle est morte.

– Alors, vous en savez plus long que moi. Il n'en a jamais parlé vraiment...

– Le peu qu'il m'a dit a suffi pour éclairer ma lanterne. J'en ai déduit qu'elle était morte de toxémie.

– C'est-à-dire ?

– Une des plus mystérieuses maladies de la grossesse. Une forme particulière d'empoisonnement du sang. Si l'on sort le bébé, tout s'arrête et la mère ne risque plus rien. Évidemment, si l'enfant arrive longtemps avant terme...

Il soupira, et enchaîna, la voix sourde :

– Dans le cas de Chava, c'était probablement fichu d'avance, mais le toubib a dû essayer de sauver la mère et l'enfant... et les a perdus tous les deux. Je suis sûr que la décision n'a pas été prise par votre père, mais il se sent coupable...

– Coupable ? De quoi ?

– Il voulait un fils, Danny. Il se sent responsable de la mort de Chava, et considère que la perte du petit garçon a été son châtiment.

Nous roulâmes un bon moment en silence. Puis, sans autre préambule :

– Je suis très surpris, Danny.

– Que voulez-vous dire ?

Son regard exprimait une sincère compassion.

– Je suis très surpris que ce ne soit pas *vous* qui ayez souffert de ce *dybbuk*.

Cette cérémonie d'exorcisme quasi païenne marqua un tournant dans ma vie. N'y avais-je pas vu mon père, éternel parangon, à mes yeux, d'omniscience et d'omnipotence, crouler sous le faix de superstitions ataviques jusqu'à n'être plus qu'un pâle reflet du géant dont j'avais toujours vénéré l'effigie.

Et que je voyais désormais sous un tout autre éclairage.

Je ne pouvais plus croire en un Dieu qui laissait des esprits mauvais se balader à la ronde et qu'il fallait apaiser à grand renfort de cierges noirs, de cornes de bélier et de formules cabalistiques.

202

Une chose, surtout, m'apparaissait avec une clarté aveuglante.

Si le rabbin de Silcz croyait en ces exorcismes et autres cérémonies, je ne voulais plus, je ne pouvais plus envisager de lui succéder un jour.

24

DÉBORAH

Conséquence naturelle du travail dans les champs brûlés de soleil du kibboutz de Kfar Ha-Sharon, le cuivre se mêlait désormais au vieux bronze dans la chevelure de Déborah.

Bien qu'il ne pût la dispenser de tout labeur domestique, Boaz s'était débrouillé pour lui organiser un programme où elle travaillait autant que possible en plein air.

Durant les premières semaines, elle se nourrit surtout d'aspirine et de jus d'orange. L'aspirine pour calmer ses douleurs musculaires, et le jus d'orange pour compenser la sueur qu'elle perdait chaque jour.

En dépit de ses douleurs, elle était euphorique. Pour la première fois depuis qu'elle vivait en Israël, elle commençait à se faire des amis.

Boaz et sa femme Zipporah lui tenaient lieu de parents. Malgré toute sa virilité musculeuse, Boaz était comme une mère poule abritant un poussin blessé sous son aile.

Une centaine de familles peuplaient le kibboutz.

Chaque couple logeait dans un *srif*, cabane de bois plutôt spartiate. Quant aux enfants, ils vivaient tous ensemble dans des dortoirs séparés.

De toutes les surprises qui avaient frappé Déborah, cette ségrégation était la plus radicale. Pourtant, les gosses semblaient aimer cette vie entre garçons et filles du même âge, et trouvaient naturel de ne voir leurs parents qu'en fin de journée. Si bref qu'il fût, le temps qu'ils passaient ensemble bouillonnait de passion joyeuse.

Déborah, de son côté, partageait un *srif* avec quatre autres filles engagées pour six mois de service volontaire, une Allemande, une Suédoise et deux Hollandaises. Toutes étaient de bonnes chrétiennes venues en Israël pour des motifs variés.

Capitaine dans l'armée allemande, le père d'Almuth avait toujours été fort discret sur sa carrière militaire. C'est seulement après la mort de leurs parents, dans un accident de voiture, sur l'autoroute, qu'elle et son frère Dieter découvrirent, dans leurs affaires personnelles, documents et médailles témoignant des états de service du capitaine, en Grèce et en Yougoslavie, où il avait organisé la déportation des juifs.

Comme beaucoup de ses compatriotes d'âge tendre, Almuth avait voulu faire un geste, sinon d'expiation, du moins de conciliation.

Divers sentiments avaient inspiré les trois autres, tous d'essence religieuse, tels que le désir d'apprendre l'hébreu pour pouvoir lire l'Ancien Testament dans sa version originale.

Mais les quatre filles avouaient, sans honte aucune, d'autres motifs plus terrestres. Non seulement c'était formidable de s'offrir aux rayons d'un tel soleil, mais ce qu'il faisait de tous ces jeunes Israéliens taillés dans le bronze n'était pas mal non plus.

Le kibboutz observait le Sabbat à sa manière. On allumait des bougies, on chantait des chansons, et puis, après dîner, on regardait un film. Le samedi, au lieu de travailler, on allait pique-niquer, en car, dans les collines ou au bord de la mer.

Parfois, on visitait un site archéologique où, pour changer un peu des travaux de labour, on déterrait, à la truelle, des antiquités que les professionnels examinaient avec indulgence.

Fidèle à l'interdiction de voyager au cours du Sabbat, Déborah s'abstint, au début, de participer à ces sorties. Mais quand ils décidèrent de pousser jusqu'à la mer Morte, elle ne se fit pas prier davantage.

Ce samedi matin, de très bonne heure, elle roula dans une serviette le maillot de bain qui, bien que du modèle standard fourni par le kibboutz, lui paraissait de dimensions fort restreintes, et marcha vers leur propre antiquité ferraillante : un ancien car de ramassage scolaire rafistolé de toutes parts.

Elle allait grimper dans le véhicule lorsqu'elle hésita tout à coup, Boaz remarqua ce temps d'arrêt et, poussant devant lui sa troupe de joyeux kibboutzniks, vint lui glisser à l'oreille :

– Tout le monde dans ce bus a lu la Bible, comme toi, Déborah. Mais d'après la Torah, est-ce que le Sabbat ne doit pas être consacré au repos et à l'allégresse ?

Elle acquiesça nerveusement, n'osant franchir le pas. Il murmura en passant un bras autour de sa taille :

– En plus de ça, selon le prophète Zacharie, même si tu pèches un brin, Dieu t'affinera comme l'or et l'argent, de telle sorte que tu puisses toujours entrer au Paradis en grande pompe.

Ébranlée par les paroles du prophète, Déborah s'assit à

côté de Yoni Barnea, le fils du médecin, et lui dit dans un sourire :

– Si vous êtes tellement irréligieux, comment se fait-il que vous connaissiez tous la Bible par cœur ?

L'œil brillant de malice, Yoni lui rendit son sourire.

– Tu n'as pas encore tout pigé, Déborah. Pour nous, la Bible n'est pas un livre de prières... c'est une carte routière !

Elle se renversa contre le dossier de son siège, heureuse et bien décidée à ne plus compter les interdits sabbatiques qu'elle allait enfreindre, et à profiter de ce jour de repos nouvelle manière.

Jamais elle n'avait passé l'été dans un de ces « camps de vacances » dont les activités paraissaient beaucoup trop frivoles tant à ses parents qu'à leurs amis et connaissances. Les vacances estivales s'étaient toujours réduites à une semaine ou deux dans un centre de Spring Valley où l'herbe et la forêt remplaçaient le béton et l'asphalte de Brooklyn, les bungalows délabrés, la monotonie des maisons de brique brune, mais où les visages restaient les mêmes.

Ce voyage en autocar était le premier qu'elle eût jamais fait pour « rigoler ». Le mot lui-même manquait au vocabulaire de son enfance.

Et tout au long du parcours accidenté, poussiéreux, ces adultes échappés de leur jardin d'enfants n'arrêtèrent pas de taper dans leurs mains en scandant un répertoire hétéroclite qui allait des refrains bibliques aux dernières scies – c'était quelquefois les mêmes – du hit-parade d'Israël.

Quand les passagers ne chantaient pas eux-mêmes, jaillissaient des haut-parleurs les succès américains du Top 40, repiqués par la « Voix de la Paix » d'Abie Nathan, la radio pirate qui émettait d'un bateau « ancré quelque part dans les eaux du Moyen-Orient ». Son directeur mécréant était persuadé que le magnétisme de la musique réussirait où échouaient les diplomates : à réunir Arabes et Juifs sur la même longueur d'onde.

Ils stoppèrent pour boire un coca à Tall al-Sultan, sur l'emplacement des antiques ruines de Jéricho, la plus vieille ville inhabitée du monde.

La plupart des kibboutzniks avaient au poing quelque guide touristique largement corné, et presque toujours, il y avait quelqu'un pour parler avec érudition de chacun des sites traversés. Rébecca Mendoza, immigrante venue d'Argentine, traduisit à haute voix, d'espagnol en hébreu, les pages de sa *Guia de la Tierra Santa* :

– Jéricho fut un lieu de transit important, lors des croisades. Il y subsiste de nombreux monuments chrétiens. Le monastère de la Tentation est bâti à l'endroit où Satan mit Jésus au défi de prouver Qui il était en changeant les pierres en pain. Et Jésus lui répondit : « Il est écrit que l'Homme ne vit pas seulement de pain, mais de toute parole qui sort de la bouche de Dieu. » C'est dans l'*Évangile selon saint Matthieu*, chapitre quatre...

– Vous oubliez quelque chose, señorita, la taquina un des plus vieux kibboutzniks, c'est que Jésus citait Moïse : « L'homme ne vit pas seulement de pain, mais de tout ce qui sort de la bouche de Yahvé. » *Deutéronome*, chapitre huit, verset quatre.

Une autre voix flûta, goguenarde :

– A côté de la plaque, comme toujours, Yankel !

L'aîné barytonna, théâtral :

– Ce n'est pas dans le *Deutéronome*, peut-être ?

– Si. Mais c'est le verset *trois* !

Lorsqu'ils regagnèrent l'autocar, Déborah se laissa choir dans son siège, exténuée, les pieds douloureux.

207

– C'est pas formidable ? triompha Boaz en bondissant dans le véhicule à la suite du dernier traînard. Et le meilleur reste à venir !

L'œil fixé sur l'infatigable sexagénaire, Déborah chuchota dans l'oreille d'Almuth :

– Mais où puise-t-il toute cette énergie ?

La jeune Allemande haussa les épaules.

– Presque tous les Israéliens sont comme ça. Branchés six jours sur sept sur un générateur électrique, et volontairement débranchés le septième jour !

Poursuivant, vers le sud, sa trajectoire brinquebalante, le car traversa Qumran où, en 1947, sur la piste d'un agneau égaré, un jeune berger pénétra dans une caverne et découvrit par hasard une cache pleine d'antiques parchemins bien connus, depuis lors, sous le nom de « manuscrits de la mer Morte ». A l'époque, le jeune berger céda sa trouvaille à un astucieux antiquaire de Jérusalem pour le prix extravagant d'une paire de chaussures neuves.

La paire de chaussures la plus chère du monde puisque, par la suite, les rouleaux qui l'avaient payée acquirent une valeur de plus de cinq millions de dollars.

Moins d'une heure plus tard, ils foulaient les rivages de la mer Morte.

– Le lieu le plus bas du monde, rappela Boaz, gentiment didactique. Près de quatre cents mètres au-dessous du niveau de la mer.

– Hé ! s'exclama une jeune femme. Regardez tous ces gens dans l'eau.

– Pas *dans* l'eau, rectifia Boaz. *Sur* l'eau !

Tous les yeux se tournèrent vers les baigneurs apparemment allongés sur des matelas invisibles, que l'extraordinaire teneur saline de ces eaux transformait en bouchons humains.

Au comble de l'excitation, Déborah oublia temporairement ses angoisses à l'idée de nager en compagnie de garçons et de filles dans un maillot aussi peu « décent ». Quelques minutes après, elle et ses amis jouaient également aux bouchons de liège, bondissant et rebondissant avec de grands rires dans cette eau saturée de sel.

Les conceptions de Déborah sur la vie évoluaient à toute vitesse. Était-ce à cause de ce temps idyllique, de cette mer enchantée ? Durant quelques instants fugitifs, elle se dit qu'un jour, peut-être, elle aussi trouverait le bonheur.

Cher Danny,

Oyez, bonnes gens, l'événement du jour. En proportion de mes faibles moyens, j'ai gagné une place particulière dans les annales de la famille Luria !

Bien que nous ayons produit des siècles de sages lettrés, de commentateurs bibliques et de philosophes, nous n'avions jamais engendré un seul « chauffeur ». Du moins à ma connaissance.

C'est aujourd'hui, un peu avant le coucher du soleil, que j'ai accédé à cette distinction, et je ne saurais décrire le sentiment de liberté qu'elle me procure.

Je peux à présent prendre une des Subaru de la communauté et filer à Haïfa, deux après-midi par semaine, pour y préparer une licence de littérature hébraïque.

Soit dit en passant, je tape déjà mes dissertes sur une machine à caractères hébreux, dont j'ai appris à me servir durant mes stages au bureau du kibboutz.

Les horaires des universités israéliennes paraissent organisés en fonction des gens qui travaillent, avec de nombreux cours en tout début de soirée. Tous les trucs que je potasse sont de caractère laïc et me fascinent, je pense, dans la mesure même où ils n'ont rien à voir avec la religion.

J'ai découvert le génie de certains de nos ancêtres littéraires dont nous n'avons jamais entendu parler à Brooklyn. Comme par exemple l'incomparable Judah Halevi (Espagne, XIᵉ siècle) qui chante avec la même passion les amours célestes et les amours terrestres :

« ... *J'accours aux sources de la vie,*
Méprisant le mensonge et les vaines envies.
Et si je peux garder Son image en mon cœur,
Y régneront la foi, l'amour et le bonheur. »

C'est l'expression à peu près littérale de ce que je ressens actuellement.

Essaie de trouver le temps de m'écrire et de me parler des films que tu vois au Thalia et dont les titres seuls me font pâlir de jalousie. Au ciné du kibboutz, il n'y a que des westerns.

Embrasse maman.

Grosses bises.
« D. »

En glissant la feuille dans l'enveloppe et en léchant les deux timbres aux couleurs vives, Déborah se répéta les derniers vers du poème qu'elle avait cité dans sa lettre :

« *Et tant que je verrai Son visage en mon cœur,*
Jamais ne voudront mes yeux regarder ailleurs. »

Le monde était plein de ces expressions d'amour qui, toutes, lui rappelaient Timothy.

25

DANIEL

Je venais de célébrer mon dix-huitième anniversaire et savais que mon « délai de grâce » tirait à sa fin. La Loi enjoint aux hommes de se marier à cet âge. Au reste, le mot « célibataire » n'existe pas dans l'Ancien Testament. Tout bonnement parce que les juifs ne peuvent même pas concevoir qu'un homme ne soit pas marié. Le mariage est la seule façon d'affronter l'Inclination au Mal. Et à dix-huit ans les pulsions sexuelles du mâle atteignent leur apogée.

Que ma propre libido fût en plein épanouissement, je n'avais, là-dessus, pas le moindre doute, et je crois que même sans les films étrangers, souvent très suggestifs, qui passaient au Thalia, je n'aurais pas coupé aux rêves éro-tiques. De surcroît, ma formation rabbinique soulignait cruellement le fait que d'après le Talmud, commettre un péché, en pensée, équivalait à commettre l'acte.

J'en conclus que si je devais subir, pour y avoir trop pensé, la même punition que pour avoir commis l'acte, autant subir cette punition pour quelque chose ! Mais naturellement, je ne savais pas du tout comment passer à l'acte.

Sciemment ou non, c'est Beller qui m'en offrit, sur un plateau, la première occasion.

Vers la fin du mois d'avril, il m'invita chez lui, à une soirée essentiellement organisée pour ses étudiants de Columbia, mais à laquelle, je le savais, participeraient aussi des filles de Barnard. Nul ne peut l'accuser, toute-fois, de m'avoir induit à la tentation. Il se contenta, sim-plement, de m'ouvrir une porte et je la poussai de mon plein gré. Et même avec enthousiasme.

Sans qu'il eût besoin de me le dire, je n'ignorais pas que même mon plus beau costume de Sabbat ne se prêterait pas à la circonstance. De cette certitude découla ma pre-mière expédition chez Barney, où j'achetai mon premier vêtement « laïc » : un joli blazer bleu.

211

Mais ce n'était que le commencement de mes dilemmes. Pouvais-je, par exemple, me rendre à une cocktail-party new-yorkaise avec ces longues rouflaquettes bouclées descendant de chaque côté de mon visage ? Certes, j'avais vu, sur les affiches, des photos de rockers aux cheveux plus longs et plus rebelles que les miens. Mais, puisque je ne savais ni chanter ni jouer de la guitare, j'aimais mieux ne pas trop attirer l'attention sur mon humble personne.

La mort dans l'âme, je me rendis chez un coiffeur très éloigné de l'école et lui demandai de me tailler les pattes jusqu'à ce qu'elles fussent juste assez longues pour satisfaire au décret biblique interdisant de couper les cheveux plus haut que la jonction entre la joue et l'oreille.

– Et les boucles, monsieur ?

– Les boucles aussi... un peu plus courtes, dis-je nerveusement.

– Impossible. Vous n'êtes pas le premier orthodoxe à occuper ce fauteuil, vous savez. Si je vous les taille « moderne », elles ne seront plus « kasher ». Voyez ce que je veux dire !

Je ne savais que trop bien ce qu'il voulait dire. Je fermai les yeux, ce qu'il interpréta à raison comme un assentiment. Il opéra vite et bien, sans douleur. Le remords, qui tortura ma conscience, ne vint qu'après. Je me mis à porter un chapeau dont le bord descendait assez bas. Par surcroît de piété, conclurent mes condisciples. En réalité par hypocrisie.

Je n'arrivais pas à me convaincre vraiment que le jeu en vaudrait la chandelle.

Ce qui me frappa, dès l'abord, fut cette orchestration inhabituelle de sons disparates. Le tintement des glaçons dans les verres, la voix de Ray Charles (dont je n'appris

212

l'identité que beaucoup plus tard) et, contraint de s'élever, pour se faire entendre, au-dessus du volume de la musique, le brouhaha des conversations qui formait avec tout le reste un bourdonnement semblable à celui du robot-mixeur de maman.

Debout sur les marches, je laissai mon regard planer longuement, incrédule, sur le grand salon d'Aaron Beller où des hommes, des femmes riaient et parlaient en toute liberté. Certains se tenaient par la taille ou les épaules. C'était tellement étrange !

– Rabbin Luria, vous n'êtes pas Moïse sur le mont Nébo. Voilà une terre promise dans laquelle vous pouvez entrer !

Beller, en personne, était flanqué d'une grande blonde élégante, d'une quarantaine d'années environ.

– Entrez donc, Daniel. Il y a là beaucoup de gens que je veux vous présenter. Pour commencer, ma femme, Nina. Vous vous rappelez ce paravent de soie que vous avez admiré, dans mon bureau ? En voilà l'auteur.

Mme Beller souriait.

– Heureuse de faire enfin votre connaissance. Aaron m'a tellement parlé de vous.

– Merci.

Qu'avait-il pu lui dire ? Que j'étais un juif plutôt déboussolé, en proie aux affres d'une terrible crise d'identité ?

Mme Beller était belle, mais je ne pouvais m'empêcher de regarder de tous côtés. Tant d'autres femmes peuplaient la vaste pièce. Toutes exquises.

– Aaron, suggéra Nina Beller, si tu t'occupais du punch pendant que je présente Danny à la ronde ?

De beaux esprits se coudoyaient dans le salon des Beller, tels que ce poète lauréat d'un prix littéraire qui, faute, probablement, d'avoir retenu mon nom, se mit à m'appeler « mon vieux » en me demandant ce que je pensais des mérites comparés de Walt Whitman et d'Allen Ginsberg.

A ma profonde humiliation, je n'avais lu ni *Les Feuilles d'herbe* ni *Howl and Other Poems*. Une fois, dans une librairie, mon père avait feuilleté le *Kaddish* du poète hippie. Pour le rejeter au bout de quelques secondes en le qualifiant de « blasphématoire ». Je pris note, mentalement, d'acheter les deux bouquins.

Au bout d'une demi-douzaine de présentations, Nina décida de m'abandonner à moi-même en disant :

– Abordez donc qui vous plaît. Ici, vous êtes entre amis.

Je me sentais perdu, de nouveau, toujours incapable de m'intégrer à ces conversations brillantes, à ces rires tels que je n'en avais jamais entendu, sauf peut-être lors du Purim, quand une main me tapa sur l'épaule en même temps que le souffle d'une voix féminine parvenait à mon oreille.

– Êtes-vous une espèce de saint homme ?

Je pivotai sur moi-même pour me retrouver nez à nez avec une créature de rêve, blonde et vêtue d'une robe ultra-moulante qui dénudait ses belles épaules. Elle fumait une longue cigarette et son sourire était éblouissant.

– Je vous demande pardon ?

– Simple prétexte pour engager la conversation... Mais cette calotte vous donne un peu l'air d'un pape !

– Elle est bien bonne ! répliquai-je, persuadé qu'elle savait fort bien qui j'étais : un juif orthodoxe.

Mais j'étais néanmoins troublé par sa plaisanterie. Au point d'enlever discrètement ma calotte pour l'enfouir au plus profond de ma poche. Certes, je me sentais coupable, et même traître et félon. Mais je me raisonnai en me disant que je ne faisais que préserver la réputation des juifs authentiquement pieux. Pourquoi mes fautes leur seraient-elles imputées ?

– Je suis un étudiant rabbinique, tentai-je d'expliquer.

Elle ouvrit de grands yeux.

– Vraiment ? C'est fascinant. Vous croyez donc en Dieu ?

– Naturellement.

– Oh ! souffla-t-elle. Savez-vous que vous êtes probablement le seul, dans toute cette pièce ?

Cette fois, ce n'était pas une plaisanterie. Pas vraiment. De cette réception se dégageait, en fait, un parfum sulfureux. Une odeur... comment dire ?... d'hédonisme païen. Un mot qui collait particulièrement bien à cette fille.

Je questionnai, désinvolte :

– Et vous, qu'est-ce que vous faites ?

– Oh, des tas de choses. Officiellement, je prépare un troisième cycle d'histoire de l'art, à l'université de New York. Mais j'ai bien d'autres projets. A propos, je m'appelle Ariel.

– Savez-vous que votre prénom signifie « Jérusalem » dans la Bible ?

– Vraiment ? Je croyais que c'était le nom du « bon esprit », dans *La Tempête* de Shakespeare.

– Je n'ai jamais lu *La Tempête*. Je regrette.

– Match nul, je n'ai jamais lu la Bible. Vous êtes sûr, au sujet de mon prénom ?

– Certain.

Pour une fois que je me retrouvais dans mon élément, sur une minuscule parcelle de terrain familier...

– C'est dans le Livre du prophète Isaïe, chapitre vingt-neuf, verset un : « Ariel, ville où campa David... »

– Hé, c'est super ! Vous devez en connaître un rayon, sur ce livre ?

215

– Un petit rayon.

– Et modeste, avec ça ! Je parierais que vous le connaissez par cœur ! Je suis sûr que vous feriez un malheur dans
les jeux télé. Vous pouvez me dire ce qu'ils ont mangé, à
la Cène ?

– Sans problème. C'était de la *matzah*.

– Vous voulez parler de ces petites boulettes qu'on met
dans la soupe !

– Mais non, la Cène a eu lieu durant les festivités
commémorant la libération de l'esclavage et c'est à cette
occasion que les Juifs mangent le pain azyme appelé *matzah*.

– Hé, c'est vrai que Jésus était juif.

– Juif *et* rabbin.

– Comme vous ?

– Mon Dieu... plus ou moins.

– Ça, c'est géant ! C'est absolument géant ! Est-ce que
les rabbins ne font pas vœu de chasteté ou quelque chose
dans ce goût-là ?

Elle semblait passionnée par notre conversation. Je me
sentis rougir.

– Non. Seulement les prêtres...

– Ouf, je respire ! Vous ne trouvez pas ça monstrueux,
vous, que des gens refoulent comme ça leurs pulsions
sexuelles ?

Quelques répliques de plus me suffirent pour
comprendre que cette blonde Lilith ne parlait pas des pulsions sexuelles en général, mais des siennes. Et des
miennes.

A cet instant, chargée d'un plateau d'amuse-gueules
non identifiés, du moins à mes yeux, Nina Beller s'arrêta
près de nous.

216

– Heureuse que vous ayez fait connaissance, tous les deux.

Ariel s'extasia, la bouche pleine :

– Tes petits pâtés, Nina, je m'en ferais périr !

Elle cueillit, gracieusement, un autre minuscule sandwich, du bout de ses longs doigts fuselés. Puis Nina me tendit le plateau. Je crus reconnaître des petits carrés de saumon fumé et j'allais me servir quand Ariel suggéra :

– Goûtez-moi ceux-là. Ce sont mes préférés.

Elle pointait l'index vers un croissant de melon enveloppé d'une mince tranche de viande indéterminée.

– Je me demande si Danny n'aimerait pas mieux l'œuf-olive...

Nina, en parfaite hôtesse, me pilotait dans la bonne direction tandis que cette femme, au contraire, m'exposait volontairement à la tentation de déguster un mets qui, selon toute évidence, n'était pas kasher.

– Et moi, je dis qu'il va adorer !

Je ne me faisais aucune illusion sur la nature du péché que j'allais commettre. Sans circonstances atténuantes.

J'attrapai le melon. Appréhendant beaucoup moins, je le confesse, la colère du ciel que la possibilité qu'il pût se coincer en travers de ma gorge.

Faisant taire ma conscience, j'ouvris la bouche et avalai l'amuse-gueule, d'un coup, le plus vite possible, sans laisser le temps à mes papilles d'en apprécier la saveur.

– Alors ? insista Ariel, tout sourire.

– Vous avez raison, c'est délicieux. Comment appelez-vous ça ?

– *Prosciutto.*

– Un mot à retenir.

– *Prosciutto* signifie jambon, en italien.

Sur cette flèche un tantinet cruelle, Nina s'éloigna gracieusement, me laissant aux prises avec une femme qui était, on ne peut plus clairement, l'incarnation même de l'Inclination au Mal.

Et dont mes sens étaient totalement captifs. Mes yeux dessillés regardaient Ariel et devinaient, sous la soie noire, les courbes à peine voilées de son corps sensuel.

Rien ne n'empêcherait, cette nuit, de séduire cette séductrice !

Il était près de minuit quand la soirée se termina. J'avais cours à neuf heures, le lendemain matin, ce qui impliquait un réveil à sept heures pour prier et prendre mon petit déjeuner.

Pas question, cependant, de rester à mi-chemin des portes du Paradis.

– Ariel, j'ai passé auprès de vous une soirée merveilleuse. On ne pourrait pas la prolonger quelque part ailleurs ?

Tout au fond de moi, dans quelque recoin secret de mon âme, j'espérais encore qu'elle dirait non.

– Pourquoi pas chez moi ? proposa-t-elle.

En deux minutes, la voiture de sport italienne d'Ariel et l'ascenseur express nous déposèrent à la porte de son duplex juché tout en haut d'un luxueux meublé de Central Park West.

En cours de route, elle posa sa main sur cette partie de mon anatomie que seuls, auparavant, avaient touchée ma mère, moi-même et le *mohel*.

Cette nuit-là, je vécus plus longuement, dans l'extase, mon second rite de passage à l'âge d'homme.

Sur le chemin du retour, dans la fraîcheur de l'aube, je dressai mentalement la liste des transgressions que j'avais commises au cours des douze dernières heures.

218

J'avais mangé non kasher. J'avais manqué mes prières du matin, et puisque je tenais à peine sur mes jambes, j'allais sécher mes cours, témoignant ainsi de mon irrespect envers mes profs. Enfin, comble de l'abjection, j'avais cédé à l'Inclination au Mal. J'étais surchargé de péchés.

Et plus heureux que je ne l'avais jamais été.

26

DÉBORAH

Assise sur les marches de son *srif*, Déborah respirait le parfum des jasmins qui imprégnait l'air du soir. A l'intérieur du bungalow, ses camarades bavardaient en écrivant à leurs parents ou à leurs petits amis, sur le fond sonore des « chabada-bada » de Frank Sinatra retransmis par la « Voix de la Paix ».

La jeune fille regardait fixement, sans le voir, le bâtiment principal du kibboutz, situé à mi-pente de la colline qui descendait doucement jusqu'au rivage du lac de Tibériade.

Une voix d'homme qui ne lui était pas familière brisa soudain sa rêverie :

– Vous devez être Déborah ?

Elle se retourna, vivement, vers le jeune homme qui venait de s'arrêter près d'elle, mince et beau dans sa chemise kaki où brillaient les ailes de l'armée de l'air.

– Désolé de vous avoir fait peur, dit-il en anglais, avec

un fort accent. Je sais que le kibboutz vote votre admission, ce soir. Mon père m'a dit que vous seriez nerveuse, alors je suis venu vous tenir la main. A propos, je m'appelle Avi, fils de Boaz et de Zipporah.

Elle éprouva le besoin de se justifier :

– L'élection n'est pas automatique, vous savez !

– Bien sûr que je le sais. Je ne serai candidat, moi-même, qu'après mon service.

Un sourire plus tard :

– Je peux vous poser une question personnelle ?

– Tout dépend de ce que vous entendez par là.

– Est-ce que... Ulla est toujours ici ?

Un vrai petit Casanova d'Israël ! se dit Déborah. Elle s'écarta pour le laisser entrer.

– Vous avez de la chance. Elle ne repart que la semaine prochaine.

– Merci, dit Avi en montant les marches. Et cessez de vous faire de la bile !

Une demi-heure plus tard, une explosion de nombreuses voix parlant toutes ensemble, accompagnée d'un bruit de chaises déplacées, annonça la fin de la réunion dans le grand baraquement central. Puis la silhouette imposante de Boaz se lança sur la pente, torche électrique pointée dans la direction de leur *srif*. Totalement hors d'haleine, il parvint à hoqueter :

– Ça y est, Déborah. C'est officiel ! Tu es une *chavera*.

Tandis qu'il l'arrachait au sol, l'enfermant dans ses grosses pattes, la jeune fille songea, éperdue : « J'ai tout de même fini par trouver ma place. »

Pour célébrer son égalité nouvellement acquise, elle fut assignée, le lendemain matin, au nettoyage des marmites.

Et quelles marmites ! Elles ressemblaient davantage à des tonneaux d'aluminium. Au bout de la première demi-douzaine, Déborah et ses compagnes de travail ne sentaient plus leurs bras.

– Ne t'avais-je pas dit que ça se ferait sans problème ? lança Avi en pénétrant dans la cuisine. J'ai loupé le petit déj'. Je peux te piquer un croissant et du café ?

– Pourquoi « piquer » ce qui appartient à tous ? répliqua Déborah. Prends ce que tu veux.

Il avait déjà ouvert un des énormes frigos et se coupait une part de fromage. Tasse de café à la main, il revint vers Déborah.

– Tu n'as plus besoin de travailler aussi dur, maintenant, puisque tu es admise.

Elle continua de frotter sa marmite, sans répondre. Adossé à l'un des comptoirs, il poursuivit en grignotant son fromage :

– Je ne comprends toujours pas pourquoi une princesse judéo-américaine telle que toi s'acharne à vouloir devenir kibboutznik.

– Tu n'as jamais pensé que toutes les filles judéo-américaines n'étaient pas obligatoirement des princesses ?

– Je n'en ai jamais rencontré aucune. Tu es très riche et très gâtée, non ? Il brasse quel genre de grosses affaires, ton papa ?

– Il est rabbin. Le rabbin de Silcz, si ça t'intéresse.

– Sans blague ? Et ça lui plaît que sa fille travaille dans une cuisine non kasher

– Je peux savoir pourquoi tu me poses toutes ces questions ?

– Peut-être parce que tu ne m'en poses aucune !

– Je vois, concéda Déborah, entrant dans le jeu. Raconte-moi ta vie !

– Je suis né au kibboutz, je suis allé à l'école du kibboutz. Quand j'aurai terminé mon service, j'irai à l'université, j'écrirai une thèse et je reviendrai vivre au kibboutz.

221

– Une thèse sur quoi ?

L'intérêt de Déborah n'était nullement feint.

– Pas sur le Talmud. J'ai des projets plus terre à terre. Souterrains, même, si j'ose dire. J'étudie de nouveaux procédés d'irrigation.

– Mais tu reviendras quand même vivre ici ?

– A moins que tu n'organises une pétition pour me faire virer !

– Ça, c'est épatant. Il y a beaucoup de kibboutzniks qui ne reviennent pas après l'armée, non ? Parce qu'ils ont pris goût aux facilités du monde extérieur.

– Tous les kibboutzim ne sont pas comme Kfar Ha-Sharon.

– Tu veux dire qu'on ne trouve pas partout d'aussi jolies volontaires suédoises ?

Une lueur d'embarras passa dans les yeux d'Avi.

– Tu ne vas peut-être pas me croire, mais elles représentent un aspect important de notre existence. Il est rare qu'on se marie entre membres du même kibboutz. On est tous tellement élevés comme frères et sœurs que ça paraîtrait une sorte d'inceste.

– D'où la nécessité d'exploiter les volontaires féminines en tant qu'objets sexuels.

Il éclata de rire.

– Marrant d'entendre ces conneries féministes, dans un endroit pareil. Sache, pour ta gouverne, que six volontaires, deux hommes et quatre femmes, ont épousé des kibboutzniks et acquis le statut de *chaverim*. Peut-être que cet été, dans le nouvel arrivage, tu vas te dégoter un bel Hollandais ?

– Très peu pour moi ! se rebiffa-t-elle. Qu'est-ce que vous avez tous à vouloir me marier ?

– Pourquoi te marier ? J'en connais quelques-uns qui

voudraient t'épouser, tout bêtement ! C'est curieux qu'une *frum* telle que toi n'ait pas encore trouvé chaussure à son pied.

Déborah, mal à l'aise, se réfugia de nouveau dans le récurage frénétique des gros récipients.

– J'ai mis le doigt sur une plaie ? s'inquiéta Avi.

Elle releva les yeux, et murmura :

– Profonde !

Elle se remit à frotter.

– Je peux te donner un coup de main ? proposa-t-il.

Elle lui tendit une brosse.

– Tiens, fais-toi plaisir ! Et dis-moi comment un pilote passe ses journées.

Il haussa les sourcils, l'expression candide.

– Au fond, c'est plutôt fastidieux. Je tire sur quelques manettes, le zinc monte en flèche. Quelques manettes de plus et mon bang sonique fait la fortune des vitriers...

– Qu'est-ce qu'il y a de si fastidieux là-dedans ?

– Eh bien, tu n'as guère le temps de voir du pays. A mach 2, tu traverses Israël en trois minutes, d'une frontière à l'autre.

– Oh ? s'exclama Déborah, impressionnée. Ça va vraiment si vite que ça ?

Il eut un sourire jaune.

– Non. Mais Israël est vraiment si petit que ça !

Une voix courroucée trancha soudain leur dialogue :

– Déborah, c'est ça que tu appelles travailler ?

C'était le gigantesque Shauli, maître queux et monarque absolu dans la cuisine.

Déborah rougit, et le fils de Boaz crut bon de voler à son secours :

– C'est ma faute. C'est moi qui l'ai distraite.

– Oh toi ! vociféra Shauli. Tu n'as même pas le *droit* d'entrer dans ma cuisine !

Le petit salut de l'aviateur contenait tout un monde d'ironie frondeuse.

– Affirmatif, chef ! Puis-je poser une dernière question à la *Chavera* Déborah ?

– D'accord. Mais courte !

Avi débita rapidement :

– Qu'est-ce que tu comptes faire après dîner ? Je veux dire après ta douche et tout le bazar ?

– Je ne sais pas trop.

– Si on se motorisait au garage et qu'on se propulse jusqu'à l'Aviv de Tibériade ? On y joue *Butch Cassidy* et c'est tellement bien que je l'ai déjà vu quatre fois.

– Un film ? releva-t-elle.

Comment lui dire qu'elle éprouvait toujours une sorte de culpabilité, rien qu'à regarder les infos à la télé, et boudait la plupart des films projetés le vendredi soir dans la salle du kibboutz ?

Mais Avi s'était tout de suite avisé du problème.

– Écoute, si tu as des scrupules religieux, tu n'auras qu'à garder les yeux fermés pendant la projection.

Il éclata de rire. Elle en fit autant. Puis elle le regarda s'éloigner, par bonds juvéniles, à la fois heureuse qu'il l'eût invitée, et pleine d'appréhension.

Il était à son goût, dans l'ensemble.

Le film ne troubla pas Déborah outre mesure. Moins, en tout cas, que les pubs qui l'avaient précédé, particulièrement celles concernant les maillots de bain, beaucoup plus audacieuses que le film lui-même.

Ils prirent ensuite une pâtisserie et un café dans un restaurant du Tayellet, remontèrent une promenade côtière qui faisait des efforts héroïques pour ressembler à la

Riviera et regagnèrent lentement la voiture. Avi plastronna en se réinstallant au volant :

– On est venus du kibboutz en sept minutes treize. Veux-tu qu'on batte le record au retour ?

Se remémorant les nombreux virages, Déborah proposa :

– Chiche qu'on bat le record... de lenteur !

Il lui lança un regard plein de sous-entendus.

– Ça me va ! On ira aussi lentement que tu voudras.

Vingt minutes plus tard, il gara la voiture dans un coin tranquille, près des vergers de Kfar Ha-Sharon. Au-dessous d'eux, le clair de lune se diluait, en reflets de nacre, dans le lac de Tibériade.

Avi toucha doucement l'épaule de Déborah.

– Nerveuse ?

– Pour quelle raison ? s'enquit-elle, faussement nonchalante.

– En tant que fille de rabbin, tu n'as pas dû mener une vie très dissipée.

Elle concéda :

– C'est vrai. Je ne me sens... pas très bien avec toi. Tu as bien dit que les kibboutzniks étaient comme frères et sœurs ?

– Je l'ai dit. Mais je n'ai pas grandi avec toi. A mes yeux, tu es une femme très attirante.

Comment eût-il pu soupçonner l'effet produit par ses mots sur Déborah ? Durant ses moins de vingt années d'existence, elle s'était entendu qualifier d'adolescente, de jeune fille, de *shayne maidel* et de douce créature. Jamais de « femme ». Et le plus étrange, c'est qu'elle se *sentait* femme.

Elle laissa, sans déplaisir, le bras du garçon ramper autour de ses épaules, et tenta d'apprécier son baiser sans arrière-pensées. Mais elle craignait qu'il n'aille trop loin.

225

Ce furent pourtant ses questions qui devinrent trop intimes :

– Pourquoi tes parents t'ont-ils envoyée en Israël ?

Elle hésita un instant. Répondit sans grande conviction :

– Pour les raisons habituelles.

Il articula fermement :

– S'il te plaît, Déborah. J'ai vécu assez longtemps dans ce kibboutz pour distinguer une « volontaire » d'une exilée. Tu... connaissais quelqu'un ?

Elle baissa la tête.

– Et tes parents n'approuvaient pas ?

Cette fois, elle acquiesça.

– Et... ça a marché ?

– Comment ça ?

– La séparation t'a guérie ?

– Je n'étais pas malade !

– Mais tu tiens toujours à lui ? Dans ton cœur ?

Contenus depuis si longtemps, ses sentiments secrets hurlaient au fond de son âme : « C'est la seule personne au monde qui m'ait aimée pour moi-même. »

Mais sa réponse s'entendit à peine :

– Je crois... oui.

– Tu lui écris toujours ?

– Je n'ai pas son adresse.

– Il a la tienne ?

Elle secoua la tête.

Espoir ? Soulagement ? Les yeux d'Avi s'illuminèrent.

– Alors, ce n'est qu'une question de temps. Tôt ou tard, quand tu auras bien cuvé tes regrets, tu te sentiras libérée.

Elle haussa les épaules.

– Je suppose.

Il la reprit dans ses bras pour lui chuchoter à l'oreille :

– Et ce jour-là, j'espère que je ne serai pas loin.

Puis, s'efforçant de lui remonter le moral, il gloussa :

– Je ferais mieux de te ramener en vitesse. Demain, il faut que je sois à la base pour six heures.

Ils regagnèrent la route et se rangèrent bientôt sur le parking.

Devant la porte de son *srif,* elle lui demanda :

– Tu vas rentrer comment ?

– Auto-stop !

– Ce n'est pas dangereux ?

– Pas tant que tu lèves le pouce. C'est seulement quand tu grimpes à côté d'un conducteur israélien que tu risques ta vie !

Il lui serra fortement la main, l'embrassa sur la joue, redescendit l'allée de gravier et s'évanouit dans les ténèbres.

Déborah le suivit des yeux, jusqu'à sa disparition, certaine, tout à coup, de l'avoir percé à jour au point de discerner, sous sa carapace, la sensibilité qu'il s'efforçait de réprimer, cette sensation de course perpétuelle contre la montre, et contre la mort.

De tout son cœur, elle eût souhaité l'aimer suffisamment pour pouvoir oublier Timothy.

27

TIMOTHY

L'avion de Tim atterrit à Rome au petit matin, sur l'aéroport Léonard-de-Vinci où les cinq séminaristes montèrent dans un autocar qui les emporta aussitôt vers Pérouse, à travers les collines ocrées de l'Ombrie.

Dès leur entrée dans la ville, le père Devlin s'étendit longuement sur les vestiges des nombreuses cultures, étrusque, romaine, carolingienne et Renaissance, leur rappelant que si les civilisations naissent et meurent, la foi demeure.

– Et plus significatif, peut-être, que tout le reste, conclut le père Devlin, loquace, Pérouse est le berceau du seul plaisir des sens qui ne soit pas un péché mortel. Je parle, évidemment, de leur chocolat.

Le car se rangea devant l'Ospizio San Cristoforo, à courte distance du Palazzo Gallenga, construit au XVIIIe siècle, qui abrite aujourd'hui l'université italienne réservée aux étrangers.

Dès le commencement de leur séjour à Pérouse, Tim se demanda si leur groupe n'était pas délibérément soumis à une torture raffinée dont l'objectif eût été de mesurer leur degré de résistance à la tentation.

Certes, leurs programmes spécialisés n'accueillaient que des séminaristes (plus une demi-douzaine de prêtres étrangers déjà ordonnés, en cours de transfert au Vatican), mais sitôt qu'ils émergeaient de la salle de classe, le spectacle coloré du campus les exposait aux mêmes épreuves que les autres célibataires.

Pérouse, en été, attire comme un aimant toute une faune de jeunes universitaires américaines qui semblent rivaliser d'efforts pour accaparer au maximum l'attention masculine en portant un minimum de vêtements. Elles étaient là pour apprendre l'italien, non en tant que langue romane, mais en tant que langue de la *romance*.

Membre du même groupe que Tim, Patrick Grady n'en finissait pas de secouer la tête avec stupéfaction.

– Non mais c'est pas vrai ! De toute ma vie, je n'avais jamais vu des filles comme celles-là ! Ce n'est pas dans ce diocèse que je pourrai jamais devenir prêtre !

Rentrant à l'Ospizio pour l'heure du déjeuner, engoncés dans leurs soutanes, Patrick et Tim croisèrent, sur leur chemin, une paire de nymphes texanes en robes estivales aussi révélatrices que possible.

Les yeux de Pat Grady lui sortaient de la tête.

– Du calme, vieux, lui glissa Timothy. Les choses vont se tasser au fil des semaines...

– Tu ne vas pas me dire que tout ça te laisse froid ? Ou alors... file-moi ta recette !

Tim feignit de ne pas comprendre mais Grady insista :

– Écoute, on est des hommes comme les autres. Chez moi, au pays, la plupart des gars sont déjà mariés... et presque tous avaient perdu leur pucelage depuis long-temps, sur le siège arrière d'une voiture. Tu ne vas pas me faire croire que tu ne te... enfin, de temps en temps, tu vois ce que je veux dire... histoire de décompresser !

Tim se contenta de hausser les épaules. Comment expli-quer à l'un de ses condisciples qu'une autre passion, infini-ment plus profonde que ces élans primitifs, l'immunisait contre les tentations environnantes ?

Avant les repas, ils disaient les grâces à tour de rôle, riva-lisant de ferveur dans la sophistication et la durée de leurs prières.

Pas question, naturellement, d'égaler la faconde du bril-lant Martin O'Connor dont les bénédictions duraient si longtemps qu'il fallait, en général, deux ou trois toux diplomatiques du père Devlin pour lui rappeler que les tagliatelles étaient en train de refroidir.

Après le déjeuner, et jusqu'à l'ouverture des laboratoires de langues, à quatre heures, beaucoup sacrifiaient à la coutume locale de la sieste, pendant que Tim s'attelait, dans un coin ombragé du jardin, à l'acquisition des verbes irréguliers de la langue italienne.

Par un après-midi torride du mois de juillet, alors qu'il apprenait par cœur les variations orthographiques de *rispondere,* il vit, du coin de l'œil, George Cavanagh franchir le portique conduisant aux chambres, les traits altérés, la démarche furtive.

– Ça ne va pas, George ? lança-t-il.

Cavanagh s'arrêta net, l'air coupable.

– Qu'est-ce qui te fait dire ça ?

– Je ne sais pas, moi... Tu sembles marcher sur des œufs... Le soleil, sans doute ?

– C'est ça, c'est ça... Une vraie fournaise, là-bas dehors...

Il vint s'asseoir près de Tim, et alluma une cigarette dont il aspira voluptueusement la fumée.

Certain que Cavanagh brûlait de se confier à quelqu'un, Tim lui proposa gentiment :

– Tu veux qu'on en parle ?

Cavanagh hésita un bref instant.

– Jamais je ne pourrai me confesser de ce truc !

– Et le secret de la confession ? Quoi que ce soit, tout sera pardonné.

– Mais pas oublié !

Au comble de l'angoisse, George implorait Tim du regard.

– Tu me jures de n'en parler à âme qui vive ?

– Je te le jure.

Sans élever la voix, dans un chuchotement rauque, Cavanagh souffla :

– J'ai couché avec une femme. Une prostituée.

– Quoi ?

230

– J'ai eu des rapports sexuels. Tu me vois confesser ce truc-là ?

– Écoute... Tu n'es pas le premier à succomber. Pense à saint Augustin. Tu finiras par trouver le courage...

Mais chaque mot semblait enfoncer un peu plus Cavanagh dans son agonie.

– Justement, non ! Jamais je n'aurai la force de m'abstenir.

Le visage enfoui dans ses mains, il se frottait le front avec une énergie désespérée.

– Tu méprises ma faiblesse, pas vrai ?

Tim secouait la tête.

– Qui suis-je pour porter un jugement moral ? Garde-toi de baisser les bras, George. Parle avec ton directeur de conscience. Je suis sûr que tu retrouveras la force de lutter.

Brièvement, le séminariste aux abois plongea son regard dans le regard innocent de son camarade, et conclut dans un souffle :

– Merci, Hogan.

« Carissimi studenti, il nostra corso è finito. Spero che abbiate imparato non solo a parlare l'italiano ma anche ad asaporare la musicalità di nostra lingua. »

Le cours était terminé. Tim et ses camarades se levèrent pour affirmer, par leurs applaudissements, qu'ils avaient appris, non seulement à parler l'italien mais aussi, selon les mots de leur professeur, à en savourer la musique.

Ce même après-midi, quatre des cinq séminaristes reçurent les félicitations du père Devlin et rembarquèrent dans le minibus. George Cavanagh manquait à l'appel. Pour des raisons qu'il n'avait confiées qu'au père Devlin, il allait passer son week-end non loin de Pérouse, dans la petite ville d'Assise.

231

Confronté à ce déploiement ostensible de dévotion, Martin O'Connor n'émit qu'un commentaire :
– Chiqué !

À Rome, les attendait une surprise.

La session des cours de vacances du North American College ne se terminerait que trois semaines plus tard. Aussi, ne pouvant les héberger dans de bonnes conditions, les instances dont ils dépendaient placèrent Tim et le reste de son groupe d'élite devant l'alternative suivante : une retraite paisible dans un monastère des Dolomites ou, pour les plus aventureux, la participation, avec une vingtaine de séminaristes allemands et suisses, à un pèlerinage en Terre sainte. Ce groupe était sous la conduite d'un certain père Johannes Bauer, un vieil homme d'une grande piété affligé d'un net bégaiement et d'une ignorance absolue de toute autre langue que l'allemand et le latin.

Lesquelles, dans sa bouche, acquéraient d'ailleurs des sonorités identiques.

Une fois de plus, Tim vit dans cette occasion inespérée une intervention divine. Il s'inscrivit immédiatement pour le pèlerinage, déplorant, au fond de lui, que George Cavanagh et Patrick Grady fissent de même. Car depuis leur conversation intime, dans le jardin de l'hospice, le comportement de Cavanagh à son égard s'était considérablement rafraîchi, et Tim avait nourri l'espoir d'échapper, durant ces trois semaines, aux regards pleins de rancune de son camarade.

Dès qu'il sut que l'hébergement, au cours du voyage, se ferait par chambres doubles, George choisit Patrick pour compagnon. Lâchant Tim à la dérive, en compagnie d'un Bavarois rougeaud prénommé Christophe, sur une mer intraduisible d'allemand idiomatique.

Dès la première heure de vol, toutefois, Tim et Christophe découvrirent qu'ils disposaient, malgré tout, d'un moyen de communication. Timothy n'avait pas oublié son yiddish de Brooklyn, dialecte dérivé, en grande partie, de l'allemand médiéval, et quand il suggéra que cette possibilité d'échanges linguistiques allait faire du voyage un *gryse fargenign,* Christophe répondit en souriant :

– *Ja, ein sehr grosses Vergnügen.*

Dans les deux langues, et malgré leurs accents respectifs : un très grand plaisir.

Après leur atterrissage, au petit matin, sur l'aéroport Ben-Gourion de Tel-Aviv, les agents israéliens des services d'immigration tinrent à s'assurer longuement que les motifs de leur visite étaient bien d'essence spirituelle et non subversive.

Un des séminaristes s'emporta :

– Vous nous faites ça parce que nous sommes allemands, *ja* ?

A quoi l'une des préposées, jolie brune d'un peu moins de trente ans, répondit dans un sourire :

– *Ja !*

Christophe et Timothy passèrent les derniers à la moulinette. Chose étrange, le fait que ce séminariste américain aux cheveux blonds parlât l'hébreu sembla le rendre encore plus suspect que ses compagnons allemands. Mais lorsque le chef du service eut fait dire à Timothy qu'il avait commencé sa carrière en tant que *Shabbes goy,* et que le « suspect » se révéla capable de citer l'Ancien Testament dans le texte original, l'inquisition se convertit en chaleureuse bienvenue. En témoignage d'amitié, l'homme alla jusqu'à lui offrir la moitié de sa barre de chocolat « Élite » en déclarant :

– *Baruch ha-ba.* Bénie soit votre arrivée.

233

Les deux jeunes gens purent enfin récupérer leurs valises et rejoindre en courant, dans la chaleur du mois d'août, leurs camarades qui piaffaient d'impatience dans l'autocar.

A toute vitesse, leur dynamique chauffeur israélien mit le cap sur Jérusalem. Bien décidé, semblait-il, à concurrencer en rapidité l'avion qui les avait amenés. Quand ils furent en vue de la cité sainte, au sortir des collines de Judée, Timothy ne s'absorba point, comme les autres, dans une première contemplation béate du panorama.

S'aidant d'une petite torche électrique, il étudiait un plan de la ville cueilli à l'aéroport pendant qu'ils faisaient la queue, s'efforçant d'apprendre par cœur l'itinéraire conduisant du Terra Sancta College, l'hospice franciscain où ils allaient descendre, au siège de la YMCA, dans la rue du Roi-David.

Pourtant, lorsque l'autocar négocia, sans aucune diplomatie, le dernier virage et qu'il découvrit la composition florale disant « BIENVENUE A JÉRUSALEM » sur fond d'herbe verte, son âme bondit dans sa poitrine. Et quand son regard balaya ces pierres dont l'obscurité résiduelle de la nuit ne parvenait pas à voiler la blancheur lumineuse, il murmura dans le secret de son cœur :

Prions pour que la paix soit sur Jérusalem :
Ils vivront heureux, ceux qui t'aiment.

En déposant sa valise dans la petite chambre, Tim surprit, à travers la cloison, les voix irritées de George et de Patrick :
— Ma seule chance, peut-être, de jamais visiter la Terre sainte, alors si tu crois que je vais perdre mon temps avec

un guide qui ne parle pas un mot d'anglais, tu es tombé sur la tête !

– Je suis d'accord, Cavanagh, mais qu'est-ce qu'on y peut ?

– Dire la vérité au père Bauer, par exemple. Nous sommes de grands garçons ! J'ai quatre guides touristiques en anglais. Je serais bien étonné qu'il refuse de nous laisser voler de nos propres ailes !

– Bonne idée, approuva Grady. Et prions pour qu'il nous laisse partir.

– Ainsi soit-il ! souligna Timothy, pour lui-même.

A son grand soulagement, ses camarades ne lui demandèrent pas de les accompagner lorsqu'ils frappèrent, le lendemain matin, chez le directeur de leur expédition. Un peu plus tard, au petit déjeuner, leur sourire prouva, mieux que toute parole, qu'ils avaient obtenu gain de cause.

A moi, maintenant, songea Timothy. Et dans son cas, le père Bauer commença par protester dans un allemand que Tim ne comprenait qu'à grand-peine :

– Il y a tant d'inscriptions en grec et en hébreu que vous pouviez nous traduire...

– Tout est là, plaida Tim. J'aimerais passer davantage de temps dans tous ces endroits où Notre Seigneur a prêché... surtout à Capharnaüm.

Enfin, Bauer se rendit à ses arguments.

– Le moyen de repousser si admirable requête ! Très bien. *Placet.* Vous avez notre itinéraire, vous pouvez nous rejoindre quand vous voulez. Puis-je compter sur vous pour être là le 15 septembre à six heures du soir ?

– Absolument, répliqua Tim.

– Alors, bon voyage. Allez retrouver vos amis américains, et respirez bien à fond l'air de la Terre sainte.

Tim pouvait à peine contenir sa joie lorsqu'il ressortit de chez le père Bauer, la conscience un peu lourde du tour dont le vieux prêtre n'avait pu soupçonner l'existence.

Car, en lui disant d'aller retrouver ses amis américains, le père ne pensait évidemment pas à la même personne.

Premier arrêt, le comptoir de réception de la YMCA où il s'informa, le souffle court :

– Vous gardez longtemps les lettres qui ne vous sont pas réclamées ?

Le préposé lui rit au nez.

– Toujours. Mon patron est complètement dingue. On a des enveloppes qui remontent aux années cinquante et qui sont devenues toutes jaunes !

L'estomac terriblement noué, Tim questionna :

– Vous avez quelque chose pour Timothy Hogan ?

– On va voir ça...

Puis, après quelques instants de recherches à la lettre H de son classement :

– Désolé, rien pour Hogan.

A peine si Timothy respirait encore. Il ne lui restait, à présent, qu'un espoir infime.

– Ça vous ennuierait de regarder... si vous avez quelque chose pour Déborah Luria ?

L'employé feuilleta rapidement les « L ».

– Je regrette. Rien non plus à ce nom-là.

– Ce qui veut dire que ma lettre a été réclamée ?

Frappé par son anxiété, le jeune homme sourit.

– C'est la conclusion qui s'impose.

Tim se rua hors du bâtiment, dégringola les marches, courut, dans l'allée bordée de cyprès, vers la gare centrale des autocars.

Porté, soulevé du sol par les ailes de l'espoir.

Avant même de quitter l'Italie, Timothy avait suffisamment creusé le problème pour savoir, non seulement où était situé le kibboutz de Déborah, mais quelle ligne de cars emprunter pour s'y rendre par les voies les plus rapides. Il avait aussi économisé son argent de poche en prévision de ce voyage.

Il touchait, aujourd'hui, les dividendes de sa prévoyance, car à onze heures quarante, ce matin-là, il prit place dans le car de Tibériade, qui le déposerait à bonne distance de marche du kibboutz de Kfar Ha-Sharon.

De loin en loin, sur la sono intérieure, la voix du chauffeur signalait aux passagers des lieux célèbres où s'étaient déroulés certains des événements les plus dramatiques de la Bible.

En d'autres circonstances, Timothy eût accordé une attention béate à des remarques telles que :

– Là-bas, à votre droite, vous pouvez apercevoir le vieux village de Béthanie où vivaient Marthe et Marie, sœurs de Lazare, l'homme que Jésus a ressuscité d'entre les morts.

Mais il passa le plus clair de son temps à regarder par la fenêtre, les yeux fixes, sans voir quoi que ce soit. Il était dans une sorte de transe hypnotique, pas assez profonde, cependant, pour qu'il ne pût ressentir les affres de la peur. Comment Déborah réagirait-elle ? Puisqu'elle avait reçu sa lettre, pourquoi n'avait-elle laissé, à son intention, aucune réponse ?

Quelque part à proximité d'Afula, il vit, sur la gauche, un poteau indicateur qui pointait vers Nazareth.

Et c'était tout ce qu'il éprouvait ?

Se pouvait-il que ses sentiments pour Déborah fussent encore plus forts que son amour du Christ ?

28

DÉBORAH

– Déborah... Déborah !

Elle travaillait dur dans un champ quand un gosse de dix ans accourut vers elle en criant. Elle s'essuya le front à l'aide d'un mouchoir déjà souillé par les suées matinales.

– Regarde où tu mets les pieds, Motti ! lança-t-elle. Ce n'est pas de la purée de pommes de terre qu'on cultive ici !

– Déborah, Boaz veut te voir.

– La pause du déjeuner est dans moins d'une demi-heure. Ça peut attendre, non ?

– Il a dit tout de suite !

En soupirant, elle piqua sa fourche dans une motte de terre et se dirigea, le pas lourd, vers le QG du kibboutz.

A mi-chemin de la montée, naquit en elle une sourde inquiétude. Quelqu'un de sa famille était-il tombé malade, ou pis encore ? Jamais Boaz ne l'eût arrachée sans raison sérieuse au travail des champs. Ça ne pouvait être qu'une mauvaise nouvelle.

Dans le hall d'entrée, travaillaient trois kibboutzniks d'un certain âge, autour des femmes à cheveux gris préposées aux terminaux de l'ordinateur et de Jonas Friedmann, quatre-vingt-deux ans, assis aux commandes du standard téléphonique.

C'est à lui que s'adressa la première question angoissée :

– Jonas ! Qu'est-ce qu'il y a de si urgent ?

Le vieillard haussa les épaules.

– Est-ce que je sais, moi ? Je réponds au téléphone, c'est tout. Je t'annonce à Boaz, ou tu veux te rafraîchir un peu, avant d'entrer ?

– Me « rafraîchir », pourquoi diable...

– Ben... tu es un petit peu *shmutzik,* sur les bords.

– J'étais dans les patates. Pas au salon de coiffure !

– Alors, vas-y telle que tu es, moi, je te trouve déjà très bien.

Elle frappa doucement à la porte de Boaz et crut percevoir, dans la voix de celui-ci, une intonation inhabituellement solennelle :

– Par ici, Déborah. Respire un bon coup et... entre !

Respirer un bon coup ? Elle se sentait à deux doigts de défaillir. Lentement, elle ouvrit la porte.

Devant elle, un tantinet ridicule avec ses vêtements de sport trop petits et son teint rouge homard dû au soleil israélien, se tenait quelqu'un dont les traits, durant ces trois longues années, n'avaient jamais cessé de hanter sa mémoire. Quelqu'un qu'elle n'espérait plus revoir un jour.

Tétanisée, elle ne put, tout d'abord, prononcer une parole.

Timothy, en état de choc lui aussi, parvint tout juste à dire :

– Bonjour, Déborah. Je suis heureux de te voir.

Seul bourdonnait à présent, dans la pièce, le climatiseur de Boaz.

– Tu es superbe, ajouta Timothy. Je ne t'avais jamais vue comme ça, toute bronzée...

Sa voix sombra dans le vague alors que la jeune fille prenait conscience, à son tour, de la façon dont elle-même était accoutrée. Il y avait belle lurette que le relâchement vestimentaire des kibboutzniks ne la gênait plus, mais à présent, debout en short sous le regard de Tim, elle se sentait étrangement nue.

Boaz tenta de dissiper le malaise :

– Écoute, Déborah, il me semble que vous avez des tas

de choses à vous dire, tous les deux. Faites-vous donner un panier, à la cuisine, et payez-vous un petit pique-nique...

Puis, faussement sévère :

– Mais retour aux champs pour quatre heures pile, vu ?

Il se leva, sortit de son bureau en trois enjambées, les laissant face à face, et plus pétrifiés que jamais.

Ils se regardèrent un long moment, sans oser faire le premier pas. Finalement, Tim osa dire le premier mot :

– Comment te sens-tu ?

Elle frotta ses bras nus dorés par le soleil.

– Frigorifiée ! C'est l'air conditionné...

Déjà plus à l'aise, Tim riposta :

– Moi pareil ! Si on allait se réchauffer ailleurs ?

Ils repartaient avec un panier de treillage garni de pitas, de fromage et de fruits quand le maître queux lança, du fond de son antre :

– Attendez une minute !

Ils se retournèrent. De sa grosse patte, Shauli leur tendait une bouteille de vin rouge fraîchement débouchée.

– Prenez ça, mes enfants. C'est ma tournée.

Ils s'assirent près du lac, regardant, au loin, danser les petits bateaux. Timothy murmura :

– Dire que saint Pierre a pêché dans ces eaux.

– Et que le Christ a *marché* dessus !

Tim ouvrit de grands yeux.

– Ne me dis pas que vous avez fini par accepter Jésus !

– Pas en tant que Messie... mais Il a passé tellement de temps dans le secteur qu'Il est presque membre du kibboutz. Tu as visité Bethléem ?

– Pas encore.

– Je sais conduire, maintenant. Je vais peut-être pouvoir t'y emmener.

240

– Oh ?

La surprise, pour Timothy, résidait beaucoup moins dans ce qu'elle venait de dire que dans le fait qu'elle pût voir plus loin, déjà, que la réalité présente et ses instants privilégiés. Un présent difficile, un avenir trop riche de questions sans réponses. Seul le passé leur offrait un sol ferme et sans embûches.

– Comment m'as-tu retrouvée ?

– J'ai suivi Jérémie, 29.13 : « Quand vous me chercherez, vous me trouverez pour m'avoir cherché de tout votre cœur. »

Profondément émue, Déborah répondit dans un souffle :

– Ton hébreu est magnifique !

– J'ai planché dur, tu sais... Je crois que j'ai beaucoup appris, depuis notre dernière rencontre.

Moi aussi, pensa-t-elle. Puis, revenant à la charge :

– Sérieusement... comment as-tu découvert où j'étais ?

– J'aurais tout retourné, du Sinaï aux hauteurs du Golan... si par miracle je n'étais tombé sur Danny, dans le métro.

– Ça, alors...

– J'y ai vu la main du destin.

Elle se détourna, cueillant nerveusement des brins d'herbe, auprès d'elle.

– Tout n'a pas été rose, depuis... cette nuit-là.

Elle lui raconta ses mois de servitude, à Mea Shearim, et sa fuite en avant, vers la liberté.

– Quel courage il t'a fallu.

– Ce n'est pas exactement l'avis de mon père !

– Je m'en doute. C'est un homme qui a une très forte personnalité.

– Moi aussi. Je suis sa fille après tout. Et j'ai beaucoup grandi, depuis lors. Je vais sur mes vingt ans.

– Je sais. Tu es très belle.

Elle sourit, troublée.

– Ce n'est pas ce que je voulais dire.

– Bien sûr. J'essayais de passer à des choses plus importantes.

– Tu n'as pas envie d'entendre le reste de mon histoire ?

– Si. Mais pas maintenant.

Il se rapprocha d'elle sans la toucher.

– Si tu me disais comment c'était, au séminaire ?

– Plus tard. Pas maintenant.

– Pourquoi ?

– Je peux lire dans tes pensées, Déborah. Tu as peur et tu te sens coupable.

Elle baissa la tête, poings serrés.

– C'est vrai. Mais il est normal que j'aie peur. Alors que je ne sais pas pourquoi je me sens coupable.

Il allongea la main pour lui relever le menton et l'obliger, tendrement, à lui faire face.

– Tu as peur que nous soyons en faute. Mais ce n'est pas vrai, Déborah. Il n'y a rien de mal dans ce que nous ressentons l'un pour l'autre.

Sa main se posa, doucement, sur l'épaule de la jeune fille.

– Tim, chuchota-t-elle. Qu'est-ce que nous allons devenir ?

– Aujourd'hui ? Demain ? La semaine prochaine ? Je n'en sais rien, Déborah. Tout ce que je veux savoir, c'est que je suis avec toi. Que je t'aime. Et que je ne te laisserai pas repartir.

Leurs visages étaient très proches. C'était comme si Déborah fût demeurée suspendue au-dessus d'un abîme durant toutes ces années douloureuses qui les avaient séparés.

Soudain, elle lâchait prise.

Elle noua ses deux bras autour du cou de Timothy, et livra ses lèvres dans un long baiser.

Elle n'avait pas oublié celui d'Avi.

Maintenant, elle pouvait apprécier la différence.

La pressant contre sa poitrine, Timothy murmura :

– Déborah, je ne peux pas croire que ce soit un péché.

Elle acquiesça sans interrompre leur baiser.

Ils étaient nerveux, mais ils n'avaient pas peur. Bien que totalement innocents l'un et l'autre, ils connaissaient, d'instinct, les complexités de l'acte d'amour.

Une preuve de plus, s'il en était besoin, que les choses étaient ce qu'elles devaient être.

C'est ainsi, dans un sous-bois proche du lac de Tibériade, qu'un novice et une fille de rabbin consommèrent le sentiment qui était né entre eux, il y avait bien longtemps, une veille de Sabbat...

Au dîner, ce même soir, elle présenta ses amis à son visiteur américain, sans donner, sur celui-ci, d'autre détail que son prénom : Tim. De leur côté, ils s'abstinrent avec tact de lui demander ce qu'il faisait dans son pays. Une seule question les intéressait vraiment :

– Combien de temps avez-vous l'intention de rester ?

Tim regarda Déborah, espérant lire la réponse dans ses yeux. Mais tout ce qu'il y discerna fut la même question :

– Combien de temps vas-tu rester ?

– Ne nous prenez pas pour des fouinards, expliqua Boaz. Bon, d'accord, nous sommes des fouinards, mais surtout, nous avons des règles... Tout visiteur qui passe plus de deux nuits au kibboutz doit abattre sa part de boulot.

– A votre disposition. Que puis-je faire ?

243

– Vous savez vous y prendre, avec les vaches ?

– J'ai bien peur que non. Mais là-bas, en Amérique, j'ai fait un peu de jardinage. J'aimerais assez travailler dans les champs.

– Parfait ! dit Boaz. Mais il va falloir que vous portiez un grand chapeau et que vous vous barbouilliez de lotion. Autrement, vous serez tellement rouge qu'on vous cueillera comme une vulgaire tomate !

Une place fut attribuée à Tim, dans un bungalow occupé, déjà, par deux volontaires australiens. Mais tout le monde savait que ce serait juste pour la forme. Déborah partageait son nouveau *srif* avec Hannah Yavetz qui, par une heureuse coïncidence, faisait actuellement son stage annuel de trente jours dans les Communications de l'armée. Les deux amants seraient donc bien seuls chez eux, pour le peu de temps qu'ils avaient à passer ensemble.

Chaque jour, ils travaillaient dans les champs, côte à côte, et pouvaient, en bavardant de tout et de rien, apprendre à se connaître mieux que ne le leur avait permis, jadis, l'approche inéluctable du Sabbat.

Et chaque nuit qu'ils passaient dans les bras l'un de l'autre, s'évanouissait, comme brume au vent du matin sur le lac, l'idée qu'en faisant l'amour ils pussent jamais commettre un péché.

Ils étaient déjà mariés d'une façon que nulle force au monde n'aurait jamais le pouvoir de détruire. Pourquoi les choses ne demeureraient-elles pas éternellement ainsi ?

La question, la seule question qui comptât, brûlait sans cesse dans l'âme de Déborah.

Pouvait-elle lui demander de rester ?

Lui demanderait-il de le suivre ?

Dans son désir de partager tous les sentiments de Tim et

bien qu'il objectât que la seule chose importante était de passer ensemble ces quelques jours précieux, Déborah obtint la permission de l'emmener visiter les hauts lieux de sa religion.

Forts de l'avance faite à Déborah d'un mois de son argent de poche, ils allaient pouvoir se lancer, tels de pieux pèlerins, sur les traces du Messie de Timothy.

D'un accord tacite, ils ne parlaient pas, n'osaient pas encore parler de l'avenir. Ils se contentaient de vivre au jour le jour. Mais chaque coucher de soleil les rapprochait inexorablement de cet autre jour fatal où les décisions qu'ils différaient devraient être prises.

Mais, n'était-ce pas ici même que Josué avait ordonné au soleil de s'arrêter ? Et le soleil ne lui avait-il pas obéi ?

Par une fin d'après-midi où elle marchait seule le long du lac, la tête bourdonnante d'un million de problèmes insolubles, Déborah tomba sur Boaz qui lisait, paisiblement allongé dans l'herbe d'un talus.

Elle savait qu'il agissait ainsi, de temps à autre, pour échapper un instant aux soucis de sa charge – « Deux cents kibboutzniks, deux cents opinions différentes », disait-il – et elle n'avait aucune intention de troubler sa trêve. Mais c'est lui qui sentit de loin son besoin de se confier, et il l'invita d'un geste à le rejoindre.

Il ne s'embarrassa pas, non plus, de préambules :

– Combien de temps encore ?

– Je ne sais pas, dit-elle en haussant les épaules.

– Allons. Bien sûr que tu le sais. A une heure, je parierais même à une minute près.

– On part demain visiter le pays, rappela-t-elle.

– Mais pas pour passer quarante années dans le désert, comme Moïse. Il faut qu'il rentre à Jérusalem, pas vrai ? Quand ?

Elle répondit d'une voix morne :

– Le quinze au soir.

– Encore cinq jours, par conséquent.

– Pour que l'un de nous prenne sa décision ? demanda-t-elle dans un bref accès d'espoir.

Boaz prit le temps de formuler sa réponse aussi gentiment qu'il le put :

– Non, Déborah. Ni lui ni toi ne pouvez rien changer à ce que vous êtes. Il vous reste cinq jours pour vous faire à cette idée.

Le lendemain matin, Tim et Déborah s'embarquèrent dans une Subaru fatiguée pour ce qui serait, tous deux le savaient même s'ils ne le disaient pas, le voyage de la séparation.

Déborah se retourna vers le *srif* alors que Tim chargeait sa valise dans la malle arrière. Il emportait là tout son maigre bagage. Rien, sinon les souvenirs associés aux objets de tous les jours, ne subsisterait de sa présence lorsqu'elle reviendrait.

Les jours suivants se fondirent dans la poussière glorieuse des longues expéditions écrasées de soleil, guide touristique au poing, à Nazareth, Césarée, Megiddo, Hébron et Bethléem.

Ils descendaient dans des hôtels modestes où, malgré le nombre des jeunes couples logés à la même enseigne, ils avaient toujours un peu l'impression de ne pas être à leur place.

Ils terminèrent par Jérusalem, étape essentielle non seulement pour leur propre foi, mais pour leurs existences mêmes.

Ils faisaient de leur mieux pour repousser la tristesse. Déborah alla même jusqu'à souligner que leur auberge était à moins de dix minutes de Mea Shearim et menaça Timothy de l'emmener voir les Schiffman.

Ils visitèrent la vieille ville de fond en comble, physiquement unis et pourtant perdus dans deux univers spirituels différents.

Dans les rues étroites, ils coudoyaient des prêtres des Églises arménienne, éthiopienne et grecque orthodoxe, ainsi que des mollahs des mosquées islamiques. Et naturellement, de nombreux *frummers* qui semblaient les copies conformes de leurs anciens voisins de Brooklyn.

Enfin, Déborah montra à Timothy, du haut de l'esplanade qui domine le mur des Lamentations, l'endroit où sa voix « de pécheresse » avait provoqué une émeute.

– C'est incroyable, s'exclama Tim. Ils ont l'air tellement pieux. Tellement absorbés dans leurs prières...

– Je suis sûre que certains d'entre eux me reconnaîtraient. Je ne peux même pas descendre prier dans l'enclave réservée aux femmes. Mais toi, mon bel Irlandais blond, tu serais reçu à bras ouverts.

Elle se pencha pour lui murmurer quelque chose à l'oreille. Il protesta en souriant :

– Non, non, ce serait un sacrilège.

– Seulement si tu veux le voir ainsi !

– Mais je n'ai pas de calotte.

– Ne te tracasse pas, chéri. Sors-leur ton meilleur yiddish et tu vas voir si tout le nécessaire ne t'est pas fourni en quatrième vitesse.

247

Haussant les épaules, Tim s'approcha respectueusement de la foule des fidèles.

Bientôt, quelques jeunes gens commencèrent à le montrer du doigt, criant en yiddish :

– Regardez, regardez, une âme à sauver.

Ils l'entourèrent avec bonhomie.

– Tu parles yiddish ?

– *Yo, a bissel*, répliqua Timothy.

L'excitation monta d'un cran tandis qu'ils poursuivaient leur catéchisme :

– Tu connais les prières rituelles ?

– Quelques-unes.

– Viens, on va t'aider.

Comme par magie, une calotte apparut sur la tête de Tim. Puis ils l'emmenèrent au premier rang, afin qu'il pût toucher les pierres saintes.

La profondeur des émotions de Timothy se lisait clairement sur son visage. Quelqu'un lui mit un livre dans les mains.

– Prie. Tu connais l'écriture hébraïque ?

– Un peu. Puis-je choisir mon propre psaume ?

– Naturellement, s'enthousiasma une autre voix. Lequel veux-tu ?

– Le tout dernier. Le cent cinquantième.

– Merveilleux ! souligna le chœur, tout joyeux.

Et Timothy récita le texte qui lui avait été désigné comme « la plus grande symphonie écrite à la louange de Dieu jamais composée sur terre ». Un texte qui commençait et se terminait par *hallelujah* (« Louez le Seigneur »), leitmotiv qui se retrouvait dans chaque vers.

Les recruteurs spirituels étaient aux anges.

– Il faut que tu viennes avec nous voir notre rabbin.

L'espace d'un instant, Tim se sentit perdre pied. Car à

l'inverse des tristes fondamentalistes que Déborah lui avait décrits, ces jeunes gens débordaient d'amour envers Dieu et envers leurs semblables.

Subitement, lui vint la seule excuse logique.

– Je regrette, s'excusa-t-il en yiddish. J'ai déjà un directeur spirituel.

Puis il rejoignit la fille du rabbin et tous deux suivirent, ensemble, les quatorze stations du chemin de croix.

Les cinq dernières, y compris le site de la crucifixion, au Calvaire, ainsi que le tombeau du Christ, étaient enchâssées dans l'église du Saint-Sépulcre, lieu de culte commun aux Grecs orthodoxes, aux catholiques romains, aux Arméniens, aux Coptes, aux Syriaques et aux Abyssins.

Pendant que Tim, réduit au silence, contemplait, immobile, le majestueux mémorial de la Passion de son Seigneur, Déborah éprouva la sensation qu'il avait oublié jusqu'à sa présence. Il demeura muet durant près d'une demi-heure et même alors, recouvra difficilement l'usage de la parole.

– Qu'est-ce que tu voudrais faire maintenant ?

– Déborah...

La voix de Tim tremblait légèrement.

– Déborah, ça t'ennuierait que nous marchions encore ?

– Bien sûr que non.

– A la réflexion, ça représente une sacrée trotte. On va prendre un bus.

– Non, non, la marche ne me fait pas peur.

– Je veux voir Bethléem encore une fois.

Elle lui prit la main pour entreprendre, avec lui, le long périple.

Déshydratés et couverts de poussière, ils entrèrent, en fin d'après-midi, dans l'église de la Nativité, construite avant l'an mil sur le lieu de la naissance du Christ. Puis ils remontèrent le passage conduisant à l'église Sainte-Catherine où Timothy s'agenouilla sur un prie-Dieu du dernier rang. Ne sachant trop quelle attitude prendre, Déborah resta debout auprès de lui.

Brusquement, elle l'entendit hoqueter :

– Oh, mon Dieu !

Puis, dans un chuchotement farouche, il lui ordonna :

– A genoux, Déborah, à genoux, vite !

Si communicative était sa terreur qu'elle obéit sans discuter. Il ajouta sur le même ton :

– Prie. Baisse la tête, et prie !

Deux fidèles quittaient le premier rang. Ils exécutèrent une génuflexion, devant le maître-autel, firent un signe de croix et remontèrent l'allée centrale en direction de la sortie. Ils portaient une veste noire avec une chemise blanche à col ouvert.

Quand ils passèrent près de lui, Tim constata qu'il ne s'était pas trompé. C'étaient bien George Cavanagh et Patrick Grady.

Plus tard, en attendant, à l'ombre, l'arrivée du bus de Jérusalem, Déborah questionna nerveusement :

– Tu es sûr qu'ils ne t'ont pas remarqué ?

– Comment pourrais-je en être sûr ?

Tim ajouta, en proie à une panique irrépressible :

– Ils peuvent très bien m'avoir vu... et n'avoir rien dit sur le moment.

Elle comprenait son angoisse, et la partageait pleinement.

– Dans ce cas-là, tu crois qu'ils en parleraient ?

– Cavanagh, j'en suis presque sûr.

– Mais comment sauras-tu jamais si...

Il lui coupa la parole, amer et courbant la tête sous le poids d'une terrible incertitude.

– Tu as mis le doigt dessus. Je ne pourrai jamais le savoir.

Ils s'assirent sur un petit mur de pierre, au sommet du mont des Oliviers et gardèrent le silence. Dans moins d'une heure, il devrait l'accompagner à la gare routière. Une page de leur vie était en train de se tourner.

En toile de fond, se découpait l'antique cité où le soleil couchant accrochait, çà et là, de fugaces étincelles d'or.

Finalement, Tim rompit leur silence quasi monastique.

– Je crois qu'il serait possible de vivre ici.

– Qu'est-ce que tu veux dire ?

– Ici, dans cette ville. A Jérusalem. Où toutes les religions se rejoignent dans l'esprit de Dieu qui plane en cercles concentriques au-dessus de la vieille cité. C'est un asile pour tous.

– Un asile spirituel.

– C'est ce que je pense profondément, Déborah. Ici, nous pourrions vivre l'un et l'autre... ensemble.

Le désespoir serrait la gorge de la jeune femme.

– Tim... Tu veux être prêtre. Toute ta vie, tu as voulu servir Dieu...

– Je pourrais très bien Le servir sans être ordonné prêtre...

Il cherchait à se convaincre lui-même.

– Je pourrais enseigner dans une des écoles chrétiennes et...

Sa voix sombra dans le vague. Déborah comprenait parfaitement son dilemme et l'aimait beaucoup trop pour prétendre le contraire.

– Timothy... de tout mon cœur et de toute mon âme, je suis déjà ton épouse... Mais dans le monde réel, ça ne marchera jamais.

251

– Pourquoi ?

– Parce que je ne peux pas oublier ma religion... et toi non plus. Rien... nulle eau sainte ne pourra jamais laver l'essence même de ce que nous sommes.

– Tu as toujours peur de ton père ?

– Non, je ne lui dois rien. Je ne pense qu'au « Père de l'Univers ».

– Est-ce que nous ne finissons pas tous par Le servir ?

– Oui. Tim. Mais chacun de nous, à sa manière, ne doit-il pas *commencer* par Le servir ?

– Et quand le Messie reviendra...

Inutile d'aller jusqu'au bout de la citation.

Car ils avaient foi, l'un et l'autre, en l'apparition du Messie, mais ils savaient que ce monde était beaucoup trop imparfait pour Le recevoir.

Le Messie reviendrait, mais pas de leur vivant.

29

TIMOTHY

Ils se séparèrent à la gare routière de Jérusalem. Déborah montait déjà sur le marchepied quand il la rattrapa, impulsivement, pour la prendre une dernière fois dans ses bras.

Il ne pouvait se résigner à cette séparation. Il l'aimait avec une intensité brûlante qui eût détruit toute sa résolution si Déborah l'avait laissé faire.

– Il ne faut pas, protesta-t-elle faiblement. Tes camarades... ceux qui nous ont peut-être vus...

– Je me fous de mes camarades. Je me fous de tout, en dehors de toi.

– Tu mens...

– Je t'aime plus que tout, je le jure devant Dieu.

– Je voulais dire que tu te mentais à toi-même. Tu ne sais pas vraiment ce que tu ressens.

– Qu'est-ce qui te permet de l'affirmer ?

– Parce que je ne le sais pas, moi non plus.

Elle tenta de tourner court. Non seulement une vocation de prêtre était en jeu, mais si elle voulait garder le courage de partir, c'était maintenant ou jamais. De plus, elle ne voulait pas, si possible, lui laisser le souvenir d'un visage ravagé par les larmes.

Mais, étroitement serrée dans ses bras, elle pouvait percevoir les sanglots que lui aussi s'efforçait de réprimer.

Leurs derniers mots furent les mêmes, articulés presque à l'unisson. Chacun dit à l'autre :

– Dieu te bénisse !

Et chacun s'en fut.

Les deux autres Américains étaient rentrés plusieurs jours avant Timothy au Terra Sancta College.

– La chaleur, expliqua Patrick Grady. Nous étions morts d'épuisement. Et puis, nous voulions passer plus de temps sur place, à Jérusalem.

– Oui, souligna Cavanagh. Il faudrait vivre ici pour arriver à tout voir.

Avaient-ils ou non remarqué les amants, à Jérusalem ? Ils n'en donnaient pas le moindre signe. Une autre croix que Tim aurait à porter. Seul, Dieu merci. Déborah, du

253

moins, ne connaîtrait pas cette angoisse. Alors que lui-même ne cesserait jamais de se demander si ses condisciples savaient quelque chose et s'ils essaieraient de s'en servir pour le discréditer, un jour ou l'autre.

– Soit dit en passant, Hogan, reprit George avec un peu plus de cordialité, on a bien regretté que tu ne sois pas avec nous. On aurait profité du voyage bien davantage.

– Pourquoi ça ?

– Je me débrouille parfaitement en latin, mais la plupart des inscriptions étaient en grec. Tu serais vraiment tombé à pic !

– Merci, grogna Tim. Très flatté.

Comme promis, le père Bauer et les séminaristes allemands revinrent *pünktlich,* à la minute près. Harassés, poussiéreux, grillés par le soleil d'été.

Tim eut un frisson rétrospectif. C'était un petit miracle que lui et Déborah ne se fussent pas également jetés dans leurs pattes.

Volant, le lendemain, à trente mille pieds du sol et rapproché d'autant du royaume de Dieu, Tim lisait son bréviaire, s'efforçant d'imprégner son esprit de pensées pieuses.

Plus tard, tandis que leur avion volait en cercles au-dessus de la Ville éternelle, attendant l'autorisation d'atterrir, ils survolèrent le Vatican.

Vu du ciel, avec la basilique arrondie de Michel-Ange ouverte sur la piazza aux multiples colonnes de Bernini, Saint-Pierre ressemblait à un trou de serrure géant.

De peur que la métaphore ne passât inaperçue aux yeux de ses ouailles ensommeillées, le père Bauer appuya :

– Voilà la véritable porte du Paradis, mes frères. A nous de gagner les clefs du Royaume de Dieu.

Timothy, lui aussi, admirait la vue aérienne. En se demandant si cette fameuse porte ne lui serait pas à jamais interdite.

Troisième partie

30

TIMOTHY

– Mon père, bénissez-moi parce que j'ai péché.

Agenouillé dans un des étouffants confessionnaux de la chapelle du North American College, Tim était à la torture. Comment pourrait-il jamais décrire ce qui était arrivé là-bas, en Terre sainte ? Et par où commencer ?

Avouer qu'il était tombé amoureux d'une femme ? L'expression ne correspondait pas le moins du monde à la profondeur de ses sentiments.

Déclarer qu'il avait eu des rapports sexuels ? Lui, un séminariste déjà lié par le vœu de chasteté, et qui, d'ici deux ans, entrerait pour toujours dans le célibat ecclésiastique...

– Si, figlio mio ?

Une petite consolation que le confesseur parlât italien. Peut-être la gravité de ses propos serait-elle atténuée par leur passage à travers le filtre d'une langue étrangère ?

– Ho peccato, padre, j'ai péché, répéta-t-il.

– Je vous écoute, dit patiemment la voix de l'autre côté de l'écran.

– Mon père... j'ai aimé une femme.

Après un court silence, le prêtre rectifia :

– Vous voulez dire que vous avez fait l'amour avec une femme ?

– Quelle différence ? s'indigna Timothy.

Le confesseur toussota.

– Nous avons fait l'amour parce que nous ressentions cet amour au plus profond de nos âmes. Quand nos corps se sont touchés, nos âmes se sont confondues.

– Mais vos corps se sont... touchés, releva le confesseur.

Il ne comprend rien, pensa Tim. Comment, au nom de Dieu, me confesser à quelqu'un qui ne sait pas ce qu'est l'amour terrestre ?

Il essaya de raconter toute l'histoire d'une façon cohérente. Mais si exhaustive qu'il voulût sa confession, il désirait avant tout protéger Déborah. Il ne prononcerait pas son nom. Il ne préciserait pas que son père était un homme de Dieu.

Le dialogue dura longtemps. Le prêtre avait tant de questions à poser. Où la chose s'était-elle passée ? Combien de fois ?

– Pourquoi faut-il que vous sachiez tout cela ? Est-ce que mon aveu ne devrait pas vous suffire ?

Se pouvait-il que cette inquisition fît partie de sa pénitence ? Un moyen parmi d'autres d'extirper de son âme le désir charnel et de l'exposer à nu, dans une cuvette chirurgicale, comme une tumeur maligne.

Son épreuve se termina enfin. Il avait vidé son cœur au maximum. Et pour le reste, Dieu savait déjà ce qu'il avait fait et dans quel esprit. Qu'Il le juge donc et lui dispense son juste châtiment.

Timothy suait à grosses gouttes et ne respirait plus, dans l'attente des commentaires du prêtre. Mais tout ce que le confesseur jugea bon de déclarer fut :

– Il y a tant de questions qui demeurent sans réponse...

Que voulait-il de plus ? Le témoignage d'une contrition sincère ?

– Je sais, je sais, admit amèrement Timothy. Je suis un séminariste. J'aurais dû faire preuve de plus de résolution. J'aime Dieu, et je veux Le servir. C'est pourquoi je suis là.

Il ajouta, au terme d'une courte pause :

– C'est pourquoi j'ai trouvé la force de revenir.

– Vous êtes sûr de cette résolution retrouvée ?

– Je suis un être humain, mon père. Je ne puis être sûr que de mes intentions.

– Vous irez, de votre plein gré, discuter de votre avenir avec votre directeur de conscience ?

– Oui, mon père. Je ferai tout ce qu'il faudra pour être digne de la prêtrise.

Enfin, le confesseur énonça le verdict :

– Notre chair est faible, mon fils. Il n'est jusqu'aux saints qui ne durent combattre les mêmes démons. Ai-je besoin de vous citer saint Augustin ? Et saint Jérôme ? Devenus tous deux, par la suite, hauts dignitaires de l'Église. C'est leur exemple qu'il vous faut suivre. Et pour votre pénitence, vous direz chaque jour, pendant trente jours, les trois chapelets du rosaire. Vous méditerez sur chacun des mystères Joyeux, Douloureux et Glorieux, en implorant Notre Dame d'intercéder pour vous auprès du Seigneur afin qu'il vous accorde votre pardon. Vous récite-rez aussi le psaume 51 aux prières du matin et du soir.

– Oui, mon père.

A travers la grille, Timothy distingua les mouvements de la main droite du prêtre exécutant le signe de la croix alors que s'égrenaient les mots de l'absolution donnée au nom du père, et du Fils, et du Saint-Esprit.

– *Va in pace,* ajouta le confesseur. *E pregha per me.*

Va en paix. Et prie pour moi.

Rome, la légendaire « Cité aux sept collines », en possède une huitième : le Janicule, située sur la rive droite du Tibre, où l'empereur Aurélien bâtit, au IIIe siècle de notre ère, un mur supposé imprenable haut de plus de six mètres, long d'une vingtaine de kilomètres, destiné à protéger la ville des invasions barbares.

C'est sur ce même Janicule qu'en 1953, le pape Pie XII en personne, assisté du cardinal Francis Spellman, de New York (principal artisan de la collecte de fonds nécessaire) consacra le nouveau North American College, un complexe de sept étages en brique fauve qui, financé par les fidèles du Nouveau Monde, constituait, de leur part, un magnifique geste d'allégeance.

Orné d'écussons qui témoignent de la générosité des diocèses américains, plusieurs portiques entourent la gracieuse fontaine érigée au centre de la cour spacieuse. En été, ils sont rafraîchis par les jets d'eau jaillis de la roche constellée des étoiles de tous les États de l'Union.

Diverses salles publiques portent le blason du collège ainsi que sa fière devise : « *Firmum est cor meum.* » Mon cœur est ferme. Devise qui, pour la plupart de ses cent trente pensionnaires, dont une majorité de candidats américains à l'ordination, cache la question implicite : mon cœur sera-t-il *assez* ferme ?

C'est là que Tim et ses quatre camarades logeraient jusqu'au bout de leur apprentissage. Hormis quelques cours de droit canon, qui se donnaient encore en latin, tous étaient censés suivre l'enseignement général dans cette langue italienne que leur avaient insufflée – en principe – les programmes intensifs de Pérouse. Mais les dictionnaires italo-anglais de chez Mondadori n'en étaient pas moins consultés, à la ronde, avec la même ferveur que s'ils eussent été des bréviaires.

Matin et soir au cours du mois prescrit, Tim avait dédié au Seigneur les mots du psaume 51, priant Dieu de « le laver entièrement de son iniquité, et de l'affranchir de son péché ». Et conformément à la parole du psalmiste, il était sûr que le Tout-Puissant lui avait purifié le cœur et remis l'esprit dans le droit chemin.

Agenouillé devant l'autel, il fit le serment de ne plus jamais chercher à communiquer avec Déborah.

Pourtant, alors même qu'il faisait ce serment, clignotait, au fin fond de son désespoir, la lueur d'une question lancinante. Et si Dieu lui-même leur ménageait une autre rencontre ?

Quand il ressortit de l'église, il ruisselait d'une sueur qui ne devait rien à l'air immobile et chaud de cette nuit d'octobre romaine. Et le rempart aurélien de ses défenses internes chancelait sous les coups de boutoir d'une autre pensée désespérée.

Je vivrai, désormais, dans l'attente de revoir Déborah.

Jusqu'au dernier jour de mon existence.

31

DÉBORAH

Ce fut un choc, mais pas une surprise.

Dans la mesure où Tim et Déborah avaient passé près de trois semaines ensemble, la surprise eût été qu'elle n'attendît pas d'enfant. Toute une partie d'elle-même, en fait,

263

attendait, espérait le « malheur » auquel il lui fallut faire face, quatre petites semaines après leur séparation.

Le docteur Barnea, médecin du kibboutz, souriait avec chaleur en lui donnant le résultat des tests, ajoutant sans la moindre ambiguïté :

– *Mazel tov !*

Elle resta silencieuse un moment, avant de trouver la force de dire :

– Qu'est-ce que je vais faire ?

– Ne t'en fais pas ! la rassura le médecin. Je peux te donner tous les conseils dont tu vas avoir besoin. Qui plus est, il y a toujours deux ou trois femmes enceintes, au kibboutz. Elles te renseigneront encore mieux que tous mes bouquins !

Était-ce réellement aussi simple ! Lui suffirait-il de rester là, à regarder grossir son ventre ? Exposée à l'ironie ou, pis encore, au raz de marée de la compassion générale ?

– Docteur Barnea, ce bébé que je porte...

Il attendit patiemment qu'elle réunît assez de courage pour enchaîner :

– Je ne peux pas... épouser le père. Je ne peux même pas... lui en parler.

Le sourire du médecin se fit encore plus rassurant.

– Qui te le demande ? Au kibboutz, l'arrivée d'un bébé est toujours une fête. Et ton enfant va grandir dans les meilleures conditions qui soient au monde. A ce propos, tu n'es pas la seule mère célibataire du secteur. Je parie que tu n'avais même pas remarqué ?

– Non, c'est vrai.

Il la menaça d'un index triomphant.

– Voilà où je voulais en venir. Tu n'as rien remarqué parce que tous les enfants sont élevés de la même manière.

– Mais si celui-là veut savoir, un jour, qui est son père ?

– A moins d'une extrême précocité, ce gosse ne risque pas de s'inquiéter de ça avant un bon bout de temps ! Et d'ici là, ta situation aura peut-être changé ?

Non, pensa Déborah, elle n'aura pas changé. Ce bébé est à Timothy, et à personne d'autre.

Le médecin se méprit sur le sens de son introspection et poursuivit dans le même registre :

– Écoute, Déborah, il arrive, hélas, que de jeunes maris partent pour l'armée et... ne reviennent pas. Je regrette d'avoir à le dire, mais ici même, nous avons deux veuves encore plus jeunes que toi, avec cinq enfants à elles deux.

Il se pencha en avant, frappant le dessus de son bureau du plat de sa paume.

– Mais les gosses sont splendides. La communauté leur donne tout l'amour dont ils ont besoin. Pour l'instant, l'essentiel est que tu surveilles ton régime, prennes tes vitamines et penses à des choses gaies.

Déborah savait qu'il lui serait impossible de suivre cette ordonnance. A sa sortie de clinique, elle se retrouverait seule, face au monde extérieur. Enfin... pas tout à fait seule. Bien résolue à garder intact son premier amour, elle aurait à vivre en mère, sans jamais être épouse.

Une fois de plus, le médecin crut discerner, derrière ses angoisses, une autre cause.

– Tu te tourmentes au sujet de tes parents ?

– Franchement, oui. Je ne sais pas comment mon père se débrouille, mais il finit toujours par apprendre ce genre de chose.

Le docteur Barnea ne comprenait que trop bien son dilemme.

– Déborah, tu veux savoir comment je définis un adulte ? C'est quelqu'un qui se réveille un beau jour en se disant : « Ça y est, je n'attache plus aucune importance à l'opinion de mes parents ! » Pour moi, c'est une vraie *bar mitzvah* psychologique.

La jeune femme acquiesça, d'un hochement de tête, se leva et quitta la clinique. L'éclat brûlant du soleil de midi souligna la longueur de sa visite ; elle était arrivée en pleine fraîcheur matinale et repartait sous la canicule vers son *srif*. Avec une certitude au cœur et mille pensées en tête, plus tumultueuses qu'une tempête de sable.

Très bientôt, elle en était à peu près certaine, l'opinion de Moïse Luria n'aurait plus, à ses yeux, la moindre importance.

Mais la seule chose qu'elle désirât était impossible. Elle désirait, plus que tout au monde, que Tim apprît la nouvelle.

32

DANIEL

A mesure que croissait mon désir et diminuait ma foi, je concevais plus clairement les raisons de ma passion pour Ariel : elle incarnait à elle seule tous les tabous dressés par ma religion.

Elle m'avait dit qu'elle étudiait l'histoire de l'art à l'université de New York, et semblait s'y consacrer sur une grande échelle. Tout au long des murs de son appartement, s'alignaient d'impressionnantes productions de l'art moderne, y compris une huile d'Utrillo, un Braque et quelques dessins de Picasso. Sur les étagères de son salon, s'entassaient des centaines d'ouvrages illustrés consacrés aux maîtres contemporains.

Je n'avais jamais rien vu de comparable. Surtout chez une étudiante.

D'abord, c'était immense, décoré et meublé uniquement de blanc. Seuls, quelques plats d'argent rompaient cette blancheur immaculée. Encore étaient-ils généralement remplis de chocolat blanc.

Son frigo recelait toujours du champagne, du caviar, et des plats cuisinés du traiteur Birdseye.

J'aurais dû comprendre beaucoup plus vite, ne fût-ce que parce qu'elle ne pouvait jamais me recevoir le mardi, mercredi et jeudi soir. Certes, je savais qu'il existait des cours tardifs, mais quand je lui proposais de venir, ces soirs-là, aux environs de minuit, elle se contentait de rire.

J'étais assez fou d'elle pour violer le Sabbat et finis par monter chez elle un vendredi soir où, m'ayant accidentellement arrosé de vin rouge, elle me déshabilla en un tournemain pour me pousser dans la salle de bains sous sa douche invraisemblable aux multiples robinets.

Ensuite, elle me tendit non seulement un peignoir, mais une chemise et un pantalon d'homme. J'essayai d'emboîter ces diverses pièces du puzzle.

Souvenirs d'un ancien amant ? Voire d'un mari ? Mais le pli du pantalon était trop impeccable, la chemise trop fraîchement repassée. Et quand j'y découvris le monogramme CM, ma curiosité ne connut plus de bornes.

Je tentai de faire dans la désinvolture :

– C'est à qui, tout ça ?

– A un ami. Allez, viens qu'on s'amuse un peu.

Mais bien que déjà sous son charme, je m'obstinai :

– Quel genre d'ami ?

– Personne d'important. Laisse tomber, tu veux ?

– Assez important, tout de même, pour avoir ses fringues accrochées dans ta salle de bains !

Brusquement, elle prit la mouche.

– Bon sang, Danny, d'où est-ce que tu débarques ? C'est pourtant clair : je suis une femme entretenue !

J'encaissai mal le coup. J'étais sonné.

– Ce n'est pas clair pour moi. Nous sommes chez lui ?

– Non, nous sommes chez moi. Mais c'est lui qui paie le loyer. Ça te choque, mon petit rabbin ?

– Non...

Je mentais, bien sûr.

– Non, c'est juste que là d'où je viens... on ne voit guère ce genre de chose.

– Mon chou, d'où tu viens, c'est une autre planète.

– Tu as raison. Mais il y a une chose que je ne comprends pas, Ariel.

– Oui ?

– Qu'est-ce qui peut bien t'attirer en moi ?

Elle répondit sans la moindre hésitation.

– Ton innocence !

Elle eut un large sourire :

– Est-ce que pour toi, je ne suis pas comme une salade de fruits défendus ?

Je l'empoignai, fou de désir.

Elle s'abandonna, murmurant d'une voix rauque :

– Doucement... Il faudra bien que tu reviennes à de gentilles petites juives, tôt ou tard...

Par ces chaudes nuits où je veillais très tard, bûchant pour des examens de fin d'année encore éloignés de nombreux mois, une partie de moi-même se félicitait que son amant eût emmené Ariel visiter la Riviera. Rentré à la maison pour la durée de l'été, je n'aurais même pas pu lui téléphoner sans avoir à cavaler jusqu'à la plus proche cabine publique.

Si omniprésente était la sévérité de mon père que je faisais de mon mieux pour bannir Ariel de mon esprit, de peur qu'il ne parvînt à lire mes pensées.

Sans Déborah, la maison semblait vide. Les dernières lignes qu'elle eût griffonnées à l'intention de maman disaient que « tout allait bien », mais les lettres que nous échangions, elle et moi, étaient beaucoup plus explicites. Et naturellement, je brûlais d'apprendre la suite de sa rencontre avec Avi le pilote.

De temps en temps, j'appelais le bahut pour savoir si j'avais du courrier. Parfois, je recevais une carte postale de ma séductrice. Mais, absorbé dans mes études, j'essayais vaillamment d'oublier jusqu'à son existence.

Une ou deux fois par semaine, mon père frappait à ma porte, puis, après avoir précisé qu'il ne voulait pas me déranger, essayait de m'aider à choisir le sujet de la thèse que j'allais devoir écrire en soutien de ma licence.

La plupart de ses suggestions se rapportaient au mysticisme, tradition « lurianesque » remontant au Moyen Age. Certes, quelques-uns des ouvrages les plus importants consacrés à ce thème, comme le *Zohar,* étaient interdits, au moins par la coutume, à tout lecteur n'ayant pas quarante ans révolus, mais mon père se faisait fort d'obtenir une dispense de mon doyen, pour « circonstances exceptionnelles ».

Je me bornais à l'écouter en partageant avec lui les biscuits au beurre de cacahuètes et la limonade au gingembre qui, ma mère y veillait, ne manquaient jamais sur mon bureau. Et je me gardais bien d'avouer que je connaissais déjà le sujet de ma thèse, et à qui je demanderais de bien vouloir la relire.

Mon entrevue décisive avec le doyen Schneeweiss eut lieu vers la fin de l'été. Comme d'habitude, il me reçut cordialement, et comme d'habitude, j'en conclus que je devais ce traitement de faveur à la notoriété de mon père.

– J'aimerais écrire ma thèse sous l'égide du docteur Beller, dis-je en essayant de ne pas trembler.

– Un homme très érudit. Mais je ne pensais pas que vous vous intéressiez à l'archéologie au point de...

– Pardonnez-moi, je ne parle pas du *rabbin* Beller, mais de son frère, à Columbia.

– Ah ?

Tout son enthousiasme s'était envolé. Il émit, en se caressant la barbe, des « Hmmmmm » sur plusieurs octaves. Enfin, il dit en distinguant les syllabes :

– Cet Aaron Beller est un tel *epikoros*... un mauvais génie. Pourtant, quel chercheur de bonne foi nierait qu'il soit le plus grand esprit produit par sa brillante famille en plusieurs générations ?

– Voilà, monsieur ! Voilà pourquoi j'ai suivi ses cours. Et vous pouvez voir, dans mon dossier scolaire, que j'y ai décroché un « A ».

J'attendis, l'estomac serré, que le doyen égrenât, de nouveau, toute la gamme de ses « Hmmmmm » interrogateurs. Puis, à ma grande surprise, il se pencha, souriant, par-dessus son bureau.

– Savez-vous, Danny, ce que je vois dans votre demande ? Si Beller vous accepte, il se peut que votre piété l'influence. Il se pourrait même que, grâce à vous, la brebis égarée retrouvât le chemin de la bergerie. Ne vous inquiétez de rien. Quelques petits coups de fil vont arranger cette affaire.

270

J'avais peine à cacher mon exaltation.

– Merci, monsieur...

– Mais, je vous préviens. Beller a plus d'un tour dans son sac. Ne vous laissez pas subjuguer par sa personnalité.

– Non, monsieur.

Et le doyen conclut, dans un sourire :

– Mais comment le fils du rabbin de Silcz pourrait-il ne pas garder sa foi intacte, me dit-il avec une confiance qui fit naître mille inquiétudes.

« La sublimation sexuelle en tant que vecteur de foi religieuse », tel était le titre que nous avions retenu, Beller et moi, nous réservant d'omettre le mot « sexuelle » lorsque nous présenterions le sujet à l'approbation du Comité universitaire de choix des thèses.

Point de départ évident, la monographie hérétique de Freud intitulée « L'Avenir d'une illusion » qui voit l'origine de la religion dans la suppression, ou du moins dans l'aiguillage sur d'autres voies de cette force motrice primitive de la vie qu'est la libido. Et ne serais-je pas aux premières loges pour témoigner, en toute connaissance de cause, du pouvoir de l'Inclination au Mal ?

Ma recherche, qui embrassait un vaste corpus allant de Platon à Freud et bien au-delà, me rapprocha encore de la conviction essentielle d'Aaron Beller, selon lequel toute religion n'était que le fruit d'un besoin irrépressible, né de culpabilités refoulées, d'inventer un Être suprême patriarcal et responsable.

La longueur requise de l'exercice était d'une quarantaine de pages mais, emporté par mon sujet, j'en pondis près du double. Et bien que dînant fréquemment chez Beller, en compagnie d'Ariel, c'est dans un état de nerfs indescriptible que je grimpai à son appartement, une semaine environ après lui avoir remis ce premier jet. Par bonheur, il ne me laissa pas longtemps sur le gril.

– C'est brillant, Danny, absolument brillant. Très franchement, je crois que vous avez là matière à un livre. J'ai simplement porté quelques notes marginales pour vous permettre de couper les idées les plus sujettes à controverse... afin que le doyen Schneeweiss ne puisse manquer de certifier le tout « kasher » !

C'était un bon conseil. Nous savions, l'un et l'autre, que ma thèse était pétrie d'hérésie.

Mais il fallut une autre nuit de discussions tardives, arrosées de vin blanc, pour que je trouve le courage d'amorcer enfin :

– Aaron... puis-je vous parler ?

– Bien sûr, Danny.

Et je pense qu'il savait, déjà, ce que j'allais lui dire.

– Avec tout ce que j'ai appris... de vous, particulièrement... je ne peux pas... je ne peux plus envisager l'ordination.

J'attendais anxieusement sa réaction.

– Je suis heureux que vous ayez abordé le sujet, Daniel. Jusque-là, je ne me sentais pas autorisé à vous parler librement. Question d'éthique.

Il eut un sourire plein de chaleur :

– J'ai toujours pensé que l'avenir d'un rabbin ne vous tentait guère. Et encore moins l'idée de prendre la succession de papa ! Je vous vois mal passer à Brooklyn le reste de votre vie, rédigeant des *Responsa*, statuant sur des querelles médiévales. Pour moi, ce serait gaspiller un si bon cerveau !

Sa façon de déchiffrer jusqu'à mes pensées les plus secrètes me gênait terriblement. Je me sentais nu. Vulnérable. Et dans le même temps, incroyablement soulagé. Je me rendais compte à quel point ses cours m'avaient procuré la lucidité nécessaire pour creuser mes sentiments profonds, qui toute ma vie avaient oscillé entre la peur et le rejet de mon père.

Mais plus effrayante encore était la découverte qu'audelà de mon refus d'être le prochain rabbin de Silcz, je n'étais même plus certain de vouloir devenir homme de Dieu.

– Aaron, je ne sais plus que faire...

– Hillel l'a fort bien dit, voilà quelque deux mille ans : « Si moi, je ne suis pas pour moi, qui le sera ? » Tout peut se ramener à ce simple fait essentiel, Danny : c'est *votre* vie !

« Mais qui suis-je, d'autre part, pour oser vous conseiller ? J'éprouve moi-même, de loin en loin, des accès de doute. Mon propre père et deux de mes frères sont rabbins. Peut-être ont-ils raison et suis-je dans l'erreur ?

« Ils sont capables d'accepter le fait que " notre " Dieu ait eu quelque raison insondable pour permettre l'extermination de six millions de juifs. Moi, je me demande quels indicibles péchés ces juifs avaient pu commettre pour mériter l'annihilation pure et simple. Martin Buber tente de toute expliquer en alléguant que Dieu a subi une " éclipse ". Mais je ne puis souscrire à cela. C'est là que je rejette la foi... ou que la foi me rejette !

Le visage empourpré, le souffle court, il en disait beaucoup plus, c'était visible, qu'il n'en avait eu l'intention.

Il s'excusa, l'expression contrite :

– Désolé... Je crois que mon dada favori était en train de prendre le mors aux dents !

– Non, non, vous n'avez fait que traduire avec des mots justes ce que je ressens exactement... Mais que dites-vous à vos patients quand ils découvrent la vérité sur eux-mêmes et que cette vérité leur est presque insupportable ?

Aaron eut un nouveau sourire.

– Je leur dis... rendez-vous tel jour, pour notre prochaine séance.

33

DÉBORAH

Après les nausées matinales du premier trimestre, qui plus d'une fois lui donnèrent l'impression d'être à l'article de la mort, Déborah retrouva le goût de vivre et commença, tout doucement, à regarder bien en face les réalités de sa grossesse. Voire même avec un certain bonheur. Elle portait l'enfant de Tim et personne au monde ne pouvait lui ôter cette joie.

Puis ce fut la tragédie.

Solennel et guindé, un colonel de l'armée de l'air apparut, au repas du soir, sur le seuil de la salle à manger. Il demanda à s'entretenir, en privé, avec Boaz et Zipporah. Tous deux pâlirent affreusement, mais le suivirent à l'écart.

Bien que l'officier parlât trop bas pour être entendu de tous, tous avaient déjà compris le sens du message. Dont la confirmation vint, très vite, avec le premier cri de Zipporah.

Elle était dans un tel état que même lorsque Boaz voulut la prendre dans ses bras, elle le repoussa avec une sorte de rage.

Le docteur Barnea était déjà près d'elle. Assisté d'un autre membre du corps médical, il organisa rapidement son transport à la clinique.

Plus personne ne bougeait. Tous paraissaient changés en pierre.

Déborah chuchota à l'oreille d'Hannah Yavetz :

– Avi ?

L'autre femme acquiesça, bouleversée.

– J'avais entendu quelque chose à la radio, au sujet d'un raid sur une base de guérilla, à Sidon. Un de nos appareils a été touché par la DCA.

Mon Dieu, songea Déborah, pétrifiée.

Le silence s'éternisa. En quelques secondes, l'assemblée de fermiers communautaires s'était métamorphosée en une congrégation frappée dans sa chair par la mort d'un des siens.

Quand le médecin revint, lui-même au bord des larmes, tous l'entourèrent pour entendre ce qu'il leur raconta, d'une voix enrouée :

– Avi a été durement touché... Malgré ça, il ne s'est pas éjecté après avoir repassé la frontière. Il voulait reposer son avion...

A peine si le médecin put conclure :

– ... pour qu'un autre pilote puisse le récupérer.

Beaucoup pleuraient, la main sur les yeux : des hommes, des femmes qui connaissaient Avi depuis sa naissance et qui l'avaient vu grandir parmi eux.

– Dire qu'il pouvait ne pas y aller, commenta Hannah avec amertume.

– Qu'est-ce que tu veux dire ? murmura Déborah.

– Avi était fils unique. Dans l'armée israélienne, jamais on n'envoie les fils uniques en première ligne. Il lui avait fallu une autorisation spéciale.

Déborah secoua la tête.

– Je sais qu'il n'avait pas peur de mourir, poursuivit Hannah. Mais maintenant, il a détruit ses parents. Il ne leur reste rien.

Au sens le plus plein du terme, le kibboutz entourait ses membres depuis le berceau jusqu'à la tombe. Aux antipodes du quartier des enfants, dans le coin le plus éloigné du sud-ouest, se trouvait le cimetière.

C'est là qu'en présence de sa famille, étendue à l'ensemble de la communauté, de son commandant d'escadrille et de ses compagnons de vol, Avi Ben-Ami, vingt-cinq ans, gagna sa dernière demeure. Dans un simple cercueil enveloppé du drapeau à l'étoile de David, au son de la salve tirée en son honneur, on le mit en terre. Il n'y eut ni rabbin ni éloge funèbre si ce n'est quelques mots de son supérieur. Le service avait été réduit au minimum. Mais le chagrin, lui, était immense.

Un chagrin qui pesa, durant des semaines, sur le kibboutz tout entier... Mue par le besoin impérieux de partager cette émotion avec quelqu'un de plus proche encore que les autres kibboutzniks, Déborah s'assit à son petit bureau pour écrire une longue lettre à son frère Danny. Elle lui racontait, cette fois, comment la mort d'un unique soldat pouvait endeuiller, non seulement une communauté, mais une nation tout entière. Car tout le pays avait pu voir la photo d'Avi, à la télévision. Et tout le pays compatissait au chagrin des Ben-Ami.

Elle écrivait depuis un petit quart d'heure quand quelqu'un frappa à sa porte entrouverte. L'entrée de Boaz et de Zipporah ne fut pas une surprise. Chaque soir, après les infos télévisées de neuf heures et demie, le couple avait pris l'habitude de parcourir, en tous sens, le territoire du kibboutz. Jusqu'à ce que l'épuisement leur permît enfin d'affronter la nuit à venir avec quelque chance d'y trouver le sommeil.

– Il n'y a personne, dans cette maison ?

Le ton léger de Boaz sonnait péniblement faux, et Déborah ne fit pas beaucoup mieux en lui répondant :

– Mais si. Entrez donc.

– Non, non, c'est trop petit pour tant de monde, là-dedans. Viens plutôt te balader. Ça va faire du bien à ton petit de respirer un peu d'air frais.

Elle se leva. C'était un peu plus difficile, à présent. Mais elle les suivit, sachant qu'ils ne la conviaient pas à cette promenade pour le seul plaisir de causer. Depuis la mort de leur fils, les Ben-Ami ne parlaient plus guère.

Boaz commença, d'une voix hésitante :

– Déborah... voilà un bout de temps qu'on cherche à rassembler le courage de venir te voir...

– Le courage ?

– Oui... Dans ta situation et... et la nôtre, j'ai pensé que... je crois que nous pourrions nous aider mutuellement.

Déborah se composa un sourire.

– Au point où j'en suis, toute aide est la bienvenue.

– Comme je vois les choses, continua-t-il, ton bébé n'aura jamais de père... et nous, nous n'aurons jamais de petit-fils ou de petite-fille. Si nous pouvions... coller les morceaux ensemble, en quelque sorte... ce serait une façon de nous retrouver entiers, les uns et les autres...

Il hésita une seconde avant de répéter :

277

– En quelque sorte !

– Que voudriez-vous que je fasse ?

– Lui donner notre nom, par exemple. On ne te demanderait pas de l'appeler Avi ou Aviva, mais simplement d'en
faire un « Ben-Ami ». Nous pourrions alors être grand-
mère et grand-père.

Zipporah intervint, presque en s'excusant :

– Ce serait bon pour le bébé...

– Merci, chuchota Déborah, profondément remuée.

– Oh non, protesta Zipporah. Merci à *toi*.

Aux petites heures d'un matin du mois de mai, Déborah
Luria ressentit les premières douleurs. Faute de téléphone,
dans leur *srif*, Hannah Yavetz, sa compagne de chambre,
courut réveiller le docteur Barnea qui bafouilla, plein de
sommeil :

– Attendez que les contractions surviennent à trois
minutes d'intervalle et amenez-la-moi dans la salle de travail. Je vais réveiller l'infirmière.

Durant les trois derniers mois de la grossesse de Déborah, Hannah avait suivi, avec elle, les cours d'accouchement sans douleur afin de pouvoir l'aider à maîtriser sa
respiration.

La douleur était plus vive que Déborah ne l'avait imagi-
née. A chaque fois que revenaient les spasmes, elle serrait
les dents et s'efforçait, vainement, de ne pas jurer à haute
voix. Dans un de ses moments de trêve, de plus en plus
brefs, elle haleta à l'adresse d'Hannah :

– Cette garce d'Ève ! Vise un peu ce qu'elle a fait en
croquant la pomme !

Le kibboutz disposait d'un bloc opératoire, petit mais

bien équipé, où le docteur Barnea et ses deux infirmières à temps partiel pouvaient opérer, à chaud, une appendicite, ou réduire n'importe quelle fracture. Et naturellement, délivrer les mamans.

Vers huit heures un quart, le médecin estima que l'événement était proche. Les infirmières amenèrent Déborah sur son chariot, suivie d'une Hannah surexcitée qui courait auprès d'elle en lui prodiguant des paroles d'encouragement.

A huit heures vingt-sept, le cuir chevelu du bébé apparut, et quelques minutes plus tard, Hannah explosa :

– C'est un garçon, Déborah. Tu as un beau petit garçon blond.

Et l'équipe médicale s'écria, presque à l'unisson :

– *Mazel tov !*

Déborah nageait en pleine euphorie.

Plus tard dans la journée, elle et les grands-parents Boaz et Zipporah versèrent quelques larmes sur le souvenir de leurs pertes respectives. Puis Zipporah voulut savoir :

– Comment vas-tu l'appeler ?

Déborah avait beaucoup réfléchi au problème, et décidé que si c'était une fille, elle l'appellerait Chava, comme la première femme de son père. Pour quel motif, elle eût été bien incapable de le dire. Peut-être éprouvait-elle encore, au fond d'elle-même, l'envie de lui faire plaisir ?

Dans le cas d'un garçon, ce serait évidemment Timothy (« Qui honore Dieu ») ou plutôt son plus proche équivalent hébreu : Élimelech (« Mon Dieu est roi »), ou encore Élisha (« Dieu est mon salut »). Déborah choisit ce dernier prénom, certaine que Tim l'eût approuvée.

C'est ainsi que le 22 mai 1971, Élisha Ben-Ami entra, par la cérémonie de la circoncision, dans le peuple élu de Dieu. Son nom de famille honorait la mémoire d'un homme qui n'était pas son père. Son prénom évoquait le souvenir d'un autre homme qui ne saurait jamais que ce petit Éli existait et qu'il était son fils.

Déborah oscillait sans cesse entre l'exaltation et le désarroi. Combien de fois, durant ces premiers jours enivrants, ne s'était-elle point figée sur place, médusée par la gravité, le caractère irréversible de ses actes ? Aussi longtemps qu'elle avait porté son bébé en elle, une même pensée lui avait toujours permis de repousser ses doutes : tout ira bien, dès que mon enfant sera là. Mais cette présence vivante transformait les nuages roses en réalité hurlante, et combien exigeante !

Bien sûr, tous les kibboutzniks l'avaient chaudement félicitée, et quelque peu aidée. Mais pour eux tous, à l'exception des Ben-Ami, Éli n'était jamais qu'un bébé de plus parmi ceux qu'ils accueillaient toujours avec de grands déploiements d'affection.

Ces élans d'amour qui, souvent, déferlaient sur elle, Déborah eût voulu les partager avec sa vraie famille, sa mère au moins et surtout Danny, à qui, pendant sa grossesse, elle avait failli, bien des fois, confier son secret.

Mais en son for intérieur brûlait également le désir irrationnel de le confier à son père. Bien qu'elle eût vécu, depuis de nombreux mois, avec la certitude d'avoir définitivement tranché les liens émotionnels, la petite fille qu'elle était encore désirait toujours obtenir l'approbation de papa. Mais Moïse Luria pourrait-il jamais considérer d'un bon œil le retour de la fille prodigue.

34

DANIEL

Je fus le dernier des candidats à tomber sur le bas-côté de la route.

Ce fut mon seul titre de gloire. Dès la première année, Label Kantrowitz s'était offert une dépression nerveuse. Particulièrement tragique, dans son cas, puisqu'il avait une femme et deux gosses. Le bruit courait qu'il enseignait à présent dans une yeshiva de Baltimore, sa ville natale, et souffrait toujours de migraines et d'hypertension. J'étais sûr, d'ailleurs, que les choses ne devaient pas s'arrêter là.

Il y eut deux autres défections en cours de troisième année, alors que nous n'étions plus qu'à douze mois de l'ordination. «Pour cause de difficultés internes», expliquaient simplement nos professeurs, les lèvres scellées par le devoir de réserve.

Contrairement à Kantrowitz, ces deux derniers transfuges n'étaient pas fils de rabbin. Et le père de Label n'était que proviseur d'une petite yeshiva, non guide spirituel d'une communauté.

Aucun des trois n'était le «dauphin» du rabbin de Silcz! Aucun des trois ne briserait, par sa défection, une «chaîne d'or» ancestrale... et probablement le cœur d'un père.

Que ferait papa? Lui qui avait mené une vie si édifiante, et si longtemps prié Dieu d'assurer sa succession? Pourquoi le Seigneur lui infligerait-il une telle souffrance?

A chaque fois, cette pensée me ramenait sur terre. Qui étais-je pour attribuer à la perte de ma foi une cause surnaturelle? Je n'étais pas un Job des temps modernes qui se fût révélé incapable d'affronter son examen de passage. Je n'étais qu'un être humain qui ne prenait plus pour argent comptant les dogmes de sa religion.

Mais comment faire face à mon père, sachant qu'il considérait ma proche ordination comme la suite logique et le couronnement de sa propre existence ? Comment prononcer les mots qui allaient le briser ?

Aussi éprouvai-je une gratitude infinie le soir où Beller vint frapper à la porte de mon dortoir sans avoir annoncé sa visite. Je m'accrochai à lui comme à une bouée de sauvetage.

– Pourquoi, mais pourquoi je fais tout ça, Aaron ?

Du ton qu'il devait prendre avec ses malades, il s'informa doucement.

– Faire quoi ? Et surtout, à *qui*, Danny ?

Je confessai, à la torture :

– A mon père. En agissant ainsi, je ne vise que mon père. Pourquoi, Aaron ? Comment expliquer que je veuille lui faire autant de mal ?

– C'est une question dont vous êtes le seul à pouvoir trouver la réponse.

– Parce que je le hais ?

– Car vous le haïssez ?

Que répondre à une question si terrible ? A part la vérité, dans un murmure presque inaudible :

– Oui... Quelque chose en moi brûle de le punir... Ne serait-ce que pour la façon dont il a traité ma sœur.

– Uniquement à cause de Déborah ?

– Non. Vous avez raison. A cause de ce qu'il me fait à moi. S'est-il jamais inquiété de savoir si j'avais la vocation ? Pourquoi devrais-je supporter qu'il flanque ma vie sur son enclume et qu'il la martèle jusqu'à ce que je prenne la forme qui lui convient ? Qu'est-ce qu'il aurait fait si je n'étais jamais venu au monde ?

– C'est un peu tard pour se le demander. Régresser jusqu'à la période prénatale ne serait pas une solution.

J'aurais voulu répondre à son humour par un trait semblable, mais c'est à peine si je parvins à esquisser un sourire. Il ajouta :

– Quand avez-vous l'intention de lui parler ?

Je réussis à plaisanter, cette fois :

– Dès que je me serai payé un gilet pare-balles.

Puis, incapable de garder la pose :

– Sincèrement, Aaron... Je ne sais pas quoi lui dire.

– La simple vérité. C'est la seule chose à faire.

– Je sais. Mais comme ça, sans préparation. Je risque de
le tuer.

Beller secoua la tête.

– Danny, il a déjà subi de pires catastrophes... l'Holocauste, la mort de Chava et la perte de son premier fils... Il
peut en souffrir... beaucoup, et je le déplore... mais il n'en
mourra pas.

Je protestai douloureusement :

– Vous ne le connaissez pas, Aaron. Vous ne connaissez
pas le personnage.

Il n'émit aucun commentaire.

Sur le chemin de Brooklyn, je retournai dans ma tête –
au prix de quelles affres – les mille et une façons d'aborder
« la seule chose à faire ». J'avais déjà passé en revue cent
mille subterfuges, explications oiseuses et autres tactiques
dilatoires du genre « J'aimerais étudier un an de plus, à
Jérusalem », etc. Mais Beller m'avait convaincu que je ne
ferais que prolonger notre torture mutuelle.

Quand le métro atteignit la station de Wall Street, mon
texte était au point et je passai le reste du trajet à le répéter

mentalement. Il régnait une telle chaleur moite, en cette fin de printemps, que même dans la fraîcheur relative de la nuit, j'étais complètement en nage.

Il n'était pas loin de minuit lorsque je passai devant la synagogue obscure et déserte, et remontai notre rue jusqu'au perron familier. Ma mère devait être couchée depuis longtemps. Si seulement, pour une fois, mon père avait pu suivre son exemple...

Je dus déchanter. Le monde extérieur pouvait dormir à poings fermés, il travaillait toujours à son bureau. Je me souvenais d'occasions nombreuses, au cours de mon enfance, où l'heure du petit déjeuner le trouvait encore aux prises avec quelque difficile problème de doctrine.

Ma main tremblait en glissant la clef dans la serrure. Le grincement de la porte arracherait-il ma mère au sommeil ? Inconsciemment, j'avais envie de la réveiller. Pour qu'elle aidât mon père à encaisser le choc et pût jouer, entre nous, le rôle de médiatrice. De consolatrice, aussi. Pour lui comme pour moi.

Issu de la porte entrebâillée du cabinet de travail, l'habituel trapèze de lumière s'étirait sur le plancher et le mur du corridor. J'allais le franchir quand la voix de mon père lança gentiment :

– Daniel, c'est toi ?

Je répondis :

– Oui, papa.

Mais ma gorge était si serrée qu'il se leva de son bureau pour venir passer la tête dans l'entrebâillement de la porte.

Il rayonnait de bonheur.

– Alors, presque rabbin Luria, quelle bonne surprise ! Tu as terminé tes cours de bonne heure ?

Je ne répondis pas. Debout dans l'obscurité, je fuyais jusqu'à la proximité de la lumière. Incapable de voir mon expression, il poursuivit joyeusement :

– Viens prendre un verre de thé. J'aimerais te lire ce que j'ai écrit sur les conversions prénuptiales. A cette heure un œil neuf et féru du Talmud tombe à pic !

Je m'avançai, tête basse. Il m'entoura les épaules de son bras pour m'entraîner dans son antre, et je frissonnai, non seulement à cause de ma tension intérieure, mais parce que son bureau était la seule pièce climatisée de la maison. Moins pour le confort de son locataire que pour une meilleure conservation des gros livres de la Loi. Ces précieux volumes reliés plein cuir, dont certains, comme le Talmud de Vilna, remontaient à plus de cent ans, avaient été sauvés des griffes d'Adolf Hitler, au péril de plusieurs vies humaines, et c'était tout ce qui subsistait de la poussière et des cendres de la ville de Silcz.

– Assieds-toi, assieds-toi, Danny. Tu veux une boisson fraîche ? Un thé glacé ? Ou peut-être un verre de soda ?

– Non, merci, papa. Je n'ai pas soif.

C'était faux. Ma bouche et ma gorge me faisaient l'effet d'un vieux parchemin, et mes lèvres sèches semblaient sur le point de se craqueler.

Penché au-dessus de son bureau, il me scrutait avidement, entre sourcils et lunettes.

– Tu es bien pâlot, Daniel. Le stress de tes examens, c'est ça ?

Je me bornai à hausser les épaules.

– Tu ne dois pas dormir beaucoup, depuis quelques semaines.

J'acquiesçai, honteux et coupable de me sentir aussi fatigué en sa présence. Car au premier rang des qualités qu'il ne m'avait pas transmises, s'inscrivait cette énergie fantastique qui lui permettait de survivre, toujours en pleine forme, avec un minimum de sommeil.

Se rejetant contre le dossier de sa chaise, il enchaîna, souriant :

– Comment ont-ils marché, en fait ?

– Quoi donc ?

– Tes examens. Tu les as trouvés difficiles ?

– Non, je ne...

Le courage me manquait encore, celui d'aller jusqu'au bout, et sa réaction enthousiaste me fit bondir sur ma chaise :

– C'est bien, ça, mon grand !

– Je te demande pardon ?

– Tu allais dire que tu ne les avais pas trouvés difficiles. Preuve que tu les avais bien préparés.

– Non, non, ce n'est pas ça...

Ma voix tremblait. La sienne aussi, légèrement, lorsqu'il posa la question suivante :

– Daniel... tu ne vas pas me dire que... tu as été recalé ?

– Non, papa.

– Quel soulagement ! Peu importe la note, au fond. L'important, c'est que tu aies été reçu.

Dieu du ciel, après toutes ces années où il m'avait poussé dans le dos pour que je sois toujours le meilleur, il admettait, tout à coup, l'idée que je puisse être un étudiant moyen, voire médiocre. J'essayai de puiser, dans l'ironie, la force de sortir tout ce que j'avais sur ce pauvre cœur qui battait follement dans ma poitrine.

– Père...

Mais impossible d'aller plus loin, une fois de plus, avec cette voix tremblotante. Il ôta ses lunettes, et, d'un ton toujours empreint de sollicitude :

– Danny... il y a quelque chose qui ne va pas, je peux le voir sur ton visage. Dis-le moi, n'aie pas peur. N'oublie pas que je suis ton père.

Comme si je risquais de l'oublier ! Je dis d'une voix sourde :

– Je n'ai pas passé mes examens.

Puis je courbai le dos dans l'attente de la foudre. Mais une fois encore, la réaction de mon père me surprit :

– Daniel, tu n'es pas le seul garçon qui ait traversé une crise intérieure à cette époque de sa vie. Je crois que tu as besoin de repos. Après tout, pour tes examens... il y aura d'autres sessions.

D'un signe de tête, il m'autorisait à me retirer. Mais je savais que je ne pourrais plus me regarder en face si je ne vidais pas mon sac, ici et tout de suite.

– Père ?

– Oui, Daniel ?

– Je ne veux pas être rabbin.

Il ne répondit pas immédiatement. Peut-être n'existait-il aucun mot assez fort pour répondre à une telle déclaration ?

– Tu ne veux pas être rabbin ? Tu ne veux pas marcher sur les brisées de ton père et de son père avant lui ?

Sa voix se fit presque implorante :

– Danny... dis-moi pourquoi.

J'étais allé trop loin pour m'arrêter, maintenant.

– Parce que... j'ai perdu la foi.

Il y eut un silence d'apocalypse.

– C'est impossible... Ce que les Romains n'ont pu faire... ni les Grecs... ni même Hitler...

Il était inutile qu'il terminât sa phrase. Nous savions, l'un et l'autre, qu'il m'accusait d'assassiner, d'annihiler la lignée des rabbins de Silcz. Finalement, il hoqueta, la voix rauque :

– Il faut que tu voies un médecin, Daniel. Dès demain, à la première heure, nous allons appeler...

– Non, papa. Il se peut que je sois malade, mais c'est incurable. Ma tête est pleine de démons. Aucun médecin...

aucun rabbin Gershon... ne pourrait exorciser ma propre douleur.

Si profond était le silence que je pouvais presque entendre les nuages voiler le soleil levant.

Bizarrement, mon père semblait avoir recouvré tout son sang-froid.

– Je crois que tu devrais quitter cette maison, Daniel. Aussi tôt que possible.

J'opinai, soumis.

– Emporte tout ce que tu veux et laisse-nous ta clef. Quand tu sortiras de cette pièce, je ne veux plus jamais te revoir. Va où tu veux. Mais reste à jamais hors de ma vue.

J'avais su, en roulant vers Brooklyn, que les choses se termineraient ainsi, et j'avais plus ou moins préparé dans mon esprit la liste des effets personnels que j'emporterais avec moi. Mais ce qui suivit, non, je n'y étais pas préparé.

– A partir de maintenant, je n'ai plus, je n'ai pas de fils. Je réciterai le *Kaddish* pendant onze mois, puis tu disparaîtras définitivement de mes pensées.

Il se leva et quitta la pièce.

Un instant plus tard, j'entendis se refermer, doucement, la porte de la rue. Je savais où il allait. A la *shoule* pour prier et consacrer son deuil.

A ses yeux, son unique fils était mort.

35

DANIEL

Je passai les quarante-cinq minutes qui suivirent à faire mes bagages sur un rythme frénétique. En plus de quantité d'objets auxquels j'associais des événements mémorables de ma jeunesse, j'enfournai dans une valise, avec quelques vêtements, une demi-douzaine de bouquins. Dieu merci, j'avais déjà transporté à l'école l'essentiel de ma bibliothèque.

Derrière moi, maman, réveillée par le son de nos voix, pour une fois sans *sheitel*, ne cessait de parler – de jacasser, plutôt –, comme pour noyer dans un flot de paroles le chagrin que lui causait ce spectacle qui, pour elle, en évoquait un autre, vieux de trois ans. Un drame intitulé « Le Bannissement de Déborah ». Mais cette fois, maman ne cherchait pas à cacher sa détresse :

– Je ne le supporterai pas... Voilà qu'il a chassé mes deux enfants ! Où vas-tu aller, Danny ? Quand reviendras-tu me voir ?

Je me contentai de hausser les épaules. Je n'osais pas lui répondre, de peur d'éclater en sanglots, comme elle, et de me jeter dans ses bras pour y quémander le réconfort que j'étais incapable de lui apporter.

Mais elle venait de poser une question cruciale. Où allais-je trouver refuge ? Dans ma chambre d'étudiant, pour une nuit ou deux, jusqu'à m'en faire virer comme le malpropre que je serais devenu, à leurs yeux ? Et ensuite ?

– Qu'est-ce que tu vas faire, Danny ? se lamentait maman.

J'improvisai, morose :

– Peut-être une licence, à la rentrée d'automne.

– Une licence de quoi ?

– Je n'en sais rien. Je me sens tellement perdu !

Comment lui dire, sans incriminer Beller, que j'envisageais de faire « Psychologie » ? J'avais trop longtemps contenu ma rage et comme toujours dans ces cas-là, je l'épanchai sur la seule personne disponible : ma pauvre mère.

– Tu crois que c'est facile pour moi ? Tu crois que je veux absolument te faire du mal ? Ou même à papa ? J'en crève, si tu veux le savoir. Je suis si...

Elle m'avait pris dans ses bras, et versait tant de larmes que ma chemise en était trempée.

– Danny, nous sommes tes parents... Ne pars pas comme ça, sur un coup de tête.

C'en était trop pour moi. Je me mis à hurler :

– Mais il m'a foutu dehors ! A ses yeux, je n'existe pas en tant que Daniel, être humain ! Je ne suis rien de plus qu'un maillon de sa fameuse « chaîne d'or » !

– Mais il t'aime, protesta-t-elle. Il va se calmer.

Je lui lançai, comme un défi :

– Tu le crois sincèrement ?

Elle n'eut pas le courage de le prétendre. Tiraillée entre tant d'émotions contradictoires, elle semblait encore plus perdue que je ne l'étais moi-même. Je la regardais en sentant ma rage céder le pas à la tristesse et à la compassion. Elle allait rester jusqu'à la fin de sa vie dans ce sanctuaire de l'éternelle affliction.

Je l'embrassai sur le front, pris ma valise et sortis de la maison en courant. Au coin de la rue, je me retournai pour jeter un dernier coup d'œil à ce quartier où j'étais né, où j'avais atteint l'âge d'homme. A ces façades derrière lesquelles vivaient les gens qui avaient peuplé mon enfance. A la synagogue où j'avais prié, durant toute ma jeunesse. La flamme éternelle brûlerait toujours, au-dessus de l'arche, mais n'éclairerait plus jamais mon visage.

Ma punition commençait.

L'état dans lequel j'avais laissé ma chambre, au dortoir, donnait le reflet fidèle du chaos qui régnait dans mon âme : vêtements épars, livres ouverts sur le lit et le radiateur, alluvions studieuses d'une existence désormais révolue.

Irrévérencieusement, je balançai plusieurs des bouquins sur le sol et m'assis sur le lit. Malgré l'heure tardive, j'avais un besoin désespéré de me confier à quelqu'un. Au moins par téléphone. Mais je n'avais pas le courage de réveiller Beller. Je doutais que cette chère Ariel pût m'apporter le réconfort moral dont j'avais besoin, je ne voyais personne d'autre qui pût me venir en aide et restai là, tétanisé, à regarder mon univers se congeler dans une noire promesse de déprime.

Quand au bout d'un temps indéterminé, j'entendis frapper à ma porte, le soleil se levait sur le premier jour de mon bannissement. Un des doyens, déjà ? Ou peut-être deux ? Venus pour me virer ? Ou pour me conduire, en cette aube grise, devant un peloton d'exécution ?

Ce n'était qu'un de mes anciens condisciples, probablement contrarié d'avoir dû interrompre son travail pour venir m'informer, d'assez mauvaise grâce :

– Hé, Luria, on te demande au téléphone.

Je me traînai jusqu'à l'appareil mural pendu au bout de son fil.

C'était ma mère. Elle avait une voix de zombie.

– Danny... ton père a eu une attaque.

36

DÉBORAH

Après son cours de poésie hébraïque moderne, le professeur de Déborah, Zev Morgenstern, un immigrant canadien grand et mince de trente-cinq ans environ, l'attendit à la sortie de la classe pour l'inviter discrètement à prendre une tasse de café.

Elle en fut flattée. Quelques instants plus tard, ils étaient assis à une terrasse en plein air et Zev grignotait, du bout des dents, quelque chose qui ressemblait, de façon suspecte, à une tourte au fromage en matière plastique, tandis que Déborah, face à lui, mangeait les sandwiches qui, les mardis et jeudis, remplaçaient son dîner puisque ces deux soirs-là, quand elle rentrait au kibboutz, la salle à manger avait depuis longtemps fermé ses portes.

Zev venait de couronner son séminaire par la brillante exégèse d'un poème de Yehuda Amichai, « La Moitié des gens au monde », qu'il avait comparé aux œuvres du poète romain Catulle aussi bien qu'à celles de Shakespeare et de Baudelaire.

> La moitié des gens au monde cultivent l'amour,
> L'autre moitié engendre la haine.
> Où trouver ma place entre ces passions jumelles ?

– Incroyable ! soulignait Déborah. Jamais, à Brooklyn, personne ne nous a dit qu'il existait une littérature hébraïque en dehors de la Bible. Et je crois que vous avez raison de classer Amichai parmi les plus grands.

– Je suis heureux que vous le pensiez. Soit dit en passant, il habite à trois rues de chez moi. Je vous le présenterai, si vous le désirez. A mes yeux, il est aussi bon que Yeats. Ce n'est pas votre avis ?

Le sourire de Déborah se fana sur ses lèvres.

– J'ai bien peur que ma connaissance de la littérature anglaise se soit arrêtée à *Jules César*.

A l'inverse, Zev s'épanouit :

– Si je puis vous aider à franchir le Rubicon... je serais

292

heureux de vous donner un cours particulier de poésie anglaise moderne... Si nous dînions ensemble après le cours de la semaine prochaine ?

Elle hésita, puis se refusant inexplicablement au plaisir que constituait la compagnie de cet homme, lui répondit :

– Non, j'ai un bébé de treize mois, et je dois rentrer au kibboutz avant qu'il aille au lit. Mais je viendrai une heure plus tôt, si vous êtes d'accord.

– Oh ?

Zev Morgenstern ne put réprimer sa surprise que par une monosyllabe.

– Qu'y a-t-il ?

– Je ne savais pas que vous étiez mariée. Comme vous ne portez pas d'alliance...

– Je ne le suis pas. Je veux dire...

Elle s'était toujours abstenue d'exploiter le mensonge élaboré, avec la complicité de tout le kibboutz, autour de la mort tragique d'Avi Ben-Ami, mais là, elle s'entendit répondre :

– Il était pilote...

Et n'eut pas besoin d'en dire davantage.

– Désolé, je ne savais pas... Il y a longtemps ?

– Plus d'un an. Au-dessus du Liban.

– Il n'a jamais vu son fils ?

Déborah secoua la tête.

– Non. Le père n'a jamais vu son fils.

– Heureusement que vous avez le kibboutz. Je suis sûr qu'ils sont pour vous d'un grand secours moral.

Elle acquiesça, nerveuse, en consultant sa montre.

– Hé, il faut que je file. Je déteste conduire la nuit sur ces routes étroites.

Ils se levèrent avec ensemble.

– N'oubliez pas, la semaine prochaine. J'apporterai les bouquins.

Elle retrouva son sourire pour conclure :

– Je m'en réjouis d'avance.

Depuis la naissance d'Éli, plus d'un an auparavant, elle n'avait jamais envisagé de se lier avec un autre homme. Veuve deux fois, sans avoir jamais été mariée, comment pouvait-elle, se demandait-elle avec une ironie cruelle, retenir l'attention d'un Zev Morgenstern ? Il y avait des filles beaucoup plus jolies, dans son séminaire, et pourtant, c'était elle qu'il avait remarquée, dès le début. C'était à elle qu'il dédiait son sourire, lorsqu'elle entrait dans la classe, et quand il lisait de la poésie à haute voix, il semblait que c'était pour elle qu'il récitait les vers.

Pouvait-elle nier, de son côté, qu'elle le trouvait attirant ? Et qu'il lui tardait de le revoir, la semaine suivante ? Cette pensée lui paraissait à la fois souriante et menaçante.

Le soleil se couchait, et sur le mont Carmel, une brise fraîche soufflait de la mer.

Une heure et demie plus tard, en poussant la porte de son *srif*, elle fut étonnée d'y sentir l'odeur du tabac. Puis elle découvrit, derrière l'écran de fumée, Boaz Ben-Ami qui l'attendait.

Elle jeta un coup d'œil à l'expression de son visage et ses livres lui échappèrent des mains.

– Qu'est-ce que c'est, Boaz ? Quelle est la mauvaise nouvelle ?

37

DANIEL

Quand je débarquai à l'Hôpital juif de Brooklyn, papa était en réanimation et mes demi-sœurs entouraient maman, les joues couleur de cendre comme si elles pleuraient, déjà, la mémoire de mon père.

Elles eurent pour moi le regard qu'on jette aux meurtriers.

– Comment est-il ?

Elles refusaient de répondre. Seuls les sanglots de ma mère troublaient le silence de cette triste salle d'attente aux murs nus. Je m'agenouillai près d'elle, tentant doucement d'écarter les mains derrière lesquelles se cachait son visage.

– Maman, est-ce qu'il... vit toujours ?

Les mots me parvinrent, étouffés, dans un hochement de tête à peine perceptible :

– Il est... toujours sans connaissance.

Je relevai les yeux vers mes sœurs.

– Que disent les médecins ?

Finalement, Réna eut pitié de mon désespoir :

– Il va s'en sortir. Mais d'après les tests, avec une certaine paralysie. Il est... il est probable qu'il ne parlera plus... aussi distinctement.

Malka, l'aînée, siffla plus qu'elle ne souffla, entre ses dents :

– C'est toi le coupable. Jusqu'à ton dernier jour, tu auras ça sur la conscience !

Je n'avais pas à supporter les reproches de Malka.

– Où est-il écrit qu'un fils est obligé d'embrasser automatiquement la profession de son père ?

Je reportai toute mon attention sur maman.

– A-t-on prévenu Déborah ?

– C'est moi qui ai téléphoné au kibboutz, expliqua Réna. Elle va venir...

– ... et terminer le boulot commencé par son frère ! C'est merveilleux, acheva Malka, vengeresse.

Brusquement, ma mère se leva, malade de douleur et de rage.

– *Shtil, kinder !* Cessez de vous déchirer ! Vous êtes tous ses enfants. Tous autant que vous êtes ! Danny, c'est toi qui iras chercher ta sœur à l'aéroport demain dimanche. Et tu vas rester à la maison, cette nuit.

Malka protesta :

– Non !

Ma mère lui fit face, impérieuse.

– Pendant que Moïse est... inconscient, c'est moi qui commande !

Toutes dispositions avaient été prises pour que maman puisse dormir à l'hôpital. Mes demi-sœurs et leurs époux respectifs viendraient à pied, le lendemain, après les offices du matin.

Les deux couples partirent avant la tombée de la nuit, afin de pouvoir au moins rentrer chez eux en autobus.

Je partageai avec ma mère, dans un silence presque total, un repas de surgelés kashers, puis attendis qu'elle prît elle-même un sédatif pour quitter l'hôpital.

Je partis à pied dans les rues sombres, espérant au fond de moi me faire agresser.

J'appelais sur moi les violences physiques qui seules eussent pu me châtier du crime abominable que j'avais commis.

Malgré la fatigue du vol et le poids des soucis, Déborah était plus belle et paraissait en meilleure forme que je ne l'avais jamais vue avant son départ. Svelte et bronzée, elle ne ressemblait plus du tout à l'adolescente au teint pâle, à la silhouette un peu trop ronde, dont j'avais gardé le souvenir.

Joie et tristesse se mêlèrent dans notre embrassade. J'étais passé par l'hôpital et portais la nouvelle du réveil de papa, vers six heures du matin. Il s'était rendormi, d'un sommeil moins comateux, après avoir échangé quelques mots avec maman.

– Quand pourrais-je le voir ?

– Jusque-là, ils ne laissent entrer que maman. Ce soir, peut-être, il pourra recevoir d'autres visites...

– Danny, que s'est-il passé exactement ?

Je lui racontai toute l'histoire. Ma grande trahison. Et l'accusation de parricide qui pesait sur moi. Elle me pressa l'épaule, affectueusement.

– Danny ! Aucune loi ne nous oblige à réaliser les fantasmes de nos parents.

Je la regardai en plissant les paupières. Ce n'était pas seulement sur le plan physique qu'elle semblait avoir beaucoup changé.

D'une façon incompréhensible, Déborah se sentait sale après son voyage en avion et voulut se doucher et se changer. Je me perchai sur le bord de son lit, heureux que cette chambre, fût-ce provisoirement, redevînt la sienne.

Dans sa petite valise ouverte, entre deux livres de poche, je trouvai la photo d'une femme radieuse portant, sur fond de kibboutz, un beau bébé blond dans ses bras.

La jeune femme n'était autre que Déborah.

Et tout me criait qu'elle ne tenait pas là l'enfant d'une autre femme.

Tel était mon tumulte intérieur que je m'abstins d'aborder le sujet sur le chemin de l'hôpital. A ce stade, toutes mes pensées, toutes mes angoisses, gravitaient autour de la santé de mon père.

Mes demi-sœurs et leurs maris étaient déjà là qui montaient, devant la porte de papa, une garde impatiente. La première parole de Malka fut un reproche :

– Tu n'as pas assisté aux offices, hier !

Je lui dis que mes faits et gestes ne la concernaient en aucune manière. Sans ajouter que me sentant trop coupable pour apparaître en public, j'avais passé toute la matinée à prier seul dans ma chambre. Mais elle continua de m'accabler, alléguant que si j'avais été là, on m'aurait appelé à lire la Torah, puis à dire une prière spéciale pour la guérison de notre père.

Je lui demandai à mon tour, puisqu'elle y tenait tellement, pourquoi elle n'était pas allée à Beth El, la nouvelle synagogue réformée d'Ocean Parkway, où l'on appelait couramment des femmes à lire la Torah.

Elle s'indigna, méprisante :

– Ce ne sont pas des vrais juifs. On y entend de la musique d'orgue, comme dans une église.

– Il y a toutes sortes de musiques dans le Temple saint, dit Déborah. Lis donc *Jérémie* 33.11. On y évoque l'exécution du psaume 100 par le chœur lévitique accompagné d'un orchestre.

Ce débat stupide aurait tourné au vinaigre si maman n'était ressortie de la chambre et, dans le silence des questions que nous n'osions poser, résuma d'un ton las :

– Il va mieux... Il parle... un peu brouillé... mais il parle... Le médecin dit que les filles peuvent le voir une à la fois.

– Dieu merci !

Déjà, Malka se dirigeait vers la porte, mais maman l'arrêta.

– Non. C'est Déborah qu'il veut voir la première.

L'aînée de mes demi-sœurs se figea sur place.

– Mais pourquoi ?

Maman haussa les épaules.

– Ne discutez pas. C'est lui qui décide.

Déborah elle-même semblait plutôt déboussolée par cette curieuse entorse à la hiérarchie familiale. Osant à peine respirer, elle entrebâilla la porte et sur la pointe des pieds, se glissa dans la chambre.

Elle resta auprès de lui une dizaine de minutes, après quoi il reçut, beaucoup plus brièvement, chacune de mes autres sœurs. Je questionnai Déborah, dans un souffle :

– Comment va-t-il ?

– Ça va.

Mais elle se mordait la lèvre pour ne pas pleurer.

– Alors, qu'est-ce qu'il y a ? Il t'en veut toujours ?

Elle secouait la tête, incapable de répondre. Je répétai :

– Alors, qu'est-ce qu'il y a ?

Elle put dire enfin, au prix d'un effort :

– Il m'a... il m'a demandé de *lui* pardonner.

Cette réponse ranima, en moi, une étincelle d'espoir. Peut-être adviendrait-il, entre lui et moi, le miracle d'une réconciliation qui m'avait toujours paru impossible ?

Dès sa sortie, Malka se fit un plaisir de répondre à cette autre question que je ne posais pas :

– Il ne veut pas te voir, Daniel. Absolument pas.

– Pourquoi ?

– Il dit que son fils doit être rabbin. C'est la volonté du Maître de l'Univers.

Simultanément, Dieu merci, Déborah me prit le bras et le serra fort. Autrement, je crois que mon cœur se serait arrêté de battre.

C'était étrange. Dans le bus, à notre retour de l'hôpital, Déborah et moi n'échangeâmes que très peu de mots. J'étais sûr que c'était à cause de papa, mais je découvris par la suite que nous étions bien sur la même longueur d'onde. Nous avions tant de choses à partager. Tant de pensées qui nous appartenaient en propre, à tous les deux. Parce que malgré la distance et le temps écoulé, nous savions, l'un et l'autre, que nous ne trouverions jamais de meilleur ami sur cette terre.

A la maison, je préparai du thé au citron et, n'y tenant plus, m'assis en face de Déborah.

– Deb... on peut parler cœur à cœur, comme quand on était gosses ?

– J'aimerais bien.

Ma propre voix parvint à peine jusqu'à mes oreilles :

– Debbie... tu as un enfant ?

Elle riposta, sans détourner les yeux :

– Oui.

– Pourquoi ne m'as-tu jamais dit que tu étais mariée ?

Elle n'hésita qu'une ou deux secondes :

– Parce que je ne suis pas mariée.

J'en eus le souffle coupé. J'espérais qu'elle interpréterait mon silence comme une demande tacite d'informations complémentaires, mais elle resta bouche close et je finis par murmurer :

– Hé, je ne porte aucun jugement moral. Si tu ne veux pas m'en parler...

– Mais je veux t'en parler. Je le veux, je le veux. C'est juste que... ce n'est pas facile...

– Bois ton thé. Il n'y a pas le feu.

Puis, brûlant de curiosité, je ne pus m'empêcher de revenir à la charge :

– Quelqu'un du kibboutz ?

– Oui, quelqu'un du kibboutz, dit-elle après un nouveau silence.

– Alors, ces histoires d'amour libre, c'est vrai ?

Quel *schmuck* j'étais ! Instantanément, ses yeux se remplirent de larmes.

– Non, ce n'est pas ce que tu crois... Il était dans l'armée de l'air... Il a été tué.

– Oh, mon Dieu, c'est terrible... Je suis désolé.

Je la pris dans mes bras. Pressés l'un contre l'autre, nous pleurions tous les deux.

C'est elle, finalement, qui me consola :

– Danny, Danny, tout va bien, maintenant... Le bébé a des grands-parents, au kibboutz... et une bonne douzaine de petits copains du même âge.

– Papa est au courant ?

Elle secoua la tête.

– Maman ?

Elle secoua la tête une nouvelle fois.

– Mais pourquoi ? Tu leur apporterais un peu de joie. A propos, c'est mon neveu ou ma nièce ?

– Un garçon. Il s'appelle Élisha.

Je traduisis, dans la foulée :

– « Dieu est mon salut ». Joli nom. Pourquoi celui-là ?

Chose étrange, la question, pourtant innocente, parut la plonger dans l'embarras. J'enchaînai avec une gaieté un peu forcée :

– Eh bien, nous avons au moins quelque chose à fêter. *Mazel tov.* Il est super, ce mioche. Tu aurais dû nous l'amener. Il aurait peut-être consolé papa de ma mort prématurée.

Les derniers mots m'avaient presque échappé. Elle se récria :

– Ne parle pas comme ça, Danny. Tôt ou tard, vous ferez la paix.

– Non. Il a juré qu'il ne me parlerait plus jusqu'à ce que je sois le *rabbin* Luria. Ce qui veut dire jamais.

– Je ne comprends toujours pas pourquoi tu n'es pas allé jusqu'au bout. Quelques semaines de plus ou de moins, où était la différence ? Il aurait retrouvé la paix... et toi, tu aurais gagné du temps. Quitte à descendre en marche un peu plus tard...

La vieille révolte trop longtemps réprimée revenait m'habiter.

– Tout est là, Deb. Je voulais la bagarre ! Je voulais lui prouver qu'il ne pourrait pas me mener à sa guise éternellement !

Puis, devant son expression figée, j'ajoutai :

– Oui, je sais que j'ai gagné mon aller simple pour l'enfer.

– Je croyais que nous autres juifs ne croyions pas à l'enfer.

– Et ce que nous appelons *Gehinnom* ? C'est là que tu m'écriras plus tard... dans des enveloppes en amiante !

Ses yeux me taquinaient ouvertement.

– Là, je ne pige plus. Tu crois à l'enfer. Tu crois au Jugement dernier. Est-ce que tu crois en Dieu ?

– Oui.

– Alors, pourquoi refuses-tu d'être rabbin ?

L'aveu me brûla jusqu'au fond de l'âme :

– Parce que je ne crois pas en moi-même !

38

DÉBORAH

Le monde entier viendra Te saluer
Et louera Ton nom glorieux...

Tous les membres de la congrégation chantèrent le cantique final d'une seule voix fervente. Puis, tandis que les
têtes s'inclinaient, leur guide spirituel leva les mains pour
leur donner sa bénédiction.

Puisse le Seigneur vous garder et vous bénir,
Puisse briller sur vous la lumière de Sa face
Puisse-t-il élever Son esprit vers vous
Et vous accorder la paix.

Alors que résonnaient, dans les énormes tuyaux d'orgue,
les accents solennels de l'« Adagio en sol mineur » d'Albi-
noni, le rabbin Stephen Goldman, tout de noir vêtu et
coiffé d'un chapeau qui, la couleur mise à part, ressemblait
à une barrette de cardinal, descendit à grands pas l'allée
centrale du temple Beth El et, planté près du portail,
entreprit, selon son habitude, de souhaiter personnellement le bon Sabbat à chacun des fidèles qui ressortaient de
la synagogue.

Bien que le tabernacle fût climatisé, l'assistance était
peu nombreuse en cette chaude soirée du mois de juin et
trente à quarante poignées de main suffirent pour que la
dispersion de la foule permît au rabbin Goldman de
remarquer la jeune femme au teint profondément hâlé qui
attendait, nerveuse, au bord d'une des travées.

– *Shabbat Shalom*, lui dit-il, souriant.

Puis, en lui serrant la main :

– Vous êtes nouvelle, non ?

– En réalité, je ne suis ici que pour quelques jours.

– Oh ? Vous vous appelez comment ?

– Déborah.

Puis, après une courte hésitation :

– Déborah Luria.

Le rabbin, frappé, ouvrit de grands yeux.

– Pas une des *Luria* ?

– Si.

– Quel vent vous a poussée jusque chez nous ? Est-ce que, chez vous, on ne nous considère pas comme des païens ?

Déborah haussa les épaules.

– Je ne suis plus tout à fait des leurs. Je vis dans un kibboutz.

– Formidable ! Lequel ?

– Kfar Ha-Sharon. Vous le connaissez ?

– Si je le connais ? Plusieurs de mes camarades de séminaire y passent leurs étés. Vous êtes dans la conserve de tomates ou quelque chose dans ce goût-là ?

Déborah ne put s'empêcher de rire.

– Pas exactement. Nous faisons plutôt dans la pomme de terre congelée.

– C'est toujours des légumes, pas vrai ? Encore quelques mains à serrer et je suis à vous. Ça ne vous ennuie pas de m'attendre une minute ?

Elle secoua la tête. Un instant plus tard, le rabbin vint s'asseoir auprès d'elle, et entre deux évocations d'Israël, la jeune femme lui confia :

– Je tenais à vous dire que j'avais beaucoup aimé votre sermon.

– Merci. La révolte de Korah contre Moïse se prête à

304

toutes sortes d'analogies modernes... par exemple avec le conseil d'administration d'un temple !

– Vous parlerez encore, demain matin ?

– Oui. Sur Isaïe, la partie consacrée à...

Elle l'interrompit, emportée par son enthousiasme :

– Je me rappelle bien le chapitre soixante-six. J'aime l'image de la « femme en travail », appliquée à Jérusalem. D'ailleurs, toutes les métaphores sont splendides.

– Vous savez de quoi vous parlez, commenta le rabbin. Mais je n'en attendais pas moins de la fille du Rav. Vous allez rester longtemps parmi nous ?

– Difficile à dire. Mon père a eu une attaque. Il est encore à l'hôpital.

– Mon Dieu, j'en suis navré. C'est vraiment sérieux ?

– Assez. Nous espérons tous qu'il va s'en sortir avec un minimum de séquelles.

– Si vous le permettez, je dirai une prière pour sa guérison, demain matin. Vous serez là ?

– Bien sûr. Et je vous en remercie d'avance.

– Je vous convierai, ensuite, à lire la Torah.

Jusqu'à ce moment précis, Déborah s'était sentie libérée, mais soudain, ses incertitudes l'assaillaient à nouveau.

– Oh ! non... je ne sais pas si j'y arriverai.

– Pourquoi non ? s'étonna le rabbin Goldman. Je suis sûr que vous lisez l'hébreu mieux que moi. Et vous n'aurez à dire que les bénédictions, qui...

– Je les connais par cœur. Mais l'éducation que j'ai reçue...

Il lui dédia un regard de compréhension et de sympathie.

– Pas la peine de me faire un dessin. Mais un petit plongeon dans l'égalité totale, ça ne vous tente pas ?

Allons, Deb, ma fille, s'exhorta-t-elle intérieurement, toute ta vie, tu en as rêvé...

– Si, dit-elle fièrement. Je serai très honorée de lire les bénédictions.

– A la bonne heure. Et l'honneur sera réciproque. Demain matin, sans faute ?

– Sans faute, confirma-t-elle en tournant les talons. Et merci, monsieur le rabbin.

Déborah ressentait un mélange grisant d'excitation et de crainte.

Exception faite de la naissance d'Éli, ce qui allait se passer le lendemain serait l'événement le plus important de son existence. L'équivalent, en quelque sorte, du rite de passage qui, pour ses treize ans, avait marqué la pleine acceptation de Danny, en tant que personne adulte, au sein du monde juif.

C'était un magnifique matin du mois de juin.

Il faisait un temps splendide, un vrai temps de plage. Avec un peu de chance, il n'y aurait personne à l'office du matin...

Déborah ne se trompait pas de beaucoup. Quelques douzaines de fidèles, pas davantage, occupaient le vaste sanctuaire. Des gens âgés, pour la plupart.

Elle s'assit au fond du temple. Mais au bord de la nef centrale afin de pouvoir se lever à l'appel de son nom. Durant les premières prières, elle tritura nerveusement son mouchoir, souhaitant que le rabbin Goldman y vît le signe de son angoisse. Mais quand il la regarda du haut de la chaire, il se borna à lui adresser un sourire rassurant.

Vers onze heures vingt, toute la congrégation se mit debout. Le rabbin et son chantre ouvrirent l'arche sainte, en sortirent les rouleaux sacrés avec les mêmes précautions affectueuses que des parents pour leur bébé.

Le chœur, sur fond d'orgue, chanta les paroles des *Proverbes,* relatives à la sagesse, qui constituent la plus belle rhapsodie de la Torah :

C'est un arbre de vie pour qui la saisit,
celui qui la tient devient heureux.
Ses chemins sont chemins de délices,
tous ses sentiers mènent au bonheur.

Deux fidèles, un homme et une femme, aidèrent à ôter le pectoral et les autres ornements qui protégeaient les rouleaux, puis les étalèrent en fonction du passage choisi pour la journée.

En passant près d'elle, à son entrée dans le sanctuaire, juste avant l'office, le rabbin avait chuchoté :

– Bonjour, Déborah. Vous serez la quatrième.

Et la nervosité de la jeune femme ne cessa de croître à mesure que le chantre psalmodiait, successivement :

– Que le premier lecteur s'avance... Que le second... Que le troisième...

Déborah ne respirait plus. Elle avait peur de ne pas entendre son numéro. Ou de se lever avant l'heure. Enfin :

– Que le quatrième lecteur s'avance...

Elle se leva. Et miraculeusement, se sentit, tout à coup, parfaitement maîtresse d'elle-même.

Très droite, elle monta les marches tapissées jusqu'à l'endroit situé à trois mètres du rabbin, à moins encore de la Torah, où elle allait officier.

C'était la première fois qu'elle approchait d'aussi près le saint parchemin. Quand le chantre lui plaça le châle de soie sur les épaules, elle ne put réprimer un léger frisson.

Car il s'agissait là d'un vêtement traditionnel exclusivement porté par les hommes. Et voilà que l'ornement sacré se posait sur elle, symbole de l'honneur prêt à lui échoir.

307

A l'aide d'une fine baguette d'argent, le chantre lui indiqua le premier mot du texte qu'elle allait devoir lire. Elle plaça, sur le parchemin, les franges du châle de prière, puis baisa l'étoffe soyeuse comme elle l'avait vu faire, des milliers de fois, dans la synagogue de son père.

Discrètement, le chantre plaça sous ses yeux, sur le lutrin, une carte portant les prières hébraïques pour la Torah, transcrites en caractères phonétiques à l'usage des anglophones.

Mais Déborah Luria connaissait tout par cœur.

« Béni soit Ton nom, O Seigneur, Roi de l'Univers
Qui d'entre les nations nous a choisis
et honorés du don de la Torah... »

Elle tenta de suivre la baguette d'argent, lorsque le chantre égrena sa partie. Mais les larmes lui brouillaient la vue.

Puis ce fut l'acte de grâce qu'elle chanta d'une voix plus forte, plus assurée, plus conforme à la solennité de l'événement.

Quand le chantre entonna la prière spéciale, récompense traditionnelle des lecteurs appelés, elle connaissait également, par cœur, ce texte-là.

– Puisse Celui qui bénit nos Pères, Abraham, Isaac et Jacob...

Mais ce qui suivit, elle ne l'avait jamais entendu :

– ... ainsi que nos Mères, Sarah, Rébecca, Rachel et Leah...

Penché vers elle, le chantre lui demanda quel était son prénom hébreu. Elle le lui chuchota. Il enchaîna :

– ... bénir Déborah, fille du Rav Moïse et de Rachel, et puisse-t-Il accorder une guérison totale à son père honoré...

Depuis le commencement de sa jeune existence, Déborah s'était vue confrontée à des moments terribles, d'une intensité apocalyptique. Mais celui-ci les transcendait tous. Car la foudre venait de frapper son âme, y allumant un incendie qui n'était pas près de s'éteindre.

Elle avait fait son devoir filial et, du fond du cœur, elle espérait, elle *croyait* que Dieu avait entendu sa prière.

Tandis qu'elle regagnait la travée, plusieurs fidèles lui soufflèrent des « Félicitations » et autres « Persévérez dans cette voie ».

C'était presque à la limite du supportable, et sans doute eût-elle continué, sur sa lancée, jusqu'à la sortie de la synagogue si elle n'avait aperçu, derrière un pilier, une silhouette familière.

– Félicitations, Deb !

Danny était venu fêter avec elle sa *bar mitzvah*.

39

DÉBORAH

– Déborah, téléphone !

– De la part de qui, maman ?

– Est-ce que je sais ? Un nommé Steve.

Et tout de suite, la question cruciale :

– Il est juif ?

Déborah ne put contenir un éclat de rire.

– Il est même rabbin, maman.

– Avec un prénom pareil ? Ça ne peut pas être un des nôtres. Mais s'il est... convenable, invite-le pour le Sabbat.

– C'est un homme marié, m'man.

L'enthousiasme de Rachel s'éteignit alors que Déborah marchait vers le téléphone.

– Depuis quand ma fille reçoit-elle des coups de fil de rabbins mariés ?

Puis, les yeux au ciel :

– Père de l'Univers, pourquoi concentrer sur *mes* enfants tant de complications insolubles ?

– Salut, Déborah, j'ai attendu de voir quatre étoiles au-dessus de ma tête pour être bien sûr de ne pas enfreindre le Sabbat.

– Heureuse de vous entendre, monsieur le rabbin.

Il gémit :

– Par pitié ! Les seuls qui me donnent du « monsieur le rabbin » sont ceux qui trouvent à redire au contenu de mes sermons. Ma femme et moi, nous nous demandions si vous viendriez déjeuner, demain midi. Saumon fumé et *bagels*. Et un brin de prosélytisme.

Déborah s'étonna :

– Qu'est-ce que vous voulez dire ?

– Je vous en parlerai demain après le troisième *bagel*.

Le rabbin lui donna son adresse dans Eastern Parkway et quand elle eut raccroché, Déborah rejoignit, au salon, sa mère qui voulut savoir :

– C'était à quel sujet ?

– Rien de particulier, m'man. Une histoire de beignets.

Dès l'ouverture de la porte, Déborah reçut, en plein cœur, l'image de ces jeunes époux portant chacun, avec une charmante désinvolture, le même bébé en deux exemplaires : des jumeaux.

Soudain, son fils lui manqua atrocement. Steve Goldman perçut son émotion, mais se méprit sur sa nature.

– C'est vrai qu'ils sont mignons... sauf quand ils se relaient pour vous réveiller la nuit, à une ou deux heures d'intervalle !

Il désigna une table bien garnie :

– Prenez un bagel.

Conformément à sa promesse, il attendit que Déborah eût attaqué le troisième pour déclarer sérieusement :

– Il y a une chose qui m'intrigue... et ne vous gênez pas pour m'envoyer sur les roses si vous estimez que ce ne sont pas mes affaires, mais à mes yeux, vous êtes une vivante énigme.

Elle sourit, désarçonnée.

– On m'a déjà traitée de beaucoup de choses... mais de vivante énigme, c'est une première ! Qu'est-ce qui vous chiffonne ?

– Vous le savez aussi bien que moi, j'en suis sûr. Puis-je vous résumer le scénario ? La fille du rabbin de Silcz vit dans un kibboutz si agressivement séculier qu'on y travaille aux champs les jours de fête. De retour à Brooklyn, elle assiste à des offices que sa famille tient assurément pour hérétiques...

Il attendit que Déborah eût pleinement absorbé ses premières remarques pour enchaîner :

– J'en déduis que notre héroïne est en train de se chercher... sur le plan spirituel.

– Vous avez raison, concéda-t-elle. Je ne voudrais pas vous paraître prétentieuse, mais ce que je cherche, c'est une meilleure relation avec Dieu.

Esther intervint, passionnée :

– C'est l'objectif même de notre mouvement. Qui n'a rien de révolutionnaire, en fait, ou pas tout ! Les femmes appelées à lire la Torah, par exemple. C'était monnaie courante, aux temps talmudiques. L'interdiction n'est qu'une réforme introduite par les *frummers*.

– De quel droit osent-ils me regarder de haut parce que je refuse d'accepter leurs interprétations tendancieuses de la Bible ?

Soulevé par une ferveur croissante, Steve abattit sa paume sur le dessus de la table.

– Mais bon sang, la Torah est à nous. Elle appartient à tous les juifs. Dieu l'a donnée à Moïse, sur le mont Sinaï. Pas à des rabbins rétrogrades de Brooklyn qui s'imaginent détenir le monopole de la sainteté !

Déborah souligna :

– Vous parlez à peu près comme mon frère Danny... qui vient de lâcher le séminaire. Tout porte à croire que mon père aura été le dernier rabbin de la lignée.

– J'en suis désolé. Vous devez avoir beaucoup de peine.

– Pour papa. Pas pour Danny. Et si j'allais jusqu'au bout de ma pensée, je ne suis pas sûre qu'un rabbin de Silcz soit toujours indispensable... dans un monde où Silcz n'existe plus.

– Un « rabbin de Silcz », peut-être pas, reconnut Steve. Mais un rabbin Luria ? Avez-vous jamais songé à le devenir ? Plusieurs femmes rabbins sont déjà sorties de mon séminaire !

Déborah, stupéfaite, ne put que répondre :

– Mon père vous donnerait mille raisons doctrinales pour expliquer pourquoi les femmes ne peuvent être des rabbins.

– Et sauf le respect que je lui dois, j'en trouverais mille et une pour montrer le contraire ! Puis-je vous en faire la lecture ?

– Je vous écoute, dit-elle avec un sourire.

– Depuis des siècles, les rabbins affirment que toute phrase biblique du genre « L'homme ne vit pas seulement de pain... » signifie que les lois de Dieu ne peuvent et ne doivent se lire qu'au masculin. Alors qu'il faut évidemment traduire « l'homme » par « l'être humain », « la personne humaine ».

« En ce moment même, une équipe interconfessionnelle s'occupe d'établir la prochaine version œcuménique entièrement révisée de la Bible. Elle emploiera toujours le pronom " Il " pour désigner Dieu ou Jésus. Mais le fameux verset 3, chapitre 8 du *Deutéronome* se lira désormais : *On ne vit pas seulement de pain...* »

Les yeux pleins d'étoiles, Déborah s'empressa de citer les mots qui depuis toujours, avaient été comme autant d'épines enfoncées dans sa chair vive :

– Vous vous souvenez de la fameuse interdiction faite aux filles, par le rabbin Éliezer, d'étudier la Torah ?

– Et Ben Azzai ? Un sage qui ferait le poids, sur un ring, face à Éliezer, non ? Il *enjoint* au père de transmettre à sa fille les enseignements de la Bible. En fait... je donnerais ma tête à couper qu'on ne vous l'a jamais dit, à l'école... le Talmud déclare que Dieu a doté les femmes de *plus de discernement* que les hommes.

– Vous avez raison, dit-elle en se forçant à sourire. On ne m'en a jamais parlé.

– C'est dans le *Traité Niddah*, 45b, précisa Esther. Au cas où vous aimeriez retrouver le texte...

Frappée par le savoir et la discrétion de cette jeune femme, Déborah entendit à peine la tirade enthousiaste de Steve :

– Vous plus que toute autre, Déborah, descendante directe de Miriam Spira...

– De qui ?

313

– Permettez que je vous montre ça noir sur blanc.

Il alla tirer, d'une bibliothèque, un volume de l'*Encyclopedia Judaïca* qu'il se mit à feuilleter rapidement.

– Ici, Déborah. Ça ne vous ennuie pas de nous en faire la lecture ?

– *Luria*... famille bien connue, dont l'ascendance a été retracée jusqu'au XIVe siècle...

– Sautez quelques paragraphes, je vous prie.

– D'après une tradition remontant à 1350, Miriam, fille du fondateur, enseignait la loi juive à la yeshiva, cachée derrière un rideau...

Relevant les yeux, stupéfaite, Déborah croisa le regard gentiment amusé d'Esther.

– Vous voyez ? Vous ne serez même pas la première.

Sur quoi Steve enchérit, après un silence :

– Il serait temps que les filles Luria sortent de derrière le rideau, vous ne croyez pas ?

Il y eut un instant de silence oppressant et Déborah objecta :

– Mais je n'ai même pas un diplôme.

– Est-ce que Moïse avait des diplômes ? Et Jésus ? Et Bouddha ? L'examen d'entrée au Collège de l'union hébraïque porte sur la Torah, le Talmud, et l'hébreu. Vous le passeriez haut la main, je le parierais !

Elle soupira, toujours indécise.

– Je ne sais plus où j'en suis. Je ne sais trop que dire...

– Alors, ne dites rien. Mais réfléchissez.

– C'est promis.

– Bravo. Et passons aux choses sérieuses. Attendez un peu de goûter au *strudel* d'Esther.

Tandis que la jeune femme coupait le gâteau, Déborah se sentit, soudain, fort mal à l'aise de lui avoir si peu adressé la parole.

– Dites-moi, Esther... quel effet cela fait-il d'avoir épousé un rabbin moderne ?

Steve gloussa :

– C'est à moi qu'il faut poser cette question !

– Pourquoi ?

– Parce que Esther est rabbin elle aussi !

Une fois de plus, Déborah se tourna vers son frère :

– Danny, je sais bien que ça n'est pas le moment d'ajouter à tes problèmes...

– Ne t'en fais pas, ma vieille. Si les crises étaient prévisibles, ce ne seraient pas des crises. Et que je sois moi-même dans le cirage ne veut pas dire que je ne puisse pas faire preuve d'objectivité à ton sujet.

Il ajouta, chaleureux :

– D'objectivité et... d'une sacrée fierté !

– Mais supposons qu'ils m'acceptent. Est-ce que la *B'nai Simcha* financera mes études comme elle a financé les tiennes ?

– Bonne question. Mais supposons que tu passes ton examen les doigts dans le nez. Si brillamment qu'ils décident de t'accorder une bonne grosse bourse ?

– D'accord. Supposons qu'ils soient assez dingues pour le faire. Où va-t-on planter notre tente, ton neveu et moi ? Sous le pont de Brooklyn ?

Danny se pressait le front, entre index et pouce, comme s'il pressait son propre cerveau. Quand il parla enfin, ce fut autant pour convaincre Déborah que pour se convaincre lui-même :

– Soyons honnêtes, Deb. Je n'ai pas besoin de te dire à quel point m'man et p'pa sont impatients de te récupérer. Et la pensée d'avoir un petit-fils, dans sa propre maison, rendrait à papa la volonté de vivre.

– Mais quand il découvrira ce que je suis en train de faire...

– Tu n'es pas obligée de tout lui dire. Rabbin signifie simplement enseignant. Dis-lui que tu étudies pour devenir enseignante. Ce ne sera pas un mensonge. Rien qu'une vérité incomplète.

Satisfait de lui-même, Danny croisa les bras.

– Maintenant, tu vas m'aider à résoudre *mes* problèmes.

La plaisanterie ne fit pas rire Déborah.

– Hé ! insista son frère. Qu'est-ce qu'il y a encore ?

– Je ne peux plus... je ne veux plus mentir...

– Pour cette histoire d'enseignante ? Mais puisque je te dis que...

– Ce n'est pas ça, Danny ! explosa-t-elle. Quand tu vas savoir ce que je t'ai caché, c'est toi qui vas souhaiter que je sois morte. Mais je n'en peux plus. Il faut que j'en parle à quelqu'un...

Elle s'interrompit, guettant de la part de Danny un nouveau feu vert. Il murmura gentiment :

– Vas-y, Deb. Je t'écoute !

– Éli n'a jamais été le fils d'Avi. Ce n'est qu'une histoire que j'ai mijotée pour cacher la vérité. Au début, ça m'a paru si simple...

– Deb ! Peu importe l'identité du père. Tu l'as aimé, c'est évident. Et ça ne changera rien à l'affection que j'éprouve pour toi ou Éli.

– Tu crois ça !

Elle respira un bon coup avant de lancer, comme un défi :

– C'est Timothy Hogan.

Danny, incrédule, ne réagit pas tout de suite. Non qu'il fût choqué. Assommé, plutôt. Les instants qui suivirent passèrent au ralenti. Même les larmes, sur les joues de Déborah, paraissaient presque immobiles.

316

– Je le voyais prêtre, aujourd'hui... Je le croyais à Rome...

– Danny... Rome n'est qu'à trois heures d'avion d'Israël.

Puis elle lui raconta toute l'histoire.

– Et Tim est... au courant ?

Tout en secouant la tête, Déborah évoqua l'image du père de son enfant, avec ce regard bleu tendrement fixé sur son visage, la dernière fois qu'ils avaient fait l'amour.

Longtemps, elle s'était consolée en se disant qu'elle lui épargnait bien des peines. Mais en contrepartie, ne le privait-elle pas de bien des joies ? Noyée dans ses regrets, elle dit à son frère :

– Il n'a jamais vu Éli. Il ne saura peut-être jamais qu'il a un fils. Oh mon Dieu, Danny, qu'est-ce que je peux faire ?

– D'abord, boire un verre, dit-il pour la réconforter. Où est-ce que papa cache ses bouteilles ?

– Danny, je ne pourrais pas...

– Allons, Deb, souviens-toi de *l'Ecclésiaste*... « Le vin réjouit les vivants... »

– OK, capitula-t-elle en s'essuyant les joues. Un peu de joie ne me fera pas de mal.

La réserve d'alcools du Rav Moïse Luria était plus que modeste, mais parmi les quelques bouteilles de vin sacramentel et l'unique fiasque de schnaps, Danny cueillit triomphalement la jolie cruche de Pâques de leur père.

– Slivovitz ! J'ai entendu dire que cette eau-de-vie était de la dynamite en bouteille.

Il regarda l'étiquette.

– Plus de cinquante degrés !

Rien que la puissante odeur d'amandes qui montait du liquide ambré fit pâlir Déborah. Levant son petit verre à

317

facettes, Danny dit en hébreu, la voix tremblante d'émotion :

– L'occasion mérite une bénédiction... Béni sois-Tu, ô Seigneur notre Dieu, Roi de l'Univers, Qui nous as gardés en vie, soutenus et conduits à cet instant merveilleux... Si j'avais une corne de bélier, je soufflerais dedans !

Puis, regardant sa sœur avec une affection profonde, il lui porta ce toast :

– Longue vie, santé, bonheur à toi, Déborah... ainsi qu'à Éli...

Ses cordes vocales se coincèrent.

– Il a aussi un nom de famille, Danny, lui rappela sa sœur.

Danny hésita une seconde, puis conclut :

– Je sais. Mais je n'arrive pas à le dire.

40

DANIEL

J'attendais toujours, de mon père, un appel à son chevet qui ne venait pas.

L'année scolaire était terminée. Hormis ceux qui avaient versé dans le fossé, tous les rabbins étaient maintenant ordonnés, et je m'étais, moi-même, résigné au fait qu'en séchant mes examens de fin d'études, je n'aurais droit, ni à l'imposition des mains, ni surtout au moindre certificat de licence, ce qui est un peu la différence entre posséder une voiture, et en conduire une.

Heureusement, il me restait quelques amis. Deux, pour être exact. Beller, qui m'offrit de m'héberger temporairement. Et Ariel qui avait déjà, chez elle, la moitié de ma garde-robe. Elle accepta, sans rechigner, d'accueillir également tous mes bouquins, et m'invita même à passer l'été chez elle pendant qu'elle accompagnerait son « mécène » – comme je l'appelais pour me moquer – dans une nouvelle tournée à travers l'Europe.

De quoi me nourrirais-je, après avoir mangé toutes les denrées de luxe empilées dans son frigo, c'était une autre affaire.

Beller m'offrit également de participer à ses vacances d'été au country-club des psychiatres, à Truro, mais il fallait que je reste à New York pour aider ma sœur à préparer son examen spécial d'entrée au séminaire.

Après lui avoir avancé de quoi payer ses livres, je calculai que les deux cent soixante et un dollars encore en ma possession me dureraient à peu près six semaines, sous réserve de ne prendre qu'un repas par jour.

Confier à Ariel ma banqueroute imminente, il n'en était pas question, mais avant son départ, cette créature étrangement amorale me ménagea, au cours d'une conversation en tête à tête, la surprise de ma vie. Il semblait que, pour changer un peu de la Riviera, Charlie Meister, son mécène, eût loué sur la Caspienne la villa et le yacht qui leur permettraient de pêcher à la source, dans le plus grand lac du monde, leur esturgeon et leur caviar quotidiens. D'où le souci d'Ariel :

– Je n'aime pas te savoir seul ici, Danny. J'aimerais que tu passes l'été auprès d'Aaron. Tu aurais au moins tous ces analystes avec qui parler...

– Les réducteurs de tête ne parlent pas, chérie. Ils écoutent... et seulement quand on les paie ! En plus de ça,

Deb a besoin de moi comme répétiteur. Je ne peux pas la laisser tomber...

Inopinément, ma folle maîtresse se montra maternelle.

– Pas la peine de plastronner, Danny. Où vas-tu trouver le fric nécessaire ?

Je m'en serais tiré avec une pirouette si la profonde sollicitude qui voilait la lumière habituelle de ces beaux yeux n'avait achevé de me désarçonner.

– Aucune idée pour le moment, Ariel. Mais sitôt que Déborah sera sortie de l'auberge, je me chercherai un boulot quelconque...

– Ça te blesserait dans ton orgueil d'accepter un prêt ?

Comment lui dire que je n'avais pas d'orgueil ? Et surtout pas d'argent ? Je me bornai donc à hausser les épaules.

– Alors, c'est décidé. Donne-moi ton numéro de compte que je te fasse un virement, demain matin...

J'insistai, pour la forme :

– Mais à titre de prêt, d'accord ? Je te rembourserai...

Elle approuva si vigoureusement que plusieurs mèches blondes vinrent onduler en travers de son visage.

– D'accord... mais naturellement, rien ne presse. Je n'ai pas besoin de ces cinq mille dollars.

– Cinq mille ! Moi non plus, je n'ai pas besoin d'une somme pareille !

– Oh si ! Pour te payer du bon temps, en mon absence. Et boursicoter un brin, pourquoi pas ? Histoire d'être riche à mon retour.

– Mais je ne connais strictement rien à...

– Là, je peux te passer un tuyau ou deux. Charlie est une espèce de génie, dans ce domaine. Et comme j'ai toujours une oreille qui traîne...

Elle réfléchit un long moment avant d'enchaîner, sur un ton de conspiration :

– Je ne devrais pas te le dire, mais cet été, le coup fumant se fera sur le blé. A toi de manœuvrer en conséquence...

Les soucis qu'elle se faisait à mon égard étaient on ne peut plus sincères et, ne fût-ce que par respect pour cet amour qui dépassait, de loin, le stade de nos galipettes, je me jurai, pour la première fois de ma vie, de m'intéresser au blé, durant tout l'été.

Le lendemain matin, la Rolls de Charlie vint ramasser Ariel, devant la maison.

J'aurais voulu l'accompagner jusque-là, pour un dernier au revoir.

Mais je ne pus me résigner à entrevoir la gueule de ce type !

Ma tristesse de perdre Ariel – quelque chose me disait que c'était pour de bon – fut adoucie par le coup de fil de ma banque m'informant de l'arrivée sur mon compte de ces cinq mille dollars. L'employé n'en revenait pas. Moi non plus, je dois dire !

Grisé par ma soudaine richesse, je filai chez Zabar où j'achetai pour cinquante dollars de saumon et d'épicerie fine afin de pouvoir nourrir ma sœur quand elle viendrait prendre sa leçon, le lendemain. Je ne savais pas encore, à ce moment-là, que nous fêterions ensemble le retour au bercail de mon père.

Toutes ces années de frustrations académiques avaient accumulé une telle énergie dans les veines de Déborah qu'elle bossait comme une forcenée. Nous planchions du petit matin à six heures et demie du soir, et elle veillait chaque nuit, parfois jusqu'à une heure avancée, pour apprendre par cœur les textes que nous avions disséqués ce jour-là. Deb savait tout sur le bout du doigt quand elle revenait le lendemain à l'appartement.

Ma prédiction, au sujet de mon père, s'était pleinement réalisée. Je suis sûr que la perspective d'accueillir à bras ouverts une Déborah repentante avait accéléré sa guérison. Il acceptait aussi, sans discuter, sa décision de devenir « enseignante hébraïque ». Je pense que son rendez-vous manqué avec la mort lui avait ouvert le cœur et l'esprit, dans ce domaine. Tôt ou tard, viendrait le moment de lui révéler l'existence de son petit-fils inconnu. Mais il faudrait attendre que le grand-père eût repris des forces.

Dès sa première visite chez Ariel, dans ce lieu de débauche, Deb voulut savoir comment l'affreux petit canard que j'étais, chassé de notre Eden, avait bien pu se débrouiller pour forcer la porte de celui-ci, et je lui racontai toute l'histoire, devant un café, à la fin d'un après-midi.

En dépit des épreuves qu'elle avait traversées, Deb était demeurée foncièrement, incroyablement innocente. Car enfin, elle s'était enfuie, elle avait couché avec un séminariste et fait un enfant hors des liens sacrés du mariage et pourtant, rien ne semblait avoir entaché sa pureté spirituelle. Elle s'était donnée à Tim, elle l'avait aimé corps et âme et ne se sentait nullement en état de péché.

Si ma confession la choqua, elle réserva son jugement, se contentant d'observer :

– Tout ça ne me semble pas très kasher... mais qui suis-je pour porter un jugement ?

Sur le plan émotionnel, je me faisais un devoir de l'assister en permanence. D'instinct, je savais quels trésors d'affection elle brûlait de prodiguer à son fils, mais bien que plongé dans une grande confusion mentale, je n'ignorais pas que tout adulte doit d'abord *être* aimé pour pouvoir transmuer cet amour en amour de ses enfants.

322

Or Avi Ben-Ami n'avait jamais été qu'un mythe. Quant à Timothy, bien que réel, j'étais persuadé qu'il subirait l'érosion du temps, comme une de ces tapisseries dont les couleurs pâlissent au fil des années.

Pour le moment, elle croulait sous les bouquins. Mais si intensive, si tyrannique qu'elle fût, la préparation de ces fameux examens ne serait jamais qu'un palliatif à court terme, un moyen de différer, non d'effacer les affres de la solitude.

Comment pourrait-elle jamais chanter à Éli « Oh, mon papa, c'était un papa merveilleux... » ou « Petit papa Noël » alors que dans le cas de son fils, il n'y aurait jamais de vrai papa ?

Certes, elle prétendait vivre la vie dont elle avait toujours rêvé. Mais quand j'essayais de la cuisiner sur les personnages restés en Israël, je n'arrivais à tirer d'elle aucune information personnelle.

Finalement, tout de même, je pus détecter un premier indice.

Une de ses « unités de valeur » favorites, en vue de ses examens, n'était autre que la poésie hébraïque moderne, en quoi j'étais moi-même totalement ignare puisque, dans mon propre séminaire, on ne commençait jamais à juger l'œuvre d'un poète qu'un bon siècle après sa mort.

Je découvris, ainsi, qu'elle avait pris des cours avec un type du nom de Zev qui, sans lui inspirer des mots d'amour, lui avait inspiré, du moins, quelque chose de plus que l'amour des mots.

Comme on s'en doute, elle restait sur la défensive :

– Après tout, c'est toi qui le dis que Zev s'intéresse à moi !

– Deb, soyons sérieux ! Aucun prof ne brade ses cours particuliers sans avoir sa petite idée derrière la tête ! Tu l'appelleras, en rentrant là-bas ?

Elle se rebiffa, morose :

– Oui, si j'ai réussi mes examens !

Toujours ça de gagné. J'espérais simplement que Zev n'était pas marié. Ou définitivement acquis à la vie contemplative.

Les 27 et 28 juin 1972, Déborah subit ses douze heures d'épreuves écrites sur la Torah, le Talmud, histoire et langue, suivies d'épreuves orales dont elle se sortirait, je le savais, avec les honneurs.

Mais avant son départ, lui restait à franchir une ultime épreuve, la plus dure : celle de confesser à nos parents le secret de sa maternité.

Elle attendit la veille du premier Sabbat suivant le retour de papa au bout de la table familiale. Puis, après dîner, en présence du chœur antique composé de mes sœurs, de leurs maris et de leurs enfants, elle y alla de sa petite histoire.

Tout le monde pleura sur le sort d'Avi Ben-Ami et mon père s'engagea solennellement à dire un mois de Psaumes en souvenir de ce gendre héroïque dont il apprenait, en même temps, l'existence et la mort. A demi morte, elle aussi, de désespoir et de honte, Déborah ne put que souscrire, ensuite, au sentiment général qu'il était heureux, du moins, que le disparu revécût en la personne de son fils.

Ma mère ne cacha pas sa joie à l'idée d'entendre le rire d'un enfant résonner, de nouveau, dans la maison vide. Bref, ma noble sœur et le jeune Éli apportèrent la dernière pierre au rétablissement de papa et, du haut de ma tournure d'esprit psychanalytique acquise au contact du professeur Beller, je conclus que mon père voyait en Éli le futur remplaçant du fils qu'il n'avait plus, un tour de passe-passe qui me vouait non seulement à l'oubli, mais à l'inexistence pure et simple.

Le problème, c'est que je m'étais oublié dans mes propres prières et que lorsque Deb reprit l'avion, le jeudi 29 juin, pour aller rechercher Éli, je me retrouvai seul et complètement désemparé. Pour le week-end du 4 juillet, de surcroît ! La fête de l'Indépendance !

Mais ce fut – pour rester poétique – au crépuscule de cette nuit menaçante que je reçus, de l'étranger, le coup de fil qui allait transformer ma vie.

41

DANIEL

C'était Ariel qui m'appelait des lointains rivages de la mer Caspienne, dans la plus rouge des Russies. La communication était effroyable et sa façon de chuchoter n'améliorait pas les choses.

– Tu ne peux pas parler plus fort ?

Elle baissa un peu plus la voix pour me répondre :

– Impossible. On nous écoute peut-être.

– Qui ça, on ?

– Est-ce que je sais, moi ? Le KGB ? Les concurrents de Charlie ? Le seul téléphone sûr à cent pour cent est celui du yacht et il y est pendu presque en permanence !

J'espérais, au fond de moi, que cette conversation clandestine n'était que le prélude à une déclaration d'amour éternel. Mais je me trompais, car :

– Tu as acheté combien de blé, déjà ?

– Un pain par jour, environ.

– Danny, cesse de faire l'idiot ! Charlie n'a pas cessé de démarcher pour Brejnev, tout l'été dernier, et notre secrétariat d'État à l'Agriculture est sur le point d'annoncer une énorme vente de blé aux Soviétiques.

– Sans blague ? dis-je, cherchant à comprendre en quoi tout cela pouvait me concerner.

– Qu'est-ce qu'il fabrique dans ce trou perdu, d'après toi ? Le bortsch et la vodka, ça va un moment, mais... Bref, prends un max d'options à terme sur le blé. Tu vois mon petit Utrillo ?

– Le paysage enneigé ? Bien sûr, mais...

– Il est à toi. Je te le donne.

– Ariel, soyons sérieux. Que puis-je en faire, sinon le laisser où il est ?

Elle articula, au terme d'une courte pause :

– Apporte-le au Gros.

– Quoi ?

Les choses commençaient à prendre un tour surréaliste, mais Ariel éclaira ma lanterne. Alors que les pauvres vont chez « ma tante » pour le nécessaire, les riches y vont pour le superflu. Il va sans dire que ce n'est pas du tout la même tante.

Bien que légèrement marginales, les affaires du Gros se traitaient, le plus légalement du monde, dans un hôtel particulier discret et respectable sis au-delà de la 80e rue. Les tableaux prestigieux suspendus à ses murs témoignaient du rang social des dames de Park Avenue qui venaient lui emprunter de quoi soutenir leur train de vie.

En dépit du malaise que me causait sa générosité, Ariel parvint à me convaincre que toute cette histoire ferait son bonheur autant que le mien. Je prenais des notes à toute vitesse pendant qu'elle m'expliquait par quelles manœuvres byzantines j'allais approcher notre homme. Alors qu'elle achevait ses explications, la ligne nous fut brusquement reprise. Par le KGB ou la compagnie du téléphone, allez savoir !

Le lendemain, non sans une certaine appréhension, j'appelai le mystérieux personnage que ses clients nommaient Laurence de Medici, quand ils s'adressaient à lui. Il répondit dès la première sonnerie du téléphone.

– Bonjour...

Sa voix, très britannique, vibrait comme un stradivarius.

– Bonjour. Je m'appelle... Lurie.

Pourquoi cette altération de dernière minute ? Avais-je peur de déshonorer ma famille ?

– Je suis un ami d'Ariel Greenough.

– Ah ? Comment va-t-elle ? Depuis tout ce temps...

– Très bien, très bien. Puis-je avoir un rendez-vous pour parler d'un tableau qu'elle m'a confié ?

– Certainement, monsieur Lurie. Permettez que je consulte mon agenda.

Un instant plus tard, il était de retour.

– J'ai un déjeuner au Lutèce, à une heure trente, mais si vous pouvez être là pour midi...

Je m'empressai d'accepter, heureux de n'avoir pas trop à attendre.

– C'est parfait. Je peux être là dans une demi-heure.

– Splendide !

Puis, d'un ton pratique :

– De quoi s'agit-il cette fois ? Du Braque ou de l'Utrillo ?

– De l'Utrillo.

Comment diable pouvait-il savoir tant de choses ?

Laurence de Medici émit une sorte de ronronnement, à l'autre bout du fil.

– Une pièce ravissante. Peut-être pas un chef-d'œuvre, mais un très joli petit tableau.

Pour une fois, l'homme était la vivante image de sa voix.

Gros, sans nul doute. La réplique étudiée, jusqu'en ses moindres manières, de Sidney Greenstreet, ce vieil acteur des années quarante que j'avais découvert au Thalia.

Il examina l'Utrillo, vérifiant soigneusement son authenticité en se donnant des airs de n'y jeter qu'un coup d'œil.

– Mademoiselle Greenough vous a expliqué mes conditions ?

– Je le pense, oui.

Vous savez donc que mes tarifs sont plus élevés que ceux des autres officines de prêt ? Non par rapacité, mais comme vous pouvez le voir, j'ai presque trente millions de dollars d'art pictural sur ces murs, et ce sont les compagnies d'assurances qui sont rapaces !

– Je comprends, monsieur.

– Parfait ! Alors, j'ai une bonne nouvelle pour vous ! La valeur de cette *petite toile* a considérablement augmenté au cours des derniers mois.

Caressant amoureusement le cadre de l'Utrillo :

– Elle a franchi la barre des cent mille dollars.

Un frisson rétrospectif me parcourut l'épine dorsale à la pensée d'avoir vécu tous ces mois auprès d'un tel pactole.

– Ce qui signifie, enchaîna le gros, que je peux avancer trente mille dollars.

Je bégayai :

– Pa... pardon ?

– Disons trente-cinq mille. Je ne peux pas faire mieux.

– Naturellement. A cause des primes d'assurance !

Les formalités furent vite réglées. Son contrat standard m'accordait un prêt de trente-cinq mille dollars pour soixante jours, au taux d'intérêt vertigineux de seize pour cent. Le temps de griffonner mon (nouveau) nom à la place adéquate, le Gros sortit d'un magnifique secrétaire des liasses de billets de cent dollars ceinturées d'élastiques et se mit à les empiler sous mes yeux.

Je m'étranglai :

– Tout en liquide !

Il eut un soupir nostalgique.

– Oui. C'est rarissime en cette époque barbare, mais je suis incurablement vieux jeu.

Plaçant le tout dans une enveloppe en papier kraft légèrement déchirée, il me tendit le paquet et nous échangeâmes une poignée de main. Je murmurai poliment :

– Merci beaucoup.

– *A votre service, cher monsieur,* conclut-il, en français.

Et je considérai comme un bon signe de pouvoir lui répondre, dans la même langue, les seuls mots que je connaissais :

– *Bon appétit !*

En rentrant chez moi, je passai par une grande librairie et cherchai, au rayon « Bourse, finances, affaires », de quoi me documenter sur le commerce des denrées.

Tous les ouvrages que je feuilletai prodiguaient le même avertissement solennel : « Bien que jongler avec les comestibles apparaisse souvent comme une sinécure, étant donné que quelques cents suffisent parfois pour entreprendre des opérations importantes, le néophyte a toutes les chances d'y laisser sa chemise. »

Mon esprit philosophique en déduisit immédiatement ce

corollaire : où tu peux laisser ta chemise, tu dois pouvoir, aussi, gagner le magasin.

J'achetai deux ou trois manuels financiers pratiques et, plus important encore, le « Livret de la Bourse des denrées de Chicago » qui contenait toutes les règles du jeu. Et je consacrai un week-end solitaire à pénétrer les arcanes des marchés à terme.

Lors de la clôture de la Bourse du vendredi, le blé livrable en septembre cotait, selon le *New York Times*, 1 dollar 50 le boisseau. Sur un contrat de 5 000 boisseaux, soit 375 dollars, en ajoutant à l'argent de l'Utrillo la moitié du viatique que m'avait laissé Ariel, je pourrais commencer ma carrière de boursier, le 5 juillet, avec cent contrats tout rond.

Restait toutefois – selon mes livres – un dernier problème : la cote étant susceptible de fluctuations, tout tenant d'options à terme pouvait se trouver contraint de débourser, pour les conserver, beaucoup plus de galette qu'il ne l'avait prévu.

C'était ce qui risquait de faire du foin dans mon « opération blé » potentielle. Car en principe, j'aurais à fournir la preuve que mes reins étaient assez solides pour couvrir une marge défavorable. Pas question, en conséquence, de proposer la transaction à quelque gros courtier respectable, avec pignon sur rue. Ce qu'il me fallait, c'était un petit opérateur à l'estomac creux, prêt à prendre n'importe quoi pour lui assurer des rentrées.

Je le choisis, au hasard, dans les pages jaunes. Et compris, en débarquant devant le siège ô combien modeste de McIntyre et Alleyn, dans Wall Street, que j'avais tiré le bon numéro.

Sobrement vêtue, la blonde assise derrière le comptoir parut plutôt stupéfaite d'apprendre que j'ambitionnais de devenir client de l'établissement. Elle s'informa rapidement de mon identité, disparut derrière une cloison de verre dépoli et revint en un temps record avec un jeune type d'à peu près mon âge, chemise de chez Brooks Brothers et jolies bretelles rouges, qui se présenta :

– Peter McIntyre, petit-fils du fondateur.

Il me fit passer dans son bureau. Je refusai, en bloc, thé, café et Jack Daniel's pour plonger, tête baissée, dans le vif du sujet.

Il opina :

– Très risqué, le court terme. Surtout le blé. Aucun avenir là-dedans. Je n'y toucherais pas avec des pincettes.

Pour toute réponse, je déposai sur son bureau un chèque de banque de trente-sept mille cinq cents dollars.

– Tout ce que je vous demande, Peter, c'est d'y toucher pour mon compte.

Joint à mon adresse – merci Ariel, d'habiter dans une telle avenue – le chèque éveilla son intérêt. Puis, après signature des papiers, nous en vînmes à la question épineuse que j'appréhendais d'entendre :

– Vous valez combien, Dan ?

– Voilà une question, mon cher Peter, à laquelle aucun philosophe n'a jamais pu répondre, au cours des siècles !

Il en demeura bouche bée, l'espace d'un instant. Puis se reprit et, philosophant à son tour :

– Dans ce genre d'affaire, nous devons rester pragmatiques, Dan. Après tout, vous venez de vous engager à payer sept cent cinquante mille dollars, plus commissions.

– Ce qui ne représente jamais qu'une demi-douzaine d'Utrillo...

– Oh ? Collectionneur ?

Je lâchai, sans vergogne, la bride à mon imagination :

– J'ai prêté mes plus belles pièces à des musées. Mais

331

passez donc ma petite commande et montez chez moi boire le champagne en regardant mes estampes japonaises !

– Vous savez quoi, Dan ? On va réserver ça pour un autre soir et je viendrai avec ma femme. Gladys va s'occuper de votre achat et moi, je vous emmène déjeuner. Vous êtes mon invité.

Une semaine plus tard, le boisseau avait pris trois cents de mieux et je consacrai cette première plus-value à l'achat de trente contrats supplémentaires. Peter accepta mon ordre téléphonique sans poser de questions. Je refusai le déjeuner.

Au soir du 19 juillet, le boisseau cotait 1 dollar 57, me permettant de racheter soixante autres contrats. Pete m'invita à déjeuner. Je refusai, une fois de plus.

Mon placement continua de faire des petits.

Dans la nuit du 2 août 1972, alors que je détenais deux cent cinquante contrats et me demandais s'il n'était pas temps de reprendre mes billes, Ariel me rappela brièvement, plus excitée, encore, que la première fois :

– Vends tous les tableaux, vends le papier de tenture, mais achète du blé, à tout va !

– Tu es sûre ?

– Et comment ! C'est à peine si j'y crois moi-même, mais Leonid et Charlie sont en train de siffler de la vodka, dans la pièce à côté, et je te jure qu'on va avoir du spectacle dans les jours à venir !

Je ne touchai pas à sa collection, mais dès le lendemain, le boisseau avait repris sept *cents* de mieux. Peter trépignait sur place, me suppliant de vendre pendant que « nous étions » gagnants, mais je me montrai intraitable et continuai même d'acheter, sans problème.

Vingt-quatre heures plus tard, le grain ambré avait poussé de cinq autres *cents* et selon le mot de Pete, je « valais », réellement, plus d'un quart de million de dollars.

McIntyre était à deux doigts de la folie. Il hurlait comme à un match de football.

– Vendez, Danny, vendez !

Mais j'étais, à ce stade, complètement grisé par une sensation d'infaillibilité, d'invulnérabilité absolue :

– Rachetez, Peter, rachetez : deux cent cinquante contrats de plus...

– Non, Danny, non !

– Si, Peter, si !

Deux autres semaines s'écoulèrent, avec des bruits de coulisse, au sujet d'un marché probable avec la Chine, qui firent encore grimper la cote. Et quand, le 23 août, je dis à Peter de revendre mes treize cents contrats, il était dans un tel état qu'il en éprouva, j'en suis sûr, une sorte de déception.

Après retenue de leur commission, McIntyre et Alleyn transférèrent sur mon compte en banque 1 095 625 dollars.

J'étais donc un authentique millionnaire. Mais avec qui partager mon triomphe ? Même si j'avais pu téléphoner à mon père et lui dire : « Bonne nouvelle, papa, je suis très riche », il m'aurait probablement cité le proverbe hébreu : « Est riche qui se contente de son sort. »

J'envoyai à Déborah un télégramme euphorique l'informant que j'avais pris toutes dispositions pour assurer, jusqu'au bout, ses études rabbiniques.

Et ce fut tout. Je n'avais personne avec qui fêter ma soudaine réussite.

Je passai une soirée solitaire à relire, sans savoir pourquoi, l'*Ecclésiaste*. Le lendemain, je tombai, dans le Bronx, sur un *shtibel,* sorte de mini-synagogue hassidique, et selon la coutume, y fus appelé, en tant que nouveau venu, à lire la Torah. Ma façon de remercier Dieu, la seule qui me fût accessible.

Pendant les bénédictions, j'adressai au Tout-Puissant une prière muette Lui proposant un marché qu'Il n'avait aucune raison de refuser : une fois réglées la formation rabbinique de Deb, les factures des toubibs de la famille et la scolarité future du petit Éli, *reprenez tout le reste, ô Seigneur, et rendez-moi l'amour de mon père.*

Quand Ariel me rappela, deux ou trois jours plus tard, la communication était parfaitement claire. C'est elle qui ne l'était pas. J'ironisai :

– Voilà où conduit l'abus de la vodka !

Sans me laisser le temps de lui exprimer ma gratitude pour ses infos de première main, elle trancha, sinistre :

– Je suis à Vegas, Danny. Je veux juste te dire au revoir. Je regrette...

Imaginant la suite, je prétendis, le cœur gros :

– Il t'épouse, c'est ça ? Félicitations, même si...

De nouveau, elle m'interrompit, la voix pâteuse :

– Tu n'y es pas du tout... Tu sais quel jour on est ?

Je le savais, mais je ne voyais pas où elle voulait en venir. Elle gémit, pleurant presque :

– C'est mon anniversaire. Ma foutue saloperie de trentième anniversaire !

– Et alors ? Tu es Ariel, l'esprit léger...

– Ne te fatigue pas, Danny. Trente ans, c'était la limite, pour Charlie.

– Tu veux dire qu'il t'a larguée ?

– C'est le mot. Sans rien casser, je précise. Il ne me laisse pas exactement dans le besoin.

Je me dépêchai de protester :

– A moi de te gâter, maintenant. Je vais m'occuper de toi. On va se...

– Pas question ! Tu es beaucoup trop gentil pour épouser une demi-folle de mon acabit ! D'ailleurs, je ne suis pas faite pour la légitimité... De toute façon, Charlie m'a acheté une villa à Bel Air et une compagnie de disques. Je recherche des talents à Vegas. Si je pouvais convaincre Tom Jones de signer chez moi...

– Je te le souhaite de tout mon cœur.

Le mien était serré de la sentir aussi malheureuse, aussi perdue.

– Oh, j'allais oublier. Charlie aimerait que tu libères l'appartement pour le Labour Day [1].

– J'emménagerai dès demain à l'hôtel Pierre. Tu me donneras de tes nouvelles ?

– Non.

Catégorique et définitif. Avant d'ajouter :

– Tu mérites quelqu'un de meilleur que moi.

Je lui répondis avec la même sincérité :

– Toi aussi, je pense. Dis-moi au moins où je peux te renvoyer l'Utrillo.

– Tu plaisantes ? Vends-le et fais don de l'argent à une œuvre. Il y a tellement d'orphelins, en ce monde...

Je savais que jusqu'à la fin de ma vie, je m'interrogerais sur le sens exact de sa dernière réplique.

---

1. Le 1er lundi de septembre, aux États-Unis et au Canada. *(N.d.T.)*

42

DÉBORAH

Quand, le 30 août 1972, Déborah dit au revoir à ce lieu qui resterait toujours son foyer, à ces gens qu'elle considérerait toujours comme sa famille, ce fut pour elle un nouveau et terrible crève-cœur.

Doux-amers étaient les souvenirs qu'elle emportait de ses derniers jours au kibboutz, ponctués des accolades et des vœux chaleureux de ses nombreux amis visités chez eux ou rencontrés au hasard de ses promenades.

En compensation du chagrin de cette rupture, elle éprouvait la joie inépuisable de voir grandir son fils et la perspective de vivre enfin, réellement, sous le même toit que lui.

Lorsque Steve Goldman lui avait annoncé, par téléphone, qu'elle était reçue à ses examens, elle s'était réjouie de cette nouvelle victoire dans le long combat pour l'égalité des femmes juives.

C'est dans le vieil autocar bourré à craquer que presque la moitié du kibboutz l'accompagna à l'aéroport. Son fils sur les genoux, Déborah évita soigneusement de se retourner, au cours du trajet, pour ne pas pleurer comme un gosse en voyant s'éloigner, là-bas, les flots d'azur du lac de Tibériade.

En dépit de toute son éloquence, Boaz ne put obtenir, des services de sécurité, l'autorisation, pour tout le groupe, de pénétrer dans l'aire d'embarquement. Seuls lui-même et son épouse purent accompagner jusqu'au bout la voyageuse et, faussement bourru, Boaz gronda en embrassant Déborah :

– Tu promets solennellement de revenir nous voir, l'été prochain ?

– Je jure de revenir vous voir *chaque* été !

– Un à la fois, tu veux ? Je ne te ferai bosser qu'à mi-temps. Tu pourras étudier le reste du temps...

Touché par la tristesse de l'événement, Éli se mit à pleurer.

– Tu es un grand garçon, mon chéri, lui dit Déborah. Embrasse grand-papa et grand-maman.

L'enfant obéit, gémissant d'une voix tremblante :

– *Shalom sabta.*

Trop agité pour rester en place, Éli transforma le voyage en un long cauchemar. Le seul répit que connut Déborah lui fut accordé par le dévouement d'une hôtesse qui se porta volontaire pour tenir « le petit mignon » – un mot que Déborah elle-même n'eût certainement pas employé – pendant que maman irait se rafraîchir aux toilettes.

Mais bien que particulièrement épuisante, l'insomnie de son fils la garda d'entretenir des pensées autrement plus angoissantes.

Comment allait-elle pouvoir concilier études et maternité ? Comment allait-elle pouvoir vivre, de nouveau, dans la maison de son père ?

Elle l'avait quittée comme une vilaine petite fille mise en pension pour prix de ses fautes. Elle y revenait comme une femme à la fois meurtrie et comblée par les douleurs et les joies les plus fondamentales de l'existence.

Son père s'accommoderait-il de ce changement ? L'accepterait-il en tant que personne adulte ? Même s'il ne pouvait s'y résoudre, elle n'avait aucune alternative. Du moins jusqu'à ce qu'elle pût conquérir son indépendance.

Ces soucis la hantaient plus que ses futures études, car elle était heureuse à l'idée d'étudier le Talmud, la Torah, l'histoire, avec les *hommes*. Quant à son ordination, elle se situait dans un avenir encore si lointain qu'elle ne l'effrayait en aucune manière. Il y avait assez de défis à relever, aujourd'hui, sans se préoccuper de ceux du lendemain.

C'est avec le contact effectif, sur sa poitrine, du petit être humain remuant et chaud que Danny prit pleinement conscience de la réalité incontestable du jeune Éli. Littéralement hypnotisé, il constata :

– Ce sont les yeux de son père...

– Oui.

Mort de sommeil et subitement apeuré, Éli se mit à brailler. Danny entreprit de le consoler, d'une voix apaisante :

– Calme-toi, petit, c'est tonton Danny...

Puis, à Déborah :

– Il parle quelle langue ? Hébreu ? Anglais ?

– Moitié, moitié.

Pour une raison connue de lui seul, Éli se tut, fourrant une de ses petites mains dans le cou de son oncle.

Au porteur qui les suivait, Danny ordonna :

– Par ici. Mon carrosse nous attend.

La limousine était si longue qu'elle ressemblait plutôt à un wagon de chemin de fer. Un chauffeur noir en livrée bleue y installa Déborah et son fils, tandis que Danny présidait à l'embarquement des bagages dans le coffre arrière.

Quand il les rejoignit à l'intérieur du véhicule, Déborah protesta :

– Danny, tu n'aurais pas dû... Ça va te coûter une fortune.

– Rien n'est trop beau pour ma sœur et mon neveu. Quant au fric... mon seul problème est de savoir comment le dépenser.

Aussi brièvement que possible, il reconstitua, au bénéfice de sa sœur, l'histoire de son passage express du rabbinat à la fortune. Déborah ne le quittait pas des yeux, profondément mal à l'aise. Il était trop gai, trop euphorique. Il s'acharnait un peu trop à prouver qu'il était heureux.

– Papa et maman sont dans le secret ?

– Bien sûr que non. Je n'ai pas eu le courage de décrocher le téléphone. Papa va beaucoup mieux, mais il ne sort de la maison que pour se rendre à la *shoule*.

Subitement, ses traits se modifièrent et son sourire devint grimace.

– J'aimerais leur venir en aide, Debbie. Surtout à maman. Je voudrais l'emmener chez Saks, dans la 5ᵉ avenue, et la regarder vider le magasin. Mais il méprise trop ce que j'ai fait pour la laisser venir. Oh, je voudrais tellement...

Il dut s'interrompre, à court de mots. Elle l'encouragea :

– Dis-moi encore... dis-moi ce que tu penses.

Il lui prit la main.

– Deb... s'ils ont besoin de quelque chose... pour la maison, pour l'école ou pour eux-mêmes... je voudrais tellement leur être utile...

Un peu avant d'aborder la voie rapide Brooklyn-Queens, la limousine s'engagea dans une bretelle latérale pour s'arrêter un peu plus loin, à la grande surprise de Déborah, auprès d'une autre limousine.

– Danny, qu'est-ce que c'est que cette histoire ?

– C'est là que le fils prodigue doit s'effacer du décor, Déborah. Je suis toujours interdit de séjour dans le fief de papa... Je me sens un peu dans la peau d'un Spinoza frappé d'excommunication.

La jeune femme posa son autre main sur celle de son frère.

– Je vais arranger les choses, Danny, je te jure que je vais tout arranger. On s'appelle ?

Il rectifia :

– *Tu* m'appelles. Je suis à l'hôtel Pierre, pour le moment.

Sortant de sa poche une pochette d'allumettes noire à couverture de soie :

– Le numéro est dessus. Appelle-moi dès que tu vois une possibilité. J'aimerais au moins sortir mon neveu et lui acheter quelques joujoux. Un million ou deux.

Sur un éclat de rire de Déborah, le frère et la sœur s'embrassèrent. En déposant un gros baiser sur le front d'Éli, Danny chuchota :

– Occupe-toi bien de ta maman.

Alors que sa propre limousine démarrait en souplesse, Déborah regarda, par la lunette arrière, Danny remonter, tristement, dans l'autre voiture.

43

DÉBORAH

Partie dans le silence et la disgrâce, elle rentra chez elle auréolée d'une gloire comparable à celle de la reine Esther.

Non seulement son père et sa mère, ses sœurs et leurs

maris les attendaient, elle et son fils, mais aussi quelques parents éloignés que Déborah connaissait à peine et qui furent tous d'accord pour proclamer que cet enfant, objet de leur curiosité, était encore plus beau, grandeur nature, que sur ses photographies.

Dès que chacun eut placé son mot, le rabbin Luria réclama le silence. En plus d'une certaine raideur résiduelle, du côté droit, sa longue carcasse amaigrie, sa mine pâle et défaite dégageaient encore une impression de fragilité quand il leva son verre pour porter un toast au nouveau membre de la famille Luria, Éli Ben-Ami.

Toute la mise en scène de l'événement, songea Déborah, était évidemment son œuvre, car nul ne prononça le prénom de Danny.

Il aurait été renversé par un camion, que de nombreuses allusions eussent été faites à sa mémoire, mais là, rien. Comme s'il n'avait jamais existé.

Impossible, en conséquence, de savoir si certains d'entre eux étaient au courant de sa récente fortune dorée. Mais alors que la fête battait son plein, Déborah aperçut sa mère qui, assise à l'écart, pleurait en silence la perte de son fils unique.

Plus tard, au souper, après que le dernier invité eut quitté la maison et qu'Éli entreprit de faire enrager sa mère en l'obligeant à ramasser, plusieurs fois de suite, sa cuillère sur le plancher, Moïse Luria sourit à son petit-fils et dit :

– *Nu,* mon garçon, si nous parlions un peu en *mamaloshen.*

Déborah tiqua légèrement, mais s'abstint d'intervenir. D'une certaine façon, Moïse Luria vivait toujours dans le ghetto de Silcz et l'expression « langue maternelle » qu'il venait d'employer rappelait une époque où le yiddish était le dialecte des citoyens de seconde classe. Des mères, en particulier, qui n'avaient pas le privilège d'apprendre l'hébreu.

Aujourd'hui, elle voyait la chose sous un autre angle, car elle rentrait d'un pays où l'hébreu ne servait pas seulement à bénir, mais à demander son chemin, dans la rue.

Bien que très différent de l'abominable rabbin Schiffman, son propre père ne correspondait nullement à l'idée que se faisait Déborah du juif moderne. Mais dans la mesure où c'était toujours son père, il lui faudrait bien apprendre à dissocier idéologie et amour filial.

Du moins, à New York, Éli pourrait-il apprendre à parler couramment la langue anglaise. Évidemment, quand elle passerait ses journées à l'université, il risquerait d'entendre encore moins d'anglais, à Brooklyn, qu'il n'en entendait au kibboutz. Et Déborah ne voulait pas que son fils grandît en lisant les mots de Shakespeare et de Thomas Jefferson comme une langue étrangère.

Grand gaillard aux larges épaules qui ressemblait davantage à un entraîneur de football qu'à un proviseur d'université, le doyen Victor Ashkenazy monta sur le podium et, souriant, parcourut des yeux une assistance composée d'hommes et de femmes, les premiers étant néanmoins deux fois plus nombreux que les secondes.

– Mesdames et messieurs...

Trois mots que Déborah Luria n'avait jamais rêvé d'entendre prononcer un jour dans une classe rabbinique. La route avait été longue et difficile à parcourir dans l'attente de ce moment privilégié !

– Mesdames et messieurs, avant d'être un titre honorifique, « rabbi » signifiait simplement « maître », et n'a pris son sens moderne qu'à l'époque d'Hillel, contemporain, comme vous le savez, de la démarche historique du Christ...

Encore un mot que Déborah n'eût jamais cru entendre dans un séminaire israélite.

– Quand, ainsi que nous le rapporte Marc dans son Évangile, Pierre a la vision de Jésus s'entretenant avec Élie et Moïse, il donne à son guide le titre de « rabbi ». Historiquement parlant, les deux autres dignitaires juifs ne pouvaient se parer du même titre.

Le doyen fit une pause, observant ses auditeurs.

– Un rabbin n'est pas un prêtre. Il n'en a pas les privilèges. C'est un simple intermédiaire entre Dieu et l'homme. Il ne peut accorder l'absolution. Ce pouvoir ne réside qu'entre les mains du Tout-Puissant. Il n'est habilité à commander personne. Mais il doit inspirer le respect. Car avant tout et par-dessus tout, c'est un enseignant. Dont le devoir redoutable est d'offrir à tous un exemple irréprochable de conduite sur cette terre et de vénération du Seigneur.

« Permettez-moi de vous répéter une vieille plaisanterie qui n'est, hélas, pas moins d'actualité aujourd'hui qu'elle ne l'était lorsque l'ont entendue mes oreilles d'enfant.

« Plusieurs mères de famille discutent sur une plage, en Floride, des mérites respectifs de leurs fils. Le mien est chirurgien, dit fièrement l'une d'elles. Une autre se vante que le sien est avocat, et ainsi de suite.

« Vient le tour de madame Greenberg qui, à la question posée, riposte : " Moi, mon fils est rabbin. "

« A quoi toutes les autres se récrient, pleines de commisération : " Mon Dieu, quel sale boulot pour un si charmant jeune homme juif ! "

Il n'y eut que des sourires teintés de jaune par cette vérité fondamentale.

343

– De nos jours, enchaîna le doyen, c'est également un sale boulot pour une charmante jeune femme juive ! Et j'ai bien peur que le mot « boulot » ne soit exactement celui qui convienne !

« La tâche impossible ou presque de tout rabbin, c'est d'empêcher les autres juifs de perdre leur identité, dans un monde non juif, de rester une minorité qui soit fière d'en être une. Sans parler du stress énorme qui s'attache à tenter de faire le bien dans un monde où non seulement le mal existe, mais où, comme Dieu le dit à Isaïe, chapitre quarante-cinq, verset sept, il est inséparable de Sa création.

Se penchant sur la chaire pour être plus près de ses auditeurs, le doyen poursuivit d'une voix plus douce, presque confidentielle :

– Voilà qui nous mène au cœur du sujet ! Car jusqu'à la fin de nos jours, pas un seul ne s'écoulera sans qu'une personne au moins, juive ou non, ne pose la question existentielle la plus difficile à laquelle un homme ou une femme de Dieu puisse avoir à répondre.

« Pourquoi notre Dieu juste et bon, plein d'amour et de miséricorde, a-t-il également créé le mal ?

« Tel est le problème que Job n'a pu comprendre. Ni les victimes de l'Holocauste. Ni ses survivants. Notre tâche, en tant que rabbins, est de leur apprendre à vivre dans ce monde imparfait.

« Vos études rabbiniques viseront un double objectif. En premier lieu, l'étude rétrospective et l'acquisition de l'héritage légué par des millénaires de sagesse ainsi que la transmission de cette sagesse, tel un flambeau, à la génération montante.

« En second lieu, non moins importante sinon davantage, la pleine compréhension du rôle sacerdotal d'un moderne représentant de Dieu, homme ou femme, qui est d'apporter conseil et consolation.

344

« Avant tout de montrer la voie, ou selon la parole de Micah, " D'agir avec équité, dans l'amour de la miséricorde, et de marcher humblement au côté de ton Dieu ".

« Je vous offre à tous mes bénédictions et mes vœux de réussite.

Déborah passa cette première matinée avec Moïse et ce premier après-midi avec Jonas.

Bien que ses lectures l'eussent déjà familiarisée avec tous ces textes, c'était la première fois qu'elle pouvait en discuter librement avec un professeur et des condisciples.

Leur exégète de l'Ancien Testament, le professeur Schoenbaum, était un dur à cuire farouchement opposé à l'ordination des femmes et bien connu pour des saillies gratuites du genre : « Même une femme pourrait assimiler ce concept ! »

Mais il lui apparut, dès le premier jour, que les connaissances et la perspicacité de Déborah étaient à cent coudées au-dessus de la moyenne, et sa conclusion fut immédiate :

– Je ne saurais trop vous recommander de suivre l'exemple dans l'application à l'étude de mademoiselle Luria, qui travaille et pense comme un *bocher* de yeshiva.

En d'autres mots, comme un *homme*.

A sa sortie, ce premier jour, elle eut la bonne surprise d'apercevoir son fidèle répétiteur et courut se jeter dans ses bras.

– Quelle bonne surprise, Danny !

– Je voulais simplement m'assurer que tout se passait bien.

– Oh, Danny, c'est passionnant ! Avoir toujours lu la Torah à la chandelle et d'un seul coup, me retrouver en plein soleil avec des gens qui partagent les mêmes valeurs, c'est fantastique !

Il la délesta de son paquet de livres, feignit, comiquement, de plier sous le poids et grogna :

– Un peu lourdingue, non ?

– Après un esclavagiste comme toi, bosser avec le professeur Schoenbaum est une sinécure.

– C'était l'effet recherché. Te durcir en vue de la bataille. Tu as le temps de boire un café ?

– Oui, mais tout de suite.

Assis à une terrasse en plein air, ils commandèrent des capuccinos et le prodige de Wall Street, le nouveau magicien de la finance, amorça timidement :

– Pas encore parlé au paternel ?

– Non. Je ne veux pas précipiter le mouvement.

Il cacha sa déception derrière une mimique trop approbatrice.

– Bien sûr, bien sûr, c'est une meilleure stratégie. Je voulais simplement savoir s'il n'avait besoin de rien.

– A vrai dire, il a surtout besoin de temps. Le temps de cuver sa colère. Mais crois-moi, j'y travaille.

– Et maman ? Elle n'aurait pas envie de quelque chose ?

– Sincèrement, je crois qu'elle rêve d'un four à micro-ondes. Mais pas question de le lui planter comme ça dans la cuisine. Attendons son anniversaire pour le lui offrir.

La nervosité de Danny semblait s'accroître de seconde en seconde.

– Bien sûr, bien sûr, mais pour son anniversaire, j'avais une autre idée. Je voudrais leur acheter ce bungalow qu'ils ont toujours loué pour les vacances, à Spring Valley. Tu vois ce que je veux dire ? Pour qu'ils puissent y aller chaque fois que ça leur chante.

De plus en plus mal à l'aise, il avoua :

– En fait, je l'ai déjà acheté.

Déborah lui prit la main.

346

– Danny... il faut laisser faire le temps. Je ne pense pas que tu puisses acheter l'amour de papa.

– Ouais, dit-il avec amertume, c'est bien ce que je craignais.

– Raconte-moi plutôt ce que tu fais de tes journées.

Il esquissa un haussement d'épaules.

– Eh bien, mes admirateurs de chez McIntyre et Alleyn m'ont installé un bureau et j'ai ma propre secrétaire. Ils sont également en train de me pistonner pour que je passe l'examen de courtier officiel à l'Institut des Finances.

– Ça y est, pouffa Déborah. Te revoilà dans les études.

– C'est même la seule chose qui me plaise... Si seulement ils ne me prenaient pas pour l'oracle de Delphes, toujours suspendus à mes prédictions. J'espère qu'un jour, je saurai de quoi je parle ! En attendant, je me suis payé un ordinateur. Artificiellement ou pas, j'ai bien besoin d'un surcroît d'intelligence !

– Bref, tu es un homme très occupé.

– Pas vraiment. Ça ne m'amuse pas de regarder mon fric produire des intérêts. J'ai un appartement de six chambres sur la 5ᵉ avenue. Cinq sont vides. Tout ce qui me manque, c'est un peu de bonne compagnie !

– Tu as revu Beller ?

– Je l'ai emmené dîner, l'autre soir, avec sa femme. Il m'a collé dans les pattes d'un psy.

– Et alors ?

– Alors rien. Au lieu de m'explorer le subconscient, il n'arrêtait pas de me demander des tuyaux boursiers.

– Tu rigoles ?

– J'en ai l'air ?

Il eut un sourire sans joie.

– C'est tellement loin de Brooklyn, la 5ᵉ. Éli et toi, vous devriez venir habiter chez moi, à Manhattan. J'engagerais une gouvernante.

Tout en Déborah penchait vers une réponse affirmative. Mais elle ne pouvait quitter, déjà, le giron familial qu'elle venait juste de retrouver.

– Dan... Éli est dans un chouette groupe de jeu dirigé par deux jeunes Israéliennes. Je ne veux pas le déraciner, une fois de plus. Et j'aimerais rester à la maison encore un petit bout de temps.

Le ton de Danny se fit plus pressant.

– Hé, grande sœur, tu as des problèmes de cordon ombilical ? Tu ne vas pas me faire croire que c'est le groupe de jeu du petit Éli qui te retient à Brooklyn !

Elle se détourna, fuyant son regard.

– Non. Je ne sais pas trop comment le dire, mais... j'ai toujours envie de regagner l'approbation de papa.

– Je te comprends. Nous sommes deux dans le même cas.

Gêné, subitement, par l'aveu de leur commune faiblesse, il regarda sa montre.

– Hé, Deb, tu vas être très en retard. Je t'accompagne jusqu'à ta voiture.

– Mais je n'ai pas de voiture.

– Oh, que si !

Il glissa son bras sous celui de sa sœur. Elle résista, pressentant une nouvelle extravagance.

– Oh non, pas encore un de tes porte-avions !

– J'aimerais. Mais ils comprendraient qu'on se voit à la sauvette. Et ça ne ferait qu'envenimer les choses à la maison. J'ai donc adopté un compromis. Il s'appelle Moe.

– Qu'est-ce que c'est que cette histoire ?

Elle commença à comprendre en apercevant, de loin, le taxi jaune garé contre le trottoir, avec son chauffeur en casquette appuyé à la portière.

– Dépêchez-vous, m'sieur-dame ou on va se payer tous les bouchons, jusqu'au tunnel.

– Alors ? insista Déborah.

– Je te présente Moe, ton chauffeur particulier et crois-moi, j'en ai rencontré un paquet avant de choisir celui-ci. Il te ramènera tous les jours à la maison. Tu n'auras pas besoin de voyager cramponnée à une courroie et tu pourras lire en cours de route.

Profondément touchée, Déborah protesta :

– Danny, tu n'as pas à me gâter de cette façon-là !

– Si tu en connais une autre, je suis preneur. En attendant, tu peux te fier à Moe.

Elle embrassa chaleureusement son frère, lui glissant à l'oreille :

– Merci...

– Encore cinq minutes, spécifia Moe, et faudra un hélico pour passer le pont !

Il ouvrit la portière en pinçant sa casquette de l'autre main. Confortablement installée sur le siège arrière, Déborah songea aux paroles du doyen Ashkenazy, à la façon dont elles pouvaient s'appliquer au personnage de Danny, inconscient parangon de générosité, de prévenance et d'amour.

Elle se le représenta, seul sur son magnifique balcon à observer le carnaval permanent des activités de Central Park, les amoureux assis dans l'herbe, les vieux en balade, les jeunes courant dans les allées, les autres circulant à des allures intermédiaires. Spectateur de tout, sans jamais y participer.

Elle se demanda pourquoi il était si seul. Comment ce garçon – elle ne pouvait se faire à l'idée qu'il était un homme – qu'elle avait connu débordant de joie de vivre, pouvait-il demeurer ainsi, sans amis, dans une sorte d'isolement volontaire ?

A quoi bon cette quarantaine et surtout, pour quelles raisons ?

44

DANIEL

Même un homme aussi docte que mon père ne peut forcer l'histoire à se répéter.

Depuis deux ans que je suppliais Déborah de venir vivre à Manhattan, j'avais réalisé quelques autres coups fumants, prédisant, entre autres, la dévaluation du dollar, en 73, et la plus-value sur le jus d'orange, en 74. J'étais si riche, à présent, que je logeais ma solitude dans un duplex de douze pièces qu'il me serait facile de couper en deux si Déborah finissait un jour par accepter mes propositions, car nous y serions à la fois très proches et totalement indépendants l'un de l'autre. Mais pour des raisons qu'elle ne pouvait m'expliquer, encore moins s'expliquer à elle-même, elle avait choisi de rester à Brooklyn et de s'infliger chaque jour l'aller et le retour entre Brooklyn et l'Hebrew Union College.

Puis, un dimanche, un incident la contraignit à trancher dans le vif cette cohabitation indûment prolongée entre une jeune mère et ses parents.

Ce dimanche-là, elle allait pénétrer dans l'immense bibliothèque talmudique de son père afin d'y puiser la documentation d'un de ses devoirs de fac, quand lui parvint la voix d'un très jeune garçon ânonnant : « *In Ershten hut Got gemacht Himmel und Erd.* »

C'était mon père qui enseignait à son petit-fils les mots immortels de la Genèse, dans leur version médiévale en yiddish.

Jetant un regard à travers la porte entrebâillée, elle fut à la fois effrayée et touchée de voir Éli juché sur les genoux de son père, comme au bon vieux temps où j'apprenais moi-même la Torah.

Si Déborah était heureuse que son fils bénéficiât d'un privilège qui ne lui avait jamais été accordé, elle appréhendait, en revanche, que notre père eût l'intention de renouveler, avec Éli, l'expérience qu'il avait tentée avec moi.

Quand papa quitta la maison pour effectuer sa tournée dominicale des classes de la yeshiva, Déborah m'appela pour me dire qu'elle emménagerait chez moi le soir même, en attendant de trouver sa propre demeure. Le fait que dans une crise de folie – ou de simple optimisme – j'aie déjà pris toutes les dispositions pour séparer mon appartement en deux, les 1505 et 1505 *bis*, lui apporta plus de réconfort que de réelle surprise.

Et puisqu'elle allait perdre, en la personne de maman, la cuisinière-baby-sitter dont les initiatives de mère-poule la maintenaient dans une sorte d'adolescence artificielle, j'avais également engagé une gouvernante à la compétence indiscutable. Bien que native de Birmingham, Alabama, l'imposante Lucille Lamont pratiquait, depuis près de quatre décennies, la cuisine kasher, et mon neveu n'aurait donc à souffrir d'aucun décalage culturel, au moins dans le domaine de la gastronomie.

Comme elle me le raconta dans la soirée, Déborah tenta d'atténuer le choc en promettant à mes parents de revenir, chaque fois que ce serait possible, passer le Sabbat à la maison, mais une telle détresse apparut, dans les yeux de mon père, à l'annonce de sa décision subite, qu'un gigantesque sentiment de culpabilité faillit renverser sa résolution déjà chancelante. Dieu merci, son instinct de survie prévalut en fin de compte et vers trois heures de l'après-midi, Moe et son taxi arrivèrent pour procéder à son déménagement.

Un incident stupéfiant marqua l'embarquement, à bord

du véhicule, des derniers joujoux de mon neveu. Venue jusqu'à la voiture, sous prétexte d'apporter un tricycle, maman chuchota dans l'oreille de sa fille :

– Crois-moi, mon enfant, c'est à moi que le petit Éli va manquer le plus. Mais je t'approuve entièrement. C'est la seule façon, pour toi, de...

– De quoi, m'man ? l'encouragea Déborah.

– Tu sais bien... de vivre une vie normale.

– Car d'après toi, je ne vis pas une vie normale ?

– Non. Tu n'es pas mariée.

Bien que papa se fût ostensiblement abstenu de demander où elle allait, ni lui ni maman n'avaient, sur ce point, le moindre doute. Maman chargea même Déborah d'un message, à mon intention :

– Assure-toi que Danny est bien couvert.

Quatrième partie

45

TIMOTHY

Les vingt-six hommes gisaient prosternés sur les froides dalles de pierre blanche de Saint-Jean-de-Latran, si semblables, dans leurs aubes immaculées, que l'on eût dit une rangée de cocons géants. Bien que le sol fût tapissé, la fraîcheur de la pierre atténuait un peu la fièvre de leurs joues enflammées par l'été romain et l'ardeur de la foule.

C'était le 29 juin 1974, la fête des saints Pierre et Paul, une des plus sacrées du calendrier ecclésiastique. Mais qui désormais, pour chacun d'entre eux, se parerait d'une signification supplémentaire. Le jour espéré, redouté entre tous, où se creuserait le fossé entre les simples mortels prisonniers de la vie terrestre et leurs âmes désormais attachées à l'Église éternelle.

Parmi ces vingt-six hommes, figuraient quatre des candidats irlando-américains. (George Cavanagh avait été ordonné l'année précédente.) D'aussi près que Naples ou d'aussi loin que les Philippines, parents et amis étaient venus assister à la cérémonie. Et, en dépit d'un fort contingent de familles américaines, seul Tim n'avait personne, sur place, qui pût se réjouir avec lui de ce couronnement d'une longue suite d'épreuves. Mais ne valait-il pas mieux qu'il en fût ainsi puisque cette journée serait, en fait, l'image même de son avenir ? Marié publiquement à l'Église et seul à connaître son véritable nom : Solitude.

Tout de rouge vêtu, le principal officiant, le cardinal Emilio Auletta, préfet de la congrégation pour l'enseignement catholique, siégeait sur un trône surélevé de trois marches. Sa présence effective était pour ces jeunes gens un honneur qui rappelait, en le soulignant, l'intérêt particulier qu'ils inspiraient à l'aristocratie du Saint-Siège.

Après l'Évangile de la messe d'ordination, eut lieu la présentation au cardinal qui les interrogea, une dernière fois, sur la sincérité et la profondeur de leur vocation.

Puis le père John Hennessy, recteur du North American College, aujourd'hui *Cerimoniere* (maître de cérémonie), lut par ordre alphabétique, d'une voix sonore, les noms des candidats agenouillés devant lui, la tête humblement baissée, se retournant ensuite vers Son Éminence pour lui dire :

– Notre Sainte Mère l'Église vous demande d'ordonner ces hommes, nos frères, à la dignité de prêtres.

– Car vous les en jugez dignes ? questionna le cardinal.

A quoi, non moins rituellement, le père Hennessy répondit :

– Après enquête auprès des serviteurs du Christ et sur la recommandation de ceux qui participèrent à leur éducation religieuse, je témoigne ici qu'ils en sont dignes.

Lorsque le prélat posa doucement les mains sur sa tête, Timothy sentit naître, au fond de lui, une sensation qui grandit à mesure que les autres prêtres officiants le bénissaient, à leur tour, par « imposition des mains ».

Ce fut l'instant le plus physique et le plus spirituel de la journée. Ceux que la main de Dieu avait déjà touchés lui transmettaient la flamme sacrée. C'était leur façon de lui dire : désormais, nous sommes tous frères.

Après que le cardinal Auletta eut chanté la Prière de la consécration, les prêtres servants revêtirent les candidats d'étoles et de chasubles rouges. Ceux qui avaient commencé leur matinée à plat ventre pouvaient désormais s'envoler comme autant de papillons écarlates fraîchement sortis des chrysalides couvées par l'Église. A présent, les vingt-six candidats étaient prêtres et, debout aux côtés du cardinal, savouraient le privilège de concélébrer l'office.

Mais quand, redescendant l'allée centrale au cœur de la dernière procession, Tim put voir de près la foule des amis bouleversés et des parents en larmes, il ne put s'empêcher de se demander :

– Qui pleure pour moi, en ce jour ?

Lors de la réception réservée, au North American College, à ceux qui avaient traversé l'océan pour voir leur fils ou leur neveu entrer au service de Dieu, l'ambiance fut nettement moins solennelle, avec les flashes qui jaillissaient de toutes parts, au même rythme que les bouchons, et l'asti spumante qui débordait joyeusement des coupes.

Quelques prélats américains avaient fait le voyage, entre autres le père Mulroney, ancien évêque de Brooklyn, devenu archevêque de Boston avec la barrette rouge de cardinal.

Quand Tim lui présenta ses félicitations, Son Éminence les écarta d'un geste.

– Pas du tout, mon garçon. C'est vous qui méritez toutes les louanges. Et je suis heureux que vous ayez décidé de poursuivre vos études.

– Grâce à la bourse que Votre Éminence m'a permis d'obtenir.

– C'était le moins que je puisse faire. Je suis sûr que

357

vous allez vous plaire au Grégorien. Ai-je besoin de vous rappeler que cet institut a fourni plus de cardinaux et de papes que Harvard n'a jamais produit de sénateurs et de présidents ? Vous savez par quel sigle nos collègues européens désignent la *Pontificia Universitas Gregoriana.*

– Oui, Votre Éminence. P.U.G. Pug ! Un mot amusant, surtout pour une oreille américaine [1].

– Exact, pouffa Mulroney. A plus forte raison pour quelqu'un de Brooklyn.

– Dois-je y voir une allusion à mon passé plutôt... turbulent ?

– Bien sûr que non, riposta le cardinal. Quoique le père Hanrahan m'ait souvent parlé de votre crochet du gauche avec quelque chose qui ressemblait dangereusement à de l'admiration.

Une fois de plus, la pensée obsédante vint effleurer le cerveau de Tim.

« Que ne savent-ils pas sur moi ? Pourquoi ai-je parfois l'impression qu'ils en savent davantage, à mon sujet, que je n'en sais moi-même ? »

Longuement, le père Timothy Hogan, tout récemment ordonné, se promena dans les jardins du North American College, qui dominaient, de très haut, le panorama de la Ville éternelle.

Mais en ce jour qu'il eût dû ressentir comme le plus beau de sa vie, il ne regarda que le ciel en lui demandant douloureusement :

« Oh, Seigneur, combien de temps devrai-je Te servir avant de connaître la vérité sur moi-même ? »

---

1. Pug : abréviation argotique de « pugiliste », boxeur. *(N.d.T.)*

46

TIMOTHY

– *Domine* Hogan, *surge.*
– *Adsum,* riposta Timothy en se levant.

A ce stade de ses études, il avait pris l'habitude de parler latin, non seulement lors des conférences, mais à l'occasion des échanges quotidiens.

Cinq jours par semaine, depuis deux ans, il avait grimpé l'escalier tournant de marbre du bâtiment principal menant à l'amphithéâtre du « Pug » sis au *primo piano*. Là, de 8 h 30 à 12 h 30, entouré d'une centaine de condisciples assis, comme lui, à de petits pupitres de bois, il avait assisté aux cours requis pour passer la licence de droit canon.

Certains des cours traitaient de philosophie, de théologie et d'histoire du droit canon. Mais leur objectif de base était l'examen laborieux, mot par mot, phrase par phrase, chapitre par chapitre, du volumineux « Textus » officiellement connu sous le nom de *Codex Iuris Canonicii.*

– *Domine* Hogan.

Tim leva les yeux vers le professeur Patrizio di Crescenza, de la Société de Jésus.

– *Dic nobis, domine,* poursuivit le conférencier. *Habenturne impedimenta matrimonii catholicorum cum acatholicis baptizatis in codice nostro ?* (Notre Code oppose-t-il des obstacles au mariage d'un catholique avec un non-catholique baptisé ?)

Tim répondit sans hésitation :

– *Itaque, domine. Codex noster valet pro omnibus baptizatis et impedimenta matrimonii sunt pluria.* (Oui, mon père, Notre Code s'applique à toute personne baptisée et les obstacles à un tel mariage sont nombreux.)

– *Optime,* s'exclama le père di Crescenza.

Puis il demanda à un autre élève d'énumérer quelques-uns des obstacles spécifiques au mariage entre personnes croyantes issues de religions différentes, et Tim ne put s'empêcher de se demander comment la hiérarchie catholique romaine pouvait ainsi raisonner comme si sa juridiction se fût étendue à *l'ensemble* de la chrétienté.

Il lui fallait parfois s'accrocher. Souvent, en apprenant par cœur les subtilités de la Constitution apostolique, il souhaitait les voir déboucher, un jour, sur le vol des poules de l'un par le renard de l'autre. Quelque chose, enfin, qui de près ou de loin offrît quelque rapport avec la vie quotidienne.

Fréquemment, ces arguties lui rappelaient une conversation qu'il avait eue avec Danny Luria, durant un trajet en métro de Brooklyn à Manhattan. Le jeune étudiant rabbinique avait souffert, lui aussi, de voir le Talmud couper tant de cheveux en quatre.

Le texte que Tim avait en main possédait près de mille pages exposant 2 414 canons concernant les sujets les plus ésotériques qu'il lui faudrait connaître sur le bout du doigt s'il voulait obtenir l'écrit et l'oral de sa licence.

Tout prêtre était tenu de connaître ces règles qui lui seraient peut-être utiles dans l'exercice de son futur sacerdoce. Entre autres, celles régissant l'annulation éventuelle d'un mariage sans consommation.

Et que penser du cas inverse : la consommation sans mariage ? Ou du moins sans cérémonie ?

Dieu pouvait-il sanctifier un mariage uniquement consacré par l'amour ?

– *De impedimentis matrimonii clericorum...* Le problème

du mariage des prêtres... Un excellent sujet de thèse... quoique dangereux, père Hogan. Mais si quelqu'un peut lui rendre justice, c'est bien un esprit comme le vôtre.

Comme il s'agissait là d'une conversation officieuse, le professeur di Crescenza revint à l'italien pour conclure :

– Depuis Vatican II, le sujet a bien besoin d'être recodifié. Je suis sûr que vous allez nous pondre là-dessus une thèse remarquable, père Hogan.

C'était l'une des plus grandes satisfactions du vieux professeur que de pouvoir encore bénéficier, au-delà de ses soixante-dix ans, grâce à une autorisation spéciale, du contact stimulant avec de jeunes esprits agiles. Parfois même, comme dans le cas de Timothy, exceptionnellement brillants.

Irascible, presque pleurnicharde, une voix intervint dans leur dialogue :

– Patrizio, *habesne istas aspirinas americanas ? Dolet caput mihi terribiliter.*

En se retournant, Tim reconnut, dans l'embrasure de la porte, la silhouette rabougrie du père jésuite Paolo Ascarelli, scribe officiel pour la langue latine, un des plus hauts dignitaires de la Maison papale.

L'interpellé lui répondit en italien :

– Je regrette, Paolo, il ne me reste plus que de l'aspirine ordinaire. Je vous ai donné lundi mon dernier comprimé miracle.

Le vieux visage ridé grimaça sous l'empire d'une souffrance indubitablement authentique.

– Le diable est au travail dans cette pauvre tête ! Il me faudrait de l'Excedrine. Peut-être en téléphonant à l'ambassade des États-Unis ?

Apitoyé, Tim s'interposa :

– J'ai de la Bufferine, mon père, si vous pensez que...

– C'est le ciel qui vous envoie, jeune homme ! Comment vous appelez-vous ?

– Timothy Hogan, mon père. Malheureusement, le tube est là-bas, dans ma chambre.

– Où habitez-vous ?

– Via dell' Umiltà.

– Rue de l'Humilité ! Eh bien, jeune homme, si vous êtes aussi en forme que vous en avez l'air, vous serez revenu en quelques minutes. Merci d'avance.

« Ne vous pliez donc pas au caprice de ce vieil hypocondriaque ! » semblait dire à son élève le regard du professeur di Crescenza. Mais Timothy fit semblant de ne pas le voir.

– Bien sûr, père Ascarelli. Je fais l'aller et retour tout de suite.

Il filait déjà vers la porte quand le vieux serviteur de Dieu lança dans son sillage :

– Soyez béni, mon fils. Et si vous tombez sur une bouteille de San Pellegrino, par la même occasion...

Moins de dix minutes plus tard, essoufflé mais heureux, Timothy Hogan était de retour avec le tube en plastique de Bufferine et la bouteille d'eau gazeuse demandée. Di Crescenza était parti. Il avait pour habitude de parcourir à pied, chaque soir, la distance considérable séparant l'Université grégorienne du numéro cinq, Borgo Santo Spirito, quartier général des jésuites, situé à la périphérie du Vatican.

Lesté de ses comprimés contre la migraine, le père Ascarelli ordonna :

– Asseyez-vous, père Hogan. J'aimerais vous connaître un peu mieux. Pendant votre courte absence, le père di Crescenza n'a pas cessé de me chanter vos louanges. Je l'écoute rarement. Il se fait vieux, vous savez. Mais il m'a également fait lire un peu de votre prose. C'est exceptionnel.

362

– Merci, mon père, mais...

– Évidemment, il vous reste encore du chemin à faire jusqu'à votre doctorat de droit canon. Mais votre latin est absolument splendide. J'oserais dire que, si vous ne l'aviez pas appris aux États-Unis, vous seriez aujourd'hui presque à ma hauteur. Pardonnez l'arrogance d'un vieil homme, mais je ne crois pas que l'on puisse réellement atteindre à la perfection, dans la langue de Cicéron, si ce n'est à portée de voix du Forum.

Le vieux comédien soupira :

– Foin de Vatican II ! Pour un peu, ma position jadis honorée en fût devenue obsolète ! Dieu merci, bulles papales, encycliques et autres lettres de nomination se rédigent toujours en latin, ou je serais déjà dans une maison de retraite à cultiver mes verbes irréguliers !

Timothy ne put réprimer un sourire.

– Dites-moi, poursuivit le scribe, l'œil attentif. Pensez-vous que Notre Sauveur se soit exprimé en latin ?

Flairant le piège, Tim riposta, sur ses gardes :

– Peut-être a-t-il plaidé son cas en langue romaine, devant Ponce Pilate ? Et Eusèbe ne nous rapporte-t-il pas une conversation entre l'empereur Domitien et des parents de Jésus ?

– Excellent ! s'enthousiasma le vieillard. *Historia Ecclesiastica*, III, 20. Un bon point pour vous, Timothy.

Il marqua une courte pause avant d'enchaîner, cordial :

– Il faudra que nous nous revoyions.

– Je m'en réjouis d'avance, mon père, dit Timothy avec la même chaleur.

– Dans ce cas, je vais vous laisser des otages !

S'appuyant sur la table, le père Ascarelli se hissa, péniblement, jusqu'à la verticale.

– Reprenez-les.

Il désignait, de sa main tavelée, le tube que Tim lui avait apporté.

– Mais ils sont pour vous, mon père.

– Je sais, je sais. Mais si vous les gardez, j'aurai un prétexte pour vous demander de venir me voir et nous pourrons, alors, reprendre cette conversation. Merci, je me sens beaucoup mieux. Priez pour moi.

Avant que Tim, éberlué, pût lui répondre : « Et vous pour moi », le vieux prêtre avait déjà quitté la pièce.

Au cours des mois suivants, les migraines du père Ascarelli semblèrent s'aggraver, multipliant les visites de Tim au Governatorio, siège de son domicile, une grande bâtisse riche en recoins sise à l'intérieur du Vatican.

De temps à autre, le vieil homme demandait à Tim de recopier au propre quelque texte qu'il venait de rédiger. Jusqu'au jour où il ajouta, négligemment :

– Et si vous repérez, çà et là, quelque faute de rhétorique, n'hésitez pas à la corriger.

Soulignant son effet d'une œillade complice, il ajouta :

– Seul le pape est infaillible !

A l'approche du printemps, s'étaient tissés entre eux des liens qui n'avaient plus grand-chose à voir avec les analgésiques, et même avec la langue latine. Liens plus paternels et filiaux, selon le cas, que tout ce que l'un et l'autre avaient connu. Tim eût fait n'importe quoi pour le vieux scribe du pape et, plus important encore, Ascarelli eût fait n'importe quoi pour lui.

– Je suis trop vieux pour continuer à faire ce boulot, Timothy, grogna-t-il, un après-midi, de sa voix fallacieusement geignarde. Mais Sa Sainteté n'a confiance qu'en moi pour latiniser ses discours. C'est trop dur pour un homme de mon âge. Je lui ai donné ma démission.

– Quoi ?

– Il l'a refusée, bien sûr. Je ne l'aurais pas fait s'il y avait eu la moindre chance qu'il l'acceptât. Mais j'ai obtenu l'autorisation d'engager un assistant, et la subvention correspondante. Vous avez une idée de qui j'ai en tête ?

Ils échangèrent un sourire d'intelligence.

– J'ai une thèse à finir, objecta timidement Timothy.

– Oui, mais vous êtes jeune. Vous pourrez y travailler la nuit, quand tous les fossiles dans mon genre sont déjà enfouis sous leurs couvertures. Croyez-moi, mon garçon, si vous justifiez la réputation que je vous ai faite, vous réaliserez toutes les ambitions terrestres qui vous tiennent à cœur.

– Et qui sont, d'après vous ?

Éludant la question, Ascarelli ronronna :

– Quel plus grand plaisir que de dîner un jour à la table du souverain pontife ? Rien de commun avec nos vulgaires piquettes italiennes !

– Nos quoi, mon père, s'étonna Timothy.

– Je parle des vins, naturellement. Tous français. En tant qu'Italien, je déplore la défection du pape Clément V. Mais quand la papauté est rentrée d'Avignon, en 1377, elle n'a pas négligé de rapporter à Rome des tonneaux et des tonneaux d'excellent bourgogne. Et les souverains pontifes ont continué de regarder vers le nord, pour leur approvisionnement en jus de la treille. *Experto crede,* ils valent la peine qu'on s'en occupe. Bonne nuit, mon garçon.

Sur le chemin de la Via dell' Umetà, en dépit des consignes de son mentor, Tim s'attarda sur la Piazza Navona, parmi les chansons, les rires des femmes et le concert des verres entrechoqués, aux terrasses en plein air. A contempler le spectacle de ces Romains toujours en fête, il se demandait parfois si son renoncement à tant de choses, pour un objectif tellement incertain, n'était pas au fond un marché de dupes.

47

TIMOTHY

PONTIFICIA UNIVERSITAS GREGORIANA ROMAE

AD DOCTORATUM CONSEQUENDUM
IN FACULTATE IURIS CANONICI
(Cum specializatione in Iurisprudentia)

R.P. TIMOTHY HOGAN
PUBLICE DEFENDET DISSERTATIONEM
DE IMPEDIMENTIS MATRIMONII CLERICORUM
(Director R.D. Prof. Patrizio di Crescenza)

DIE VENERIS 24 MAIAS 1978, HORA 16 IN AULA MAGNA

De facto sinon *de jure*, Tim était devenu, en peu de mois, le scribe papal pour la langue latine, et le père Ascarelli, titulaire officiel du poste, se bornait désormais à relire et corriger ses traductions.

Relire, peut-être, mais corriger ? Tous ses textes lui revenant sans la moindre rectification, sans la moindre remarque grammaticale, Tim finit par se demander si le scribe en titre les relisait vraiment. Et lorsque, prenant son courage à deux mains, il osa poser la question, Ascarelli lui répondit en toute candeur :

– Timothy, mon cher garçon, pourquoi m'userais-je les yeux à étudier la lettre de nomination adressée à un futur évêque texan qui n'y comprendra rien, de toute manière, et n'en retiendra que l'invitation à troquer contre une mitre – *petasus decem congiorum capax* – son chapeau de cow-boy ? Je préfère consacrer mon temps à rédiger un article pour *Latinitas* sur les stratégies du football américain – *pila pede pulsanda americana*.

Cette diffusion, dans toutes les parties du monde, d'importantes communications papales rédigées par ses soins produisit, sur Tim Hogan, un double effet. Elle lui permit, tout d'abord, d'apprécier l'ampleur et la répartition, à l'échelle mondiale, de la population catholique. Elle lui donna, en outre, un avant-goût du pouvoir sous-jacent à l'envoi d'instructions écrites jusque dans des lieux aussi éloignés que le Sri Lanka, en sachant, d'avance, que les ordres donnés seraient exécutés au pied de la lettre. D'un seul trait de plume, le souverain pontife pouvait ainsi modifier le destin de millions d'hommes et de femmes.

Quelque part entre les encycliques et les lettres de nomination, Tim trouvait le temps de préparer sa soutenance de thèse. Et chaque soir, quand Ascarelli couronnait leur travail – c'est-à-dire le travail de Tim – par un petit verre ou deux, le jeune homme prenait toujours grand soin d'user, sans jamais abuser, de la redoutable *grappa* italienne. Car il ralliait ensuite, à bicyclette, la Via dell' Umiltà où, tandis que dormaient le père Ascarelli et, selon toute vraisemblance, le reste du Vatican, l'attendaient encore de longues heures d'étude et de travail.

Dans l'ancien couvent du XVIIe siècle reconverti en collège, un gymnase de dimensions modestes, mais supérieurement équipé, apportait une touche de modernisme. Et nulle somme de travail, si dur fût-il, ne semblant jamais venir à bout des réserves énergétiques de Timothy, on le trouvait à deux ou trois heures du matin parfois en plein exercice d'aviron. Pour s'y encourager et se distraire de ses autres préoccupations, il s'était lancé le défi d'un voyage imaginaire Italie-New York et, chaque nuit, notait le nombre de kilomètres parcourus à la rame, espérant dépasser le chiffre de trois mille avant la fin de sa première année.

Une nuit, alors qu'il souquait ferme au large des Açores, sonna à ses oreilles, une voix qui, rejaillie d'un passé récent, brisa le charme de sa transe athlétique :

– Seigneur Dieu, Hogan, tu cours après quoi ? Tu veux avoir un infarctus ?

C'était George Cavanagh qui, certain soir, à Pérouse, lui avait confessé sa chute. A présent, le col ecclésiastique lui prêtait une allure étrangement imposante. Timothy gémit intérieurement. Ne plus voir George, depuis des mois, avait été pour lui une sorte de délivrance dans la mesure où il ignorait toujours si celui-ci l'avait aperçu ou non, à Bethléem, en compagnie de Déborah.

– Tu ferais mieux de dormir, répondit Tim.

– Comment le pourrais-je quand mon héros favori brûle la chandelle par les deux bouts ?

Souriant, George s'assit sur un des bancs capitonnés, cueillit un haltère et replia son bras dans ce qui n'était rien de plus qu'une parodie d'exercice physique.

– Sincèrement, Hogan, je ne suis pas en train de te charrier. J'admire ton génie tactique. J'ai entendu chanter tes louanges à gauche comme à droite, des conservateurs et de l'avant-garde... Tu es le champion toutes catégories de la *romanità* !

Tim força le rythme de ses coups de rame, inspirant et expirant l'air nocturne avec une ardeur renouvelée. Reposant l'haltère après deux ou trois essais, Cavanagh enchaîna :

– Ne me dis pas que tu ignores ce que c'est que la *romanità*, Hogan. C'est le secret du succès, dans la société vaticane. La faculté de mêler le charme au mystère. Si Machiavel était encore de ce monde, il écrirait sûrement un livre sur toi.

Face au regard furieux de Timothy, George se composa un masque d'admiration candide.

– Le bruit court que Fortunato t'a proposé, non plus d'étudier, mais d'enseigner le droit canon... et que tu aurais refusé. Qu'est-ce que tu comptes faire au juste ?

– Je suppose que tu vas me le dire... puisque tu sais déjà tout !

– Eh bien, on murmure, en effet, que tu briguerais l'attribution d'une paroisse, aux États-Unis. Je sais que la rubrique « travail sur le terrain » embellit un curriculum, mais es-tu certain que ce soit le moment de quitter Rome, alors que ton étoile monte au zénith ?

Tim était furieux :

– Je suis un prêtre, Cavanagh, pas un politicien !

– Comme tu voudras, Hogan ! répondit George, aussi exaspéré. Moi, la *romanità*, je n'y comprends rien. A moins que tu ne l'appelles par son vrai nom : fayotage éhonté. *Pax tecum.*

A la fin du printemps, Tim acheva sa thèse. La soutenance était prévue pour la dernière semaine du mois de mai, sous l'égide du père Angelo Fortunato, le doyen de la faculté en personne.

– Un grand honneur, souligna le père Ascarelli. Je serai là, bien sûr, pour vous assister moralement. Ce qui me rappelle que je n'ai pas encore reçu mon invitation.

– A la soutenance ?

– Bien sûr que non. La soutenance a lieu en public. Je parle de la réception donnée en votre honneur.

– Quelle réception ? s'effara Timothy.

– Auriez-vous perdu la tête, *figlio mio* ? Ou bien chercheriez-vous à frustrer un vieillard d'honnêtes agapes ?

– Franchement, mon père, je ne sais pas de quoi...

Le scribe agitait un index péremptoire.

– Ha ! ha ! Vous serez donc le dernier prévenu. Mais je peux vous garantir que lorsque le doyen Fortunato préside personnellement à une soutenance, il y a toujours ensuite une fête du tonnerre !

Le père Ascarelli était bon prophète. Quand Tim regagna le collège, vers une heure du matin, il trouva une enveloppe glissée sous sa porte. Imprimé au dos, au fer à dorer, un écusson portait, parmi d'autres attributs héraldiques, la devise *Civitas Dei est patria mea* : La Cité de Dieu est ma patrie.

Il ouvrit la lettre, joliment calligraphiée sous l'en-tête « *Cristina, Principessa di Santiori* », avec une adresse prestigieuse proche du Palatin, et lut :

Cher père Hogan,

Pardonnez mon audace, mais la réputation de vos talents plane déjà si haut au-dessus des murs du Vatican, que j'ai l'impression de vous connaître.

Mon excellent ami le doyen Fortunato m'informe que votre « soutenance », qui plutôt qu'un examen sera, j'en suis sûre, un panégyrique, aura lieu le 26 du mois prochain. J'ai cru comprendre que nul membre de votre famille ne sera en mesure de traverser l'Atlantique à cette occasion, et prends donc la liberté de vous proposer une réception suivie d'un souper que j'aurai le plaisir d'organiser en votre honneur, à mon domicile.

Si cette proposition vous agrée, veuillez me donner les noms des amis personnels avec qui vous souhaiteriez fêter votre doctorat.

Sincèrement à vous.
Cristina di Santiori

Tim sourit de plaisir, puis alluma sa plaque chauffante sous la bouilloire afin de refaire du café. Il devait encore abattre pas mal de travail avant que le soleil ne pointât son nez au-dessus de l'Esquilin.

C'est seulement quand il se réveilla, à six heures, après trois heures de sommeil, une véritable grasse matinée, que le sens de la lettre parvint réellement à son cerveau.

Les Santiori appartenaient à l'*aristocrazia nera,* la « noblesse noire » de Rome, c'est-à-dire l'ensemble des familles séculières qui, depuis la nuit des temps, faisaient partie des princes de la cour papale, autrement connus sous le nom de « chambellans privés de la cape et de l'épée ».

Certains d'entre eux assumaient, lors des cérémonies papales, des fonctions héréditaires. La dynastie des Serlupi Crescenzi, par exemple, qui servait depuis des siècles en tant que « maîtres du Cheval ». Ou le clan Massimo, qui tenait l'office également héréditaire de « maître général des Postes ».

Mais les Santiori se situaient à un niveau beaucoup plus élevé dans la hiérarchie. Ils étaient, depuis toujours, « grands maîtres du Saint-Hospice », le rang le plus élevé qu'un laïc pût atteindre à la cour papale. Signe caractéristique de leur haute noblesse, jamais leur nom n'apparaissait dans la presse romaine. Lorsqu'ils donnaient une réception, jamais la nouvelle n'était annoncée. Quiconque valait la peine d'être connu recevait directement son invitation personnelle et, parmi ces notables, ne figurait jamais aucun représentant du « quatrième pouvoir ».

Le lendemain, au réfectoire, Tim engloutissait distraitement une assiettée de flocons d'avoine quand George Cavanagh apparut devant lui.

– Je peux me joindre à toi, père Hogan ?

Cachant sa contrariété, Tim grogna :

– Prends une chaise.

George, qui s'était assis sans attendre sa réponse, le surprit par la cordialité au moins apparente de sa question :

– Écoute, Hogan, je sais que ça se passe en public, mais est-ce que ça t'embêterait que j'assiste à ta soutenance ? Depuis le temps que je t'asticote, je ne voudrais pas que ma présence puisse te perturber.

Haussant les épaules, Tim soupira :

– Non, là, rien à craindre. J'ai déjà tellement les nerfs en pelote que rien ne saurait me troubler davantage !

– Alors, j'y serai. Même si je sais d'avance que je ne comprendrai pas grand-chose.

Touché par ce geste d'ouverture, Timothy voulut s'ouvrir à son tour :

– George, il y aura une réception, après la soutenance.

– Chez Santiori ?

Le regard de George exprimait une sorte de gourmandise. Tim acquiesça :

– Tout juste !

– Merci. J'espérais que tu m'inviterais.

Bien que personne ne parût douter du résultat final, la soutenance de Tim ne s'entoura pas moins d'une atmosphère d'attente particulièrement survoltée. Dans l'*Aula Magna* pleine à craquer, s'entassaient étudiants et membres de la faculté, et, perdue quelque part au sein de la foule, la princesse de l'aristocratie noire avec toute sa suite.

Tim était sur place un bon quart d'heure avant le commencement de son martyre, mais le père Ascarelli l'y avait déjà précédé.

– Mon oreille n'est plus toute jeune, *figlio mio*. Il faut toujours que je sois au premier rang, déclara le jésuite.

En vérité, il voulait surtout prodiguer à son protégé ses derniers conseils, et le munir d'une arme secrète.

– Dites-vous bien que, malgré toute l'érudition de vos examinateurs, certaines de leurs questions seront complètement idiotes. N'essayez pas d'y répondre. Murmurez simplement « *non pertinet* » et puis allez de l'avant. Nul ne connaît son sujet mieux que vous, puisqu'il est tout frais dans votre esprit. Le doyen Fortunato, lui aussi, va vous poser une colle, mais elle se présentera vraisemblablement sous la forme d'une péroraison destinée à démontrer sa propre astuce. Contentez-vous de le flatter en abondant cordialement dans son sens et, là encore, passez outre !

Le sourire de Tim était légèrement crispé.

– Merci, mon père.

Ascarelli lui pressa, dans la paume, une barre de chocolat vitaminé Hershey.

– Mangez ça. Un de mes anciens élèves me les envoie d'Amérique. C'est le stimulant rêvé pour l'esprit.

Le cadeau détendit Timothy qui s'empressa de l'engloutir sous le regard épanoui du vieil excentrique.

– Encore un mot avant de vous laisser pénétrer dans l'arène... ce seront vos dernières heures en tant qu'étudiant. *Profitez-en.*

D'une certaine façon, l'épreuve se déroula comme un

match de tennis. Avec brio, Tim retourna ses réponses éclairs à des douzaines de questions disparates : services boulets de canon ou lobs placés juste sur la ligne, voire, selon la prédiction d'Ascarelli, totalement hors du court. Le tout accompagné des ovations muettes, quoique clairement perceptibles, d'un public acquis d'avance, parfois soulignées des commentaires chuchotés de quelque ancien jésuite assis au premier rang :

– *Bene... optime.*

Quand tout fut terminé, le soulagement de Tim se teinta d'une touche de tristesse. Ascarelli avait vu juste. Plus jamais il n'aurait l'occasion de vivre des moments aussi intenses, dans la peau d'un étudiant.

L'immense Palazzo Santiori ornait de sa superbe façade la partie la plus élevée de la Via Teodoro. Chacune de ses pièces à haut plafond s'enorgueillissait d'œuvres d'art dont certaines remontaient au début de la Renaissance, à l'époque où les artistes travaillaient sous le patronage direct de la famille.

Tim s'arrêta, très impressionné, devant une « Annonciation » de Raphaël.

– C'est incroyable !

S'il était armé en vue de sa rencontre avec de modernes mécènes, il ne s'était pas attendu à ce genre de confrontation directe avec de vieux maîtres.

La princesse était une petite femme potelée aux cheveux gris, aux yeux plus étincelants que ses bijoux.

– Les Santiori ont toujours su apprécier le talent, déclara-t-elle. Cette version est antérieure à celle du Vatican. Mais lorsqu'il s'agit de Raphaël, on ne peut parler d'œuvres mineures, n'est-il pas vrai ?

– Naturellement !

Tim avait peine à concevoir que l'on pût vivre, au quotidien, dans une maison renfermant tant de chefs-d'œuvre d'une valeur inestimable. Mais déjà, la princesse l'entraînait.

– Venez, mon père... ou puis-je vous appeler Timoteo ? Permettez-moi de vous présenter quelques personnes absolument fascinantes. Vous reviendrez une autre fois admirer les tableaux.

Flanqué de la *principessa* dont les talons hauts cliquetaient en parfait synchronisme avec les battements de son cœur, Tim monta le monumental escalier de marbre. Un étage de plus et ils débouchèrent sur un jardin suspendu illuminé par des torches fixées, à intervalles réguliers, aux rambardes de la terrasse. La vue sur la Ville éternelle était à couper le souffle, du haut de ce belvédère, on découvrait enfin l'ensemble du Forum romain, illuminé par des projecteurs.

Écrasé par le spectacle des ruines prestigieuses d'un empire et n'osant encore affronter celui des notabilités qui se coudoyaient sur la terrasse, Tim retomba dans le présent à l'audition d'une voix familière :

– *Nunc est bibendum.* Place aux libations, comme disait le poète... Horace... un authentique poète romain !

Timothy rit de bon cœur en voyant avec quelle élégance le père Ascarelli maniait sa coupe de champagne.

– Je constate, mon père, que vous suivez son conseil à la lettre.

Le vieux scribe joignit sa gaieté discrète au rire indulgent dont il faisait les frais.

– A mon âge, *figlio mio*, on se doit d'exploiter au maximum l'instant présent. J'ai déjà bu à votre santé et je recommencerai. Je voue une grande reconnaissance à la *principessa* pour m'avoir inscrit sur sa liste. Maintenant, je peux mourir avec des références sociales impeccables.

– *Carpe noctem*, conclut chaleureusement Timothy.

– *Et tu, fili.*

Tim regarda son père spirituel se frayer un chemin dans la foule des éminences, et se jura de ne boire que de l'eau minérale afin de garder en tête chaque seconde, chaque visage, chaque son, et chaque syllabe de cette manifestation en son honneur.

Il ne s'en réveilla pas moins, le lendemain matin, avec un bon mal de tête. Non qu'il eût trop bu ou trop mangé la veille, mais plutôt à cause des événements eux-mêmes : un après-midi d'intense effort intellectuel, suivi d'une soirée d'intense effort de mondanité.

Il se recoucha, après les matines, et dormit bien au-delà du petit déjeuner. Le soir, à l'heure du dîner, Cavanagh vint s'asseoir près de lui, au réfectoire.

– S'il y avait eu des élections hier soir, tu passais au premier tour !

– Comment ça ?

– J'ai compté seize princes de l'Église, et pas tous italiens. Quand le cardinal archevêque de Paris t'a porté un toast, je peux te dire que tu aurais décroché toutes les voix françaises sans aucun problème.

Tim avait appris, entre-temps, à ne plus tenir compte des allusions constantes de son rival à son ascension rapide dans la hiérarchie ecclésiastique. Non sans une certaine ingénuité, il objecta :

– Mais est-ce qu'il était vraiment là ?

– Tu veux dire que tu ne l'as pas vu ? Trop occupé à reluquer la Loren ?

– Pardon ?

– Il aurait fallu être aveugle pour ne pas remarquer

Sophia la magnifique et son époux empressé, Carlo Ponti. On a toujours le droit de regarder, tu sais... Tu as parlé à qui, en fait ?

Tim pressa, d'une main, ses tempes battantes.

– George, crois-moi, j'essaie de m'en souvenir. Mais c'est impossible. Tu veux monter chez moi voir la liste que j'ai commencée ?

– C'est une invitation que je ne laisserai pas passer.

Plus tard, penché sur les notes de Tim, George relança, sincèrement impressionné :

– Un vrai bottin mondain ! Tu veux toujours retourner à Brooklyn entendre les confessions d'adolescents boutonneux et de vieilles toquées ?

– Je retournerai à Saint-Grégoire. C'est de là que je viens.

George, découragé, haussa les épaules.

– Si c'est ce que tu veux. Mais doué comme tu l'es, je chercherais d'autres moyens de servir l'Église.

– Quels sont ceux que tu envisages ?

– J'ai sollicité une affectation spéciale chez les jésuites d'Argentine. Je me dis qu'on doit avoir plus de chances de monter au ciel en faisant du bien aux autres qu'en ne pensant qu'à sa propre carrière.

– C'est fort louable, s'étonna Timothy. Sincèrement, je ne te croyais pas aussi...

– Altruiste ?

George souriait, nullement offensé.

– Moi non plus, je dois dire ! Il y a des moments où la force de mes sentiments chrétiens me surprend moi-même !

La nouvelle invitation vint dans la même enveloppe de papier fort, façon parchemin, ornée du blason des Santiori.

Mon cher Timoteo,

Très belles, ces fleurs, mais à la fois extravagantes et inutiles, car les fleurs véritables, à notre petite réception, étaient celles de votre esprit et de votre sagesse qui ont laissé tous mes amis littéralement captivés.

Je sais que vous devez être terriblement occupé à préparer votre retour aux États-Unis, mais j'aimerais que vous trouviez le temps de venir déjeuner à la villa, ce dimanche. Il y aura là un de mes parents dont vous serez heureux, j'en suis sûre, de faire la connaissance.

Et c'était signé simplement : « Cristina. »

Ils étaient quatre pour ce déjeuner en petit comité, assis autour de l'immense table blanche de la salle à manger somptueuse des Santiori. La princesse avec Timothy à sa droite, au bout de la longue table, sa sœur Giulietta à sa gauche et à l'autre extrémité de la table, un élégant ecclésiastique aux cheveux gris, de cinquante-cinq ans environ, frère cadet de la *principessa*. Tim savait exactement ce qu'il était pour l'avoir lu dans l'*Annuario* pontifical : Monsignor Giovanni Orsino, secrétaire d'État adjoint pour l'Amérique latine.

Orsino n'était pas moins courtois et charmant que sa sœur :

– Si ça ne vous ennuie pas, père Hogan, j'aimerais que nous parlions anglais, c'est-à-dire... que vous me parliez anglais pour me permettre d'améliorer, si possible, mes connaissances primitives de cette langue.

– Votre anglais me paraît excellent, Monsignor.

– Je vous en prie, *senza complimenti*. Soyez gentil de critiquer, s'il vous plaît, pas de flatter. Je n'en prendrai aucune offensive.

Tim s'abstint de relever la faute, s'informant plutôt avec intérêt :

– Vous utilisez beaucoup la langue anglaise, dans votre secrétariat ?

– Beaucoup moins que l'espagnol... qui n'est, comme on dit, qu'une sorte d'italien parlé avec la langue entre les dents. Mais un de ces jours...

Du milieu de la table, sa sœur intervint :

– Très bientôt, Gianni, très bientôt.

Monsignor Orsino rougit, puis, pointant l'index vers la *principessa* :

– Bientôt, comme affirme mon optimiste sœur, je devrais recevoir ma nouvelle affection.

– Vous voulez dire « affectation », Monsignor, rectifia courtoisement Timothy.

Forte de la double suprématie de l'aînesse et du rang, Cristina di Santiori précisa :

– Gianni est un des vétérans du Secrétariat, et quand Bonaventura va prendre sa retraite, dans dix-huit mois, le poste de délégué apostolique à Washington va devenir vacant. Donc...

Avec l'éloquence manuelle propre aux Italiens, la princesse impliqua gracieusement, d'un geste, qu'elle se chargeait de faire nommer son frère à la place de l'archevêque Bonaventura et qu'il importait que celui-ci donnât à son anglais le lustre diplomatique qu'il ne possédait pas.

– Je voulais que vous fassiez connaissance, tous les deux. Après tout, c'est de Rome que partent les nominations épiscopales pour les États-Unis ! Et Rome s'appuie lourdement sur les conseils donnés par son délégué apostolique de Washington.

– Cristina, protesta Timothy, là-bas, je ne vais être qu'un simple vicaire. Je ne me vois pas archevêque... même en rêve !

– Mais moi, je vous y vois très bien ! riposta la princesse.

En rentrant, à pied, du mont Palatin, dans l'embrasement du soleil tardif d'un après-midi d'été, Tim songea que le titre de princesse, porté par Cristina di Santiori, n'était pas un mot vide de sens.

Bien que sa couronne fût invisible, son pouvoir, lui, sautait aux yeux.

48

DÉBORAH

Durant la seconde moitié du programme d'études de Déborah en vue de l'ordination, s'amorça l'adaptation progressive de la loi ancienne aux exigences de la vie moderne.

Afin de pouvoir mieux répondre aux cris du cœur des membres de leurs congrégations, aux affrontements conjugaux, divorces, maladies, décès, bref à toute la gamme des afflictions inévitables, les aspirants rabbins étudiaient désormais la psychologie.

– Et c'est là, soulignait le professeur Albert Redmont, que le rabbin diffère du psychothérapeute. De nos jours, la plupart des praticiens sont trop occupés pour apporter à leurs patients plus qu'une évasion pharmaceutique à prendre trois fois par jour. Alors que les rabbins disposent d'une médecine beaucoup plus puissante.

« La foi peut relever ceux qui tombent et même guérir les malades, au même titre que la science. Mais les pouvoirs de celle-ci s'arrêtent aux frontières de la connaissance... où *commence*, précisément, la croyance en Dieu.

Les futurs rabbins travaillaient dans des hôpitaux, des maisons de vieillards et des jardins d'enfants. Ils apprenaient, sur le tas, comment faire face à cette angoisse pire que la mort elle-même, la peur de l'inconnu qui affecte la plupart des mourants.

« Tiens ma main et répète après moi :
Passerais-je un ravin de ténèbres,
je ne crains aucun mal ;
près de moi, ton bâton, ta houlette
sont là qui me consolent... »
« Merci, rabbin Luria. Merci pour toutes vos bontés. »

Aux yeux de Déborah, ce contact humain magnifiait l'amour qui l'avait poussée à choisir cette voie.

Pour les Jours les Plus Saints de son année de fin d'études, elle se vit attribuer, en Nouvelle-Angleterre, une congrégation inexistante, à savoir un groupe de juifs qui ne se réunissaient qu'à l'occasion des jours dits « de Colère », le Nouvel An et le Yom Kippour, afin d'expier leurs péchés et de revigorer leur foi endormie.

Répartie sur une étendue de quelque cinq cents kilomètres carrés, près de la frontière séparant le Canada du Vermont et du New Hampshire, cette étrange « congrégation » se rassemblait deux fois par an dans l'hôtel de ville ou l'église unitaire d'un village différent, apportant l'unique rouleau de la Torah gardé, toute l'année, par un chirurgien orthopédiste. Chacun s'efforçait de retrouver, au contact de ses coreligionnaires, assez de force pour survivre quelques mois de plus dans des coins tellement reculés, parfois, que les hommes y étaient moins nombreux que les ours bruns.

Désignant, sur la carte, le lieu de son affectation, Déborah objecta doucement :

– Doyen Ashkenazy, je ne veux pas avoir l'air de me plaindre, mais vous envoyez la plupart de mes condisciples dans de plus grandes villes, voire dans des collèges, alors... pourquoi moi ?

– Vous voulez la vérité ?

– Je vous la demande.

– Les postes que vous évoquez sont faciles. De véritables sinécures, face à des auditoires assez zélés pour faire la moitié du chemin à votre rencontre.

« Mais ces gens à qui vous allez parler ont perdu tout contact. Ils passent leur année, à plus forte raison la période de Noël, à se demander pourquoi diable ils s'acharneraient à rester différents. Ils ne sont déjà pas si nombreux, mais le taux de leur désaffection est alarmant. Voilà pour quelle raison je leur envoie toujours ce que j'ai de mieux.

Il chercha le regard de Déborah pour conclure :

– Et ce que j'ai de mieux, rabbin Luria... c'est vous !

49

DÉBORAH

Perdue dans la partie la plus septentrionale du Vermont, la petite ville de Laroche jouissait d'un climat si rigoureux qu'en cette fin de septembre, toutes les feuilles étaient déjà rouge et or.

Un vent glacé souffla sa bienvenue au visage de Déborah lorsqu'elle descendit du car, toute raide de son long voyage à travers l'Europe et le Moyen-Orient, par la grâce de lieux aussi exotiques que Bristol, Calais, West Lebanon (Liban occidental) et Jéricho...

Laroche marquait le terminus de la ligne et il ne restait plus que deux passagers dans l'autocar. Un moment de confusion s'ensuivit, car deux hommes d'âge moyen, bien au chaud sous leurs parkas et leurs écharpes, attendaient le « rabbin Luria », et ni le fermier de quatre-vingts ans, ni la jeune femme avec son manteau de poil de chameau et sa serviette de cuir ne semblaient correspondre à l'image qu'ils se faisaient d'un homme de Dieu israélite.

Accueilli par sa famille, avec des mots de *joual,* le dialecte du Québec, le vieil homme s'effaça rapidement de la courte liste et, par élimination, Déborah resta seule à pouvoir prétendre au rôle de rabbin.

– On ne vous avait pas avertis que j'étais une femme ?

Mal à l'aise, le docteur Harris et M. Newman, les deux membres du comité d'accueil, se balançaient d'un pied sur l'autre.

– Si, probablement, hasarda le médecin. Mais j'ai eu tant de mal à réduire les dégâts de l'hiver... y compris les fractures... que c'est entré par une oreille et ressorti par l'autre. Pour être honnête, jusque-là, l'HUC nous avait toujours envoyé des hommes.

– Mieux équipés que moi pour abattre des arbres et construire la *sukkah,* après le Yom Kippour ?

Souriant un peu jaune, M. Newman se précipita pour ouvrir la portière du break garé non loin de là.

– Bien sûr que non. Mais je me demande ce que vont dire les femmes.

– Elles devraient être heureuses de voir l'une d'elles monter en chaire, non ?

– Si. Mais vous êtes tellement...

– Jeune ?

– D'une part. Et... tellement jolie.

– C'est un avantage ou un handicap ?

Conduit, par sa propre maladresse, dans une impasse, Newman laissa au toubib le soin de l'en tirer :

– Je vous en prie, mademoiselle Luria... je veux dire, madame le rabbin... ne soyez pas fâchée. Nous sommes tellement isolés, par ici... Ces réunions sont notre seul contact avec tout ce qui se passe dans le monde juif.

Déborah ne put s'empêcher de rire.

– Justement ! Je suis le meilleur exemple de ce qui se passe... dans le monde juif !

L'église unitaire était pleine de gens que Déborah n'eût jamais pris pour des juifs. Il semblait que le climat eût modifié leur apparence physique et accéléré le processus d'évolution au point de les rendre indiscernables des gentils qu'ils coudoyaient.

Après l'exécution de la musique, tâche dévolue à l'organiste de l'église, Déborah monta sur l'estrade, en vêtements blancs et coiffure canonique. Des murmures accompagnèrent son ascension, et le malaise ambiant grimpa de quelques degrés.

– *Shana tova*, dit-elle, souriante. Comme vous le voyez, l'An Neuf n'est pas la seule nouveauté que vous apporte cette période.

Les rires qui résonnèrent à travers l'église lui confirmèrent qu'elle avait choisi la bonne tactique.

– Nous allons prendre nos livres de prières à la page cent trente et une.

L'organiste plaqua un accord, et la voix de Déborah surprit la congrégation, par sa plénitude et sa beauté, lorsqu'elle chanta en hébreu : « Que tes demeures sont désirables, ô Jacob ! » Puis elle lut la traduction anglaise qui exprimait, entre autres pensées :

« Et moi, grâce à Ton immense bonté, j'entre dans Ta maison, je me prosterne dans Ton Saint Temple, pénétré de Ta crainte. »

Elle poursuivit :

– Au crépuscule de l'année qui s'en va, nous nous tournons vers Toi comme nos parents l'ont fait avant nous... Nous nous plaçons en Ta présence avec toutes les autres saintes congrégations de Ton peuple...

Tous ces gens dispersés qui se rassemblaient, deux fois l'an, pour tenter de retrouver leur identité et leur foi, se sentirent unis, tout à coup, par la ferveur de cette voix. Déborah elle-même ressentit ce sentiment de communion.

– Puisse le son de la corne de bélier se répercuter au plus profond de nous afin d'y réveiller notre soif de bonté et de vie nouvelle pour nos âmes.

A la lecture de la Torah, sur le précieux rouleau unique du docteur Harris, Déborah savait, déjà, qu'elle avait trouvé le chemin de leurs cœurs.

Lors de la réception qui suivit, il s'avéra que tous les membres de la congrégation désiraient lui parler. Pas seulement pour lui serrer la main, mais pour avoir avec elle une sorte de consultation publique.

Nate Berliner, orthodontiste établi près de la frontière du Maine, lui déclara :

– Vous ne pouvez pas savoir ce que ça signifie pour nous. Nous avons fait plus de cent cinquante kilomètres, ma famille et moi, pour venir assister à vos offices. Même s'il faut en faire quinze cents l'année prochaine, nous serons là, fidèles au poste !

Plusieurs personnes lui demandèrent :

– Pourquoi votre séminaire ne nous envoie-t-il pas plus souvent des gens comme vous ?

Il ressortait, de leurs conversations, un grand sentiment de solitude. Une nostalgie de pouvoir « recharger leurs batteries religieuses » comme dit l'un d'entre eux, plus de deux fois l'an.

– Je vais en parler au doyen, promit Déborah. Peut-être pourrait-il vous envoyer quelqu'un tous les mois ?

– Comme ça, nos gosses auraient au moins une instruction religieuse, un dimanche sur trois ou sur quatre...

Et madame Harris, qui avait été l'une des plus choquées de voir une femme monter en chaire, d'enchérir avec une conviction communicative :

– Mais à condition qu'ils nous envoient quelqu'un d'aussi merveilleux que vous !

A l'audition du récit de son odyssée, Danny se porta volontaire pour accompagner Déborah, le jour des Propitiations.

Par curiosité, sans doute, mais aussi parce qu'en dépit de l'orientation qu'il avait prise, Danny tremblait toujours à la pensée du Jugement dernier, il avait envie de vivre cette fête solennelle entre toutes avec la personne qu'il aimait plus que tout au monde.

Déborah le mit largement à contribution. A sa demande, il chanta – par cœur – le texte de la Torah, gagnant ainsi l'admiration inconditionnelle de l'assistance. Et quand vint la fin des jeûnes et des prières marquant la présence de la congrégation devant les portes ouvertes du royaume de

Dieu, durant l'ultime prière exhortant le Seigneur à en inscrire les membres, pour l'année à venir, sur le Grand Livre de la Vie, c'est également Danny qui sonna de la corne de bélier.

Si longtemps et si fort que son appel, comme le remarqua par la suite M. Newman, ne put manquer de parvenir aux oreilles de Dieu lui-même.

Pendant le long voyage de retour, Danny laissa éclater son enthousiasme.

– Maintenant, je comprends le sens de la phrase « Dieu veille sur les restes d'Israël ». Ces gens-là vivent dans le contraire d'un ghetto ! Il faut trois cent soixante-cinq jours pour les réunir tous. Si tu conçois vraiment la fonction de rabbin comme un défi, Deb, pourquoi ne demanderais-tu pas à t'installer par ici, quand tu auras tes diplômes ?

– Bien sûr ! De cette façon, Éli pourrait changer d'école tous les jours. Pourquoi tu ne t'y collerais pas toi-même ?

– Puis-je te rappeler que je ne suis ni rabbin, ni en passe de l'être ?

– On peut facilement y remédier. Tu sais mieux que moi qu'un rabbin n'est pas un prêtre. Et que tout rabbin peut ordonner un autre juif. Alors, dès l'année prochaine, quand j'en aurai le pouvoir...

– J'y penserai...

Danny affectait la désinvolture mais les paroles de Déborah venaient de pincer en lui une corde toujours sensible. Il reprit au bout d'un moment :

– Quand tu dis le mot « prêtre », comme tu viens de le faire, est-ce que tu penses toujours à Tim ?

Déborah ne pouvait ni ne voulait mentir à son frère.

– Oui, il est toujours présent dans mes pensées... répondit-elle avec calme. Plus encore en ce jour des Propitiations...

– Ce n'était pas un péché, trancha Danny en lui prenant la main.

Elle reprit après un silence :

– Je me demande quand je vais trouver le courage de tout dire à Éli. Je lui dois la vérité.

– A propos de vérité, quand vas-tu dire à papa que ce sera toi, le prochain « rabbin Luria » ?

– C'est drôle que tu me poses la question. Je me suis juré, à la fin de l'office, que je le lui dirais cette année.

– Mais quand ?

– Quand j'aurai assez de cran !

50

DÉBORAH

En complément de son programme de dernière année, Déborah choisit de suivre les cours de poésie hébraïque, qu'elle avait déjà partiellement étudiée en Israël sous l'égide de Zev Morgenstern.

Ce dernier, par une heureuse coïncidence, était l'auteur de l'ouvrage sur lequel ils allaient travailler : « *Anthologie de la Nouvelle Jérusalem de la poésie hébraïque moderne*, choix et traductions de Z. Morgenstern ».

– Ce qui la différencie des autres, souligna le professeur Weiss lors de son premier cours, c'est que Morgenstern ne connaît pas seulement l'hébreu dans ses moindres nuances, il est également, lui-même, excellent poète...

Une des choses qu'il n'avait jamais dites. Par présomption, peut-être ? Conviction que tous ses élèves devaient être au courant ? Ou timidité pure et simple ? Tellement timide, en fait, qu'il avait attendu une semaine de trop pour l'inviter à prendre une tasse de café.

Elle reporta son attention sur les paroles du professeur juste à temps pour l'entendre annoncer :

– Avis aux amateurs, Morgenstern lira quelques-uns de ses propres vers à l'YMHA, la semaine prochaine. Tous les billets sont déjà vendus. Mais si certains d'entre vous désirent assister à la séance, je crois pouvoir arranger ça... puisque c'est chez moi qu'il va loger.

Elle se demanda ce qu'elle allait faire. Non pas si elle allait assister ou non à la séance, la réponse était évidente. Son seul véritable dilemme était de savoir si elle devait ou non se procurer un fauteuil au premier rang, si toutefois la chose était encore possible...

Zev serait-il heureux de la revoir ? Aurait-il, pour elle, un sourire, avant de lire ses propres vers avec une émotion accrue ? Ou bien risquerait-elle de le gêner par sa présence ?

Pis que tout, hésiterait-il à la reconnaître, l'aurait-il complètement oubliée ?

Laissant son fils faire ses devoirs sous la surveillance de madame Lamont, elle ressortit de chez elle, ce soir-là, en disant simplement à Éli qu'elle devait assister à une « importante conférence ».

A l'YMHA de la 92e rue, l'auditorium était plein à craquer lorsque le professeur Weiss monta sur l'estrade afin de présenter le poète. Il y avait tant de monde que Déborah dut se contenter d'un strapontin, tout au fond de la salle.

Elle redécouvrit, de loin, le visage de Zev. Il n'avait pas changé. Enfin, guère changé. Un peu plus fatigué, peut-être ?

Après l'élogieux discours d'introduction du professeur Weiss, Zev le rejoignit et sortit, de sa vieille veste de tweed, une paire de lunettes à verres en demi-lunes.

Eh non, songea Déborah, jamais le temps ne suspend son vol. Il n'avait pas besoin de lunettes en Israël.

Elle se rappelait avec quelle passion il lisait alors les vers en hébreu. Mais c'était dans une petite pièce, au bénéfice d'une douzaine d'étudiants. Aujourd'hui, l'auditorium en contenait des centaines, et sans doute lui fallait-il ses lunettes non seulement pour voir, mais pour se donner une contenance.

Il lut d'abord quelques-unes de ses traductions d'œuvres contemporaines, suivies d'une série de remarques pleines d'esprit où s'exprimait sa propre verve académique.

Puis il lut un poème de sa main, le plus courageux que Déborah eût jamais entendu, la mise à nu d'une âme écorchée vive, à la mémoire de son fils mort très jeune, peu de temps après sa *bar mitzvah*.

Rien d'étonnant qu'il eût réservé ce texte pour la fin, car c'est à peine s'il eut assez de voix pour le conduire à son terme.

Les applaudissements contenus n'exprimèrent aucune réticence dans l'admiration, mais plutôt la compassion la plus profonde.

Le professeur Weiss tint à présenter au conférencier sa meilleure étudiante, qui avait insisté pour venir ce soir.

– Déborah ! Incroyable ! Qu'est-ce qui s'est passé pour que vous disparaissiez sans laisser d'adresse ?

Remuée par la chaleur de cette main qui ne lâchait plus la sienne, Déborah parvint à répondre :

– Oh ça, c'est une longue histoire...

– Comment va votre petit garçon ?

– Il n'est plus si petit. Il est en première année, à l'école Salomon-Shechter.

– Merveilleux. Les Weiss reçoivent quelques personnes, ce soir, autour d'un petit buffet. Je suis sûr qu'ils ne m'en voudront pas d'amener une invitée de plus. Mais au fait... vous êtes seule ?

– Oui. Et je serai ravie de vous accompagner.

Bien que tout le monde s'efforçât de monopoliser l'invité d'honneur, Zev réussit finalement à s'isoler, avec Déborah, dans un coin tranquille.

– Ce magnifique poème au sujet de votre fils, Zev...

Il secoua la tête.

– Je n'ai pas perdu que mon enfant. Mon mariage également. Je pense qu'en nous séparant nous avons voulu fuir notre sentiment mutuel de culpabilité. Je ne sais pas ce qui se passe pour Sandra, mais moi, je ne peux pas supporter l'idée d'avoir des cellules sanguines normales et, d'une façon ou d'une autre, d'avoir tout de même provoqué sa leucémie.

Il leva la main pour l'empêcher de répondre.

– Ne me dites pas que c'est irrationnel. J'ai passé trop de temps à écouter un psy me répéter la même chose. Ces gens-là ne comprennent pas que les cauchemars peuvent vous tuer, même si vous les savez dépourvus de tout fondement.

– Je comprends, dit-elle, avant d'ajouter après un silence : vous étiez donc marié, lorsque nous nous sommes rencontrés ?

– Je plaide coupable, Déborah. Je crois que je n'étais pas le meilleur des maris.

Il hésita une seconde avant d'enchaîner :

– Mais j'ai beaucoup changé. Me croirez-vous si je vous dis que depuis mon divorce, il y a huit mois, je n'ai jamais essayé de draguer une autre femme ?

Avec une simplicité qui l'étonna elle-même, Déborah s'entendit répondre :

– Me croirez-vous si je vous dis que depuis la... mort de mon mari, je n'ai jamais pensé à aucun homme... de cette façon-là ?

Le regard scrutateur, il murmura gentiment :

– Et vous ne croyez pas qu'il serait temps de changer ça ?

Elle se détourna, fuyant ce regard trop lucide.

– Sans doute.

Il poursuivit sur le même ton faussement léger :

– J'aimerais être celui-là, mais je n'y crois guère...

Elle protesta, blessée :

– Pourquoi pas ?

– Parce que je ne suis pas prêt à m'engager, sur le plan émotionnel. Et qu'avec vous, je ne pourrais que m'impliquer à fond.

Une fois de plus, Déborah fut étonnée d'entendre ses propres paroles :

– Ce sera différent si l'invitation vient de moi ? Et si je vous garantis l'absence de tout engagement émotionnel ?

Zev fondait littéralement.

– Bien sûr, Déborah. Mais pas plus que moi, je ne vous crois capable de tenir ce genre de promesse.

Et comme ils le découvrirent plus tard dans la soirée, c'est lui qui avait raison.

Jamais, auparavant, elle n'avait séché un cours. Ce matin-là, elle les sécha tous afin de rester auprès de Zev, dans l'espoir de trouver une réponse à cette question tenaillante : s'ils mettaient en commun leurs réserves d'amour, seraient-elles suffisantes pour créer, entre eux, une relation durable ?

Après le petit déjeuner, ils allèrent se promener dans le parc et se racontèrent, mutuellement, tout ce qui s'était passé depuis leur séparation. En dépit de son inquiétude, Déborah avait hâte de voir comment Zev réagirait à son ordination imminente.

– Pour être parfaitement franc, j'éprouve une antipathie instinctive envers les rabbins, mais naturellement, je n'en avais embrassé aucun, avant cette nuit. Sérieusement, Déborah, j'ignore si avec tes antécédents familiaux, tu pourras comprendre pourquoi je hais les aspects religieux du judaïsme. A mes yeux, les ultra-*frums* sont des gens rigides, arrogants et doctrinaires. J'espère ne pas t'offenser.

– Aucune offense, Zev. Mais une certaine stupéfaction. Avec ces idées dans la tête, comment as-tu pu vivre en Israël, avec un salaire de misère, pour le seul plaisir d'enseigner la littérature ?

Il la menaça d'un index professoral.

– C'est là que réside toute la différence. Je peux avoir des doutes sur ma religion, mais je suis entièrement dévoué à mon héritage culturel. J'aime la Bible pour la beauté de sa poésie, la richesse de ses sentiments. Mais j'abhorre les exégètes autopromus qui sont sûrs qu'au retour d'Élie, ils auront leur place réservée, en première classe, sur le chariot de feu.

Il se maîtrisa, au prix d'un effort, et ne plaisantant qu'à demi, murmura :

– J'ai réussi à me faire détester ?

– Tu y mets du tien, il faut te rendre cette justice. Mais je t'en prie, continue.

– J'ai la conviction absolue que l'existence de l'homme est liée à sa terre natale. C'est valable pour les juifs autant que pour leurs voisins. Aucun peuple ne peut exister sans patrie.

– Quel rapport avec ma future ordination ?

– Je crois que c'était ma façon à moi de souligner que tout dépend de ce que tu estimes avoir à défendre. Si tu prêches le dogme que nous sommes le « peuple élu de Dieu », je ne peux pas croire honnêtement à ce que tu fais.

– Qu'est-ce que je devrais faire, d'après toi ?

Il retrouva la même passion pour lui répondre :

– Attraper par les oreilles tout juif un peu trop fier de l'être et lui dire d'aimer son prochain... à commencer par le juif d'en face. Hillel a bien dit que c'était la base même de notre religion... et tout le reste n'est que littérature !

Elle approuva, dans un sourire :

– Je crois que notre Hillel a *tout* dit.

Avec un emportement soudain, Zev la prit par les épaules.

– Alors, je crois que tu vas faire un rabbin du tonnerre de Dieu.

Puis, la serrant contre sa poitrine :

– Et je serai toujours au premier rang pour entendre tes sermons.

Tout en cheminant à travers le parc, Zev admit qu'il n'avait jamais trouvé qu'un seul palliatif aux angoisses quotidiennement dispensées par la vie. Travailler. Étudier, écrire jusqu'à l'épuisement. Depuis la mort de son fils, il avait immergé, dans le travail, ses émotions les plus profondes, tel un plongeur en apnée qui ne refait surface que pour respirer, au bord de la syncope, l'air indispensable à sa survie.

– Il y a des moments où je me fais l'effet d'un gros nuage. Je projette mon ombre, quand ce n'est pas mon contenu, sur tous ceux qui m'approchent. C'est l'effet que je produis sur toi, non ? Tu ne trouves pas cette grisaille particulièrement odieuse ?

Elle le rassura, d'une chaleureuse pression de main.

– Non, je trouve ça surtout familier !

Zev s'arrêta brusquement pour la couver d'un regard intense.

– Alors, on a quelque chose en commun. Une moitié de cœur par tête de pipe ! Peut-être qu'en recollant les deux moitiés...

Déborah posa un doigt sur ses lèvres pour leur imposer silence.

– Je n'ai pas dit ça, Zev. J'ai passé une partie de la nuit à te regarder dormir et même dans ton sommeil, la tristesse et la solitude se lisaient sur ton visage. J'aurais voulu les éloigner...

– Tu en aurais le pouvoir. On pourrait, tous les deux...

– Justement, non. J'ai découvert, cette nuit, que pour moi, « tous les deux » signifiait quelqu'un d'autre. Je n'ai pas donné la moitié de mon cœur au père d'Éli, je lui ai tout donné. Je sais, je sens à quel point tu brûles d'aimer et d'être aimé. Tu rencontreras quelqu'un, tôt ou tard... Je regrette, Zev. J'ai souhaité, de toute mon âme, que ça marche...

Un voile de tristesse réapparut subitement dans les yeux de Zev.

– Déborah, tu n'as pas l'intention de passer toute seule le reste de ta vie !

– Je ne serai jamais seule. J'ai mon travail.

– Et ton fils, je sais. Mais un mari ? Tu ne ressens pas le besoin d'avoir un homme dans ta vie ?

– Tout ce que tu dis est vrai, Zev. Mais je sais que je ne pourrai jamais aimer quelqu'un d'autre.

– Alors, cette nuit, c'était quoi ? Une sorte de test, histoire de voir où tu en étais ?

Elle baissa la tête. Comment lui dire qu'il était à deux doigts de la pénible vérité ?

– Je regrette, Zev, répéta-t-elle. Moi-même, je ne sais pas pourquoi.

Il la regardait sans comprendre, furieux.

– Nom de Dieu, Déborah, la vie est si courte ! Tu vas t'endormir un de ces jours, et t'apercevoir au réveil qu'il sera trop tard.

Le regard de la jeune femme racontait son propre naufrage.

– Il est déjà trop tard, Zev. S'il y a une chose dont je sois certaine...

Les mains crispées sur ses épaules, il résistait à la tentation de la violence.

– Déborah, tu n'as pas l'air de comprendre. Il est mort. Ton mari est mort ! Quand finiras-tu par te mettre ça dans la tête ?

Les yeux fixés sur son visage convulsé, elle chuchota :

– Jamais, Zev.

Puis tourna les talons et s'éloigna d'un pas vif. Sans regarder en arrière, même lorsqu'il lança dans son sillage :

– Tu es folle, Déborah ! Tu ne sais pas ce que tu fais !

Oh si, murmura-t-elle pour elle-même. J'espère simplement que tu trouveras la force de me pardonner.

51

DANIEL

Paradoxes de l'être humain : pourquoi le souvenir des meilleurs instants de la vie finit-il toujours par s'estomper alors que, même si l'on s'efforce de les oublier, la mémoire retient jusqu'aux plus petits détails d'une catastrophe ?

Il était exactement 5 heures 16 du matin, ce dernier mercredi du mois de mai 1978, quand un appel de Déborah me tira du sommeil ; pour une fois que je dormais tranquillement à l'hôtel Ritz de Chicago ! Elle semblait paniquée :

– Éli est malade ?

– Non, Danny, c'est papa...

– Papa est malade ?

– Pas encore. Mais le scandale risque de le tuer. Il est en réunion avec les anciens, depuis hier soir.

J'éprouvais une appréhension grandissante.

– Mais c'est l'aube ! Qu'est-ce qui se passe ? La synagogue a été mise à sac ?

– Dans un certain sens, oui. Un de ses rabbins a trahi papa. Et lequel, je te le donne en mille !

Je suggérai, au pif :

– Schiffman, à Jérusalem ?

– Que son nom soit à jamais effacé des annales !

La malédiction suprême de notre religion. J'insistai :

– Qu'est-ce qu'il a fait de si grave ? Calme-toi ou je ne vais rien comprendre.

– Oh si, tu vas comprendre très bien !

Elle avait raison. Depuis des années, semblait-il, le respectable rabbin Schiffman tapait dans la caisse. Détournait, à son profit, une partie des fonds que lui remettaient de nombreux dévots pour commanditer, à Jérusalem, la formation de futurs rabbins. Bien sûr, nous avions, là-bas, une authentique yeshiva qui se chargeait de promouvoir l'étude de la Torah, mais certaines des subventions accordées de toutes parts s'inscrivaient, directement, au crédit du compte personnel de Schiffman.

Déborah n'avait pas oublié un incident qui s'était produit durant son servage dans la geôle du rabbin félon.

Cette histoire de Philadelphie... Irv et Doris Greenbaum, millionnaires sans enfants, s'étaient laissé convaincre par l'habile Schiffman, après un festin au Roi David, d'affecter une somme de cinq cent mille dollars à la construction d'un foyer-dortoir adjacent à la yeshiva. Ces fonds, après bien d'autres, avaient pris le chemin d'un compte numéroté, en Suisse.

A la suite du décès de son époux, madame Greenbaum, accompagnée de sa nièce Helen, s'était décidée à faire la tournée des diverses réalisations qu'elle et son Irving avaient nourries du fruit de leur travail.

La visite du centre d'apprentissage d'Ashkalon, entre autres, lui avait réchauffé le cœur. Combien de pauvres immigrants venus des pays arabes en étaient déjà ressortis, depuis son ouverture, avec un bon métier dans les mains ?

Vingt-quatre heures plus tard, à Jérusalem, elles se rendirent, en taxi, à la yeshiva de la *B'nai Simcha,* dans Mea Shearim.

Ancien immeuble d'habitation converti en école, la yeshiva en question, hélas, ne pouvait s'enorgueillir de posséder le moindre dortoir.

– Il doit y avoir une erreur, dit Doris à sa nièce. C'est bien l'adresse qu'on vous a donnée ? demanda-t-elle au chauffeur.

– Bien sûr, d'ailleurs regardez, c'est marqué là... *Yeshiva B'nai Simcha.*

– Nous sommes désolées, s'excusa Helen, mais nous ne lisons pas l'hébreu. Je vais essayer de demander à quelqu'un...

Le chauffeur l'en dissuada :

– Aucun des hommes ne voudra parler à une femme, et la plupart des femmes ne parleront pas à des étrangères. Je vais me renseigner.

Elles durent attendre, dans le taxi qui peu à peu se transformait en four, que le chauffeur trouvât un passant assez libéral pour répondre à quelqu'un qui ne portait pas de calotte.

L'homme revint au bout d'un moment, tout aussi perplexe que ses passagères.

– Paraît que c'est tout ce qu'il y a. Ils n'ont pas de dortoir pour les étudiants. Ils logent tous dans des familles différentes.

Madame Greenbaum était à deux doigts de la crise de nerfs.

– Mais c'est impossible ! Irv et moi avons versé l'argent nécessaire, il y a près de dix ans. Allons voir le rabbin Schiffman, immédiatement.

Une fois de plus, leur chauffeur partit en reconnaissance, poussant l'audace jusqu'à pénétrer dans l'école. Cinq minutes plus tard, il revint, lentement, se présenter au rapport.

– Paraît qu'on ne le trouvera plus ici.

– Que voulez-vous dire ?

– C'est son adjoint qui dirige l'école. Paraît que le rabbin et sa famille ont quitté le pays voilà plus d'un mois.

L'univers de Doris Greenbaum tanguait autour d'elle.

– Je ne comprends pas. Je lui ai écrit pour lui dire exactement quel jour nous viendrions.

La nièce, elle, commençait à comprendre.

– C'est probablement la raison pour laquelle il n'est plus là.

De retour à l'hôtel, Helen appela Mort, son époux, avocat à Philadelphie. C'était lui qui avait pris les dispositions nécessaires, à l'époque, pour le transfert des fonds.

Bien qu'il fît à peine jour, à Philadelphie, Mort promit de filer immédiatement au bureau et de les rappeler aussitôt que possible.

Quelques heures plus tard, il eut, par la banque de son cabinet juridique, la confirmation formelle qu'en 1969, le virement avait bel et bien été fait au compte indiqué.

Prétextant que la fondation Greenbaum désirait contribuer, de nouveau, à l'agrandissement de la *B'nai Simcha*, il téléphona ensuite aux banquiers de Jérusalem pour leur demander si le numéro du compte en question était bien toujours le même.

Ses pires craintes furent alors confirmées. Le compte avait été soldé plus de trois ans auparavant.

Sans perdre de temps, il éleva suffisamment la voix pour obtenir le directeur de l'agence, au bout du fil, et le somma de lui dire où était passé le demi-million de dollars versé par sa fondation.

Les archives montrèrent que le lendemain même du jour où ils avaient été crédités, les cinq cent mille dollars s'étaient envolés pour Zurich. C'était tout ce que la déontologie financière du banquier lui permettait de révéler, à ce stade. Si l'avocat de Philadelphie désirait d'autres informations, il lui faudrait passer par les voies officielles.

Deux jours plus tard, les trois Greenbaum appelèrent, du bureau de Mort, le rabbin Moïse Luria, directeur international de la *B'nai Simcha*.

Dans l'intervalle, Mort avait mené sa petite enquête et

400

découvert qu'en quelques années, le bon rabbin Schiffman avait détourné près de deux millions de dollars, et qu'il vivait maintenant quelque part en Suisse, à distance vraisemblablement commode de son compte numéroté.

Selon Déborah, le choc et le chagrin conjugués avaient menacé la raison de mon père, surtout quand l'avocat lui avait révélé qu'une agence de presse était déjà sur le coup et qu'il allait être bien difficile d'étouffer la nouvelle plus de quelques jours. Compréhensif, Mort s'était engagé à faire le maximum pour tenter de régler la situation avant que le scandale ne transpirât dans les journaux.

Si mon père voulait bien lui remettre une liste des souscripteurs, durant les dix dernières années, Mort entrerait en contact avec les parties impliquées dans le transfert des fonds, leur ferait promettre de garder le secret, leur révélerait la vérité et présiderait en personne aux remboursements.

– Mais où vais-je trouver une somme pareille ? s'était écrié mon père.

Et l'avocat de lui répondre :

– Désolé, Rav Luria, mais les miracles, c'est votre rayon, pas le mien.

Je demandai à Déborah quelles mesures d'urgence papa comptait prendre pour faire face. Souscrire une seconde hypothèque sur l'école me semblait particulièrement inapproprié. Il n'avait aucun moyen, c'était évident, de rassembler une telle somme. Mais papa n'était pas homme à s'avouer vaincu. En fait, il avait convoqué toute la communauté pour sept heures du soir, à la *shoule*.

– Danny, se lamenta Déborah, n'y a-t-il rien que tu puisses faire ?

J'étais si désarçonné moi-même, que je pouvais à peine réfléchir. Certes, j'étais millionnaire, mais qui diable dispose d'une telle quantité d'argent disponible sous vingt-quatre heures ? En dépit de mon propre affolement, j'essayai quand même de la réconforter.

– Hé, Deb, calme-toi et fais le maximum pour rassurer papa. Je te rappelle dans trois heures.

– Dieu merci, Danny. Tu es notre seul espoir.

Je raccrochai, heureux de la sentir un peu plus tranquille.

Ce n'était pas mon cas. Je n'avais pas la moindre idée de ce que j'allais faire.

52

DÉBORAH

A sept heures moins le quart, la synagogue était si pleine que les jeunes gens, dont certains étaient rentrés de leurs universités respectives pour cette assemblée extraordinaire, devaient rester debout dans le fond de l'édifice et dans ses allées. Au balcon du premier étage, les femmes les plus jeunes n'avaient trouvé place que sur les marches.

A sept heures précises, le rabbin Luria se leva, blême et tremblant, monta sur l'estrade et récita le psaume 46 :

« Dieu est pour nous refuge et force,
secours dans l'angoisse toujours offert.
Aussi ne craindrons-nous si la terre est changée,
si les montagnes chancellent au cœur des mers,

lorsque mugissent et bouillonnent leurs eaux
et que tremblent les monts à leur soulèvement... »

Puis il promena son regard douloureux sur le vaste parterre de visages perplexes levés vers lui.

– Mes amis... nous vivons une heure de grand péril. Si grand que nous allons décider, cette nuit, de notre propre sort. Pourrons-nous rester unis ? Ou bien notre congrégation va-t-elle se désintégrer en milliers de morceaux aspirés par le vide ? Je n'exagère nullement. Et je ne crains pas, non plus, que les paroles prononcées ici sortent d'entre ces murs, car à l'intérieur de notre communauté, le frère ne trahit pas le frère.

Il poussa un profond soupir.

– Peut-être ai-je tort de m'exprimer ainsi puisqu'il s'est trouvé l'un des nôtres pour jouer les Caïn auprès des Abel que nous sommes tous. Le coupable ne mérite pas de rester anonyme. Il s'agit du rabbin Lazar Schiffman, le directeur de notre yeshiva de Jérusalem, qui s'est enfui avec de l'argent souscrit en toute bonne foi, au fil des ans, par de généreux donateurs, afin de promouvoir l'enseignement de la vertu.

Une rumeur naquit au sein de la foule et le Rav ne tenta pas d'interrompre son rapide crescendo, car il comptait sur ce désespoir commun pour stimuler la volonté générale de prendre les mesures nécessaires.

– Naturellement, nous pourrions nous en remettre aux autorités laïques de ce pays afin qu'elles traitent cette affaire comme le vol qualifié qu'elle représente. Mais nous y perdrions notre bonne réputation qui, la Torah nous l'enseigne, constitue notre bien le plus précieux. Je vous ai réunis, ce soir, pour vous lancer un appel sans précédent. Notre congrégation se compose d'un millier de foyers. Certains d'entre vous sont instituteurs, boutiquiers, gens aux moyens modestes. Certains autres sont des hommes d'affaires dont la richesse est considérable. Nous pouvons nous laver de la honte en rassemblant la somme de...

Il se tut un instant, incapable d'énoncer, sans reprendre haleine, une somme de cette importance. Enfin :

– ... près de deux millions de dollars.

La rumeur reprit de plus belle. L'anxiété était à son comble.

– Nous avons déjà signé une seconde hypothèque sur ce sanctuaire et sur notre école. Pour une somme légèrement supérieure à deux cent mille dollars. Et c'est avec l'aide de tous nos frères que nous allons devoir trouver le reste. N'oubliez pas qu'en cas d'échec, nous serons tous, à juste titre, regardés comme des criminels.

« Il ne s'agit pas là d'un appel du Yom Kippour où chacun peut prendre le temps de rentrer chez lui et d'en discuter, de réfléchir, de faire ses comptes. Vous avez déjà compris qu'il va vous falloir donner le plus possible. Tout de suite. »

Déjà, le bedeau Isaacs et quelques-uns des jeunes gens distribuaient les formulaires polycopiés au cours de l'après-midi. Et plusieurs jeunes filles en faisaient autant sur le balcon réservé aux femmes.

– Sitôt que vous aurez rempli vos formulaires, je vous suggère de vous lever et de commencer à réciter les psaumes numéros...

Le bourdonnement des voix, le craquement des feuilles de papier et le grincement des lattes du vieux parquet de bois sous les semelles résonnaient dans le chaos.

Il ne fallut pas plus de quelques minutes aux membres de la congrégation pour puiser dans leurs coffres et pour épancher, ensuite, leurs états d'âme dans la prière.

Pendant ce temps, près de la chaire, se déroulait un rite inhabituel. Isaacs transmettait à mi-voix, au docteur

Cohen et à deux autres membres du saint des saints de la congrégation, les chiffres inscrits sur les formulaires. L'étrange cérémonie durait depuis un peu plus de trois quarts d'heure lorsque le rabbin soupira de nouveau, si fort qu'il réduisit immédiatement les fidèles au silence.

– Je regrette d'avoir à dire que nous sommes très loin du compte. Notre disgrâce est inévitable. Il ne me reste qu'à rédiger une déclaration nous désolidarisant totalement du rabbin Schiffman et nous engageant à rembourser, même s'il y faut une centaine d'années.

Une voix jaillit soudain du balcon.

– Une minute, papa.

Toutes les têtes pivotèrent et tous les yeux se levèrent. En temps normal, les hommes eussent vilipendé toute femme assez effrontée pour interrompre les hommes, à travers la *mechitza*. Mais les circonstances n'étaient pas normales. Et c'était la fille du rabbin.

Il s'informa, d'un ton neutre :

– Oui, Déborah ? Pourquoi cette interruption ?

Elle s'approcha de la rambarde du balcon, tendant à bout de bras un rectangle de papier rose.

– Rabbin Luria, si vous me le permettez, j'aimerais faire une déclaration.

L'anxiété des fidèles ne lui laissait pas le choix. Brièvement, il riposta :

– Je t'écoute.

L'inquiétude des femmes, exceptionnellement mises au premier plan par son initiative, était clairement perceptible lorsque Déborah commença :

– Mesdames et messieurs... le papier que j'ai à la main est un chèque bancaire rédigé à l'ordre de la *B'nai Simcha*, pour une somme de...

Elle aussi savait ménager ses effets et marqua une pause avant de conclure :

– ... un million sept cent cinquante mille dollars.

Il y eut une cacophonie de hoquets et de cris étranglés. Tous doutaient de ce qu'ils venaient d'entendre, même madame Herscher, assise à côté d'elle.

Enfin, le rabbin Luria retrouva la voix dont le choc l'avait privé :

– Cette personne est-elle présente pour que nous puissions lui exprimer notre gratitude ?

– Non, dit Déborah. Il n'attend d'ailleurs aucune gratitude. Mais il a, toutefois, une petite requête.

Avant que le Rav pût demander laquelle, tous les assistants se mirent à crier la même question.

– Notre bienfaiteur désire être appelé à lire la Torah, lors du Sabbat, afin de recevoir la bénédiction que seul le rabbin Luria peut lui donner.

Les pensées des fidèles s'unirent comme un vol d'oiseaux tous semblables : à quel homme juste et bon avonsnous affaire ?

Tous les regards étaient fixés sur le rabbin, dont l'expression laissait voir qu'il venait de deviner, enfin, l'identité du donateur anonyme.

Mais sa réponse les frappa comme la foudre :

– Tu peux dire à ton frère Daniel qu'en dépit des circonstances, nous ne transigerons jamais sur nos principes. La rédemption ne s'achète pas.

Gorge nouée, Déborah hoqueta, incrédule :

– Papa... tu refuses ?

Le Rav martelait son lutrin, d'un poing massif, dans un terrible accès de rage incontrôlée.

– Oui, je refuse ! Je refuse ! Je refuse !

Toute la congrégation, debout, criait sa fureur et sa confusion :

– Rav Luria, vous n'avez pas le droit...

406

– Que Dieu le bénisse ! Que Dieu le bénisse !

La voix de Déborah se détacha, clairement, au sein du tumulte :

– Pour l'amour de Dieu, papa, ne sois pas si égoïste !

Le visage empourpré, les traits déformés par la colère, le rabbin hurla :

– Égoïste ! Comment oses-tu...

Subitement, il porta la main à sa poitrine et se rejeta en arrière.

Le silence se fit avant même que le corps du Rav ne touchât le sol.

Penchée par-dessus la rambarde du balcon, Rachel Luria ouvrit la bouche pour crier, mais aucun son n'en sortit.

Le temps s'arrêta tandis que le docteur Cohen s'agenouillait auprès du rabbin. Même aux extrémités les plus éloignées de la synagogue, tout le monde entendit son murmure :

– Il est mort. Le Rav Luria est mort.

Presque à l'unisson, jaillit, instinctive, la prière requise par la mort d'un être cher :

« Béni soit le Seigneur, juge équitable... »

Aussitôt suivi du geste non moins automatique de tous les spectateurs arrachant un morceau de leur vêtement, en signe de deuil. On eût dit que les cieux eux-mêmes se déchiraient. La mort d'un grand chef spirituel les obligeait tous à s'humilier devant Dieu.

Et le *Deutéronome,* et le *Talmud Sanhedrin* ordonnent qu'un homme soit enterré le jour même de sa mort, fût-ce à minuit, si nécessaire. Dans le cas d'un aussi grand homme que Moïse Luria, aucun effort ne serait épargné pour respecter la prescription sacrée.

Comme par magie, plusieurs personnages apparurent sur le lieu de la tragédie. Tous étaient membres de la *Chevra Kaddisha*, la Sainte Confrérie.

Qui les avait appelés, nul ne le savait. Ils appartenaient à cette race de saints hommes toujours prêts à remplir leur tâche solennelle : honorer les morts.

Ils ramenèrent le rabbin Luria chez lui et, laissant son épouse et ses filles le pleurer, avec les autres femmes, dans une pièce du rez-de-chaussée, vaquèrent efficacement aux préparatifs d'un enterrement nocturne.

Présents au nom de la congrégation, le docteur Cohen et l'oncle Saul assistèrent, sans y participer, au travail de la Sainte Confrérie, dans la lueur dansante des vingt-six cierges répartis, selon la tradition, autour du défunt.

Le chef des saints frères récita une prière dont le texte vénérable, remontant au premier siècle, implorait le Très-Haut de permettre au disparu « de marcher avec les justes dans le jardin d'Éden ».

Marmonnant psaumes et textes bibliques, ils placèrent un drap sur les jambes et le torse de Moïse Luria, car nul ne devait découvrir la nudité d'un homme aussi éminent que le Rav. Puis ils lui lavèrent la tête et les cheveux à l'aide de liquides divers, parmi lesquels du blanc d'œuf, procédèrent ensuite, à travers le drap, aux ablutions corporelles prescrites et, pour finir, obstruèrent par des tampons de coton tous les orifices de la dépouille.

A ce stade, deux membres de la confrérie maintinrent le rabbin sur ses pieds tandis que deux autres l'arrosaient abondamment d'eau claire en chantant « Il est pur. Il est pur. Il est pur... » sur un rythme de litanie.

Puis ils l'enveloppèrent d'un linceul cousu à la main,

qu'ils recouvrirent de son châle de prière et le coiffèrent d'une cagoule.

Avant que l'on pût lui voiler le visage, devait avoir lieu un dernier rite et, sur ce point, le chef de la confrérie fut catégorique :

– Seul le fils du défunt doit accomplir ce geste.

Le docteur Cohen objecta :

– Nous avons fait prévenir Danny. Mais il vient de Manhattan et qui sait à quelle heure il arrivera ? Nous sommes pressés par le temps, et le rabbin Saul, ici présent, fait également partie de la famille...

– Pas question. C'est le fils qui doit s'acquitter de cette tâche. Nous allons l'attendre.

Et la veillée continua, dans le bourdonnement des prières, jusqu'à ce que Daniel entrât timidement dans la pièce, le visage presque aussi blême que celui de son père.

– Danny, souffla son oncle d'une voix qui, malgré la faible intensité de son chuchotement, paraissait plus basse d'une octave que celle du commun des mortels, Danny, je suis si heureux que tu sois là.

Daniel, lui, était sans voix. De ses yeux qui parcouraient la pièce émanait une sorte de terreur sacrée.

53

DANIEL

Ce que je ressentais allait beaucoup plus loin que la terreur. C'était la peur abyssale d'avoir directement provoqué la mort de mon père et d'en encourir le reproche. Pardessus tout, c'était la panique que m'inspirait la simple idée d'avoir à *regarder* le corps de mon père.

Mais le plus horrible avait été cet écroulement de tous mes espoirs, quand Déborah m'avait téléphoné, la voix presque méconnaissable, pour m'annoncer la nouvelle. Quelle tragique ironie ! Moi qui avais attendu, collé à l'appareil, tout autre chose : que mon père consentît enfin à me bénir et à me reprendre. Et puis, à l'opposé de cette attente, le choc d'apprendre que l'homme dont je souhaitais, plus que tout au monde, retrouver l'amour, m'avait rejeté jusque dans la mort.

Au cours de l'interminable voyage en taxi, de Manhattan à Brooklyn, j'avais ruminé l'événement. Comment croire alors que quiconque, dans cette pièce où gisait le cadavre de mon père, pût y tolérer ma présence ? Pourtant, quoique prodigue, j'étais toujours fils unique et j'avais un ultime devoir à remplir.

Le chef de la confrérie me fit signe. J'hésitai. Debout de l'autre côté de la table, il agitait un carré de gaze épaisse et je doutais de pouvoir me pencher sur le visage encore découvert de papa. Toujours sans baisser les yeux, je traversai la pièce.

L'un des autres frères me tendait son poing fermé, avec l'intention évidente de me remettre ce qu'il contenait.

– C'est de la terre sacrée... qui vient de la Terre sainte. Tu dois la lui déposer sur les yeux.

Il vida les grains sablonneux dans ma main tremblante et je trouvai, enfin, le courage de regarder mon père.

A ma grande surprise, son expression était détendue. Presque souriante. Étrangement semblable à celle qu'il avait lorsque, tout enfant, je me perchais sur ses genoux.

Paradoxalement, je ne pouvais plus, à présent, détacher

mes yeux du visage de ce père que j'avais aimé, adoré et craint à la fois, dont les traits à jamais figés emplissaient mon être d'un désir absurde, irrationnel.

Et si je te réveillais, papa ? Si tu prenais le temps de me comprendre ? Si tu m'accordais celui de t'expliquer pourquoi j'ai fait ce que j'ai fait ? Par-dessus tout, si tu me pardonnais ? Si tu refusais de partir pour toujours avec la haine au cœur ? La haine de ton fils unique.

Posée sur mon épaule, la main de l'oncle Saul dissipa la chimère.

– Allez, Danny. Il se fait tard...

Je versai la terre sur ses yeux clos, frôlant accidentellement, du bout des doigts, son front de marbre.

De marbre ? Je n'en avais pas eu, vraiment, la sensation ? Restait-il, en lui, une parcelle de vie ? Suffisante pour qu'il eût perçu mes pensées ? Le chef des frères me repoussait doucement de côté. J'allai me placer auprès d'oncle Saul tandis qu'ils ajustaient la gaze sur le visage de mon père et transféraient le corps dans un simple cercueil de bois blanc.

Dans une sorte de transe, je descendis l'escalier à leur suite. Je vis maman et Déborah se pencher pour tenter d'apercevoir, une dernière fois, leur mari et leur père.

Je fendis la foule pour les embrasser. Muette de chagrin, Déborah se contenta de secouer la tête. Mais maman me glissa à l'oreille :

– Dis-lui que je l'aimerai toujours, Danny.

C'est seulement lorsque je ressortis de la maison et marchai vers le corbillard que la dimension de l'événement me frappa. Les rues toujours désertes, à cette heure de la nuit, fourmillaient d'une foule dense. Des centaines, probablement des milliers de personnes. Et qui n'appartenaient pas toutes à la *B'nai Simcha*. Cheminant derrière le corbillard,

411

en tête de la procession, je constatai qu'à mesure que nous traversions les quartiers voisins, ceux des autres sectes emplissaient les trottoirs, dans un dernier hommage au grand disparu. La réputation de piété de mon père franchissait largement les frontières de notre petit territoire.

Quand nous atteignîmes celles du monde extérieur, nous nous embarquâmes dans les voitures pour aller au cimetière de Sha'aray Tzedek. De nouveau seul avec mes pensées, j'évoquai ma mère et Déborah. Un décret arbitraire proscrivait leur présence et elles devaient rester à la maison, privées de l'ultime consolation d'accompagner papa jusqu'à sa dernière demeure.

J'avais presque autant de chagrin pour elles que pour mon père.

Brusquement, apparurent les flammes.

Une seconde plus tôt, les vitres de la voiture ne laissaient voir qu'une obscurité d'encre, assortie à celle de mon âme. Mais à présent, les flammes étaient partout. Des douzaines d'hommes nous entouraient, portant bien haut d'énormes torches.

Ils ressortirent le cercueil du corbillard, pour la dernière étape. Lors d'une des sept stations réservées à la prière, j'osai regarder par-dessus mon épaule et découvris l'oncle Saul qui pleurait comme un enfant, récitant l'un des psaumes dans une sorte de gémissement prolongé. Derrière lui, venaient mes beaux-frères, le docteur Cohen, les anciens et des centaines de personnes que je voyais pour la première fois.

L'intensité de leur deuil touchait à une sorte d'extase douloureuse qui, jointe aux flammes agitées des torches, m'hypnotisait presque. De loin en loin, je distinguais les mots d'un des psaumes :

412

« Seigneur, fais-moi prendre conscience de ma fin... de la brièveté de mon passage... »

J'aurais dû prier, moi aussi. J'aurais voulu prier. Mais les mots se dérobaient à ma mémoire.

Nous parvînmes, finalement, à la tombe fraîchement creusée. Les porteurs déposèrent le cercueil sur le sol, attendant de moi la prière que tout juif doit pouvoir réciter par cœur, comme si chacun dût passer sa vie à préparer la mort de ceux qui lui sont chers.

La foule retint son souffle quand, d'une voix qui refusait encore de franchir l'obstacle de ma gorge, je commençai à réciter le *Kaddish* :

« Glorifié et sanctifié soit le nom du Seigneur dans ce monde qui est Sien et qu'Il recrée pour y ressusciter les morts et les élever à la vie éternelle... »

A ma voix, se joignit la voix immense de la foule :

« Loué soit Son nom glorieux dans le siècle des siècles. »

A ce moment terrible me vint la pensée que telle avait été la prière récitée par mon père à ma propre mort symbolique.

Tandis que le cercueil descendait dans la tombe, le chef de la confrérie psalmodia :

« O Seigneur et Roi plein de miséricorde... dans Ta grande mansuétude, reçois l'âme du Rav Moïse, fils du Rav Daniel Luria, que Tu as rappelé à son peuple... »

Je frémis à ce rappel que mon père avait été le fils de l'homme dont je portais le nom. Mais je ne pouvais rien changer au fait que mon propre grand-père eût été le *Rav* Daniel Luria.

A la fin de la prière, le silence était tel que le crépite-
ment des torches semblait résonner comme une fusillade.
Le chef de la confrérie m'adressa un signe. Je connaissais
mon devoir. J'empoignai la pelle et jetai de la terre sur le
cercueil.

Puis, alors que les autres, tous les autres, commençaient
à faire de même, je chuchotai le message de maman et
reculai pour me perdre au sein des ténèbres.

54

DANIEL

Durant la traditionnelle semaine de deuil, nous conser-
vâmes nos vêtements déchirés et passâmes de longs
moments assis sur des caisses ou des tabourets trop bas, à
tenter de noyer, dans de multiples incommodités physiques, le chagrin que nous éprouvions.

Nous vivions dans une sorte de léthargie ponctuée,
chaque jour, par les trois séances de prière au cours des-
quelles nous – les hommes – récitions le *Kaddish*.

Conformément à une coutume immémoriale, tous les
miroirs de la maison avaient été voilés ou retournés face au
mur. Nul ne connaissait l'origine de cette pratique, mais à
mon avis son but était d'épargner aux vivants ces confron-
tations avec leurs propres reflets où ils se sentaient coupables d'être encore en vie.

Les nombreux dignitaires venus d'un peu partout présenter leurs condoléances ne disaient jamais rien qui pût consoler ma détresse. Maintenant que j'aspirais à la solitude, c'était elle qui m'était refusée.

Maman, au contraire, semblait puiser un certain réconfort dans les visites féminines qu'elle recevait, et dans ces échanges de soupirs et de larmes où son âme blessée trouvait apaisement.

Je souffrais pour Éli. Non seulement la mort de son grand-père traumatisait gravement ses sept ans, mais aussi le spectacle des pleurs de ses aînés, et de ces étrangers vêtus de noir qui envahissaient la maison à n'importe quelle heure, la bouche pleine de prières.

Pis encore, il n'y avait plus personne pour lui prêter l'attention à laquelle il était en droit de s'attendre. Nous étions tellement aveuglés de chagrin, Déborah et moi, que nos propres souffrances nous plaçaient hors de portée.

La mort, pour Éli, était encore une notion abstraite. Certes, il avait appris, à l'école, qu'Abraham avait « quitté ce monde » à 175 ans, et Mathusalem à 969. Mais dans le cas de son grand-père, le phénomène restait en dehors de sa compréhension. Après tout, ses gros livres étaient toujours là, sur les étagères, et dans son bureau planait encore, vaguement, l'odeur de sa pipe. Comment Éli eût-il pu croire que « grand-papa » ne reviendrait jamais ?

Je le gardais près de moi, aux prières du soir, et ne manquais pas une occasion de lui rappeler que le *Kaddish* s'adressait tout spécialement à son grand-père.

Dans l'ensemble, mon neveu tenait le coup remarquablement. En apparence. Le simple bon sens nous disait le contraire.

Même chose en ce qui concernait Déborah. Quand mes sœurs aînées ne recevaient pas de visites, elles avaient leur mari pour les assister. Mais les trois quarts du temps,

415

Déborah n'avait personne. A part moi qui ne réussissais pas toujours à me libérer de mes propres consolateurs importuns.

Elle attendait le Sabbat avec impatience, Déborah. Non parce qu'il marquerait la fin de notre période de deuil rituelle, mais parce qu'il lui procurerait l'occasion de réciter le *Kaddish* à haute voix. Sous l'égide païenne de Steve Goldman, au temple Beth El.

La lecture du testament de papa m'administra quelques nouveaux chocs. Je découvris tout d'abord que, contrairement à l'attitude qu'il avait gardée envers moi de son vivant, il n'avait jamais désespéré de mon repentir. Il exprimait l'espoir que le Père de l'Univers me guiderait vers mon destin, qui était de marcher sur ses brisées. Si cela devait advenir, j'avais sa bénédiction pleine et entière.

Mais il demeurait pragmatique. Au cas où « son fils Daniel » (et qu'il eût employé ce terme me fit bondir le cœur), se révélerait définitivement incapable de servir, il exigeait que le manteau fût placé sur les épaules de son petit-fils Élisha Ben-Ami qui deviendrait, il en avait la certitude, un grand chef spirituel. S'il devait mourir avant la majorité d'Éli, papa chargeait le rabbin Saul Luria de guider l'enfant jusqu'à ce que celui-ci fût en âge d'assumer ses propres responsabilités.

Mais la plus atteinte fut celle qui avait le plus aimé notre père, Déborah. N'avait-elle subi le traumatisme de sa propre révolte que pour se voir arracher son fils, symboliquement du moins, au bout du compte ? Elle n'avait pas fait cet enfant pour le sacrifier aux dogmes du passé !

Les poings serrés sur des mouchoirs mouillés de larmes, elle me confia son amertume et sa consternation et je me retrouvai, paradoxalement, dans le rôle d'avocat de papa.

– Essaie de le comprendre, Deb. Dans son esprit, c'était un *honneur*.

– Non, c'était sa façon particulière de me punir. Je ne peux croire qu'au fond de lui, il ne savait pas ce que je faisais. Il n'a pas pu m'arrêter, de son vivant, mais maintenant, il... il y a réussi.

Je l'empoignai rudement par les épaules.

– Non, Déborah. Moi, j'ai refusé, et tu vas refuser, toi aussi, pour le compte d'Éli.

Chose extraordinaire, sa résolution, malgré tout, n'était pas sans mélange :

– Alors, ils n'auront plus de chef spirituel. La *B'nai Simcha* sera dissoute et...

– Deb ! S'il y a une chose qui distingue notre peuple de tous les autres, c'est sa faculté de survie. Je te jure qu'ils s'en remettront. Dans l'intervalle, Dieu merci, Saul est costaud, bien portant, et tous le respectent. Personne ne rechignera à le prendre pour chef jusqu'à ce que notre Éli puisse parler en son propre nom.

– Mais ils lui poseront la question, à ce moment-là.

– Exact ! Alors, il pourra leur dire non lui-même.

Je pouvais lire, sur le visage de Déborah, combien elle brûlait de croire tout ce que je lui disais. J'ajoutai :

– Aie confiance en moi, Deb. Souviens-toi de la parole d'Hillel : « Sois fidèle à toi-même et garde-toi de tout sentiment de culpabilité. »

Très pâle et les yeux rougis par tant de pleurs, elle me regardait bien en face.

– Tu ne te sens pas coupable, toi aussi ?

Je jetai un regard vers le salon où quelques visiteurs continuaient à chanter des psaumes. La plupart appartenaient au groupe d'anciens qui, la veille, sous la conduite du docteur Cohen, avaient tenté de me convaincre que je

417

devais succéder à mon père, coûte que coûte. J'avais eu beau leur dire que je m'en sentais indigne et que ma mort spirituelle n'était pas un vain mot, ils avaient rétorqué qu'un sincère repentir me laverait de toute souillure aux yeux du Seigneur. Ils n'auraient sans doute pas lâché prise si l'oncle Saul ne leur avait dit de « me laisser le temps de retomber sur mes pieds ».

A la fin de notre deuil rituel, oncle Saul, veuf lui-même depuis près de dix ans, vint habiter chez nous. Bien que sachant qu'il apporterait un réel soutien à ma mère, je supportais mal de le voir occuper, derrière son bureau, la place de mon père. Et ce fut lui, qui, finalement, me posa la question que j'appréhendais le plus d'entendre :

– Eh bien, Danny, qu'est-ce que tu comptes faire de ta vie ?

Je me bornai à hausser les épaules, ne sachant comment dire à cet homme foncièrement bon que je vivais désormais dans une jungle dorée où j'aurais bien du mal à retrouver ma voie.

55

DÉBORAH

– Tu es en train de cracher sur la tombe de ton père ! s'écria Malka.

Toute la famille Luria était en larmes. C'était le premier Sabbat après la période de deuil officielle et, selon la décision prise par Rachel, nouveau « chef de famille », Danny avait reçu l'autorisation d'y participer.

Le temps ne s'était pas arrêté, dans le monde extérieur, et la date de l'ordination de Déborah était maintenant très proche. Elle avait donc choisi ce vendredi soir pour expliquer à l'ensemble de la famille comment et pourquoi elle – une femme – porterait bientôt le titre de rabbin. Cette réaction de Malka, la sœur aînée, était prévisible. Mais pas sa virulence.

Rachel, de son côté, se révéla infiniment plus forte que Danny ne l'avait jamais supposé. Il était clair qu'en dépit de leur différence d'âge, Moïse Luria l'avait tenue en très haute estime et bien souvent consultée sur des questions importantes.

Bien que la succession du rabbin de Silcz fût encore à pourvoir, celle de chef de famille ne l'était plus. Ce soir-là, Danny vit Rachel passer sans effort de la maternité au matriarcat. Sa voix ne tremblait pas lorsqu'elle déclara d'un ton sans réplique :

– Écoutez-moi, tous autant que vous êtes, et retenez bien ce que je vais vous dire. Moi vivante, personne ne prononcera des paroles de colère et de haine dans cette maison.

Bondissant à sa propre rescousse, Déborah souligna :

– Malka, il faut que tu saches que nous descendons tous d'une femme rabbin...

– C'est impossible.

– Pas du tout. Et je te conseille de ne pas faire étalage de ton ignorance en public. Elle s'appelait Miriam Spira et sa gloire nous honore. Peut-être ne l'a-t-on jamais appelée « Rav Miriam ». Mais elle enseignait la Loi et maintenant, cinq cents ans plus tard, c'est toujours à elle que nous devons la réputation de sagesse des Luria.

419

– Elle a raison, appuya calmement Danny. Elle a parfaitement raison.

Malka se retourna contre lui, furieuse :

– Oh, toi et ta sœur, vous êtes la honte de toute la famille !

Encore ébranlé par la mort de son grand-père et subitement effrayé par ces déchaînements émotionnels dont il ne pouvait concevoir la nature, Éli éclata en sanglots. Danny le prit dans ses bras et le gosse gémit contre son épaule :

– Qu'est-ce qui se passe, oncle Danny ? Je ne comprends pas.

– Un jour, tu comprendras.

Et Danny consola son neveu, secrètement soulagé de ne pas avoir à expliquer à Éli pourquoi certaines personnes considéraient la réussite du grandiose projet de sa mère comme une gifle lancée au visage du Seigneur Tout-Puissant.

Devant l'effervescence suscitée par la nouvelle au sein de sa propre famille, Déborah jugea inutile de préciser immédiatement que la chaire qu'elle avait acceptée, pour l'année suivante, l'entraînerait hors de la ville. Tandis que la majorité de ses condisciples se borneraient à seconder le rabbin en place, dans quelque petite congrégation de banlieue, comptant fermement sur ses erreurs pour parfaire leur instruction, Déborah aurait à faire face aux pleines responsabilités de sa charge.

Avec ses superbes lettres de créance, elle pouvait aspirer aux postes les plus importants, et les plus difficiles. Forte de son expérience de Nouvelle-Angleterre et de l'exemple que son père lui avait donné, toute sa vie, elle avait sollicité un poste de rabbin en titre, dans une communauté récente et en pleine croissance. Sa seule exigence : pouvoir revenir facilement à New York en voiture pour qu'Éli voie sa grand-mère et connaisse les endroits préférés de sa propre enfance : le parc, le zoo et le jardin botanique.

Les possibilités ne manquaient pas qui permirent à Déborah de trouver une chaire perdue dans les bois du Connecticut tout en étant à moins d'une journée de New York.

La congrégation Beth Shalom, d'Old Saybrooks, était relativement nouvelle. Qui plus est, en raison de la proximité de Yale, le pourcentage d'intellectuels y était élevé.

Seul inconvénient, l'absence, pour Éli, de toute école religieuse comparable à celle qu'il avait fréquentée à New York. Mais l'Académie Fairchild, avec sa réputation de sérieux pédagogique et de philosophie libérale, n'était qu'à un quart d'heure de voiture de la maison de pierre grise louée par Déborah, sur la rive paisible du goulet de Long Island.

Le soir où elle sut qu'elle avait le poste, Déborah emmena Éli voir l'oncle Danny, dans l'appartement voisin, avec l'intention d'« arroser ça » au champagne. Mais pour quelque raison incompréhensible, son frère ne manifesta qu'un enthousiasme très modéré.

Sitôt qu'ils eurent couché le petit, Déborah attaqua dans le vif et Danny concéda :

– C'est vrai. Tu connais la chanson « I Talk to the Trees » ? Mais je n'ai jamais rencontré personne qui ait pu obtenir une réponse ! Ça ne va pas te plaire, Deb, mais pour moi, Old Saybrooks est un joli trou pittoresque... et totalement dépourvu d'intérêt.

– Ce qui veut dire ?

– Dépourvu d'hommes présentables. Tu y as pensé quand tu as demandé le poste ?

– Franchement, oui.

– Tu veux être le premier rabbin de l'histoire qui ait jamais fait vœu de célibat ?

Elle protesta d'autant plus fort qu'il avait tapé juste :

– Je n'ai jamais rien prétendu de tel !

– Mais si ! En choisissant Old Saybrooks, tu t'es toi-même mise complètement hors circuit. En plus de ça, nos conversations cœur à cœur vont me manquer cruellement. Tu n'es pas seulement ma sœur, tu es aussi mon conseiller spirituel.

– Il y a le téléphone.

– Tu sais très bien que ce n'est pas la même chose.

– Et tu viendras passer tes week-ends avec nous... si les deux mois d'été qui restent ne t'ont pas suffi pour vider ton sac !

Elle plaisantait, incapable de soupçonner quel genre de « sac » pesait sur les épaules de Danny, et sur sa conscience.

Lorsque la congrégation reconnaissante avait encaissé le chèque qui la sauvait du déshonneur, elle avait accepté de l'argent que Danny ne possédait pas.

Placé devant l'impossibilité de réaliser ses propres avoirs en moins de vingt-quatre heures, Danny, par un habile numéro de prestidigitation informatique, s'était servi de fonds qu'il avait temporairement « empruntés » aux coffres de McIntyre et Alleyn.

Certes, il les avait remboursés moins d'une semaine plus tard, avec les intérêts. Mais quelle que fût la noblesse de la fin, rien ne justifiait, légalement, ces moyens malhonnêtes auxquels il avait eu recours.

Et dont, tôt ou tard, il devrait assumer les conséquences.

Cinquième partie

56

TIMOTHY

Le père Hanrahan attendait près de la porte donnant directement sur la piste de l'aéroport John-Fitzgerald-Kennedy lorsque le Jumbo Jet de Timothy commença à déverser ses passagers. Les deux hommes s'aperçurent à la même seconde et Tim s'arrêta net.

– Comment avez-vous fait pour passer la douane ?

Le vieux prêtre sourit malicieusement.

– Élémentaire, mon fils. Ça ne m'a pas coûté plus d'une demi-douzaine de bénédictions. Ces gens des services d'immigration sont de vrais croyants.

Ils s'embrassèrent, et le premier guide spirituel de Timothy poursuivit avec une affection profonde :

– Tim, mon garçon, c'est bon de vous revoir. Surtout avec ce col autour du cou. La seule chose qui ait changé, d'ailleurs. Vous avez toujours l'air du garnement qui avait jeté une pierre dans la fenêtre du rabbin.

L'émotion de Timothy n'était pas moins sincère.

– Vous non plus, vous n'avez pas changé, père Joe. Contrairement au diocèse, m'a-t-on dit ?

Ils marchèrent, côte à côte, vers les guichets de contrôle des passeports.

– C'est le moins qu'on puisse dire ! Votre oncle et votre tante ne sont pas les seuls Irlandais qui sont partis à Queens. Presque tous les visages familiers en ont fait autant. Comme vous le savez, c'est un vrai raz de marée d'hispanisants.

– *Yo lo sé,* improvisa Tim. *Estoy estudiando como un loco.*

Hanrahan sourit.

– Je l'aurais parié ! Moi, je fais ce que je peux avec l'aide du jeune père Diaz. Il célèbre même une des messes dominicales en espagnol. Si étrangers, parfois, que soient nos nouveaux paroissiens, ils ne le sont nullement à la foi. Ce sont même des gens très pieux, pour la plupart.

– Alors, l'école paroissiale doit tourner à plein rendement ?

Soudain nerveux, le père Hanrahan s'éclaircit la gorge.

– Mon Dieu... nous avons toujours la maternelle et le préparatoire... mais pour le reste, nos jeunes ont à prendre le bus pour se rendre à Saint-Vincent. La plupart de nos fidèles nous ont lâchés. Sans les *Latinos*, l'Église serait vide.

Une ombre tomba sur le cœur de Tim à la perspective de voir se fermer les portes de sa vieille école.

– Dommage. Nous n'aurions peut-être pas dû faire payer les cours...

– C'est à vos amis de Rome qu'il faudrait parler de ça !

Tim se demanda comment interpréter ce commentaire. Que savait Hanrahan des milieux dans lesquels il avait évolué au cours des derniers mois ? Très peu de chose, sans doute. Il extériorisait simplement sa frustration d'avoir à cesser prochainement d'exercer son sacerdoce, et dans une paroisse moins peuplée qu'il ne l'avait trouvée au départ.

– Naturellement, vous avez une chambre qui vous attend au presbytère. Mais je dois vous avouer que j'ai fait quelque chose de très égoïste.

– Que voulez-vous dire ?

– Ma mère est morte, il y a trois ans...

– Je ne savais pas...

– Oh, elle avait quatre-vingt-treize ans, elle était presque sourde et je pense qu'elle est plus heureuse, à présent, si elle peut entendre chanter les anges... De toute façon, j'ai gardé l'appartement et pris la liberté de vous faire préparer une chambre. Franchement, mon garçon, je serais heureux que vous me teniez compagnie.

– Bien sûr, mon père, avec joie.

Le porteur qui chargea les bagages de Tim dans la vieille Pinto du père Hanrahan refusa tout pourboire, et demanda simplement aux deux ecclésiastiques de prier pour que sa femme enceinte mît au monde un garçon, cette fois-ci.

A l'entrée de la voie express Brooklyn-Queens, quelques minutes plus tard, le vieux prêtre reprit doucement :

– Seigneur, que je suis content de vous avoir avec moi au moins un petit bout de temps.

– Auriez-vous l'intention de quitter ce bas monde ? plaisanta Timothy.

– Non, pas avant de nombreuses années. C'est juste que, d'après le bruit qui court...

Il marqua une pause avant de conclure, nostalgique :

– ... vous ne moisirez pas à Brooklyn bien longtemps.

– *Bendigame, padre. He pecado. Hace dos semanas que no he confesado.*

Timothy se sentait toujours aussi mal à l'aise, dans la boîte close du confessionnal. Quelque chose, en lui, l'estimait indigne de remplir les devoirs d'un prêtre et plus particulièrement la fonction de confesseur.

427

A travers l'écran de treillage qui les séparait, un jeune mari avouait son infidélité :

– Je n'ai pas pu me retenir, mon père. Cette fille, à mon travail, n'arrêtait pas de me provoquer.

Le pénitent reprit son souffle et revint en arrière.

– Non, je crois que je suis en train de me mentir. Mon corps la désirait. Je n'étais plus maître de mes sens...

Il se mit à sangloter, en sourdine.

– Oh mon Dieu, comment pourrai-je recevoir le pardon de ma faute ?

Et puis vint le moment redouté où, fonction oblige, Tim se vit contraint de sermonner, brandir l'épée de la loi, châtier le pécheur. C'est avec un sentiment de profonde hypocrisie qu'il riposta :

– Mon fils, Dieu place quelquefois la tentation sur notre chemin pour éprouver notre dévotion envers Lui. C'est dans ces moments-là que nous devons être forts et prouver que notre foi peut venir à bout de nos pensées les plus coupables.

Avec l'aide de Ricardo Diaz, Tim apprit à célébrer la messe en espagnol. Dévoué, corps et âme, aux devoirs de sa charge, il ne quittait parfois l'église qu'à l'approche de minuit. Et nul de ses paroissiens ne soupçonnait que, si le père Timothy fuyait ainsi la lumière du jour, c'était parce qu'il avait peur de rencontrer, au hasard des rues, quelqu'un ou quelque chose qui pût raviver, en lui, le souvenir de Déborah Luria.

A la longue, cependant, la tension devint trop forte et plein d'espoir Tim se résolut à chercher à satisfaire la curiosité qui le tenaillait. Par un dimanche pluvieux, coiffé du chapeau, vêtu de l'imper noir qui cacheraient plus ou moins sa qualité de prêtre, il s'enfonça, tête baissée, dans le quartier juif.

Trempé jusqu'aux os par un véritable déluge, fouetté par un vent capricieux qui concentrait l'attention des passants sur leurs parapluies, il passa, tout d'abord, devant la synagogue. Elle était toujours là, presque inchangée bien que l'inscription hébraïque commençât à s'effriter en travers de son fronton. Et de quelque façon subtile, tout l'ensemble du bâtiment trahissait l'érosion des années écoulées, depuis que, à quelques dizaines de mètres de là, il avait, chaque vendredi soir, éteint les lumières pour le compte de familles juives pratiquantes...

Et rencontré une jeune juive pratiquante...

Il reprit son chemin, les jambes de plus en plus lourdes, de plus en plus rétives à mesure qu'il avançait. Il s'arrêta, le cœur serré, devant la maison du rabbin Luria. Il leva les yeux vers la fenêtre qu'il avait cassée, il y avait au moins un siècle.

Un vieil homme à cheveux blancs finit par remarquer cette étrange silhouette plantée devant la maison du rabbin. La peur invétérée des étrangers le rendit soupçonneux.

— Vous cherchez quelque chose, m'sieur ? Je peux vous être utile ?

A son grand soulagement, l'intrus répondit en yiddish :

— Je me demandais si c'était toujours la maison du rabbin de Silcz.

— Naturellement que c'est toujours la maison du rabbin de Silcz ! Vous débarquez d'où, m'sieur ? De la planète Mars ?

— Et comment va... le rabbin ?

— Comment devrait-il aller, je vous le demande ! Le rabbin Saul est en parfaite santé... que Dieu le garde du mauvais œil.

– Le rabbin Saul ? Ce n'est donc plus le rabbin Moïse, le rabbin de Silcz que j'ai connu ?

– *Oy Gotenyu,* vous tombez vraiment de la lune, m'sieur ! Où étiez-vous quand le rabbin Moïse, puisse son âme reposer en paix, nous a quittés ?...

– Mort ? s'étrangla Timothy. C'est terrible.

– Là, je suis d'accord avec vous. Surtout dans des circonstances aussi tragiques.

– Quelles circonstances ? Et comment se fait-il que Daniel ne lui ait pas succédé ?

Peu à peu, renaissaient les soupçons du vieil homme.

– Hé, vous en posez des questions, m'sieur ! Peut-être que si vous ne savez pas tout ça, c'est que ça ne vous regarde pas !

Dominant son émoi, à grand-peine, Tim balbutia :

– Excusez-moi... C'étaient des amis de longue date, et...

– De très longue date, apparemment, ironisa son interlocuteur. De *trop* longue date pour que vous soyez au courant. Bon retour chez vous !

Plus méfiant que jamais, l'homme le fusillait à présent du regard. Sur un dernier coup d'œil qui eût voulu déchiffrer, au-delà de ces fenêtres muettes, tous les secrets d'un passé révolu, et d'un présent énigmatique, Tim remercia son informateur, et murmura :

– *Shalom.*

Puis il regagna sa paroisse pour y célébrer l'office vespéral en espagnol.

Que son désir de réintégrer Saint-Grégoire eût été, tout ou partie, causé par sa soif de revoir les lieux où elle avait vécu, de fantasmer, volontairement ou non, sur l'éventualité d'une nouvelle rencontre, Tim ne pouvait maintenant plus en douter. Mais il regrettait de n'avoir pas réfléchi davantage avant de prendre une telle décision. Car c'était un purgatoire qu'il ne pourrait supporter longtemps. Un châtiment masochiste qui vidait son âme de toute passion réelle pour son sacerdoce. Écartelé entre l'homme et le prêtre, il ne pouvait qu'échouer, dans les deux rôles.

S'il s'agissait là d'une nouvelle épreuve imposée par le Tout-Puissant, le verdict en était connu d'avance et la punition ne tarderait pas à s'abattre, mais sous quelle forme ?

C'est vers la fin juin que, pour son malheur, tomba la sentence.

L'école paroissiale était son lieu de prédilection. C'est là qu'il se sentait le plus heureux, à enseigner aux enfants prières et cantiques religieux, à tenter de leur inculquer l'amour de Dieu.

Il les accompagnait dans leurs sorties, partageant volontiers la responsabilité de veiller sur eux et le plaisir d'assister à leur découverte collective du monde extérieur.

Un matin plein de soleil, ils visitèrent les jardins botaniques. Le temps, superbe, allégeait un peu le cœur de Timothy. Bien que tout le quartier fût devenu presque méconnaissable, les fleurs, au moins, avaient gardé leur beauté.

Il se sentait tout ragaillardi, exceptionnellement pur, alors que les gosses s'asseyaient sur l'herbe pour dévorer leurs sandwiches. A la demande des sœurs, il décida de leur parler et sous l'impulsion des miracles de la nature qui les environnaient de toutes parts, il leur cita le Sermon du Christ sur la Montagne :

– « Observez les lis des champs, comme ils poussent : ils ne peinent ni ne filent. Or, je vous dis que Salomon lui-même, dans toute sa gloire... »

Les mots se bloquèrent dans sa gorge. A moins de vingt mètres de là, une maman très brune et son petit garçon se promenaient au soleil, bavardant avec animation, le sourire aux lèvres. Accompagnés d'une vieille dame aux cheveux de neige.

Aucun doute possible, c'était Déborah Luria et sa mère. Et son enfant.

Conscient, tout à coup, que son jeune auditoire attendait la suite, il se hâta de conclure :

— Que si Dieu revêt de la sorte l'herbe des champs, ne fera-t-il pas bien plus pour vous ?

Luttant contre la tempête interne qui le déchirait, il dit à l'une des filles :

— Dorie, qu'a voulu dire Jésus, d'après toi ?

Et tandis que la petite se lançait dans sa naïve exégèse, Tim regarda s'éloigner, là-bas, le couple disparate dont la vision lui poignardait le cœur. Déborah était rentrée au pays. Mariée avec un autre homme. Un autre homme qu'elle aimait assez pour lui avoir donné ce bel enfant.

De retour au presbytère, il se servit un grand whisky et s'assit près de la fenêtre ouverte, offrant son visage enfiévré à la brise nocturne.

Il but une gorgée d'alcool et se fustigea mentalement.

Pourquoi cette stupéfaction, grand Dieu ? Tu la voyais comment, après toutes ces années ? Dans la peau de quelque nonne juive allumant tous les soirs un cierge à ton intention ? Espèce d'infâme débile irlandais ! Pour elle, la vie a continué. Elle t'a oublié, comme c'était son droit.

Il leva son verre et porta un toast :

— Bravo, Déborah Luria. Tu as fait place nette dans ta mémoire. Tu as rayé ce bon vieux Tim Hogan de tes tablettes. A ta santé, mon amour !

Un autre lampée d'alcool acheva de libérer ses émotions.

Il s'aperçut, au bout d'un moment, que ses joues ruisse-laient de larmes.

Et s'entendit gronder, à fond de gorge :

– Le diable t'emporte, Déborah. Nul ne t'aimera jamais autant que je t'aime.

57

TIMOTHY

Tim n'osait se servir ni du téléphone de la paroisse, ni même de celui du presbytère où sœur Éléonore, qui depuis des années servait le père Hanrahan, pouvait entrer d'un instant à l'autre.

Honteux de sa propre hypocrisie, il acheta un exem-plaire de *The Tablet*, et tendit au vendeur un billet de cinq dollars pour avoir de la monnaie.

– C'est pour jouer au flipper, mon père ? plaisanta le vieil homme.

– On ne peut rien vous cacher, monsieur O'Reilly.

Il se mit en quête d'une cabine d'où il pût téléphoner en toute quiétude. Pas trop proche de l'église, pour ne pas s'exposer à la curiosité de quelque paroissien.

Aucune ne lui paraissant idéale, il finit par prendre le métro jusqu'à Fulton Street où il trouva un bureau de poste équipé de nombreux téléphones publics, et se cacha, comme un voleur, dans la cabine du fond, la plus éloignée de la rue.

– Tim ! C'est une joie de vous entendre.

– Je remercie Votre Éminence d'avoir bien voulu prendre la communication.

– Ne soyez pas idiot, mon fils, je suis toujours enchanté d'avoir de vos nouvelles. D'ailleurs, les grands esprits se rencontrent. J'avais l'intention de vous appeler sous peu. Quel bon vent vous amène ?

– Votre Éminence... ce n'est pas très facile à dire...

– Tim, votre voix m'inquiète. Vous semblez désespéré. J'espère que vous n'avez pas perdu votre... vocation ? Ici, à Boston, les prêtres partent en courant comme s'il y avait le feu à la cathédrale.

– Non, non, ce n'est pas ça, mais c'est difficile à dire au téléphone. Pourrais-je vous parler en privé ?

– Naturellement. Je peux vous recevoir demain matin si ce n'est pas trop tôt pour vous.

– Merci, Votre Éminence, soupira Timothy avec un indicible soulagement.

Perchée sur une colline de Brighton, la maison du cardinal Mulroney n'avait rien à voir avec les résidences de ses collègues romains mais, pour une ancienne forteresse du puritanisme, elle ne faisait pas trop mauvaise figure.

Assis sur un banc, à l'extrémité d'un long couloir dallé de marbre, Tim dut attendre nerveusement l'heure de son rendez-vous. Moins de dix minutes après son arrivée, deux grandes portes d'acajou s'ouvrirent toutes grandes et le secrétaire du cardinal, un Cubain aux larges épaules, fit signe au visiteur d'entrer. Mulroney lui-même, d'ailleurs, s'encadrait déjà dans le vaste rectangle de la porte.

– Entrez, mon garçon, entrez ! Bienvenue au pays des haricots, de la morue et des Red Sox !

Tout en introduisant Timothy dans un petit bureau confortable, il se retourna vers son secrétaire.

– Le père Jimenez va s'occuper du thé. Je comptais bien vous inviter à déjeuner, Tim, mais j'ai un repas, ce midi, avec le comité universitaire d'un établissement de Boston qui me harcèle pour avoir des sous. Autant vous épargner ce genre de discussion sordide jusqu'à ce que vous soyez cardinal vous-même.

Son Éminence se carra dans un fauteuil de cuir dont la couleur s'assortissait presque à celle de son costume.

– Mon cher garçon, je ne vous ai jamais vu un regard aussi sombre. Vous êtes malheureux. Dites-moi ce qui se passe.

Toute la nuit, Tim s'était demandé quel prétexte alléguer, quelle histoire raconter, voire quel mensonge, pour convaincre le cardinal de le muter loin de Brooklyn. Mais Mulroney parla à sa place.

– C'est curieux, Tim, je vous ai connu jeune séminariste, puis aspirant prêtre à Rome, et durant tout ce temps, vous n'aviez pas l'air de changer. Mais aujourd'hui, je vois une ombre sur votre visage. J'en conclus que vous devez traverser une crise grave. Malgré ce que vous m'avez dit au bout du fil, la prêtrise vous a déçu, c'est bien ça ?

– Pas du tout, Votre Éminence, pas du tout ; c'est simplement...

Impossible d'aller plus loin. Encore plus impossible, à ce stade, de dire autre chose que la vérité pleine et entière :

– Il s'agit d'une femme...

Le prélat enfouit son visage dans ses mains.

– Dieu Tout-Puissant, je m'y attendais !

– Ne vous méprenez pas, Votre Éminence, s'affola Timothy. C'est du passé. Elle vit dans ma paroisse...

– Continuez...

– Mais cela remonte à plusieurs années avant mon ordination. J'étais alors au séminaire. J'ai... oui, j'ai péché avec elle et...

435

Il ajouta dans un souffle :

– ... je l'ai aimée de toute mon âme.

Le cardinal s'agita sur son siège.

– Et maintenant ?

– Maintenant, je suis revenu à l'endroit où je peux la revoir. C'est insupportable...

– Est-elle mariée ?

– Elle a un enfant. Au moins.

– Parfait, ne put s'empêcher de commenter le cardinal. Vous lui avez reparlé ?

– Non. Je n'ai fait que l'apercevoir, de loin. Mais c'était...

– Le supplice du souvenir ? suggéra l'homme d'Église avec une profonde compassion.

– Exactement. Je crois que je ne pourrais plus tenir bien longtemps, à Saint-Grégoire, sans devenir complètement fou.

Comme à point nommé, l'entrée du père Jimenez avec le thé et les madeleines au beurre lui permit de reprendre son sang-froid dangereusement compromis.

– Merci, Roberto, soupira le cardinal. Nous allons nous débrouiller.

Le secrétaire posa le plateau sur un guéridon, s'inclina respectueusement et se retira. Mulroney se retourna vers Tim dont les yeux bleus avouaient son angoisse.

– Père Hogan, je commençais à me demander si ce n'était pas une épreuve pour tester ma foi, mais *Deo gratias,* vous venez de me rassurer.

– Je ne comprends pas, Votre Éminence.

– Tim, depuis ma nomination à l'archevêché de Boston, je n'ai jamais cessé de rechercher un prétexte pour vous faire muter là où je pourrais regarder grandir votre étoile sans avoir recours à un télescope. Et pas plus de quelques jours avant que vous ne m'appeliez, s'est présentée l'occasion rêvée.

Il poursuivit, quelques tons au-dessous :

– Je déplore, simplement, que les circonstances ne soient pas plus heureuses... Pendant que vous étiez à la « Pug », avez-vous rencontré un garçon nommé Matt Ridgeway ?

– Une fois ou deux. Il avait deux ans d'avance sur moi et j'ai toujours beaucoup apprécié ses articles dans *Latinitas*. Il a un tel sens de l'humour... sans parler de sa magnifique connaissance de la langue.

– Vous n'imaginez pas quels progrès il a fait faire à l'étude du latin dans nos écoles... Je l'ai nommé directeur de la section Langues classiques et il a beaucoup voyagé pour diffuser, si j'ose dire, l'évangile de l'Évangile.

Le prélat soupira.

– C'était un jeune homme tellement doué.

– C'était, Votre Éminence ? Il est... malade ou quelque chose...

Le visage de l'archevêque se rembrunit.

– Pour être franc, c'est plutôt l'Église qui est malade et le départ de Ridgeway n'en est qu'un symptôme parmi beaucoup d'autres. Il veut se marier. Il dit qu'il ne peut plus supporter la solitude. Et tout à fait entre nous, c'est quelque chose que même quelqu'un comme moi peut fort bien comprendre.

– Oui, Votre Éminence, répondit Tim, réconforté par la tournure inattendue que prenait leur entretien.

– Je fais de mon mieux pour obtenir de Rome la laïcisation de Matt, mais c'est de plus en plus difficile. Je pense que la Curie, sans parler de Sa Sainteté, a été prise au dépourvu par l'importance du nombre des défections, quand Jean XXIII a « entrebâillé la porte ».

« Le fin mot de l'histoire, c'est que l'archiépiscopat de Boston n'a plus ni directeur de la section Langues classiques, ni candidat susceptible d'en endosser la charge. Une situation qui devrait pousser les autorités à favoriser votre mutation immédiate. Quand pourriez-vous déménager ?

– J'aimerais en discuter avec le père Hanrahan. Je ne voudrais lui causer aucun embarras.

– Bien sûr, Tim. Mais je suis sûr que mon vieil ami et successeur, l'évêque de Brooklyn, lui trouvera un autre coadjuteur assez vite pour vous permettre d'assumer vos nouvelles fonctions à partir du 4 juillet. Nous pourrons alors célébrer deux fêtes en même temps[1].

Subitement, le cardinal consulta sa montre.

– Seigneur, si je n'arrive pas à temps, je ne pourrai jamais défendre la foi contre les doyens du Collège de Boston !

Avant de reprendre la navette aérienne, Tim appela le père Joe au bureau de la paroisse pour lui faire part de la bonne nouvelle, mais s'entendit répondre que le vieux prêtre était déjà rentré au presbytère.

Pas le temps de demander un autre numéro. Il se précipita vers son avion, le cœur en partie soulagé du poids qui l'oppressait depuis si longtemps.

_____

1. 4 juillet : « Independence Day », fête nationale des États-Unis. *(N.d.T.)*

58

TIMOTHY

Tim sentit tout de suite, en rentrant à l'appartement vers huit heures du soir, qu'il s'était passé quelque chose.

Sœur Éléonore n'avait mis qu'un seul couvert et se tenait assise, très droite, près de la grande table, statue grisonnante au masque tourmenté.

– Qu'est-ce qu'il y a, Nell ? Où est le père Joe ? Serait-il malade ?

– Non, non, mais il a fallu qu'il aille donner les derniers sacrements ou je ne sais plus très bien comment on appelle ça aujourd'hui...

– L'extrême-onction, s'impatienta Timothy. Qui est à l'article de la mort ?

La nonne pâlit, soudain très nerveuse.

– Je ne sais pas. Une histoire de pneumonie. Je n'ai pas retenu le nom.

Agacé, Tim éleva la voix :

– Je sens que vous me cachez quelque chose, ma sœur. Dites-moi de qui il s'agit.

Subjuguée, presque effrayée, la religieuse cacha son visage dans ses mains.

– C'est votre mère, père Tim. Il est parti voir votre mère. Les gens de l'hôpital ont dit qu'elle l'avait demandé.

Sa mère ?

Si, conformément aux rappels incessants de Tuck et de Cassie, sa mère n'était en état ni de raisonner sainement, ni même de reconnaître son propre fils, comment, sur son lit de mort, avait-elle pu recouvrer une lucidité suffisante pour se souvenir du père Hanrahan et le demander expressément ?

Tout en cherchant frénétiquement, dans les tiroirs, les clefs du minibus de la paroisse, Tim se renseigna auprès du père Diaz, sur la route la plus directe pour se rendre au sanatorium du Mont Sainte-Marie.

Puis il bondit au volant, parvint à lancer le moteur au troisième essai et démarra sec, luttant contre une appréhension croissante.

Tim poussa l'accélérateur au plancher, dans un geste de défi quasi suicidaire. Quelque chose lui disait que ce qu'il allait apprendre, cette nuit, allait changer si profondément sa vie qu'il ferait peut-être aussi bien de la perdre en cours de route.

Quand il s'arrêta, une heure et demie plus tard, pour prendre de l'essence, il remarqua, sur le parking du Howard Johnson adjacent, la vieille Pinto du père Hanrahan. Laissant le pompiste refaire le plein du minibus, il se rua dans le restoroute où il retrouva le père Joe attablé, pâle et tendu, devant une tasse de thé.

Tim n'était pas d'humeur à tourner autour du pot.

– Ça va, Joe, ne me contez plus de mensonges ! Pourquoi ne m'a-t-on jamais permis de voir ma mère ? Nous allons continuer ensemble. Et vous allez *tout* me raconter !

Il devait se retenir pour ne pas empoigner son vieil ami par les épaules et le secouer sans douceur.

Cinq minutes plus tard, ils avaient repris la route et, tout en conduisant, Tim écoutait ce que Joe Hanrahan tentait d'expliquer :

– Elle vivait en plein délire, Tim. Elle disait des choses affreuses. Des choses qui vous auraient déchiré le cœur.

– Parce que vous y avez assisté ?

– Oui. C'était mon devoir en tant que prêtre.

– Et mon devoir à moi, en tant que *fils* ?

– C'était de vivre votre vie, mon garçon.

– Toutes ces années de mensonges !

Tim était en rage et le père Hanrahan décida de se taire alors qu'ils quittaient la nationale pour s'engager dans une petite route en lacet. Dans cinq petites minutes, ils seraient à l'hôpital.

Tim pourrait découvrir, par lui-même, toutes les réponses aux questions qui le torturaient.

« Maison de repos du Mont Sainte-Marie. » L'écriteau était planté au-dessus du portail que flanquaient deux piliers de pierre.

Bel euphémisme pour « asile d'aliénés ». Mais Tim était trop bouleversé pour émettre le moindre commentaire. Après tant d'années d'incertitude et de chagrins, touchait-il au but de ses désirs d'enfant ? Trois nonnes, dont la Mère supérieure, les accueillirent avec un mélange contenu d'anxiété et de commisération.

– Bonsoir, père Joseph.

– Bonsoir, mes sœurs. C'est une bien triste occasion pour vous présenter mon nouveau vicaire, le père Timothy.

Deux des trois religieuses étaient assez âgées pour ne voir, dans la présence de Tim, aucune signification particulière. Mais la troisième, une jeune novice d'à peine plus de vingt ans, ne maîtrisait pas encore l'art de regarder un prêtre sans y voir d'abord un homme.

Encadrant Hanrahan, les deux aînées le pilotèrent dans un long couloir chichement éclairé.

Restée en arrière avec Tim, la jeune novice chuchota :

– Pardonnez-moi, mon père, mais je suis frappée par la ressemblance entre vos yeux et les siens.

– Vous avez raison, admit-il dans un souffle. Je suis son fils.

Elle retourna sur le même ton :

– C'est bien ce que je pensais... Margaret parlait de vous si souvent...

Sans blague ? hurla sa voix intérieure.

– Et qu'est-ce qu'elle disait ?

– Mon Dieu... elle n'a pas toute sa raison, vous le savez. Mais sauf votre respect, il est clair qu'elle ne vous prenait pas pour le Messie.

– Je m'en doute. A-t-elle jamais dit quoi que ce soit de... sensé ?

La sœur rougit.

– Elle disait que vous étiez beau. Elle parlait souvent de vos yeux.

Elle n'avait vu Tim qu'une semaine ou deux. Juste assez longtemps pour retenir cette sorte de chose.

– Ma sœur, quel est exactement le diagnostic, en ce qui la concerne ?

– Vous ne le savez pas ? Elle souffre d'hallucinations récurrentes. Si vous lisez son dossier... ouvert il y a vingt-cinq ans... le mot qui revient sans cesse est celui de « schizophrénie ».

Là-bas, le père Joe et les deux autres nonnes venaient de disparaître, sur la droite. Tim se hâta de questionner :

– Et en dehors de ça ?

– Ces derniers temps, son état s'est aggravé de démence sénile. Et maintenant, cette pneumonie qui la pousse au délire... J'ai bien peur que ce ne soit très pénible pour vous, mon père.

– J'y suis préparé.

Tim, les yeux dans le vague, s'abstint de préciser qu'il s'était effectivement préparé, toute sa vie, à subir cette terrible épreuve.

A l'extrémité du long couloir silencieux, une porte ouverte laissait passer, sur le lino sombre, un mince faisceau de lumière. Le père Hanrahan et les deux autres nonnes étaient déjà dans la chambre.

Une immense panique intérieure envahissait Timothy. La novice le sentit, et lui prit le bras, gentiment, lorsqu'ils pénétrèrent dans la pièce.

Ce que découvrit le regard de Tim n'était pas une femme, mais un spectre émacié dont les cheveux blancs collés en mèches désordonnées, la face ridée aux joues creuses n'avaient plus rien d'humain. Sauf les yeux. Ces yeux que Timothy voyait, depuis toujours, au milieu de son propre visage.

Malgré les perfusions, elle cherchait à se redresser en se cramponnant aux barreaux de son lit. Et toussait affreusement, les poumons pleins de flegme.

Puis, leurs regards se croisèrent. Margaret Hogan parut se figer. Bien que folle et mourante, elle comprit, instantanément, qui venait d'entrer dans sa vie, à quelques minutes de la fin.

– Tu es... mon fils, ahana-t-elle, Timothy.

Tim eut l'impression que son propre cœur allait cesser de battre.

Puis la folie reprit ses droits, chassant cette lueur de lucidité miraculeuse :

– Ou peut-être l'ange Gabriel... ou Michel... ou Élie... venu pour m'emmener au ciel...

Tim tenta, vainement, de capter l'attention du père Hanrahan pour l'obliger à reconnaître que, même aujourd'hui, plus morte que vive, Margaret Hogan n'avait pas hésité à identifier son fils.

Comment les choses se seraient-elles passées s'il avait pu la rencontrer seize ans plus tôt, lorsque Tuck Delaney l'avait rattrapé et brisé tout espoir de la connaître ?

Ils avaient tous conspiré pour empêcher cette rencontre. Glacial, il ordonna :

– J'aimerais que tout le monde sorte.

Sans pouvoir comprendre, la Mère supérieure objecta :

– Mais c'est le père Hanrahan qui...

– Mais moi, je suis son fils.

Le vieux prêtre fit signe aux sœurs d'obéir. Et Timothy resta seul avec la personne qui lui avait donné la vie. Il réprima de son mieux l'émotion qui l'étreignait.

– Margaret, on va bavarder tous les deux. Je suis venu vous oindre...

– Oh ? L'extrême-onction ?

– Oui.

Le père Hanrahan avait laissé son sac sur la table. Tim en sortit l'étole et la plaça sur ses épaules. Puis il s'empara de la petite bouteille d'huile sainte et s'assit sur le bord du lit, près de sa mère, se demandant combien de temps durerait encore sa lucidité intermittente. Cette horrible toux ne laissait pas espérer un bien long sursis.

Il s'efforça de jouer correctement son rôle de prêtre. Pour le rôle du fils, il était trop tard.

– Margaret Hogan, je suis prêt à entendre votre confession...

Le réflexe de sa mère fut instantané. Elle se signa en murmurant :

– Mon père, bénissez-moi parce que j'ai péché. Il y a bien trois cents ans que je ne me suis pas confessée...

Mon Dieu, songea Tim, voilà qu'elle recommence.

Il était maintenant question d'anges, de sorcières et de démons. Elle affirmait aussi qu'elle avait engendré un Sauveur.

La main sur les yeux, Tim l'écoutait en retenant ses larmes.

Puis, tel un rayon de soleil perçant un ciel d'orage, elle eut un nouvel instant de raison.

— Vous n'êtes pas vraiment prêtre... Vous êtes mon petit garçon déguisé en prêtre... Tu es bien mon petit Timmy, n'est-ce pas ?

Paradoxalement, sa subite clarté d'esprit le bouleversa plus que ses aberrations. Il essaya de répondre calmement :

— Oui, mère... C'est moi Timothy... Mais j'ai beaucoup grandi, depuis ce temps-là.

— Et tu es devenu prêtre ? Personne ne m'avait jamais dit que mon bébé était un homme de Dieu.

Elle le fixait. C'était le moment ou jamais. La seule chance d'obtenir une réponse.

— Maman... qui était mon père ?

— Ton père ?

— Je t'en prie, fais un effort. Dis-moi qui c'était.

Elle eut un sourire radieux.

— Tu ne savais donc pas que c'était Jésus ?

— Maman, c'est impossible. Jésus siège à la droite de Dieu. Essaie encore. Je sais bien que ça n'est pas d'hier.

— Ça, c'est bien vrai. Et j'ai oublié tant de choses. Attends. Je crois que c'était Moïse.

— Moïse ?

Plus le moindre doute à présent. Elle était sûre de ce qu'elle disait :

— Oui, oui, ça me revient. Moïse m'est apparu au milieu de la nuit. Il m'a dit que j'allais avoir un fils.

— Et je suis ce fils.

Elle releva les yeux vers lui.

— Non, vous êtes un prêtre. Le prêtre qui va me donner les derniers sacrements pour que je puisse retourner dans les bras de Moïse et revoir mon bébé Jésus.

L'estomac de Tim était atrocement contracté. Pourquoi

445

ne puis-je pas l'atteindre ? Comment l'obliger à tout me dire ?

Brusquement, elle eut une sorte de haut-le-corps.

– Mon père, bénissez-moi parce que j'ai péché... J'ai péché avec...

Elle retomba, sans terminer sa phrase, au creux de son oreiller. La flamme s'était définitivement éteinte.

Dans un brouillard, Tim remplit sa fonction sacerdotale. Il lui prodigua l'huile sainte et lui donna l'absolution.

– Au nom du Père, du Fils, et du Saint-Esprit.

Tim se releva. Contempla longuement sa mère. L'embrassa sur le front et marcha vers la porte.

59

TIMOTHY

« Dieu Notre Seigneur ayant décidé de rappeler à Lui notre sœur Margaret, nous rendons son corps à la poussière dont il était fait. »

– Amen, dit Timothy, avec le reste de l'assistance réunie autour de la tombe de Margaret Hogan.

Elle n'était pas nombreuse. Son fils, sa sœur, le mari de celle-ci, et deux de leurs trois filles. Mariée, la troisième, Bridget, vivait maintenant à Pittsburgh et n'avait pas vu la nécessité d'assister aux funérailles d'une personne qu'elle n'avait jamais rencontrée.

Après que tout le monde eut jeté une poignée de terre

446

sur le cercueil de Margaret, le père Hanrahan lut un passage de l'Évangile selon saint Jean, « Garde nos cœurs du doute », et conclut par les paroles du Christ à Thomas :

« Je suis le chemin, la vérité, et la vie. Nul ne pourra venir à mon Père, qui ne m'ait rencontré d'abord... »

Le prêtre marqua ensuite la fin de la cérémonie et tous repartirent vers la sortie du cimetière sous le vent glacé.

Tim s'attarda une seconde de plus auprès de sa mère afin de lui parler une dernière fois, dans la mort, comme il lui avait toujours parlé dans la vie : sans la voir. Quand il rejoignit les autres, Tuck Delaney, de plus en plus obèse et rougeaud, protestait auprès de Joseph Hanrahan :

– Pourquoi qu'y a pas eu d'éloge funèbre ?

– Désolé, Tuck. C'est la volonté expresse de son fils.

Delaney se retourna vers Tim, qui ne mâcha pas ses mots :

– Je n'ai pas voulu entendre tout un tas de balivernes. Il y a eu suffisamment de mensonges de racontés sans ça.

– Timmy, releva l'agent Delaney, c'est comme ça que les prêtres s'expriment de nos jours ?

Le père Hanrahan s'interposa.

– Laissez-le tranquille.

Tous, à l'exception de Timothy, reprirent place dans l'unique limousine poussiéreuse qui les avait amenés au cimetière. Delaney bougonna :

– Grimpe, Timmy. Ils ont prédit de la flotte, à la radio. Plus on traîne, plus on va se taper les bouchons de l'heure de pointe.

Tim ne put s'empêcher d'ironiser :

– Je m'en voudrais de vous causer des embarras, même de circulation. Allez-y. Je rentrerai en métro, à mon heure.

En claquant la portière de la voiture, il entendit son oncle crier au chauffeur :

447

– Grouillez, mon vieux. Je vais vous montrer un chouette raccourci.

Tim retourna lentement se recueillir sur la tombe de sa mère. A quelques pas du monticule de terre fraîchement remuée où reposait le corps de Margaret Hogan, se dressait un monument de marbre érigé à la mémoire de « Evan O'Connor, mari, père et grand-père adoré ». Pleine de sollicitude, la famille O'Connor avait même prévu un banc de pierre où pouvaient se reposer ceux qui venaient ici admirer le mausolée en priant ou non pour les âmes des chers disparus.

Tim contempla longuement la tombe de sa mère en songeant : « Tu as emporté ton secret avec toi, Margaret Hogan. Maintenant, je ne saurai jamais... »

Non sans amertume, il compléta sa pensée soudaine :

« Pour toi comme pour moi, j'aimerais que ce soit Jésus... ou l'ange Gabriel... ou Moïse... »

La suite s'imposa avec une brutalité horrifiante.

Moïse. N'avait-elle pas connu un Moïse, au cours de son existence ? Non, ce n'était pas possible. Le simple fait de l'envisager constituait une sorte de blasphème.

Et pourtant...

Et pourtant, il se retrouva, à quatorze ans, dans ce cabinet de travail encombré de gros livres, assis en face d'un saint homme de Dieu qui disait : « A la mort de ma femme, le bedeau Isaacs a engagé ta mère pour venir faire le ménage chez moi et puis... »

Le saint homme en question ne s'était-il pas appelé Moïse ? Moïse *Luria* ?

Les calculs nécessaires se firent d'eux-mêmes, dans sa tête. Sauf erreur de sa part, et Dieu savait qu'il eût souhaité se tromper, la longue absence d'Eamonn Hogan avait coïncidé avec la période de deuil du Rav Moïse, après la mort de sa première femme. Les pièces s'emboîtaient. Elles s'emboîtaient avec une affreuse exactitude.

Moïse Luria était encore jeune à la mort de son épouse. Et quelle que fût la profondeur de son chagrin, il n'en restait pas moins homme. Un homme qui voyait ma pauvre mère dans toute sa beauté juvénile, dans toute son innocence. Un homme qui devait l'impressionner. Un homme de Dieu, même si le Dieu était différent. Un personnage éloquent, charismatique, dont la solitude avait fort bien pu l'apitoyer.

Les ténèbres noyaient le cimetière lorsque Tim repartit en courant vers le métro. Il tentait vainement d'arrêter le cours de ses pensées.

Comment pourrait-il faire face à la possibilité monstrueuse que lui, Timothy Hogan, prêtre de Jésus-Christ, pût être le fils du rabbin Moïse Luria ?

60

TIMOTHY

En se confessant au père Hanrahan, Timothy n'espérait pas trouver la paix. Avec la révélation qu'il allait lui faire, il savait fort bien que sa carrière de prêtre était d'ores et déjà terminée.

– Bénissez-moi, mon père, parce que j'ai péché. Ma dernière confession remonte à une semaine.

– Oui ? l'encouragea le père Joe.

Tim respira profondément, et dit dans un râle :

– J'ai commis le péché d'inceste.

– Quoi ?

– J'ai eu des rapports avec une femme qui, je viens de le découvrir, est ma sœur.

Le père Joe, très secoué, dit enfin :

– Vous pouvez m'expliquer cette histoire d'inceste ?

– Elle est vraie. J'aurais dû comprendre tout de suite quand le juif a dit qu'il avait connu ma mère.

– Le juif ?

– Le Rav Luria. Je souhaite ardemment qu'il brûle en enfer !

– Vous pensez que le rabbin était votre père ?

– J'en suis sûr. Qu'il s'en défende en présence de son Dieu. Mais moi ? Pouvez-vous concevoir mon péché ? Quelle pénitence allez-vous me donner ? Quelle expiation assez forte pour laver mon âme ?

Il y eut un silence que troubla, au bout d'un long moment, la voix tremblante du vieux prêtre :

– Maintenant, je vous demande d'entendre *ma* confession.

Tim secoua la tête.

– Je ne peux pas, je ne suis déjà plus un prêtre. Et vous ne m'avez pas donné ma pénitence.

Le père Hanrahan saisit Timothy par les épaules.

– Votre pénitence sera d'entendre ma confession.

Et sans attendre les protestations de Tim, le guide de son enfance s'agenouilla devant lui, et se signa.

– Bénissez-moi, mon père, parce que j'ai péché. Ma dernière confession remonte à une semaine.

« J'ai commis plusieurs péchés mortels. Pas seulement depuis une semaine, mais au cours de ma vie passée. J'ai contribué à perpétuer un mensonge. Ma seule excuse est

450

que j'avais appris la vérité sous le sceau de la confession. Personne, pas même le Saint-Père lui-même, n'aurait pu lever mon vœu de silence.

Il marqua une longue pause avant d'implorer, des yeux, la compassion de Timothy.

– Mais en tant que pénitent, je peux tout dire à mon confesseur. C'était il y a bien longtemps...

– Mais encore ? insista Timothy, la voix sourde. Pouvez-vous préciser ?

Il eut une nouvelle hésitation :

– Avant votre naissance.

Tim sentit un lent frémissement le parcourir des pieds à la tête, et dit simplement :

– Continuez.

– Un de mes paroissiens m'a dit en confession qu'il avait commis l'adultère et que la femme était enceinte de ses œuvres.

Le débit du père Hanrahan s'accélérait peu à peu, à mesure qu'il revivait son histoire :

– Il s'agissait de la sœur de sa femme. Il voulait la faire avorter. En sa qualité d'agent de police, il connaissait les médecins... Je l'en ai dissuadé. Et quand l'enfant est né, j'ai falsifié les actes de baptême. J'y ai inscrit le nom du mari de cette femme pour que l'enfant soit légitime. Je voulais protéger la malheureuse dont l'esprit chancelait. Et l'enfant... je voulais protéger la pauvre petite créature innocente.

Tête baissée, il éclata en sanglots.

La souffrance de Tim touchait au paroxysme. *Tuck Delaney*, son père ? Cette grande gueule, cette poule mouillée ? Cette seule pensée le rendait malade.

Relevant la tête, le vieux prêtre affronta le regard sauvage de Timothy.

– Telle est ma confession, père Hogan. M'accordez-vous votre absolution ?

Tim n'hésita qu'une fraction de seconde.

– Je suis sûr que Dieu, dans sa compassion infinie, saura vous pardonner. Mais je doute de jamais y parvenir moi-même.

Par une de ces matinées new-yorkaises où l'air pollué pèse lourdement sur la ville, Tuck Delaney, en chemisette, dévoilant ainsi ses bras épais, poussait sa tondeuse à gazon sur la pelouse de sa maison blanche aux volets verts du quartier de Queens.

Il s'arrêta, épongeant de son mouchoir ses gros biceps et son visage congestionné, en voyant son neveu apparaître à l'entrée du jardin, vêtu d'un pantalon de jean et d'une vieille veste de base-ball en satin aux couleurs passées.

– Salut, Tim ! En voilà une façon de s'attifer pour un prêtre !

– La ferme ! Tu es mal placé pour donner des leçons de morale.

Le cou de taureau de son oncle rougit de rage.

– Hé, attention à ce que tu dis parce que, prêtre ou pas prêtre, je peux encore te casser la gueule !

L'attitude belliqueuse de Tuck ne contrariait nullement Timothy, au contraire. Il est toujours plus facile de foncer tête baissée quand l'adversaire fournit la première ouverture. Pendant tout le trajet de métro, depuis Queens, il s'était demandé comment percer l'abcès.

– Tu déshonores la police, agent Delaney. J'ai bien envie de porter plainte pour non-assistance à enfant en danger.

Le policier semblait au bord de l'apoplexie.

– Qu'est-ce que tu racontes ?

Brutalement, le frappa la certitude que Tim *savait*. Il se figea, à deux doigts de la suffocation.

– Qu'est-ce que tu essaies d'insinuer ? Tu ne sais pas ce que tu dis.

Le malaise abject du flic irlandais opérait sur lui un effet calmant. C'est avec un lourd sentiment de honte qu'il articula :

– Je devrais te tuer pour m'avoir toujours empêché de voir ma mère.

– Hé, je t'ai donné la vie, gamin. Un saint homme tel que toi ne s'abaisserait pas à commettre un parricide.

– Tu as bien tué ma mère, tu lui as volé sa vie.

– Dis bien ce que tu veux, hein, petit bâtard ! Parce que c'est ce que tu es, après tout.

– Je préfère ne pas te dire ce que tu es, Tuck. Je ne connais pas de mots...

Les traits du policier se contractèrent en un cruel rictus.

– Qu'est-ce qui te permet d'affirmer que c'est moi ? Tu ne sais pas que ta mère avait le feu au...

– Ta gueule ! rugit Timothy.

Se mettant en garde, Delaney ricana :

– Alors, prouve-le que t'es mon fils. Qu'est-ce que t'attends ? Vas-y, colle-m'en une !

Tim ne réagit pas aussitôt. Croyant qu'il se dégonflait, Tuck entreprit de le provoquer à grand renfort de crochets dont un ou deux le touchèrent au visage.

C'est alors que Tim perdit son self-control et le frappa au creux de l'estomac puis, quand son adversaire se plia en deux, le redressa d'un uppercut au menton qui envoya Delaney au tapis.

Cassie apparut à cet instant sur le seuil de la maison.

– Tim ! Comment as-tu pu faire une chose pareille ?

Massant son poing endolori, Tim rectifia, le souffle court :

– Pas comment, Cassie, pas comment : pourquoi.

Elle courut à son mari qui s'était relevé sur les coudes et tentait, vainement, de reprendre son équilibre.

– Pour l'amour du ciel ! Je t'ai recueilli, malgré la torture que c'était pour moi. Quelle sorte de prêtre es-tu donc ?

Tim baissa les yeux vers ses parents nourriciers et, les yeux brûlant de rage, laissa jaillir le fiel de son cœur blessé :

– Et vous, quelle sorte d'êtres humains êtes-vous donc ?

Puis il tourna les talons et s'éloigna.

61

DÉBORAH

Officiellement, Déborah était rabbin de Beth Shalom depuis le 1er septembre. Deux Sabbats et un enterrement lui avaient déjà permis d'établir un contact plus étroit avec les membres de sa congrégation. Mais c'est seulement à la veille de la nouvelle année qu'elle comprit pourquoi l'architecte avait prévu le sanctuaire pour neuf cents fidèles.

Avec la fin du cycle des saisons, revenait, pour les juifs du monde entier, le temps de l'expiation et de la pénitence. Seuls ces Jours les Plus Saints leur offraient, une fois l'an, la rituelle catharsis ouverte aux catholiques d'un bout à l'autre de l'année. L'occasion d'alléger une conscience collective qui tirait des satisfactions intenses de cette confession publique.

L'occasion aussi, pour leur chef spirituel ceint de la blancheur canonique, de les traîner, une fois de plus, dans la boue.

Traditionnellement, le sermon du rabbin portait, ces jours-là, sur l'histoire d'Abraham appelé à sacrifier son fils Isaac pour la plus grande gloire de Dieu. Mais pour le rabbin Déborah Luria, ce texte ne fut qu'un point de départ. Après une simple allusion à la piété d'Abraham et à l'obéissance inconditionnelle d'Isaac, elle poursuivit :

– Mais il est d'autres sacrifices rapportés dans la Bible dont la grandeur surpasse, de bien des façons, celui d'Abraham.

« Par exemple, dans le *Livre des Juges*, nous trouvons l'histoire de Jephté, un grand héros que son serment à Dieu contraignit de mettre à mort sa fille unique.

Une rumeur, dans l'assistance, signala que bien peu d'entre eux, voire aucun, ne connaissaient cette histoire. Déborah continua :

– Il existe, entre les deux cas, des différences significatives... D'un côté, Abraham ne communique jamais son intention à Isaac et il n'y a aucun dialogue réel entre père et fils. Je vous rappelle en passant que, d'après les exégètes, Isaac avait tentre-sept ans à l'époque.

Au terme d'une nouvelle rumeur (« On ne nous a jamais dit cela à l'école ! »), Déborah attaqua la dernière phase de son sermon :

– De l'autre côté, non seulement Jephté en discute avec sa fille, mais c'est *elle* qui l'encourage à ne point se parjurer. Contrairement à ce qui se passe dans le cas d'Isaac, aucun ange n'apparaît au dernier moment pour empêcher

455

le sacrifice et Jephté se voit effectivement contraint de tuer sa propre fille.

Elle pouvait presque sentir le frisson qui parcourait l'assemblée silencieuse.

– Infiniment plus exemplaire que l'autre, c'est une histoire de dévotion religieuse qui nous met en face des réalités de la vie, car elle nous dit que nous devons être prêts, en permanence, à servir le Seigneur, même s'il ne nous envoie aucun ange pour nous sauver ou nous aider à discerner le bien du mal.

« Et demain, quand nous reparlerons d'Abraham consentant à sacrifier Isaac, je penserai à la fille de Jephté dont la Bible n'a même pas jugé utile de perpétuer le nom. Car depuis que le monde est monde, les femmes juives ne sont-elles pas restées, à travers les siècles, les filles de Jephté ?

Ce fut une année faste pour la congrégation Beth Shalom et son nouveau rabbin, Déborah Luria.

Non qu'elle ne fût appréciée que pour sa personnalité publique. Elle savait, aussi, nouer de chaudes relations individuelles, remplissant parfois, comme son homonyme biblique, le rôle d'arbitre dans les querelles maritales. Elle était toujours prête à offrir, en cas de deuil, la consolation d'une compagnie efficace et compatissante.

Une semaine après le Yom Kippour, Lawrence Green, pédiatre à Essex, eut un grave accident alors qu'il fonçait, en pleine nuit, vers un cas d'urgence. Déborah passa près de quarante-huit heures consécutives à l'hôpital, auprès de Mme Green, jusqu'à ce que son mari fût hors de danger, ne laissant la pauvre femme que pour emmener et reprendre Éli à l'école.

Tel, du reste, était le problème qui ne tarda pas à se manifester dans toute son ampleur. Sur le plan personnel, la vie de Déborah était une catastrophe.

Par définition, les devoirs d'un rabbin font mauvais ménage avec des heures régulières. A plus forte raison dans le cas d'une jeune mère célibataire. Et même réfugiée dans leur nouvelle maison entourée d'un jardin, il lui était impossible d'apporter à Éli des Sabbats rappelant, fût-ce de très loin, ceux qui avaient formé son judaïsme. Car les dîners de Sabbat à la Moïse Luria allaient beaucoup plus loin que les chants et les bénédictions. C'était la réaffirmation hebdomadaire des valeurs morales de la famille.

Déborah, Éli et Mme Lamont composaient, en fait, un curieux trio sabbatique. Tandis qu'elle-même se préparait à partir pour le temple, son fils allumait les cierges avec l'aide de la gouvernante, puis récitait les bénédictions du pain et du vin. Après un rapide repas suivi d'un bref chant de grâce, Déborah revêtait ce que le gosse appelait son « uniforme », et courait célébrer l'office du Sabbat.

Elle compensait de son mieux ses absences du vendredi soir en répétant avec lui, la veille, ses sermons et en acceptant ses critiques, dont certaines lui étaient précieuses.

– Tu remues trop les mains, m'man, disait Éli. Tu as l'air d'appeler un taxi.

Un samedi sur quatre, Beth Shalom avait au programme un service des enfants auquel Déborah emmenait Éli. Elle devait pourtant le laisser en bas pour monter à l'étage et s'occuper des adultes. Sans se douter que les autres garnements profitaient de l'occasion pour harceler Éli parce qu'il était un enfant de rabbin.

Et quand, sur le chemin du retour, elle lui demanda les raisons de sa tristesse et qu'il lui raconta ce qui s'était passé, Déborah ne put s'empêcher d'évoquer, en parallèle, l'enfance de Danny, à l'époque où le fait d'être le fils du Rav Luria lui imposait tant d'obligations trop lourdes pour son âge.

Cette pression exceptionnelle exercée sur les enfants de rabbins portait un nom, dans les études rabbiniques, et même un sigle : le SER, le syndrome d'enfant de rabbin. Déborah jouissait du douteux privilège de connaître le phénomène, sans savoir comment y faire face.

Le samedi, quand avait lieu une *bar mitzvah*, elle ne pouvait pas s'échapper avant la fin du repas et rentrait longtemps après que son fils eut déjeuné seul, le retrouvant mélancolique, devant quelque match télévisé. Ce qui ne l'empêchait pas d'avoir à ressortir pour une « tournée des malades » qui ne la laissait rentrer chez elle que vers deux ou trois heures du matin.

Le dimanche, bien sûr, ils se rendaient ensemble au temple, mais se séparaient dès leur arrivée, car Éli gagnait alors sa classe de l'école du dimanche, en priant que Madame la Principale, c'est-à-dire sa propre mère, ne vînt pas les « inspecter » cette semaine.

Le plus gros mensonge qu'elle se fût fait à elle-même avait été de se dire qu'il lui serait possible d'assumer au moins un après-midi par semaine ses devoirs de mère.

Normalement, le dimanche après-midi eût dû pouvoir demeurer propriété exclusive de la mère et du fils. Mais c'était compter sans le cours inexorable des choses de la vie.

Car hélas, la plupart des couples se mariaient le dimanche et dans la mesure où aucun enterrement ne pouvait avoir lieu du vendredi matin au samedi soir, beaucoup d'entre eux se trouvaient repoussés au dimanche... et tant pis pour « l'après-midi réservé » d'Éli et de Déborah !

Déborah était consciencieuse, disponible, dévouée. Et même si ces qualités sont nécessaires à l'exercice de la maternité, elle semblait les consacrer d'abord à ses devoirs de rabbin.

En outre, son intuition lui disait que les enfants savent toujours, d'instinct, quand ils sont relégués à la seconde place et réagissent en se braquant contre leurs aînés.

Un seul problème : leurs tentatives de communiquer sont codées. On ne reçoit pas une lettre de leur avocat réclamant des dommages et intérêts affectifs pour négligence parentale, et menaçant d'un procès en bonne et due forme.

Plût au ciel que les choses fussent aussi simples ! Mais le ressentiment d'Éli se traduisait en général par des actes violents ou irrationnels ; le temps que le message soit décodé, il serait peut-être trop tard.

62

TIMOTHY

Aussi fréquentes que furieuses, les tempêtes de neige de la Nouvelle-Angleterre fournirent une parfaite toile de fond aux colères intérieures qui déchiraient Timothy.

Le travail, heureusement, l'absorbait : textes à peaufiner, écoles à visiter, conférences à prévoir. Non qu'il y découvrît un réel exutoire, mais du moins ces activités multiples débouchaient-elles, parfois, sur un sommeil sans rêve.

Il rapporta au cardinal Mulroney ce qu'il avait récemment appris sur sa condition de bâtard et lui offrit, outre sa démission, de quitter la prêtrise.

Ému par tant de candeur, l'archevêque lui assura qu'il connaissait suffisamment de précédents, en matière de droit canon, pour démontrer sa légitimité ecclésiastique.

– Vous êtes un cas classique d'*ecclesia supplet*. En d'autres termes, l'Église place sa foi en vous.

« Et qui plus est, ajouta le cardinal avec une franchise confinant au cynisme, nous ne pouvons pas nous permettre de perdre un élément tel que vous. Il nous en faudrait quelques autres, au contraire, pour soutenir de leurs épaules spirituelles des murs qui menacent de s'écrouler !

Tim s'attaqua donc à ses nouvelles responsabilités avec son énergie coutumière.

Bien que le départ de Matt Ridgeway fût regretté de tous, ses talents furent bientôt éclipsés par ceux de son charismatique successeur. Il semblait que le père Timothy Hogan eût été mis au monde pour galvaniser la jeunesse. Quand il parlait anglais, les étudiants buvaient ses paroles, et quand il parlait latin, ceux qui ne pouvaient suivre ses citations abordaient ou reprenaient l'étude de la langue afin de mieux les savourer.

Et ses supérieurs ne le quittaient pas de l'œil. Au cours de son second trimestre, il se retrouva, une fois de plus, dans le bureau du cardinal Mulroney.

– J'ai bien peur de devoir interrompre le cours de vos tournées, Tim.

– Pour quelle raison, Votre Éminence ?

– Parce que j'ai fini par vous trouver un grave défaut.

Mais le prélat souriait en enchaînant :

– Vous n'avez aucun sens de votre propre valeur ! Quoi qu'il en soit, vos nombreux dons vous valent l'honneur discutable d'entrer à mon service, en tant que conseiller personnel.

– Je vous demande pardon ?

– Vous êtes jeune et plein de sagesse. J'ai besoin de vous, ne fût-ce que pour m'aider à justifier la foi que Rome semble avoir en moi. Je vais vous équiper d'un bureau et d'un secrétaire, afin de vous avoir constamment à portée de voix. A moins qu'une telle perspective ne vous effraie ?

– Oh non, Votre Éminence. Je regretterai simplement ces longs trajets sur la route, entre deux écoles. Les paysages de Nouvelle-Angleterre sont doux aux âmes tourmentées.

– Ne vous inquiétez pas pour ça. Vous n'aurez pas le temps, sous ma férule, d'avoir des états d'âme !

Et l'archevêque rit de bon cœur à sa propre facétie.

En fait, Timothy devint rapidement la doublure officieuse de l'archevêque. De plus en plus souvent, Mulroney le déléguait, en ses lieu et place, à des manifestations de charité où les mots fatidiques « Son Éminence regrette... » lui valaient la rumeur hostile d'une foule déçue de ne pas voir l'homme au chapeau rouge. A son grand étonnement, toutefois, aucune plainte ne sanctionna jamais ses intérims. Au bout de quelque temps, on commença même à l'inviter personnellement.

Au moins y gagna-t-il quelques « péchés » à révéler en confession. Péchés d'orgueil renouvelés, au spectacle de l'estime et de l'admiration que, de plus en plus souvent, suscitait son personnage.

Un après-midi de printemps, à l'heure du thé, l'archevêque s'enquit à brûle-pourpoint :

– Dites-moi, Tim, vous connaissez quelque chose aux bilans, débits, crédits et autres ?

– Absolument rien, j'en ai peur, Votre Éminence.

– Je savais que nous avions tout pour nous entendre ! J'ai beaucoup prié, depuis une semaine, et je suis heureux que nous soyons vous et moi, face au monde de la finance, deux agneaux parmi les requins, si j'ose dire.

– Je ne situe pas bien la citation, Votre Éminence. S'agit-il d'une fable d'Ésope ?

Le rire de Mulroney fit danser follement sa grande croix pectorale.

– N'attendez de ma part aucun prodige d'érudition, Tim. Ce n'est là qu'une de mes métaphores stupides. Mais je crois que nous serions effectivement des agneaux, parmi les requins de Wall Street...

Là-dessus, dans un langage dépouillé de toute comparaison, Mulroney exposa la situation déplorable de la trésorerie du diocèse de Boston. Ainsi que Tim ne l'ignorait plus, depuis Brooklyn, les paroissiens se raréfiaient. Ce qu'il apprenait aujourd'hui, c'était que dans le domaine des donations, le phénomène avait plus de force encore.

– Bien sûr, Boston dispose d'un important fonds de roulement, mais qui remonte au temps des Kennedy. Malheureusement, nos banquiers se sont montrés beaucoup trop timorés. C'est tout juste s'ils nous ont gagné de quoi compenser l'inflation. Nous déjeunons avec eux demain midi. Il va falloir nous montrer fulgurants si nous ne voulons pas que les enfants de nos écoles gèlent l'hiver prochain.

– Je crois que de toute ma vie, pas une seule fois je n'ai vraiment pensé à l'argent.

Sauf, ajouta sa voix intérieure, quand il a fallu rembourser une fenêtre mise en miettes.

– Parfait, se réjouit le cardinal. Comme ça, vous serez absolument frais !

Dans un monde de banques privées dominé par l'*establishment* protestant, l'agence bostonienne McIntyre et Alleyn constituait une exception notoire. Tout comme la masse de leurs capitaux, leur réputation s'était accrue – précisément – parce que l'argent catholique ne se sentait à l'aise que dans des mains catholiques. Éminemment conservatrices, leurs méthodes avaient protégé le gros de leurs clients, lors du krach de 1929. Plus tard, cependant, durant la période de croissance des années 70, leur vertu s'était muée en vice rédhibitoire. Et la plupart de leurs clients, dont certains l'étaient depuis trois générations, avaient fini par les laisser choir, préférant à leurs stratégies de l'âge de pierre les tactiques audacieuses d'aventuriers de la finance comme Michael Milken de Drexel.

A la fin des années 70, McIntyre et Alleyn durent fermer leurs succursales de Baltimore et de Philadelphie, ne conservant que leur modeste siège new-yorkais pour que l'adresse continuât de figurer sur leur papier à en-tête. Mais leur véritable quartier général occupait désormais un seul étage lambrissé d'acajou, dans un immeuble ancien du centre de Boston.

En débouchant de la cabine de l'ascenseur, l'archevêque et son « conseiller privé » découvrirent, sur le palier, un artisan qui complétait, en lettres d'or, la raison sociale de la banque en y ajoutant un troisième nom : « ... et Lurie. »

– Quelle est cette adjonction à votre label ? s'informa le cardinal en s'installant dans le fauteuil préparé à son intention.

McIntyre Senior riposta, mal à l'aise :

– Du sang neuf... Tellement neuf, en fait, que ce troisième larron détient à présent la majorité au conseil.

Le cardinal de Boston fit mine de s'inquiéter. Tim abonda dans son sens :

– Vous auriez pu en référer, d'abord, à Son Éminence !

– Sauf votre respect, contra onctueusement M. Alleyn, les activités de M. Lurie n'ont rien à voir avec le portefeuille de l'archidiocèse. Son style « agressif » est en contradiction totale avec les consignes permanentes de prudence que nous avons de la Chancellerie...

– Je vous demande pardon, monsieur Alleyn, intervint Timothy, mais je ne pense pas que vous puissiez vanter votre stratégie d'investissement en la prétendant « conservatrice ». Si je comprends bien, dans la mesure où vous nous avez toujours vu subsister sur nos subventions annuelles et leurs intérêts, vous n'avez jamais prêté grande attention à notre capital. Maintenant que notre argent s'est dévalué, les administrateurs comme moi se voient confrontés à la terrible perspective de fermer certaines écoles.

Le cardinal se pencha pour lui chuchoter à l'oreille :

– Bien dit, mon garçon. Si je vous laissais mener la discussion, à partir de là ?

– Moi ? s'étrangla Timothy.

– Vous voulez que je vous laisse mon chapeau ?

Se retournant vers les banquiers, l'archevêque déclara :

– Messieurs, vous allez pouvoir discuter avec le père Hogan dont les opinions sont le fidèle reflet des miennes. J'espère que le Seigneur vous inspirera le moyen de nous sortir de l'ornière.

Un instant plus tard, le prélat avait disparu et Tim se retrouvait seul sur la sellette.

– Qu'attendez-vous de nous, père Hogan ? demanda respectueusement McIntyre.

– L'un de vous, messieurs, pourrait-il m'exposer la situation dans le détail, documents à l'appui ? Et dans des termes accessibles au profane que je suis.

M. Alleyn comprit que le jeune prêtre devait être apaisé :

– Nous allons rester tous les deux. Si nous faisions monter des sandwiches...

– Parfait, dit Timothy. Et pourquoi ne pas demander à votre agressif M. Lurie de se joindre à nous ?

– Sa base opérationnelle est à New York, et...

– Vous ne croyez pas qu'il se déplacerait pour servir l'Église ?

Embarrassé à nouveau, McIntyre toussota dans son poing.

– M. Lurie n'est pas catholique, mon père. En fait, j'ai peur qu'il soit juif.

– Voilà une remarque indigne d'un chrétien, M. McIntyre. Si nous essayions de l'avoir au bout du fil ?

Les téléphones entrèrent dans la danse et Tim n'avait pas fini son café que la standardiste annonçait le nouvel associé majoritaire.

– Allô ! Dan ? Désolé de vous déranger, mais comme vous le savez, l'archevêché de Boston est un de nos plus vieux clients. L'assistant du cardinal Mulroney est ici, parmi nous, et il aimerait vous dire quelques mots.

– Passez-le-moi.

– Allô ! oui ? Ici, le père Hogan.

– Vous avez dit Hogan ? Pas *Timothy* Hogan ?

– Si, mais...

Les deux hommes comprirent, à la même seconde, qui était leur interlocuteur et le délégué du cardinal de Boston, réputé pour la perfection de son latin, stupéfia McIntyre et Alleyn en passant au yiddish, sans hésitation perceptible :

– *Vos iz mit der nomen Lurie ?* Pourquoi te fais-tu appeler Lurie ?

– *Ikh hob shoyn gebracht genug shanda oif die mishpocheh.* J'ai déjà causé assez d'ennuis comme ça à ma famille !

465

A la fin de la communication, Tim conclut, en anglais :
– Danny prend la prochaine navette. Il m'a dit de lui commander un sandwich. Au fromage si possible.

63

DANIEL

Après avoir réussi tous les coups possibles, sur le dangereux champ de bataille du marché des denrées, je m'étais dit que rien ne pourrait plus, jamais, compromettre mon équilibre. Pourtant, dans l'avion de Boston, j'étais si tendu que je n'arrivais pas à lire le journal.

Il y avait plus de huit ans que j'avais vu pour la dernière fois mon vieux copain prêtre et néanmoins beau-frère. Tant de choses étaient advenues dans l'intervalle à la personne qui, bien que très éloignée de nous en ce jour, ne serait pas moins au cœur de notre confrontation.

Il fallait de surcroît compter avec une ambiance électrique entre mes propres associés catholiques d'un côté, moi de l'autre, le trublion, aussi bien religieux que financier, et le connétable de l'archiprêtre coincé, bon gré mal gré, au beau milieu des passions contenues.

Car McIntyre et Alleyn m'en voulaient toujours à mort d'avoir fait main basse sur leur petite banque chérie. Oubliant que ce n'était pas moi, mais l'extraordinaire combinaison d'arrogance et d'incompétence du jeune Peter McIntyre qui les avait amenés, l'année précédente, au bord de la banqueroute. Mon rôle, dans la distribution, avait plutôt été celui du preux chevalier intervenant juste à point nommé pour sauver les meubles, au cours d'une OPA bien orchestrée.

C'est dans cette fosse aux lions que j'allais entrer, moderne Daniel, pour faire face à l'homme qui, en les frustrant d'un mari et d'un père, avait ruiné les existences de ma sœur et de mon neveu.

Et de fait, les premières secondes furent les plus difficiles. Je retrouvai, dans la salle du conseil d'administration, un Timothy semblable, à deux ou trois kilos près, au gaillard que j'avais connu à Brooklyn. Tandis que nous nous serrions la main, il me débita les platitudes d'usage, pour la mort de mon père. Je l'en remerciai poliment et suggérai que nous nous penchions, sans attendre, sur le compte malade.

Un coup d'œil au portefeuille de l'archevêché me permit de voir que la médiocrité de son état n'était même pas la conséquence des initiatives de quelque crétin du style Peter McIntyre. Mais du manque pur et simple de toute initiative.

Alors que dans le monde extérieur, le taux d'intérêt boursier optimal planait autour de vingt pour cent, ils détenaient toujours des bons de la Défense remontant à la Seconde Guerre mondiale qui leur rapportaient entre trois et quatre. Quand nous passâmes aux sandwiches, j'avais déjà mis sur pied un plan de restructuration et gagné la gratitude de Timothy. Dieu merci, la présence d'Alleyn et McIntyre l'empêchait, pour l'instant, d'aborder des problèmes plus personnels que celui de savoir comment, parti pour défendre les valeurs du passé, je me défendais aussi bien, quelques années plus tard, avec les valeurs de l'avenir.

Je lui donnai un petit cours d'achats optionnels à terme en lui décrivant, tout d'abord, mes démêlés céréaliers de 1972. Puis je lui exposai la manière dont j'avais pris le contrôle d'un fonds de roulement réuni par M. & A., juste récompense d'une astucieuse prévision, celle de la montée en flèche des cours du soja, en juin 73.

– Et tout ça parce que les anchois du Pérou ont fait défaut.

Tim n'en revenait pas.

– Hé, Dan. Là, tu me fais marcher...

– Pas du tout. Dans le monde entier, les éleveurs donnent indifféremment au bétail du tourteau d'anchois broyés ou de fèves de soja concassées. Le malheur des pêcheurs péruviens a fait le bonheur des fermiers de l'Iowa. Le soja a grimpé jusqu'à douze dollars le boisseau. Un vrai miracle !

Alleyn reconnut, à contrecœur :

– Non, père Hogan. Le miracle, c'est que Danny nous ait parfaitement positionnés sur le marché pour que nous profitions pleinement de l'aubaine.

Je m'abstins, avec tact, de préciser que par la suite, et contre mon opinion clairement exprimée, Pete avait entrepris de spéculer sur l'or, toujours à contretemps, les fluctuations du yo-yo boursier l'obligeant finalement à me vendre pour ainsi dire jusqu'à son droit d'aînesse.

Au bout de deux à trois heures de travail, j'annonçai mon intention d'attraper, si possible, l'avion de cinq heures. Tim insista pour me raccompagner à l'aéroport dans la voiture mise à sa disposition par le cardinal. Geste d'amitié dont la médaille n'était pas sans revers : je savais que je ne couperais pas, cette fois, à l'interrogatoire différé par la présence des deux autres.

Vu la brièveté du trajet, il ne perdit pas une minute.

Abandonnant, d'un seul coup, sa défroque d'éminent homme d'Église, il bafouilla :

– Co... comment va Déborah... à propos ?

– Très bien.

Déçu par la brièveté de ma réponse, il insista :

– Elle a dû te faire des tas de neveux et de nièces, depuis tout ce temps.

Je décidai de reprendre, *in extenso,* le conte hypocrite, mais efficace, du veuvage de Déborah.

– Elle a un petit garçon. Son mari est mort.

– Oh, je suis désolé...

Il m'aurait posé bien d'autres questions si le terminal des Eastern Airlines n'avait été en vue. Je ne lui laissai que le temps de murmurer le mot « condoléances » avant de sauter à terre et de filer vers l'entrée de l'aéroport.

J'aurais voulu passer à travers ces portes vitrées trop lentes à s'ouvrir, mais quelque chose me fit jeter un dernier coup d'œil par-dessus mon épaule.

Et Tim avait l'air tellement malheureux, tellement perdu sur ce trottoir que je ressentis le besoin absurde de le réconforter.

– Hé ! Déborah n'est pas une faible femme. Elle s'en remettra.

Là-dessus, je pris mes jambes à mon cou en m'efforçant d'effacer de mon souvenir la tristesse incommensurable du visage de Timothy.

64

TIMOTHY

Les paroles de Danny avaient rouvert les cicatrices de la mémoire.

Que Déborah eût mis au monde un enfant constituait la preuve irréfutable de son engagement envers un autre homme. Et donc du rejet implicite de son propre amour.

Combien de fois, au fil des années, Tim n'avait-il pas rejoint Déborah dans un monde sans frontières, un jardin – le sens littéral du mot « paradis » – où ils marchaient côte à côte, la main dans la main, partageant en pleine liberté toutes les facettes de leur amour.

Si douloureuses qu'elles fussent, ces évocations lui apportaient, du moins, ce paradoxal réconfort : elles ne lui offraient que des images inaccessibles. Aujourd'hui, son rêve de la retrouver un jour était de nouveau possible. En théorie, bien sûr, mais possible tout de même.

Qui plus est, son amour était si profond qu'il partageait le chagrin de savoir qu'elle avait subi cette perte. La perte d'un mari dont il eût voulu, également, la consoler.

– Bonjour, père Hogan.

Au son de la voix, qu'il reconnut, il aurait pu dessiner un visage. Celui de Moira Sullivan, professeur laïc de langue latine dont il avait inspecté la classe à l'Académie du Sacré-Cœur de Malden. Il avait pu constater à quel point les élèves aimaient cette jeune femme blonde aux gestes doux, à la voix harmonieuse.

Nul doute qu'elle eût attiré tout autre homme qu'un prêtre. La meilleure preuve en était qu'elle portait une alliance.

Au cours d'une réunion-repas dans la salle des professeurs, elle lui avait adressé nombre de questions pertinentes et relevé, de façon flatteuse, certaines de ses remarques en répétant fréquemment : « Ainsi que le père Hogan nous l'a rappelé... »

Et maintenant, quelque dix jours plus tard, cette voix au bout du fil...

— Heureux d'avoir de vos nouvelles, madame Sullivan.

— Je voulais vous remercier pour la lettre que vous avez écrite à sœur Irène.

— Mais de rien. J'en pensais chaque mot. Vous êtes un merveilleux professeur... *ornamentum linguae latinae.*

— Oh ?

Les intonations de Moira Sullivan se nuancèrent de timidité.

— Je voulais vous demander, également, si vous aviez pu dénicher ce manuel dont nous avons parlé...

— Ah oui, le « Cours de latin de Cambridge ». Suivant votre suggestion, je l'ai commandé...

— Vraiment ?

Après une courte pause teintée de désappointement :

— Vous le trouvez à la hauteur de mon enthousiasme ?

— Tel sera le cas, j'en suis sûr. Mais pour l'instant, je n'ai fait que le commander, chez Blackwells. Je ne le tiens pas encore.

— Aimeriez-vous voir mon exemplaire ?

Un instant freinée par sa propre spontanéité, la voix reprit son rythme habituel :

— Enfin, je veux dire... Puis-je prendre la liberté de vous inviter à dîner... chez moi ? Je vous sais tellement occupé, alors, si ce n'est pas possible, je le comprendrai tout à fait.

— Non, non, j'aimerais beaucoup faire la connaissance du reste de la famille. Vous avez deux filles, je crois ?

471

– Oui, et qui sont très excitées à l'idée de recevoir un prêtre de l'archevêché.

Nouvelle pause, puis :

– Mon mari, voyez-vous...

– Il est aussi dans l'enseignement ?

Le silence retomba. Rompu, au bout de quelques secondes, par la réponse paisible de Moira Sullivan :

– Il est mort, mon père. Tué au Viêt-nam, voilà huit ans.

Consciemment du moins, Tim ne vit, dans l'invitation de Moira, rien d'extraordinaire. Dîner chez cette veuve entrait tout naturellement dans ses obligations sacerdotales.

D'innombrables livres s'alignaient sur les étagères de bois latté qui garnissaient les murs de l'appartement des Sullivan, à Somerville. Bricolées par le défunt mari, ces bibliothèques fonctionnelles ? Probablement. En fait, malgré l'hospitalité enjouée de Moira et de ses deux filles, dix et onze ans, le décor fourmillait de menus détails rappelant l'absence du disparu.

Moira, nerveuse, parlait de tout et de rien, de l'école, de sa famille et de mille incidents de la vie quotidienne qui ne recoupaient aucune des expériences personnelles de Timothy. Une fois ou deux, pas davantage, elle fit allusion au père de ses filles, sans jamais le désigner par son prénom, Chuck, mais par la locution abstraite « mon mari ».

Les petites ne possédaient pas encore l'art social de la dissimulation mondaine. Même quand elles souriaient, la tristesse subsistait dans leurs yeux.

Tim s'appliqua sincèrement à les réconforter, but essentiel de sa visite, en les faisant parler, Ellen de ses exploits sur le terrain de hockey, Susie de sa fierté d'avoir été choisie pour la chorale, et toutes deux de leurs études.

Unies par leur solitude, mère et filles vivaient en si bonne harmonie qu'elles conquirent, sans réserve, le cœur de Tim. Les petites étaient si fraîches, si fragiles dans un monde qui attache encore aux enfants privés d'un de leurs parents une sorte d'opprobre. Et par quelque étrange déviation psychologique, va jusqu'à juger l'enfant de divorcés plus socialement acceptable que l'orphelin. Comme si, d'une façon ou d'une autre, l'orphelin eût causé la mort de son père et risquât, par osmose, de communiquer sa malchance.

Preste et jolie, Moira ne méritait pas son sort. Mais combien de veuves du Viêt-nam n'avait-il vues pleurer, dans son confessionnal ? Et plus elles avaient d'enfants, plus abondantes coulaient leurs larmes.

Moira plaisanta, alors qu'ils passaient à table.

– Vous n'en avez pas assez, parfois, mon père, de toutes ces invitations ?

– Seulement quand je dois faire un discours à la fin du repas. Je respire quand je ne suis pas de service... surtout en aussi charmante compagnie.

Il fit un clin d'œil aux deux fillettes qui rougirent, enchantées. Joignant l'expérience à l'instinct, Moira Sullivan, en dépit de sa nervosité, jouait parfaitement son rôle d'« épouse ». Car bien que Timothy fût prêtre, c'était bel et bien sa présence qui, pour un soir, reconstituait l'image de la famille.

Tim en était parfaitement conscient. Et profondément troublé, de surcroît, d'en éprouver un certain plaisir. Quand les petites montèrent se coucher, vers neuf heures, Moira le laissa seul quelques minutes avec le manuel de Cambridge, qu'il parcourut, et la bibliothèque qu'il était en train d'explorer quand elle revint avec le café.

– Vous avez là de véritables trésors. Rien que votre collection d'ouvrages de théologie m'occuperait pendant des semaines ! Je vous envie. Où trouvez-vous le temps de lire ?

Elle sourit, plus nerveuse que jamais, en emplissant les tasses.

– Vous voyez à quelle heure je couche mes filles ? Après ça, je lis généralement jusqu'à plus de minuit... quand je suis seule.

Y avait-il, derrière ses derniers mots, une intention cachée ? Tim éluda :

– Pas tous les soirs, j'en suis sûr. Vous devez sortir souvent.

Inclinant sa tête blonde, elle sourit de plus belle en répondant :

– Non... C'est l'une des raisons, peut-être, pour lesquelles je suis attirée par l'Église. Parmi mes ouvrages de théologie, j'ai celui de William James, *Diversité de l'expérience religieuse*. Il y définit d'abord la religion comme le moyen trouvé par l'homme pour s'accommoder de sa solitude.

– Une définition qui va comme un gant à l'état de prêtre.

Il regretta, aussitôt, d'avoir fait ce commentaire qui ne pouvait que l'encourager à persévérer dans la même voie. Citations érudites ou non, le sens de ses allusions paraissait de plus en plus clair. Il tenta de les désamorcer en ajoutant :

– Votre mari doit beaucoup vous manquer.

– Non.

Net et catégorique. Puis elle expliqua :

– Nous étions deux enfants qui ne savaient pas plus l'un que l'autre à quoi les engageait le mariage. Quand il a réa-

474

lisé que ce n'était pas son truc, les filles étaient déjà là. La seule alternative, pour un garçon gentil mais totalement immature tel que Chuck, c'était de s'enrôler dans les Marines. Vous allez me trouver cynique, mon père, mais...

– Tim. Appelez-moi Tim. Et dites-vous bien que je vous comprends. Gardez pour vous ce que je vais vous dire, mais je crois qu'il devrait y avoir des cours de préparation au mariage, comme pour les novices qui se préparent à la prêtrise. Car c'est bel et bien une autre sorte d'entrée en religion.

Elle approuva, sans le quitter des yeux :

– Oui. Et je suis sûr que vous en savez davantage, là-dessus, qu'un mari de modèle courant.

Instantanément, elle perçut le malaise de Tim, se rendit compte du double sens que pouvaient prendre ses paroles et se hâta de préciser :

– Ce que je veux dire par là, c'est que vous donnez des conseils, chaque mois, à des douzaines de couples. Et que vous savez mieux que quiconque ce qu'un bon mariage ne peut ni ne doit être !

Il acquiesça d'un signe, exprimant, dans un sourire plein de chaleur, toute l'estime qu'elle lui inspirait ; mais Moira dut se méprendre sur la signification de ce sourire, car elle poursuivit d'un ton plus léger :

– Aussi loin que je me souvienne, l'une ou l'autre de mes amies a toujours eu le béguin de son prêtre. Vous devez désespérer pas mal de vos paroissiennes, Tim.

Elle ne parlait plus au prêtre, mais à l'homme et Timothy le savait. Il essaya d'écarter le danger en plaisantant :

– Le prestige éphémère de l'adulte sur quelque adolescente trop zélée...

– Et sur une veuve de trente-quatre ans ?

Subitement, il distingua la courbe des seins de la jeune

femme, sous le chemisier blanc, et ses pensées l'effrayèrent. Ses pensées... et l'affaiblissement progressif de ses propres défenses.

Il était évident qu'elle attendait de lui un réconfort physique que de plus en plus, il lui brûlait de partager.

Ralliant toute son énergie afin de les retenir, l'un et l'autre, au bord de la chute, il articula :

– Moira... vous savez ce que signifie l'engagement d'un prêtre.

Elle rougit.

– Serais-je vraiment tombée sur un homme qui plane au-dessus des tentations terrestres ?

– Oui.

Net et catégorique à son tour. Et profondément malheureux de se sentir aussi coupable. Et aussi peu sincère.

– J'espère que je ne vous ai pas offensé. Que vous n'allez pas me mépriser et me haïr.

Elle était si proche de lui qu'il ne pouvait rester totalement indifférent à tant de séduction déployée. Au prix d'un effort, il parvint à répondre d'une voix posée :

– Non, Moira. Je ne suis pas offensé. Si cela peut vous consoler, je vous comprends de bien des façons qu'il m'est impossible de vous expliquer. J'espère que nous pourrons rester de bons amis.

Il y avait de l'admiration dans le regard de la jeune femme.

– Oh oui, Tim. J'espère au moins ne pas avoir gâché ça.

Doucement, Timothy rejeta l'air bloqué dans ses poumons. Ça n'avait pas été facile. En tant qu'homme, il n'avait pu s'empêcher de la désirer. En tant que prêtre, il sortait victorieux d'une dure épreuve. Il se sentait même si sûr de lui à présent, qu'il se pencha pour l'embrasser sur le front, en murmurant :

476

– Bonne nuit. Dieu vous bénisse, Moira.

Incapable de mettre le contact, Tim s'effondra contre le volant de sa voiture. Quelque chose, en lui, souffrait du mal qu'il venait d'infliger à Moira Sullivan. Et lui reprochait le mensonge qu'il avait commis en prétendant que sa qualité de prêtre le plaçait au-dessus des désirs terrestres.

Ce n'étaient nullement ses scrupules religieux qui l'avaient sauvé de la tentation, mais son attachement indéfectible au souvenir de Déborah.

65

DANIEL

– Alors, monsieur Lurie, on s'adonne à la jonglerie pécuniaire ?

L'intrusion inopinée, dans son bureau, du jeune McIntyre, ramena Danny sur terre.

– Tu ne pourrais pas frapper, non ?

– Oh, je te demande humblement pardon. Je ne savais pas que tu étais tellement à cheval sur le protocole !

Peter McIntyre, troisième du nom, faisait preuve d'une insolence inusitée envers l'actionnaire majoritaire de la banque familiale. Il acheva d'exaspérer Danny en plantant ses mocassins sur le bord de son bureau, ajoutant avec arrogance :

– Je parie que tu ne savais même pas que j'étais capable d'employer ce genre de mot ?

– Franchement, non.

– Je peux même te dire que pécuniaire vient du latin *pecunia* : l'argent, et tu ne vas pas me croire, Danny, mais *pecunia* vient de *pecus,* qui signifie bétail.

– Tu vas me foutre le camp d'ici, oui ?

Mais Peter repartit de plus belle :

– C'est chouette, le latin. Qui diable aurait cru que « pécuniaire » venait de « troupeau de vaches » ? Mais j'y pense : on ne faisait sûrement pas de latin dans les écoles que tu fréquentais, hein, Danny ?

Il le reluqua du coin de l'œil avant d'appuyer sans vergogne :

– De toute façon, trop jongler avec le fric, c'est un crime, et tu l'as commis !

Au comble de la rage, Danny repoussa les pieds du fils McIntyre qui rejoignirent la moquette avec un bruit sourd.

– Qu'est-ce qui te tracasse, Peter ?

– Eh bien... Mon premier est mon propre nom. Mon deuxième celui de M. Alleyn.

Il s'arrêta avant de lancer :

– Et mon tout, c'est ta tête !

McIntyre vivait un moment privilégié et comptait fermement l'exploiter au maximum.

– Il existe sûrement un mot juif pour désigner ce que tu as fait, monsieur Lurie. Quelque chose comme détournement de fonds, malversation ou escroquerie, je te laisse le choix.

Danny frémit intérieurement tandis que McIntyre enchaînait :

– Tu sais, Dan, quand j'ai fait ta connaissance, j'ai vu en toi le type le plus fort qui soit au monde. J'ai même essayé de t'imiter dans tous les détails pour devenir aussi malin que toi.

« Quand tu t'es mis à faire couper tes costards chez Francesco, j'y ai aussitôt fait couper les miens, je parie que tu n'avais même pas remarqué. J'essayais de lire tout ce que tu lisais. J'ai même pris des cours d'informatique... un de tes plus grands apports à notre modernisation.

Plus inquiété que rassuré par cette soudaine flatterie, Danny attendait la suite.

– Je vais même te faire un aveu... Il m'arrivait de revenir à une ou deux heures du matin, quand je te savais en train de bosser chez toi, pour étudier les documents étalés sur ton bureau, relever les mots que tu avais entourés, déchiffrer tes notes...

– On appelle ça de l'espionnage commercial.

– On appelle ça comme on veut, Danny. Mais c'est de la petite bière auprès de ce que *toi*, tu as fait. Ce tour de passe-passe autour de Walston Industries, on peut également l'appeler comme on veut : prestidigitation financière... ou bien encore abus de confiance !

Danny reprit son souffle. Depuis deux ans qu'il avait temporairement « emprunté » un million sept cent cinquante mille dollars s'était peu à peu développé, en lui, un sentiment de sécurité trompeur. Avec une assurance qu'il était loin de ressentir, il riposta :

– Le fonds de roulement que je gère pour cette société est apuré tous les six mois, Peter. Il n'y a jamais eu le moindre problème.

– Je sais. Personne n'est plus habile à ce genre de numéro que notre Danny national. Lors de l'apuration des comptes, tout était parfaitement en ordre. Dans l'intervalle, tu avais acheté et revendu Walston Industries...

– Non sans profit pour la maison.

– Fictif, mon bon ami, fictif. Équivalant, par une étrange coïncidence, au taux d'intérêt boursier optimal, pour les six jours où tu es resté propriétaire. Et moi, stupide gentil que je suis, je me demande comment un type aussi fort que toi n'a pas pu réussir à tirer un meilleur parti d'une opération pareille.

– Ce qui veut dire ?

– Que j'aimerais savoir combien tu en as tiré, toi, personnellement. Tu as dû faire quelque chose d'incroyablement risqué, avec ce fric. Et ma curiosité insatiable me pousse à vouloir trouver quoi.

– Supposons que j'aie eu besoin de liquide, très vite, pour couvrir une perte temporaire. De toute façon, tu ne prouveras jamais rien.

McIntyre savourait le moment en connaisseur, comme un gourmet dégustant la dernière goutte d'un vieux porto.

– Wall Street ne s'est pas encore tout à fait mise à l'heure de l'informatique, Dan. Ces pauvres arriérés de commissaires aux comptes ne vont jamais plus loin que ce qui sort de ton imprimante. Ils ne se soucient pas de ce qui peut se cacher dans ta banque de données.

Danny gronda entre ses dents :

– Ne me dis pas que tu es assez fouille-merde pour avoir interrogé mon ordinateur personnel !

– Heureusement pour nous que j'y ai fourré mon grand nez ! Inutile de te dire ce qui se passerait si nous ordonnions une expertise. Nous serions tous discrédités. McIntyre et Alleyn, une institution respectable fondée bien avant que la mer ne dépose tes ancêtres sur la rive d'Ellis Island.

Il fit une courte pause.

– Voilà pourquoi je veux que cette affaire reste strictement entre nous. Seuls mon père et mon grand-père sont au courant. Ils m'ont habilité à parler pour eux.

– De quoi ?

480

– De quelque chose que tu ne vas sans doute pas comprendre : la protection de notre bonne renommée. Je vais donc t'énoncer notre proposition, que nous considérons tous les trois comme honnête, équitable... et sans discussion possible !

Marchant de long en large comme un joueur en cours d'échauffement, sur la touche, il s'arrêta net pour déclarer d'une voix douce :

– Tu vas nous revendre ton portefeuille majoritaire de McIntyre et Alleyn, à cinquante cents du dollar.

– Et c'est toi qui parles d'escroquerie !

– Je sais, je sais, mais crois-moi, Dan, je me suis battu pour toi comme un diable. Mon père ne voulait pas monter à plus de vingt-cinq.

Danny était sans voix. McIntyre reprit :

– Tu veux un peu de temps pour réfléchir ? Disons cinq à dix minutes ?

– Et si je refuse ?

– C'est la beauté de la chose. Tu n'as pas le choix. Dans le pire des cas, nous autres McIntyre et Alleyn ne risquons, malgré tout, que de perdre la face. Toi, tu pourrais y perdre jusqu'à ta liberté... si tu vois ce que je veux dire ?

Danny se laissa retomber dans son vaste fauteuil de cuir, ferma les yeux, soupira :

– D'accord. Prépare les papiers et je les signerai. Maintenant, fous le camp de mon bureau.

– Bien sûr, Danny. Les documents seront prêts pour onze heures, demain matin, et pour midi, c'est nous qui serons heureux de te voir foutre le camp de *notre* bureau. Compte sur nous pour faire suivre ton courrier.

Une fois de plus, McIntyre sourit en levant une main bénissante.

– Hé, ça me fait quelque chose de te laisser tout seul. Si

481

je te payais un verre ? Je ne voudrais pas que tu sautes par la fenêtre. Ça ficherait par terre toute la négociation.

Danny avait sur son bureau une petite pendule en or massif, le cadeau de Noël de ceux qui avaient collaboré avec lui à l'administration du fameux fonds de roulement. Il s'en empara et la jeta de toutes ses forces à la tête de McIntyre. Il le manqua, de justesse, et l'objet s'écrasa contre le mur. Peter sourit avec indulgence.

– Pas grave, Dan. On fera arranger le mur... Bonne nuit, vieux frère !

66

DANIEL

Tout autre que moi, dans la même situation, eût peut-être suivi le conseil de Peter et sauté par la fenêtre, mais loin de me sentir désespéré, j'étais curieusement soulagé. Même si mon mobile avait été de sauver la *B'nai Simcha* du forfait de Schiffman, même si la raison pour laquelle je n'avais pas restitué l'argent plus tôt avait été la période de deuil traditionnelle imposée par la mort de mon père, Dieu venait de me punir du péché que j'avais commis. Eussé-je détourné cet argent pendant trente secondes, il est vrai que ma culpabilité n'eût pas été moins grande.

Au lieu de me défenestrer, je poussai une pointe jusqu'au petit *shtibel* du Bronx dont j'étais un habitué, maintenant. Je savais qu'en dépit de l'heure tardive, j'y trouverais, penchées sur la Bible, une ou deux personnes auxquelles je pourrais me joindre. C'est ainsi que le rabbin Schlomo sentit tout de suite que j'avais un problème.

– Des ennuis, Danileh ? Avec ta santé ? Ton épouse ?

– Non.

– Alors, des ennuis d'argent ?

Histoire de dire quelque chose, je concédai :

– Dans un sens.

– Écoute, Danileh, je ne suis pas Rothschild, mais si quelques dollars peuvent te tirer d'affaire...

– C'est très gentil, rabbin Schlomo, mais tout ce dont j'ai besoin, c'est de votre compagnie. Si nous lisions un peu d'*Isaïe* ?

– Bonne idée. Va pour *Isaïe*.

Nous passâmes la nuit à trois ou quatre, n'arrêtant nos lectures que pour boire du thé. Après les prières du matin, je rentrai chez moi, prêt à faire face au reste de ma vie.

Le voyant lumineux de mon répondeur clignotait. Le message me demandait de rappeler le doyen Ashkenazy à l'HUC.

Cinq minutes plus tard, j'avais au bout du fil le directeur du séminaire de Déborah.

– C'est elle qui m'a donné votre numéro, Danny. Je ne me serais pas permis de vous déranger si ce n'était pas sérieux, mais j'ai besoin de votre aide.

– De mon aide, à moi ?

– Vous vous souvenez de cette congrégation éparpillée dans le Grand Nord où votre sœur a fait ses premières armes ?

– Comment pourrais-je avoir oublié ces braves gens ?

– Eux non plus ne vous ont pas oublié... d'autant moins qu'au lieu de persévérer dans le rabbinat, l'homme que je comptais leur envoyer cette année vient de se recycler dans le football demi-professionnel. Je suis coincé. Vous ne voulez pas me dépanner, Danny ?

– Pas tout seul ?

– Pourquoi ? Vous ne savez plus lire l'hébreu ?

S'il se croyait drôle...

– Puis-je vous rappeler, monsieur, que je ne suis même pas... légitime ?

– Allons, Danny, vous savez très bien que n'importe quel juif peut célébrer un office. Ces gens du Nord vous attendent pour leur montrer la voie... et souffler comme personne dans la corne de bélier.

– Faire des sermons, aussi, pendant que nous y sommes ?

– Absolument. Et je sais que ça va vous plaire de replonger dans vos bouquins à la recherche de bons sujets.

Inutile d'ajouter qu'il avait raison.

Je tombais, à la bibliothèque de l'HUC, sur tant d'ouvrages de théologie d'avant-garde, thèses stimulantes pour l'esprit de toute une nouvelle génération d'auteurs, que, renonçant à toute prudence, j'en achetai les trois quarts. Jamais, depuis les cours de Beller, je n'avais éprouvé une telle excitation intellectuelle. Quand je lui fis part de mon renouveau d'enthousiasme, Aaron lui-même alla jusqu'à me dire que je « désertais pour le compte de Dieu », mais d'une façon ou d'une autre, je sentais qu'il était plutôt satisfait.

Je me remis à étudier jusqu'à trois ou quatre heures du matin, incapable de résister au plaisir d'explorer de nouveaux concepts et de coucher mes commentaires sur le papier. Finalement, deux jours avant le Nouvel An, je pris la route avec mon break de louage bourré de livres – et ma tête d'idées.

Bien que Déborah eût laissé, parmi ceux que j'appelais « la congrégation surgelée », une impression inoubliable, ils n'en répondirent pas moins à mon enthousiasme par un enthousiasme équivalent.

Paradoxalement, ce fut pour moi une sorte d'initiation. Des centaines de fois auparavant, j'étais monté en chaire pour lire la Torah. Mais même le discours que, selon la coutume en vigueur chez les orthodoxes, j'avais dû prononcer le jour de ma *bar mitzvah*, n'avait été qu'un simple commentaire du texte choisi pour démontrer mon savoir. Là, c'était autre chose. Ils attendaient de moi d'authentiques sermons dans lesquels passeraient les idées et les sentiments personnels que j'entendais partager avec l'ensemble de la congrégation.

Sermons consacrés à nos traditions. A notre héritage. A tout ce que cela signifiait d'être un juif en ce début des années 80. Rappels d'autant plus importants pour eux que, tout le reste de l'année, ils se retrouveraient à la dérive sur un océan de chrétiens tolérants, sans doute, mais totalement oublieux du fait que nous étions leurs ancêtres spirituels.

Je m'efforçais toujours de raccorder mes textes à l'actualité. Lors de la prière pour le chef de notre pays, je soulignai le rôle joué par le président Carter dans la conclusion du traité de paix entre l'Égypte et Israël. Et j'exprimais l'espoir que ce ne fût là qu'une première pierre apportée au futur équilibre de cette région explosive.

Au début, leur façon de boire tous mes mots ne laissa pas de m'embarrasser, mais mon ego démesuré finit par y prendre plaisir et, quand se termina le Yom Kippour, j'étais littéralement fier de moi.

Le docteur Harris insista pour que je reste après la cérémonie, au-delà du dernier son de la *shofaz,* et la première question qu'ils me posèrent, au cours du dîner-débat organisé en mon honneur, ne me renseigna pas, tout d'abord, sur leur objectif :

– Vous êtes marié, rabbin Luria ?

S'étaient-ils mis en tête de me « caser » ? Je ripostai :

– Ma foi non. Je n'ai jamais pris le temps d'y penser. Et je vous rappelle que je ne suis pas rabbin.

– A nos yeux, vous l'êtes ! me dit Newman, qui poursuivit avec la même passion tranquille :

– Nous voulions savoir si vous aviez des attaches à New York.

Je n'ignorais plus, à présent, où ils voulaient en venir. Plus exactement, en revenir, c'est-à-dire à ce projet, pour leur communauté, de « rabbin itinérant » qui leur tenait tant à cœur.

– Pensez à nous comme aux grains épars d'un chapelet, Danny, suggéra le docteur Harris. Nous avons besoin de quelqu'un pour reformer un tout, et nous espérions que vous seriez intéressé.

– En d'autres termes, vous aimeriez que je sois le fil qui vous relierait.

Je plaisantais pour cacher mon émotion, mais M. Newman me relançait déjà :

– Nous avons réfléchi au problème, vous savez... Si vous pouviez visiter cinq de nos points de ralliement par semaine, à raison d'un par jour, vous arriveriez facilement à voir tout le monde... Nous pourrions vous offrir vingt-cinq mille dollars par an, pas beaucoup plus, mais naturellement, nous couvririons tous vos frais de voyage. Vous croyez que ce serait possible ?

Comment eût-il pu soupçonner l'effet que ses paroles produisaient sur moi ? S'ils m'offraient un salaire modeste, c'est qu'ils ignoraient tout de mon autre vie. De mes « jongleries pécuniaires ». A leurs yeux, j'étais pur. Et la pensée d'abandonner mes péchés, loin derrière moi, m'apparaissait comme un don du ciel.

Je ripostai en sourdine :

– Docteur Harris... j'en serais très honoré.

Il y eut un soupir de soulagement unanime.

– Danny, déclara M. Newman, très ému, nous vous sommes tous reconnaissants. Vous ne pouvez imaginer ce que ça signifie pour nous.

Eux non plus ne pouvaient imaginer ce que ça signifiait pour *moi*. Ils ne sauraient jamais comment, grâce à eux, je venais de découvrir ce que j'entendais faire du reste de ma vie.

Il n'entrait nullement dans mes ambitions d'être un de ces rabbins « poids lourds » qui se permettent de statuer sans appel sur la conduite d'individus dont ils attendent, de surcroît, respect et subsistance.

Pas plus qu'il n'y entrait de continuer à servir le Veau d'or.

Certes, le Nouveau Testament n'était pas tout à fait ma Bible, mais j'y trouvais quand même de nombreuses pensées importantes. Entre autres : « L'amour de l'argent est la source de tous les maux. » Issue de la première épître à Timothée, elle enchaîne sur : « Tous ceux qui l'ont cultivé se sont écartés de la foi et voués aux pires tourments. »

Dans mon cas personnel, il avait fini par me ramener à la foi. Pour la simple raison qu'à présent, je me sentais *utile*.

67

DÉBORAH

C'était au début du printemps, durant la troisième année du ministère de Déborah. Elle discutait de la prochaine fête de Pâque avec les membres de son séminaire, quand sa secrétaire vint poliment l'informer que Stanford Larkin, le directeur de l'école d'Éli, la demandait au téléphone. Elle pensa tout de suite à un accident, et c'était vrai, dans un sens, bien qu'elle fût très loin de soupçonner sa nature. Au lieu d'accepter le rendez-vous proposé par M. Larkin, elle sollicita une entrevue immédiate, et l'obtint.

– C'est un garçon plein de vie...

Conseillère pédagogique elle-même, Déborah comprit, à ce prélude, que Larkin voulait dire simplement « bagarreur ».

– Très énergique, aussi...

Elle traduisit, de même : agressif. Jusqu'où était-il allé, Seigneur Dieu, pour mériter ces deux épithètes ?

– Dans un certain sens, continua le directeur, je ne peux qu'admirer son courage. Il s'en prend couramment à des garçons deux fois plus grands et plus forts que lui. Mais le vrai problème, voyez-vous, c'est qu'il *cherche* constamment la bagarre ! Et si je puis en croire mon expérience, chaque fois qu'un enfant agit de cette façon, c'est qu'il veut établir ou rétablir un contact. En d'autres termes, capter notre attention.

Envahie d'un profond sentiment de culpabilité, Déborah questionna :

– Que me conseillez-vous de faire, monsieur Larkin ?

– Eh bien, je vous encouragerais fortement à voir un psychologue spécialisé dans les enfants.

Le cœur douloureusement serré, Déborah balbutia :

– Vous avez quelqu'un à me recommander ?

Larkin lui tendit une feuille de papier. Le praticien s'appelait Marco Wilding, docteur en médecine. Et pour que Déborah ne s'imaginât pas un instant que la conversation eût pu se terminer d'une autre manière, suivaient, griffonnés par la même main, le jour et l'heure du rendez-vous déjà fixé avec le psychologue.

Après trois séances d'une heure avec Éli, le psychologue requit, pour la quatrième, la présence de la mère.

Appuyé sur ses avant-bras, dans une posture qui faisait ressortir les épaules musculeuses du pilier de football qu'il avait été, à la fac, le médecin mesura tranquillement Déborah du regard, avant de prononcer un diagnostic qui heurta péniblement la sensibilité de la jeune femme :

– Lui et vous n'êtes plus du tout sur la même longueur d'onde. Vous pensez toujours à lui comme à un enfant, mais à son âge, il commence à prendre conscience de sa qualité de mâle. Psychologiquement du moins, c'est l'éveil de sa virilité. Comprenez-vous, Déborah ?

– Je crois bien, docteur, répondit-elle, gênée d'avoir été appelée par son prénom.

– A-t-il des hommes dans sa vie ?

– Il y a Danny, mon frère.

– Qu'il voit souvent ?

– Aux vacances scolaires.

– C'est peu. Il se lève le matin et ne trouve personne en train de se raser dans la salle de bains. Personne ne lui montre comment lancer une balle pendant les week-ends. Personne ne lui apprend à boxer...

– Vous trouvez qu'il ne boxe pas assez, à l'école ?

Un large sourire s'épanouit sur le visage du docteur Wilding.

– Précisément, Déborah. Vous y êtes. Il se bat parce que personne ne lui *apprend* à se battre. Vous croyez que je manie le paradoxe à plaisir ?

– Non, docteur, admit Déborah.

– Et vous ? Y a-t-il des hommes dans votre vie ? En tant que rabbin, vous devez en voir beaucoup.

– Oui. Mais parce que je suis rabbin, je les vois uniquement dans le cadre de mes fonctions. C'est un point de vue que vous pouvez comprendre, docteur ?

– Sans aucune peine. Mais ne pensez-vous pas que le problème d'Éli découle du vôtre ?

– Du mien ?

– Déborah, vous êtes jeune, séduisante... et seule. En toute objectivité, si vous aviez un homme dans votre vie, les problèmes d'Éli disparaîtraient d'eux-mêmes. Vous n'envisagez pas de vous remarier ?

La question était légitime, sans doute, mais Déborah, curieusement offensée, répondit avec une certaine froideur :

– Jamais.

– Qu'est-ce qui vous rend si catégorique ?

– *Là,* vous sortez de vos attributions, docteur. Au lieu de sourire comme une pub-dentifrice, dites-moi ce que je peux faire *vraiment* pour Éli et je vous laisserai passer à la moulinette tous les autres parents inscrits sur votre agenda ! A ce propos, vous êtes toujours aussi brutal ? Même avec les pères ?

– Absolument. Et vous seriez surprise de voir avec quelle passivité ils encaissent ! Vous avez beaucoup de cran, Déborah. Si vous êtes aussi courageuse qu'aujourd'hui, vous ferez ce qu'il faut pour le petit.

– C'est-à-dire ?

La regardant droit dans les yeux, Wilding ne prononça que deux mots :

– École militaire.

– Quoi ?

– Traitez-moi de fasciste réactionnaire si ça vous chante, mais Éli a besoin de discipline. Et qualifiez-moi de sexiste pour faire bon poids, mais il lui faut des modèles masculins sur qui modeler sa virilité naissante.

– Docteur ! Vous verriez vraiment mon fils marcher au pas en uniforme et passer la moitié de son temps à saluer tout le monde ?

Martelant son bureau de sa large paume, le psychologue trancha net :

– Et comment ! Ça lui ferait le plus grand bien... Naturellement, si c'est le côté militaire qui vous révulse, il y a les pensions traditionnelles...

C'était plus que Déborah n'en pouvait supporter.

– Vous tenez à me l'enlever, c'est ça ?

Pour la première fois, une nuance de compassion apparut dans la voix du spécialiste.

– Je ne cherche qu'à vous aider. En vous disant avec franchise ce que, je crois, il faut à votre fils.

– Sans la moindre alternative qui n'impliquerait pas une séparation ?

Calant dans sa main son menton carré, Marco Wilding retrouva son sourire.

– Attendez un peu... Oui, je pense que j'aurais dû commencer par là.

– Je vous écoute !

– Votre kibboutz. Il se plaît là-bas. Il ne vit que pour ses vacances d'été et meurt à moitié quand elles se terminent. Vous n'avez jamais envisagé de rentrer là-bas pour de bon ?

491

– Et lâcher tout le reste ? Mon travail ? Mes responsabilités ?

Le sourire commercial du docteur Wilding s'effaça. Il paraissait, tout à coup, plus vieux et plus sévère.

– Votre première responsabilité est envers votre fils, madame Luria. Et c'est vraiment tout ce que je puis vous dire.

Pour une fois, Danny ne se montrait guère constructif, au bout du fil.

– Mais Danny, tu es le seul ami que j'aie au monde. Qu'est-ce que tu ferais ? Qu'est-ce que tu ferais à ma place ?

– J'épouserais le premier partenaire à peu près potable qui me tomberait sous la main.

– Comme ça ? Même sans véritable amour ?

– Je le ferais pour l'amour de mon fils. Je le ferais volontiers moi-même si tu me confiais Éli. Les trois quarts des conseils rabbiniques que je prodigue officieusement visent à démêler des rapports parents-enfants qui se débattent dans le brouillard. Je suis persuadé qu'un époux, une épouse, peuvent survivre à n'importe quel stress. Un gosse, non.

Un coup de sonnette les interrompit. Ils prirent rendez-vous pour dix heures du soir et Déborah courut à la porte. Au premier regard, elle ne vit même pas la silhouette pourtant imposante de Jerry Phillips, le professeur d'éducation physique, auprès de qui se tenait un Éli à la triste figure, meurtrie et ensanglantée.

– Mon Dieu, qu'est-ce qui s'est passé ?

Le gosse baissa la tête, laissant à Jerry le soin d'éclaircir les choses.

– Ne vous effrayez pas, madame le rabbin. C'est juste un coup ou deux à laver sur l'évier. Le plus touché, ce serait plutôt son adversaire, Victor Davis...

Mon Dieu, songea Déborah. Les Davis, membres estimés de la congrégation.

Éli, toujours en colère, les interrompit :

– C'est lui qu'a commencé, m'man !

Sans lui prêter attention, elle insista :

– Dites-moi ce qui s'est passé, Jerry.

– Eh bien, le temps que j'arrive pour les séparer, Éli avait déjà culbuté Davis et lui cognait le crâne sur le plancher.

– Sans trop de mal ?

Le moniteur de gym hésita.

– Espérons-le. On l'a envoyé faire une radio de la tête à l'hôpital du Middlesex. J'ai promis d'y rejoindre les parents. Sincèrement désolé...

– Pas tant que moi. Merci de votre... compréhension. Et pour me l'avoir ramené.

Sitôt que la porte se fut refermée, Déborah se tourna vers Éli.

– Tu devrais avoir honte de ta conduite !

– Je te jure que c'est lui qu'a commencé, m'man. Il arrêtait pas de me filer des coups de coude dans la nuque.

L'espace d'un instant, Déborah se représenta la scène. Victor Davis était, d'assez loin, le plus vieux et le plus fort des deux, mais même la bravoure ne constituait pas une excuse.

– File dans la salle de bains, tout de suite, qu'on nettoie ce désastre !

Il eut un petit sursaut lorsque la serviette mouillée d'eau froide toucha les points sensibles. Selon toute évidence, il avait essuyé quelques bonnes châtaignes avant de terrasser le dragon, mais s'obligeait, crânement, à cacher sa souffrance. Déborah devait résister, de toutes ses forces, à l'envie de le serrer sur son cœur.

Un petit quart d'heure après qu'il se fut retiré dans sa chambre pour y faire ses devoirs, le téléphone sonna. C'était M. Davis. Aux questions anxieuses de Déborah, il répondit sèchement que « ça aurait pu être bien pire ».

– Écoutez, monsieur Davis, je ne saurais vous dire à quel point je regrette...

– Vous *regrettez* ? Moi, je dis que vous devriez avoir honte. Est-ce que c'est une conduite pour un fils de rabbin ?

Elle voulut lui répondre que la plupart des gosses de neuf ans traversent ainsi des crises d'agressivité, quelle que soit la profession de leurs parents. L'éveil de leur virilité, selon le mot du bon docteur Wilding ! Mais déjà, le père outragé poursuivait sur sa lancée :

– Votre rôle est de constituer un exemple pour la communauté. Pas de laisser votre fils se comporter comme un voyou ! Je vous préviens que si je le revois dans l'équipe de basket, c'est moi que vous ne reverrez plus au temple.

Déborah bouillonnait intérieurement, mais se contenta de riposter avec une pointe de sarcasme :

– C'est gentil à vous de m'avoir précisé votre position, monsieur Davis. Bonne nuit.

Elle raccrocha et couvrit son visage de ses mains, s'efforçant de réfléchir. Si le jeune Davis ressemblait un tant soit peu à son père, il n'était pas étonnant qu'Éli lui ait cassé la figure !

Elle monta au premier. La lumière brillait toujours sous la porte de son fils. Elle frappa doucement. Pas de réponse. Elle ouvrit la porte et le vit tout recroquevillé sous ses couvertures, dans la position fœtale. Il s'était endormi sans éteindre sa lampe.

Quelque chose accrocha le regard de Déborah, du côté de la bibliothèque. Dans tous leurs déplacements, Éli emportait avec lui une photo encadrée de son « père » debout près d'un jet Phantom, l'étoile de David épinglée sur la poitrine. Il la plaçait toujours près de son lit, afin d'en emporter l'image dans son sommeil. C'était là, sans doute, la pire des hypocrisies, et la plus douloureuse, à quoi Déborah eût dû souscrire. Car tous les soirs, après ses prières, il murmurait « Bonne nuit, m'man » puis, en hébreu, « Bonne nuit, Abba ».

Elle découvrit, soudain, ce qui clochait. Le cadre était vide. Était-il possible qu'il eût appris la vérité et détruit la photo ?

En y regardant de plus près, elle l'aperçut enfin, froissée par les mains du gosse épuisé, contre sa poitrine.

A peine si elle réussit à contenir ses larmes tandis qu'elle se penchait pour l'embrasser sur le front après en avoir chassé, doucement, une mèche blonde.

Puis elle éteignit la lumière et redescendit au rez-de-chaussée pour y donner le coup de téléphone le plus important de son existence.

Au petit déjeuner, Déborah réprima les émotions qui l'habitaient, attendant que le sujet revînt de lui-même sur le tapis. Mais bien qu'elle ne fît pas allusion à l'empoignade de la veille, Éli ne lui fournit aucune ouverture. Distant et morose, il eut une moue de contrariété lorsqu'elle amorça finalement :

– Éli, tu te plais ici ?

– C'est quoi, ici ?

– Eh bien, le Connecticut, ton école, ici... en général.

– Ouais, c'est super.

495

Il étudia avec attention le visage de sa mère, cherchant à comprendre ses motivations.

– Et toi, m'man ?

Difficile question ! L'unique question, peut-être, dont elle n'eût point préparé la réponse.

– A vrai dire, Éli, je m'y plairais si je t'y sentais pleinement heureux.

– Hé, là, je comprends pas, m'man. Pourquoi ne me dis-tu pas ce que tu as vraiment envie de dire ?

– Ce que j'ai envie de dire ? Que le kibboutz me manque, souvent. Pas à toi ?

– On y va en été, pas vrai ? Comment il pourrait me manquer ?

– En hiver, justement. C'est le cas ?

Le petit garçon hésita.

– Ben... des fois.

– Tu aimerais qu'on y retourne ? Et qu'on y reste ?

Il objecta, un peu trop vite :

– Et ton travail ?

– Je suis d'abord maîtresse d'école, non ? Un rabbin n'est pas obligé d'endosser la robe et de faire des sermons. Les études bibliques font partie du programme général, alors je pourrais les enseigner au lycée régional des kibboutz.

Éli réfléchit longuement avant de questionner, pratique :

– Qui t'a dit que tu pourrais faire ça ?

Elle sourit.

– Grand-papa Boaz. Je lui ai téléphoné, hier soir.

Le silence retomba, s'éternisa, sans que Déborah se risquât à le rompre. Les efforts que faisait l'enfant pour cacher son excitation, son exaltation grandissante, la bouleversaient jusqu'au fond de l'âme.

496

– C'est vrai ? dit-il enfin.

– C'est vrai.

Les yeux écarquillés, Éli regardait sa mère. Et soudain, comme propulsé par une catapulte, il bondit en avant et se jeta dans ses bras.

68

TIMOTHY

Rares étaient ceux qui subodoraient qu'en dépit de son immense popularité, Tim n'était toujours pas membre officiel de l'archevêché de Boston. Peu savaient, en fait, qu'un prêtre transféré d'un archidiocèse à l'autre doit y passer deux à trois ans d'« incardination ».

Au terme de la « période d'essai » de son conseiller privé, l'archevêque Mulroney organisa en son honneur un petit dîner intime au cours duquel il lui décerna le titre de « Monsignore ». Le nombre des invitations que recevait Tim s'en trouva considérablement accru, des orphelinats aux dîners de collecte.

Fidèle à ses origines, Tim se sentait plus à l'aise aux pique-niques scolaires et autres barbecues qu'aux banquets en cravate noire du Ritz de Boston où d'élégantes paroissiennes osaient lui demander de les faire danser, sans avoir à craindre pour autant la jalousie de leurs époux.

Quelques mois de « mondanités pour le compte de Dieu », selon l'expression audacieuse de l'archevêque, lui ayant fait prendre quelques kilos superflus, il remplaçait fréquemment son déjeuner par une séance de jogging autour du château d'eau de la fac de Boston.

Par un après-midi d'hiver glacé, il eut la surprise de voir sa secrétaire, sœur Marguerite, habituellement si posée, courir vers lui – sans manteau – en agitant une enveloppe.

– Monsignore, vous êtes invité à Washington !

– Pas une raison pour sortir sans manteau, Meg ! plaisanta-t-il en reprenant haleine dans l'air froid. C'est le président Reagan ?

Essoufflée et surexcitée, la sœur haleta :

– Presque. C'est l'ambassade du Vatican.

Bien qu'il affectât la surprise pour ne pas décevoir sœur Marguerite, Tim savait déjà ce que contenait l'enveloppe.

Moins d'un an plus tôt, en janvier 1984, le président Reagan avait rétabli, avec le Vatican, des liens diplomatiques suspendus depuis plus d'un siècle. Désormais, le délégué apostolique de Rome serait désigné officiellement, à Washington, par le titre de « Son Excellence l'ambassadeur ».

L'invitation de Washington conviait Tim au gala de réception du nouvel envoyé du Vatican, nul autre que le frère bien-aimé de la princesse, Sa Grâce l'archevêque Giovanni Orsino.

– C'est formidable, non, Monsignore ? répétait sœur Marguerite.

Affectant une expression sévère, Tim la mit en garde :

– Meg, c'est confidentiel. Je ne veux surtout pas en entendre parler au troisième étage de la résidence.

La sœur acquiesça, rougissante, et Tim en déduisit que tout le monde devait déjà être au courant.

L'ambassade du Vatican illuminait suffisamment l'avenue du Massachusetts pour que le cortège des limousines qui déposaient sur le trottoir la fine fleur de l'aristocratie de Washington fût clairement visible de plus haut.

Tim était déjà là lorsque les trompettes sonnèrent « Hail to the chief » et il assista, bouche bée, à l'arrivée souriante du Président Reagan et de Madame.

Ils allèrent tout droit vers leur hôte, l'archevêque Orsino, qui les accueillit chaleureusement et leur présenta les membres de l'élite catholique.

Tout cardinal qu'il fût, Mulroney se sentait déplacé en la compagnie des diplomates de haut rang et des représentants de la nation. Il passa le plus clair de son temps à « parler boutique » avec les autres Éminences venues de New York, Chicago, Los Angeles, Detroit et Philadelphie.

Exclu de cette sorte de fraternité, Tim se réfugia dans sa solitude, contemplant la foule scintillante qui comprenait, parmi les brillants échappés du Capitole, le sénateur O'Dwyer du Massachusetts dont il avait reçu la visite, jadis, à Saint-Athanase. Il commençait à s'ennuyer ferme quand une voix bien connue le tira de sa rêverie :

– Salut, Hogan !

C'était George Cavanagh, un verre de champagne à la main.

– Salut, Cavanagh. Je te croyais toujours dans les jungles d'Amérique du Sud. S'il est un endroit où je ne m'attendais pas à te rencontrer...

– Pourquoi ? C'est une autre sorte de jungle !

– A part ça ? demanda Timothy qui cherchait à évaluer la cordialité et la franchise de son vieux camarade.

– Je suis fatigué, mon père. Où dois-je plutôt dire *Monsignore* Hogan ? Tu n'imagines pas ce que c'est que de prendre en main ces gens-là, au sud de la frontière. Je n'ai survécu que parce que *leur* foi me soutenait.

Il poursuivit après une gorgée de champagne :

– Mais j'en ai ras le bol, Tim. Je ne peux plus faire face à leurs guérillas.

– Tu ne vas pas quitter l'Église ?

Une lueur se ralluma dans l'œil fatigué de George Cavanagh.

– Non, ce combat-là, je ne l'abandonne pas. Mais je suis devenu « membre du club ». Le mois prochain, je serai consacré archevêque-coadjuteur de Chicago. Tu recevras une invitation.

Surpris, puis sincèrement heureux pour George, Tim le complimenta :

– Félicitations, Votre Excellence.

– Pas de quoi. Simplement la conséquence d'un *quid pro quo*.

– Mais encore ?

– Mon journal, Monsignore. C'est tout ce qu'il a fallu que j'abandonne. *La Voz del Pueblo* s'est tue.

Sans attendre la réponse de Timothy, Cavanagh ajouta :

– Ça ne veut pas dire que je renie tous mes principes. Mais au moins, j'aurai une chance de les exprimer du haut de la chaire plutôt que d'avoir à grimper sur une souche dans la forêt tropicale.

« Pour être franc, je m'en réjouis d'avance. Pas seulement à cause de l'eau courante et du lit confortable. Le simple fait d'être à proximité d'une source adéquate de réconfort spirituel... tu vois ce que je veux dire... quand ton âme n'arrive pas à trouver le sommeil.

Tim approuva d'un signe de tête.

– J'en ai eu ma part.

– Entre nous, Tim, je souhaiterais parfois que nos prières puissent être envoyées par pli recommandé... histoire d'être sûr qu'une d'entre elles, au moins, parvienne à destination...

500

Chancelant légèrement sur place, George s'inquiéta :

– Hé ! Je ne deviens pas un peu trop subversif ?

– Non. Juste un peu soûl. Je crois que tu devrais rentrer chez toi et te mettre au lit.

– Chez moi ? Où est le « chez moi » d'un prêtre catholique ? Actuellement, on est quatre dans une suite de Watergate. Tu peux imaginer ça, Tim ? Les *campesinos* crèvent de faim au Nicaragua, et nous, on peut se faire servir dans les chambres vingt-quatre heures sur vingt-quatre.

Tim escorta son ami jusqu'à la limousine prête à le reconduire « chez lui ». Quand il l'eut installé sur le siège arrière de la voiture, il lui glissa par la vitre entrebâillée :

– Hé, Cavanagh, si ça peut te faire plaisir, j'ai de l'admiration pour toi. Sincèrement.

George, le regard flou, murmura :

– T'es sérieux, Hogan ?

– Tu as un cœur gros comme ça, et je te l'envie.

– Y a pas de quoi ! Moi, je t'envie ta tête. Bonne nuit, Monsignore.

Sur quoi il ferma la vitre électrique et fit signe au chauffeur de démarrer.

Quand Timothy regagna le champ de bataille, son hôte était à sa recherche.

– *Caro Timoteo,* je me demandais où vous étiez passé.

– Ravi de vous revoir. Comment va votre sœur ?

– Plus florissante que jamais. Elle vous envoie toute son affection. Mais il faut que nous parlions en privé, tous les deux. Vous êtes libre au petit déjeuner, demain matin ?

– Sans problème. Votre heure sera la mienne.

– Parfait. Ma voiture passera vous prendre à huit heures moins le quart. *Buona notte.*

Cette matinée de Washington était inhabituellement

chaude et belle. Un maître d'hôtel à gants blancs se tenait à distance respectueuse de la table dressée sur la terrasse de l'ambassade, pour Tim et le frère de la *principessa*.

– Gianni, insista l'ambassadeur. Appelez-moi Gianni. J'ai entendu chanter monts et merveilles sur votre compte. Il paraît qu'à Boston, vous vous êtes révélé aussi fort dans les livres de comptes qu'en grammaire latine !

Tim ne put réprimer un sourire.

– Les résultats paraissent prometteurs. Et la réaction des gens...

– Mais votre avancement, Tim ? Ça ne vous plaît pas, de vous entendre appeler « Monsignore » ?

Puis, comme Tim hésitait :

– Allons, allons, une pointe de vanité n'est pas si répréhensible. Puis-je vous avouer que malgré tous les titres qui sont déjà miens, je suis toujours ravi d'en recevoir un nouveau.

Tim sourit de la candeur enfantine du personnage.

– Et vous avez largement gagné les honneurs qui vous échoient. En fait, j'ai sur mon bureau la demande du cardinal Mulroney qui souhaite vous élever à la dignité de...

Il s'interrompit pour mieux se contredire d'une voix traînante :

– Mais non... Vous êtes trop précieux pour languir à Boston, même avec le titre d'archevêque-coadjuteur. C'est à Rome qu'on a besoin de vous, mon garçon.

Le nom de sa ville bien-aimée, à lui seul, réveilla la nostalgie de Timothy.

– J'y ferais quoi, exactement...

– Ça risque d'être moins facile que de traduire des épîtres latines. J'ai convaincu le Saint-Père que vous aviez assez d'amiante en vous pour naviguer sans vous brûler entre le feu et la poêle à frire.

Hilare, il ajouta :

– Bon usage d'une locution idiomatique prélevée dans votre langue maternelle, n'est-ce pas ?

– Oh ? Absolument !

Tim éprouvait quelque difficulté à retomber sur terre. Quel que fût le contexte, l'idée que le pape en personne eût entendu, voire prononcé son nom, le laissait sans voix. Dégustant son café, à petites gorgées, Orsino précisa :

– La poêle à frire, c'est l'Amérique du Sud, Timoteo. Nul mieux que moi ne peut témoigner des besoins en hommes de notre Église, là-bas. Quant au feu, j'ai bien peur que ce ne soit le cardinal von Jakob, archevêque de Hambourg. Vous savez quel poste il occupe, aujourd'hui ?

– Oui, bien sûr. Il est maintenant préfet de la congrégation pour la doctrine de la foi.

– Vous l'avez déjà rencontré ?

Tim secoua la tête.

– Je n'ai jamais eu l'occasion d'approcher ces gens-là...

Très en verve, l'ambassadeur s'exclama :

– Mais eux, vous ont approché de plus près que vous ne le pensez ! Von Jakob était à votre soutenance de thèse... même si, toujours fidèle à lui-même, il a boudé, ensuite, la réception de ma sœur. Entre nous, c'est un être impossible. Mais qui doit accomplir une tâche impossible. Il n'y avait qu'un Prussien pour tenter de rééduquer les diocèses d'Afrique où l'on chante la messe au rythme des tam-tams... et où la seule concession qu'ils fassent au célibat, c'est que les prêtres locaux n'habitent pas avec leurs femmes et leurs enfants ! Inutile de vous dire que von Jakob mène son monde avec une poigne de fer.

– Conformément à la tradition ! pouffa Timothy. Cette « sainte congrégation » a une longue histoire. Surtout sous son nom d'origine : l'Inquisition !

– Croyez-moi, Timoteo, comparée à l'Amérique du Sud, l'Afrique, c'est un jeu d'enfants. Et là encore, je peux témoigner, personnellement, que les jésuites sont en train d'enfoncer, dans la tête de nos fidèles, des idées inacceptables. Cette histoire d'intégration culturelle, c'est de la folie pure ! Bientôt, ils chanteront les cantiques sur des airs de tango. A moins que nous puissions mettre au pas ces révolutionnaires, Timoteo, il faudra qu'à l'instar de Clément XIV, le Saint-Père abolisse la Société de Jésus. C'est la guerre !

Éberlué, Tim releva :

– Mais qu'est-ce que je viens faire là-dedans ?

Orsino se leva afin de pouvoir arpenter la terrasse en ponctuant ses paroles des gesticulations dont la position assise le frustrait.

– C'est précisément là que nous avons besoin de vous. Fin lettré, homme d'Église, orateur charismatique, et doté, par-dessus tout, d'une foi en Rome inébranlable, vous êtes l'homme de la situation.

« Sur ma recommandation expresse, von Jakob et le Saint-Père lui-même souhaitent que vous acceptiez le poste d'envoyé spécial de la Curie aux diocèses d'Amérique latine.

– Tous ?

– Seulement ceux où les jésuites sont en train de flanquer la pagaille.

S'interrompant, brièvement, pour sourire :

– C'est-à-dire tous, j'en ai bien peur ! Il ne doit plus y avoir d'incidents comme cette humiliation infligée à Sa Sainteté par les sandinistes durant sa tournée au Nicaragua. Il faut, en revanche, que nos prêtres d'Amérique du Sud soient assez forts pour appliquer les consignes de Rome sans prêter attention à la presse incendiaire des jésuites.

– Comme *La Voz del Pueblo* ?

– Précisément. Vous pouvez être à Rome pour la fin du mois ?

– Je pense que oui. Naturellement, par courtoisie envers le cardinal Mulroney...

Orsino, l'œil brillant, écarta l'objection d'un bel effet de manche.

– Aucun problème de ce côté-là. Il est très fier de vous. Et puisque c'est avant tout une question de temps, je suis sûr que vous serez d'accord pour que la cérémonie se passe à Rome.

– Quelle cérémonie ?

L'ambassadeur se composa un sourire candide.

– Vous pensez bien que nous ne confierions pas de telles responsabilités à un nonce au-dessous du grade d'archevêque. Félicitations, Votre Grâce !

Dans la limousine climatisée qui glissait, en silence, à travers les rues chaudes et humides de Washington, Tim se sentait douloureusement écartelé entre deux émotions très différentes.

Il n'était aucun prêtre au monde qui ne serait euphorique à l'idée d'endosser la robe de l'épiscopat.

Mais une autre idée tempérait cette euphorie : celle d'avoir à exercer un tel ministère pour le compte de... l'Inquisition.

69

DANIEL

Moins d'un mois après avoir accepté l'offre du docteur Harris, je revendis mon appartement new-yorkais et achetai un chalet préfabriqué à Lisbonne, dans le New Hampshire, plaçant l'argent qui me restait en bons du Trésor. Wall Street ne m'attirait plus le moins du monde. J'avais toujours su, d'ailleurs, que gagner de l'argent ne suffirait jamais à faire mon bonheur. J'avais choisi Lisbonne non seulement à cause de son nom exotique, mais surtout en raison de sa position centrale, à distance sensiblement égale des cinq points de ralliement dont j'étais désormais le conseiller spirituel de moins en moins officieux.

Qui plus est, la ville n'était guère à plus d'un jet de boule de neige des pistes de Stowe et de Sugarbush, dans le Vermont. J'avais toujours eu l'intention de me mettre au ski, moins par vocation athlétique, je l'avoue, que pour la réputation dont jouissaient ces lieux, censés héberger plus de New-Yorkaises solitaires au mètre carré que n'importe où ailleurs en ce monde. C'était peut-être vrai... mais jamais je ne trouvai le temps d'aller vérifier sur place.

L'été, je combinais ma visite à Deb et à Éli avec un voyage organisé au profit d'un ou deux membres de ma congrégation qui pouvaient, ainsi, perfectionner sur place leur connaissance de l'hébreu et s'imprégner de leur héritage. Bonne façon de fabriquer des professeurs de catéchisme qui, peu à peu, composaient une solide équipe.

De ville en ville et de fête en fête, mon travail m'absorbait tellement que près de quatre années s'étaient écoulées, sans que je les visse passer, depuis cette époque bienheureuse où j'étais devenu ce qu'il me plaisait d'appeler « rabbin sans portefeuille ».

Un événement, toutefois, me fit prendre conscience de toute cette eau passée sous les ponts et ce fut, lors de ma dernière visite en Israël, ce jalon essentiel dans la vie spirituelle d'Éli : son treizième anniversaire, en juin, marqué par sa *bar mitzvah*.

Le kibboutz était trop séculier pour avoir une chapelle, mais Déborah s'arrangea avec le rabbin d'Or Chadash, à Haïfa, une des premières synagogues réformistes d'Israël, charmante bâtisse sans prétention accrochée au flanc du mont Carmel.

Le rabbin convia même Déborah à monter en chaire, conjointement à lui, pour la circonstance. Ainsi qu'à chanter les extraits de la Torah choisis pour précéder celui que lirait Éli en personne.

Si joyeuse fût-elle, la journée ne s'écoula pas, toutefois, sans une note de mélancolie. En plus du convoi d'autocars asthmatiques bourrés de gens du kibboutz, étaient venus de divers coins du pays, six hommes d'environ quarante ans et des poussières qui n'étaient autres que les anciens camarades d'escadrille du « père » de mon neveu.

Boaz et Zipporah en furent touchés aux larmes. Quant à Éli, il en perdit la voix d'émotion lorsqu'il apprit qui étaient ces hommes. Avec l'accord préalable du rabbin, Déborah fit appeler le colonel Sassoon, commandant d'escadrille d'Avi, à lire la Torah, avant moi, Boaz, et elle-même.

Éli ne quittait pas des yeux les ex-aviateurs, comme s'il eût espéré retrouver, sur leurs visages, quelque image vivante de son père.

Durant le service et la réception qui suivit, je remarquai que les visiteurs observaient fréquemment Éli, du coin de l'œil, se demandant par quel miracle deux bruns à la peau mate tels que Déborah et le défunt Avi avaient pu engendrer cette sorte de blondinet.

Le problème, c'est que je ne fus pas seul à remarquer leur manège. Éli finit par s'en aviser également.

Ce soir-là, tandis que les adultes faisaient bombance au réfectoire, Éli et ses condisciples, filles et garçons, dînèrent séparément dans la salle de gymnastique. Tout se passait à merveille, s'il fallait en juger d'après la musique et les rires qui filtraient à travers la porte, lorsque je fis un saut à ma chambre pour y prendre un chandail.

Tout à coup, me parvint la voix d'Éli :

– Salut, tonton !

– Salut, fiston ! Tu as été super, aujourd'hui.

– Merci, Danny, je peux compter sur toi pour me dire la vérité ?

Sa voix n'exprimait pas exactement l'euphorie.

– Naturellement ! affirmai-je, inquiet de ce qu'il cherchait lui-même à savoir.

– J'ai pas fait des couacs en chantant la *Haftorah* ?

– Des couacs ? Tu nous l'as chantée d'une belle voix de baryton.

– Gila dit que j'ai fait des couacs.

– Qui est Gila ?

– Oh, personne.

Mais là, sa voix se cassa bel et bien.

– Compris, c'est la femme de ta vie dont Boaz m'a parlé.

– Sois pas idiot, tonton, je suis encore trop jeune pour les filles.

Trop vite et trop fort. Mon expérience de rabbin des bois avait affiné ma juste perception de ces rapports humains, y compris chez les adolescents.

– Tu pourrais tomber plus mal. Elle est terrible !

– On va s'engager tous les deux dans l'armée de l'air.

– Hé, il s'en faut de cinq ans ! Tu ne devrais pas penser à ça le jour de ta *bar mitzvah*.

La voix en pleine mue se fit subitement adulte pour déclarer :

– Danny, en Israël, dès que ta *bar mitzvah* est passée, tu ne penses plus qu'à ça.

En dépit du vin israélien dont j'avais légèrement abusé et de l'air embaumé que nous respirions, je me sentais parfaitement lucide.

Était-il possible que ce jour marquât un tel tournant dans la vie d'un enfant normal ? Et de quelle sorte d'enfance pouvait-il jouir encore, après ça ? Avais-je été plus heureux, moi-même, de savoir ce que je ferais à dix-huit ans ? Sans la moindre alternative éventuelle ?

J'essayai, maladroitement, de serrer mon neveu contre ma poitrine. Mais il était déjà si grand que je m'en tirai avec une bonne claque dans le dos. C'est alors que je compris, après un dernier doute, que sa présence ici, loin du local où se célébrait la fête dont il était le héros, ne pouvait être due au hasard. Et que les vérités qu'il attendait de moi ne visaient pas seulement ses couacs éventuels dans l'interprétation d'un chant liturgique.

– Tonton Danny... on peut parler d'homme à homme ? C'est extrêmement important. Tu es le seul de la famille à qui je puisse faire confiance.

Mon Dieu ! C'était maintenant que le ciel allait me tomber sur la tête. Je tentai de parer le choc, d'avance :

– Si c'est au sujet des choses de la vie, il faudrait déjà que je les aie comprises moi-même.

– Danny, ce n'est pas drôle !

– Ah bon, je croyais.

On atteignait mon bungalow. Il s'assit sur les marches et j'en fis autant. Le regard perdu dans la direction du lac, il commença :

– Oncle Danny... pendant toute cette semaine, des parents de Boaz et de Zipporah sont arrivés de Tel-Aviv et même de Chicago. Ils ont passé des heures à parler du bon vieux temps... en regardant des vieilles photos.

Je serrai les dents, sachant ce qui se préparait. Il enchaîna, de la même voix atone :

– C'est fou ! Ils ont des photos par millions ! Et même des sépias qui remontent à Budapest. Et des tas de photos d'Avi bébé, enfant, etc.

Tête baissée, après une courte pause :

– Mais aucune photo de m'man et d'Avi. Pas même une photo de mariage... Qu'est-ce que ça veut dire, d'après toi ?

Je me torturais les méninges à la recherche d'une échappatoire, une grosse plaisanterie qui me sortirait de cette impasse. Mais je savais le gosse trop affamé de vérité, cette vérité qui finit toujours par triompher.

Que lui répondre, en restant sincère, sinon :

– Je n'ai pas connu Avi.

– Ce n'est pas ce que je te demande.

– Oh ? Qu'est-ce que tu me demandes, exactement ?

Son regard me transperçait.

– Tu es sûr que c'était mon père ?

J'avais eu tout le temps de me préparer, depuis le début de la conversation. Pourtant, je restai sans voix, comme pendu haut et court. Jusqu'à ce qu'il se décidât à trancher la corde au bout de laquelle je dansais.

– Ça va, Danny. Pas besoin de me répondre. Il me suffit de voir la tête que tu fais.

510

70

DANIEL

Le surlendemain, je conduisis mon neveu à Jérusalem pour sa « seconde *bar mitzvah* ». A cause de ses responsabilités, en tant que rabbin de Silcz, l'oncle Saul ne pouvait – pour des raisons diplomatiques – assister à la cérémonie du samedi. Mais Éli honorerait la mémoire de mon père en lisant la Torah au cours d'un service célébré le lundi matin devant le mur des Lamentations.

Pour toute une série de raisons légitimes, Déborah ne serait pas des nôtres. A quoi bon, puisqu'elle devrait se séparer de son fils et s'entasser, avec les autres, dans l'enclave réservée aux femmes ? Le souvenir de l'émeute qu'elle avait déclenchée demeurait vivace au fond de son esprit.

Et ce n'était probablement qu'une petite partie des souvenirs qui s'opposaient à sa présence...

Inutile de dire que toute la communauté *B'nai Simcha* de Jérusalem était là, solide au poste. Même les enfants des yeshivas, tout heureux de cette demi-journée de congé. Éli, tout comme moi, était capable de jouer sur les deux tableaux. Danse traditionnelle des *frummers* ou disco des kibboutzniks, il était également à l'aise dans les deux camps.

Pendant la sympathique réception qui suivit, à l'école, Saul me mit au courant de ses affaires. Resté en suspens, depuis la mort de mon père, l'emplacement du futur foyer de la yeshiva devait être fixé, une fois pour toutes. Certes, je ne faisais plus partie du clan, officiellement. Mais bien que Doris Greenbaum eût fini par décliner toute offre de remboursement de son don initial, aux yeux de Saul, j'avais, seul, sauvé la situation. Et nul ne savait quel prix ce sauvetage m'avait coûté !

La semaine précédente, nous avions fait le tour des bâtiments à vendre, tant dans Mea Shearim que dans le quartier adjacent. Tous les locaux disponibles étaient exigus et les prix, astronomiques.

Selon moi, la meilleure affaire était un immeuble de trois étages dont les années avaient déjà fortement terni les pierres lumineuses de Jérusalem. Il ne serait pas trop difficile de le convertir en foyer-dortoir pour une soixantaine d'élèves qui, compte tenu de la distance réduite, pourraient aisément se rendre à pied, chaque jour, au siège de leur yeshiva.

Mais le rabbin Bernstein, successeur intègre de l'abominable Schiffman, avait une autre idée que l'oncle Saul tenait absolument à me faire entendre. Je libérai mon neveu qui piqua tout droit sur la Pizza Richie, dans King George Street : un garçon des kibboutz sait toujours où aller, en ville, pour rencontrer des filles. Tranquillisé, je me rendis, avec Saul, chez le principal de la yeshiva où le rabbin Bernstein nous présenta un monsieur distingué, habillé de noir, du nom de Gordon. Preste et volubile comme un illusionniste, l'homme épingla un vaste plan d'architecte sur le tableau noir.

– Voilà, rabbins honorés... la magnifique ville nouvelle d'Armon David... Artères spacieuses, matériaux choisis, aménagements ultra-modernes... Et croyez-moi, vos voisins compteront parmi les plus *frums* de tous les *frums* imaginables.

Il nous laissa le temps d'assimiler ces informations avant d'enchaîner sur le même ton emphatique :

– Qui plus est, par la nouvelle route que doit construire

le ministère de l'Urbanisme, vous ne serez qu'à vingt minutes de car... trente au maximum... de cette école où nous nous trouvons actuellement.

Déjà tout étourdi de respirer l'atmosphère grisante de la Cité sainte, comme tout visiteur, je fus ébloui d'abord par la perspective de fournir à ces jeunes gens, en contrepartie des heures qu'ils passeraient immergés dans leurs études, des espaces aérés, des chambres confortables et même des aires de verdure.

Puis je revins à la réalité, non sans un petit choc au cœur. En dépit des hyperboles du promoteur, cet emplacement était trop éloigné du centre de Jérusalem. Dangereusement proche, en fait, des villages arabes de Dar Moussa et de Zeytounia.

– Très impressionnant, monsieur Gordon. Mais pouvez-vous me dire de quel côté de la Ligne verte se situe votre lotissement ?

Gordon prit ma question comme un injure personnelle.

– Comment le fils du grand rabbin Moïse Luria, paix à sa mémoire vénérée, pourrait-il se laisser arrêter par un argument de cette sorte ? Toute cette terre n'a-t-elle pas été donnée à notre nation par le Tout-Puissant ?

Je faillis lui demander comment il se faisait, si Dieu nous avait donné ce territoire, que lui-même se disposât à nous le revendre. Je me retournai vers Saul, mais la suite de mes remarques s'adressait à toute l'assistance.

– J'ai un grand respect pour les talents d'urbaniste de M. Gordon... mais j'ai bien peur que la *B'nai Simcha* n'ait certaines responsabilités, qu'en pensez-vous, oncle Saul ? En supposant que nous options pour Armon David...

– ... où vous auriez place, intercala Gordon, pour une bonne centaine d'étudiants.

– La question n'est pas là. Si nous bâtissions notre

foyer-dortoir de l'autre côté de la Ligne verte, ce serait interprété comme une prise de position politique. La preuve que notre communauté approuve la confiscation de territoires arabes.

Gordon se méprit, ou feignit de se méprendre, sur le sens de ma déclaration :

– En d'autres termes, non seulement vous disposeriez d'un magnifique complexe d'habitation, mais vous frapperiez un grand coup en faveur du Grand Israël.

Tous les yeux étaient tournés vers l'oncle Saul qui, paisiblement, caressait sa barbe.

– Réels ou métaphoriques, les « grands coups » n'entrent pas dans nos convictions. Danny parle vrai.

Gordon bouillait de rage. Évitant soigneusement de me regarder, il s'attaqua au maillon le plus faible de notre chaîne, le minuscule rabbin Bernstein.

– Pensez au *skandal* si les gens savaient que le rabbin de Silcz renonce à toute revendication sur une parcelle, même infime, de notre terre sacrée !

Calmement, mais fermement, Saul riposta :

– Je ne me souviens pas d'avoir parlé de « renonciation », monsieur Gordon. Mais puisque nous en sommes aux accusations inconsidérées, laissez-moi vous rappeler que la première règle de vie d'un juif est le *Pikuach Nefesh*, le respect de la vie humaine.

Un bravo pour l'oncle Saul ! Je plongeai à sa suite :

– Monsieur Gordon n'a sûrement pas oublié le verset 16, chapitre 19 du *Lévitique :* « Tu ne mettras pas en cause le sang de ton prochain. » Ne fût-ce que pour ce motif, sa proposition est inacceptable.

Incroyable, mais vrai, le seul commentaire que fit le promoteur en récupérant son plan et en gagnant la sortie à grands pas furibards, fut simplement :

514

– Hmph !

Ce que je traduirais, librement, par l'affirmation que la *B'nai Simcha* n'était qu'un ramassis de minables et de traîtres à la cause juive qui feraient bien mieux de rentrer dans leur Brooklyn pourri. Le tout exprimé en termes beaucoup moins châtiés.

Le silence persista un long moment dans la pièce tandis qu'un sourire de soulagement naissait et s'élargissait, peu à peu, sur le visage du rabbin Bernstein.

– Merci, Rav Luria.

Et mon oncle surenchérit :

– Je suis très fier de la façon dont tu t'es conduit, rabbin Daniel.

Moins comblé que profondément gêné par l'affection qui s'exprimait dans sa réplique, je lui rappelai que je n'étais pas *vraiment* rabbin.

A quoi il répondit :

– Tu l'es, Danny. Tu es rabbin.

Sur le chemin du retour au kibboutz, Éli manifesta une insouciance assez incompréhensible chez quelqu'un qui avait subi, quarante-huit heures plus tôt, une telle crise d'identité. Il fredonnait sans arrêt les derniers tubes du hit-parade israélien.

Je n'eus pas le courage de lui demander comment il avait fait pour digérer sa crise existentielle, si bien et si vite. Par bonheur, alors que tombait la nuit, c'est de lui que vint l'initiative.

– Tu te souviens de notre conversation de l'autre soir ?

– Oui.

Comment diable aurais-je pu l'oublier ?

– J'en ai parlé avec m'man et elle m'a tout dit.

515

Tout ?

– Je suppose que tu l'as toujours su ?

J'émis un « Mmm » sans grande signification. Éli s'échauffa :

– Et alors ?

– Et alors quoi ?

– Mon père et ma mère n'étaient pas mariés. Officiellement, je suis un bâtard. Et alors ?

– Alors, rien. Selon la loi juive, tu es assez kasher pour épouser la fille du Premier Rabbin.

Il attendit quelques kilomètres pour me relancer, avec le sourire :

– Elle est mignonne ?

– Qui ça ? dis-je sans comprendre.

– La fille du Premier Rabbin. Peut-être pourrais-je la draguer ?

Bien sûr, Déborah n'avait fait que différer l'échéance. Tôt ou tard, il faudrait que quelqu'un ose dire au gosse toute la vérité. D'ici là, en transposant le proverbe au conditionnel : « Qui vivrait verrait ! »

En arrivant à Kfar Ha-Sharon, Éli, avec la vigueur insouciante de la jeunesse, décida de sauter son dîner, sollicita et obtint l'autorisation de faire du stop jusqu'au kibboutz de Gila.

Je mangeai un morceau avec Déborah, sur le pouce, dans son *srif*. Elle se réjouit de mon rapport détaillé sur tous les événements de la journée à Jérusalem et, sincèrement admirative, commenta :

– Il a fallu du cran à l'oncle Saul pour prendre cette attitude.

Je protestai, quêtant ma part de félicitations :

– Hé, c'est moi qui ai lancé la discussion au sujet de la Ligne verte.

– Bravo, petit frère ! La différence, c'est que tu vas retourner dans tes bois, alors que l'oncle Saul va rentrer à Brooklyn où les *frummers* de service vont lui mener la vie dure !

71

TIMOTHY

Cinquante jours après la Résurrection, les onze apôtres réunis à Jérusalem pour la fête de Chavouoth avaient entendu gronder le vent du ciel et vu descendre vers eux les flammes du Saint-Esprit.

La fête de la Pentecôte commémore cette flamboyante épiphanie et c'est également en ce troisième jour le plus saint du calendrier ecclésiastique que se célèbre l'ordination de nombreux évêques. L'ensemble des cérémonies est une immense explosion de rouge, en double rappel des flammes et du sang des apôtres, dont un seul échappa au martyre.

Le dimanche 26 mai 1985, dans la basilique Saint-Pierre de Rome, Timothy Hogan fit face à Sa Sainteté le pape vêtu de rouge, lui aussi, à l'exception de sa calotte blanche, et flanqué de deux cardinaux dont l'un n'était autre que l'archevêque de New York. Devant eux se tenaient les futurs archevêques portant, pour la dernière fois, leur simple tenue de prêtre agrémentée d'une croix pectorale.

Scrutant de son regard celui de Timothy, le pape, agissant en qualité de principal officiant, questionna :

– Es-tu résolu à observer une fidèle obéissance envers le successeur de l'apôtre Pierre ?

Tim parvint à chuchoter :

– Je le suis.

Agenouillé, il sentit la chaleur des mains du Saint-Père, sur sa tête, et songea : « Je suis plus près de Dieu que je ne l'ai jamais été ni ne le serai jamais, de toute ma vie. »

Après que les deux cardinaux eurent également sacrifié au rite de l'imposition des mains, le pape oignit Timothy d'huile sainte, traçant, du pouce et de l'index, le signe de la croix sur son front penché.

Un silence tel régnait dans la cathédrale, que l'on put entendre la voix de Sa Sainteté ordonner, dans un souffle : « *L'anello.* » Puis en italien : « Ta main. » Tim présenta son annulaire droit et le souverain pontife articula, solennel :

– Prends cette bague, sceau de ta fidélité. Dans la foi et dans l'amour, protège l'épouse de Dieu, Sa Sainte Église.

Une vague de tristesse submergea Timothy, à la pensée qu'il vivait là son mariage. Le seul qu'il connaîtrait jamais sur cette terre.

L'archevêque Timothy Hogan s'inclina pour recevoir la bénédiction du pape. Jetant un coup d'œil autour de lui à cette occasion, il aperçut, dans la foule, son mentor rayonnant de fierté, le père Ascarelli, dont la présence augmenta son propre sentiment d'indignité. Pour quelqu'un d'aussi doué qu'Ascarelli, la barrette de cardinal eût été une facile conquête. Mais en bon jésuite, il méprisait les positions élevées.

Quelques années plus tôt, à la question de Tim qui désirait savoir pourquoi il ne briguait point la robe pourpre, le vieil homme avait répondu en secouant la tête : « *Sacerdos sum, non hortus.* » Je suis un prêtre, pas un jardin de fleurs.

Le pontife plaça la mitre blanc et or sur la tête du prélat

518

fraîchement promu et lui remit le dernier symbole de ses obligations sacerdotales, la houlette du berger : la crosse de l'évêque.

A la fin de la messe, tandis que le chœur explosait en alléluias triomphants, Tim regagna la sacristie, y déposa ses attributs royaux et sortit sur la place Saint-Pierre où les gardes suisses en armure médiévale et costume rayé orange et noir maintenaient ouverte une allée praticable au milieu de la foule.

Tout évêque sans affectation spécifique recevant automatiquement son assignation nominale à quelque église de Rome, il était désormais, par la grâce affectueuse de la *principessa* di Santiori, archevêque de Santa-Maria-delle-Lacrime. Cependant, d'une certaine façon, cette affiliation honoraire ajoutait à l'irréalité de l'ensemble. Comment Timothy Hogan, ex-bagarreur incorrigible des rues de Brooklyn, pourrait-il jamais se sentir à l'aise sous la pourpre de l'épiscopat ?

Perdu dans ses pensées, il louvoyait, seul au sein de la multitude, vers la Via della Conciliazione, quand il entendit, quelque part dans son sillage, une voix nasillarde qui répétait :

– *Vostra Grazia... Vostra Grazia...*

Il se retourna et le petit homme d'âge moyen, vêtu d'une veste de velours à côtes élimée et d'un béret, s'arrêta devant lui sur un dernier :

– Votre Grâce...

– Oui ?

– A votre service, Votre Grâce... Voici ma carte.

LUCA DONATELLI
OPÉRATEUR-VIDÉO POUR TOUTES OCCASIONS

– Acceptez mes humbles félicitations, Votre Grâce... et n'hésitez pas à m'appeler si vous désirez conserver un souvenir ineffaçable de cette grande occasion. Je travaille aussi bien sur VHS que Bétacam.

La grande occasion se fêtait, le jour même, chez la *principessa*.

Rien n'avait changé à la Villa Santiori, surtout l'hôtesse elle-même, en pleine forme grâce à un programme strict allant du régime alimentaire à la prière en passant par l'exercice physique et les séjours annuels à la clinique réservée du docteur Niehans, à Montreux.

Dès son arrivée, Tim, impulsivement, prit la *principessa* dans ses bras, l'arrachant littéralement du sol.

– *Grazie, Cristina, Grazie per tutto.*

Elle ronronnait, enchantée.

– Ne soyez pas sot, Votre Éminence. Vous ne devez cela qu'à vos propres mérites. Le mien restera d'avoir été l'une des premières à les découvrir.

Mais déjà, le père Ascarelli protestait, dans un large sourire :

– Sauf votre respect, *Vostra Altezza*, je l'ai découvert avant vous.

Il ajouta en embrassant son protégé :

– La pourpre vous sied à merveille, mon garçon. Continuez à servir Dieu comme vous l'avez toujours fait.

Dix-neuf invités voisinaient autour de la longue table, l'archevêque Orsino en personne avait exprimé ses regrets, par télégramme, à la dernière minute. Les cristaux étincelaient et les crus des vignobles toscans de la famille Santiori reflétaient la couleur de l'assemblée. A l'exception, toujours, des vêtements du père Ascarelli.

Tim fut présenté aux évêques en visite *ad limina* dans la ville de Rome, ainsi qu'à plusieurs préfets des saintes

520

congrégations du Vatican. Serrant la main de Tim, Son Éminence le cardinal de New York déclara, théâtral :

– Archevêque Hogan, je suis chargé du devoir sacré de vous transmettre un message important... De la part de mon collègue le cardinal de Boston, je vous exprime l'affection profonde et les félicitations d'une liste de personnes si longue qu'elle inclut, soyez-en sûr, toute la pourpre bostonienne, et jusqu'à l'équipe des Red Sox !

Tim se disposait à répondre par un message de gratitude quand apparut la *principessa*.

– Votre Éminence me pardonnera, mais il faut que notre nouvel archevêque prenne congé d'un de mes invités qui, malheureusement, n'a plus que le temps d'attraper son avion... au vol !

Tandis qu'elle l'entraînait familièrement par le bras, Tim ne put s'empêcher de se demander jusqu'où pouvait aller l'autorité de cette petite femme qui se permettait de planter là, avec le sourire, le plus puissant prélat des États-Unis d'Amérique.

Après le départ du dernier invité, Ascarelli fit asseoir Timothy près de lui, sur la terrasse, face au panorama du Forum désert.

– Je sais ce que vous pensez, mon petit.

Légèrement émoussé par l'excitation et la longueur de cette journée mémorable, Tim ne put que s'informer, d'une voix faible :

– Vraiment ?

– Vous vous demandez à quoi ou à qui vous devez votre promotion. A vos propre mérites ou bien à la *romanità* de la princesse.

Le silence de Tim était un aveu.

– Vous me connaissez, je suis avare de compliments. Mais vous ne devez rien qu'à vous-même. Le seul apport

521

de la *principessa* a été de vous faire nommer à sa propre église. Et Dieu sait si vous n'étiez pas seul en lice. Ces *aristocratici* sont propriétaires de quelques-unes des plus célèbres églises de Rome. Même ce joyau de la Piazza Navona est propriété privée.

– Font-ils payer un loyer ? plaisanta Tim.

– Chacun à sa manière... Je me suis laissé dire que la princesse se contentait d'un dîner annuel avec Sa Sainteté... Vous saurez tout cela quand sonnera votre heure.

Tim n'était pas très sûr de vouloir entendre la suite, mais par égard pour son vieil ami, il suggéra :

– Ma dernière heure ?

– Allons, Tim, ne donnez pas dans la *romanità* ! Pas avec moi. Vous savez fort bien que de tous vos condisciples, vous êtes, de loin, le plus *papabile* !

– Vous vous moquez de moi.

La proximité du Forum romain procurait à la rhétorique d'Ascarelli une force irrésistible.

– Étonnant, non, que la papauté soit la dernière institution moderne où l'avancement se fonde encore sur le talent... comme dans les cours de la Renaissance. Mon excellent ami Roncali – Jean XXIII – était le fils d'un pauvre fermier bergamasque. Et Luciani – Jean-Paul Ier – celui d'un travailleur émigré. Il a même travaillé plusieurs fois chez mon père, lorsque nous manquions de main-d'œuvre pour les vendanges. Qui plus est...

Le scribe s'interrompit pour glousser tout son soûl.

– ... notre Église a même intronisé trois papes juifs !

– Encore une de vos blagues !

– Que nenni ! Je parle de la famille Pierleoni. Piliers estimés du ghetto romain, à l'origine, il a suffi de quelques aspersions d'eau bénite bien placées pour qu'ils donnent au Saint-Siège Grégoire VI et VII et Anaclet II. Ce ne serait donc pas la fin du monde si un catholique irlandais de Brooklyn...

– Père Ascarelli, implora Timothy, qu'est-ce qui vous faire croire que je puisse nourrir des ambitions aussi démesurées ?

Le scribe l'observa un long moment, sans mot dire. Enfin :

– Vos yeux, Timoteo. Plus je vous regarde dans les yeux et plus j'y distingue un je-ne-sais-quoi... comme une sorte d'immense nostalgie... A part l'ambition, qu'est-ce qui peut vous rendre aussi malheureux ?

72

TIMOTHY

L'aube laissait pointer ses premiers rayons de lumière lorsque Tim regagna sa nouvelle suite épiscopale du North American College sur le Gianicolo. Sous sa porte, l'attendait une enveloppe de vélin contenant une carte frappée du sceau papal rédigée à la main, qui disait :

« Sa Sainteté requiert votre présence à la Messe de 6 heures, le lundi 27 mai. »

Tim regarda sa montre. Il avait tout juste le temps de se raser et de se changer. A six heures moins le quart, il entra dans la chapelle papale au modernisme incongru, douché de frais et bien éveillé par le mélange infaillible du café et de l'adrénaline.

Vêtues de noir avec un cœur rouge brodé sur la poitrine, quelques religieuses de la maison du pape occupaient déjà l'une des rangées de prie-Dieu. A six heures moins cinq, arriva le Saint-Père, suivi de trois ou quatre autres ecclésiastiques diversement accoutrés. Notant avec satisfaction la ponctualité de son nouvel archevêque, le pape lui offrit son sourire et sa main droite en murmurant :

– *Benvenuto, Timoteo.*

Il ajouta, dérobant l'anneau papal au baiser de Tim :

– S'il vous plaît, nous allons prier. Devant Dieu, nous sommes tous égaux.

Après la messe, le souverain pontife fit signe à Timothy de s'embarquer avec lui dans son ascenseur tapissé de velours, en compagnie d'un prêtre qui n'était autre que le secrétaire papal, Monsignore Kevin Murphy, bien connu pour sa chevelure flamboyante, ses taches de rousseur typiquement irlandaises et son habitude de courir chaque matin une quinzaine de kilomètres le long du Tibre pendant que tout le monde dormait encore à l'intérieur du palais apostolique.

En faisant les présentations, Sa Sainteté plaisanta :

– Comme vous le savez, Timoteo, je suis ici pour servir Dieu. Mais c'est Kevin qui tient mon agenda. Ne l'oubliez pas !

Tim et l'Irlandais échangèrent un sourire au moment où s'arrêtait l'ascenseur. La porte s'ouvrit sur une salle élégante dont les voûtes, les plafonds et les panneaux muraux ouvragés, ornés de motifs dorés et de stucs, faisaient ressortir davantage, *a posteriori,* le toc relatif de la chapelle papale. D'autres hauts dignitaires du Vatican attendaient l'arrivée du Saint-Père pour attaquer un petit déjeuner de travail, autour de la grande table ovale.

Parmi eux, le cardinal Franz von Jakob ne risquait guère de passer inaperçu, car il était si grand, il se tenait si droit, qu'il dominait tous les autres prélats de la tête et des épaules. Prenant l'initiative, Tim se présenta et l'ombre d'un sourire détendit, une fraction de seconde, les traits austères du colosse allemand lorsqu'il répondit :

– Bienvenue, Votre Grâce.

Ce ne fut une surprise pour personne de le voir prendre place à la droite du pape, mais Tim reçut un petit choc en découvrant quelle place lui était réservée : juste en face du Saint-Père, comme si celui-ci eût cultivé l'intention de l'étudier de plus près, au cours de cette séance.

Sans perdre une minute, von Jakob entreprit de découvrir ce que Tim savait déjà sur les problèmes de l'Église au Brésil.

– Eh bien... je n'ignore pas que c'est le plus grand pays catholique du monde, et aussi le plus pauvre. Beaucoup disent que nous devrions faire pour eux bien davantage, à commencer par la plupart de leurs prêtres.

– Ils ne cessent de claironner le « triomphe du prolétariat », lança von Jakob avec irritation. On jurerait que ça sort tout droit du *Kapital* !

D'un ton mesuré, le pape intervint :

– Je suis convaincu que le véritable Harmaguéddon opposera les soldats du Christ aux forces noires de Marx.

– Les Brésiliens, souligna von Jakob, sont constamment à deux doigts de la révolte. Les prêtres y poussent les paysans, encouragés par certains de nos théologiens les plus charismatiques, comme notre surestimé professeur Ernesto Hardt.

Tim acquiesça.

– J'ai lu beaucoup de ses articles. C'est l'un des chantres les plus persuasifs de la réforme.

– La réforme ! releva le cardinal allemand. Voilà le maître mot lâché. Ce type se prend pour un nouveau Luther et le livre qu'il prépare, d'après les bruits qui courent, pourrait bien constituer le cri de ralliement que tous les Brésiliens attendent.

Du bout de la table, une voix s'informa :

– Je ne comprends pas, Franz. Pourquoi ne pas lui imposer le silence pénitentiel ? La mesure s'est révélée fort efficace dans le cas de son compatriote Leonardo Boff...

– Hardt est trop dangereux, trancha von Jakob. Si nous tentons de le brusquer, il quittera l'Église... en entraînant des milliers de fidèles.

S'adressant directement à Tim :

– Avez-vous une idée des progrès que sont en train de faire les protestants, là-bas ?

– Oui. Il semble que ce soit un véritable raz de marée. D'après un des derniers rapports, quatre cents catholiques latino-américains déserteraient nos rangs à chaque heure du jour et de la nuit.

Au milieu des murmures de détresse qui couraient autour de la table, von Jakob relança :

– Voilà pourquoi vous devrez persuader Ernesto Hardt de renoncer à publier son livre. Inutile d'insister sur l'importance primordiale de cette mission !

En matière de politique, fût-elle religieuse, Tim n'avait aucune idée préconçue. Celle d'empêcher quelqu'un de publier un livre, toutefois, lui était odieuse.

Il se demanda si George Cavanagh aurait accepté cette mission, et voulut en savoir davantage :

– Si je puis me permettre... pourquoi moi ?

– Contre un génie diabolique tel que Hardt, il nous fallait un envoyé très spécial. Quand j'ai appelé l'archevêque Orsino, à Washington, il vous a désigné sans la moindre hésitation.

– Bien que je ne parle pas un mot de portugais ?

Se référant à un document tiré, selon toute évidence, du dossier de Timothy, le cardinal riposta :

– Vous parlez couramment latin, italien, espagnol...

Et Sa Sainteté enchérit d'une voix douce :

– J'ai attrapé quelques mots de portugais, lors de mes voyages en Amérique du Sud. Et sans aucune intention péjorative à l'égard de nos frères Lusitaniens, j'ai découvert que pour pratiquer leur langue, il fallait parler espagnol avec des cailloux dans la bouche.

Des rires soulignèrent la facétie papale. Von Jakob, imperturbable, précisa :

– J'ai dans ma congrégation des moniteurs de langues exercés dont les techniques d'immersion totale susciteraient la convoitise de l'Institut Berlitz. Surdoué comme vous l'êtes, il ne vous faudra pas trois mois pour parler le portugais brésilien comme un homme du cru.

– Il n'y a qu'un problème, souligna Sa Sainteté. Parler, c'est bien. Encore faut-il savoir que dire.

Et sur cette note semi-humoristique, prit fin la séance de travail.

Après la dispersion des princes de l'Église, Tim suivit Monsignore Murphy dans son bureau, qui constituait le poste de garde de la cour intérieure du souverain pontife.

Le secrétaire papal expliqua à Tim que ces fameuses techniques d'immersion totale se composeraient, chaque jour, de trois rencontres linguistiques de quatre heures chacune avec des prêtres brésiliens qui ne le quitteraient pas d'une semelle, même pendant les repas, afin de s'assurer qu'il ne parle que portugais.

– Après ça, conclut Monsignore Murphy, pince-sans-rire, vous pourrez vous reposer un peu avec des lectures distrayantes... L'histoire du Brésil, par exemple !

– Merci, Monsignore. Mais quelque chose me dit que ces leçons de langue accélérées seront beaucoup plus faciles à supporter que ce qui se passera par la suite.

Le secrétaire papal hésita, puis, baissant la voix :

– Votre Grâce, puis-je vous faire une confidence... entre Irlandais ?

– Naturellement.

– Je crois qu'il vaut mieux que vous sachiez que vous ne serez pas le premier envoyé du Vatican auprès d'Ernesto Hardt.

– Et qu'est-il arrivé à mon prédécesseur ?

La réponse de Murphy fut laconique.

– Il n'est jamais revenu.

73

DANIEL

Ma chère Deb,

Je t'envoie un article du *Boston Globe* qui a sûrement échappé à l'attention de la presse israélienne.

Pour être franc, j'ai longuement hésité avant de te l'envoyer. Mais je sais que Tim n'est jamais bien loin de tes pensées. Comment pourrait-il en être autrement avec son portrait constamment sous tes yeux, en la personne d'Éli ?

Que vas-tu ressentir, sur tes lointains rivages de Galilée, en apprenant que ton... « vieil ami » est maintenant archevêque ? Le rabbin D. Luria en sera-t-elle plus heureuse ? Fière, peut-être ?

Question à soixante-quatre dollars : qu'en penserait Éli ?

Ne crois-tu pas qu'il mérite d'apprendre que son père est chrétien ? Avec l'amère vérité que même si ce père était le pape en personne – on ne sait jamais, avec Tim –, les antisémites de ce monde le mépriseraient toujours d'avoir dans ses veines une moitié de sang juif.

Loin de le blesser, je me demande s'il n'y puiserait pas le sens profond d'une vie, la sienne, qu'il semble penser, déjà, à risquer pour nous tous...

Aurais-je écrit un sermon, sans le vouloir ? Si tu ne dis pas *amen*, je...

Deux jours plus tard :

Toujours pas trouvé comment terminer la dernière phrase. Et toi ?

Avec tout mon amour,
Danny

Bien qu'elle eût résolu de conserver la photo incluse dans l'article du *Globe*, Déborah hésita sur le sort à réserver au texte. Pourquoi ne pas découper simplement le cliché ? Et confier à son cœur le soin de fournir le texte ?

Quelque force intérieure la poussa, cependant, à ranger la lettre de Danny, avec ses pièces jointes, dans le tiroir supérieur de son bureau. Depuis la naissance d'Éli, quatorze années auparavant, jamais elle n'avait pu trouver la force de prononcer les mots nécessaires. Aujourd'hui que son frère les lui apportait, sur un plateau, trouverait-elle la lâcheté, toute relative, de les laisser traîner où son fils les découvrirait, tôt ou tard ?

Elle n'eut même pas le loisir de se demander si elle devait revenir, ou pas, sur sa décision. Dès le lendemain, Éli bouda le repas du soir.

Déborah supposa, tout d'abord, qu'il s'était, une fois de plus, attardé auprès de Gila, mais la première chose qu'elle aperçut, en rentrant chez elle, fut la lettre de Danny jetée en boule sur le plancher. Elle appela la petite amie d'Éli qui lui révéla que son fils avait également séché l'école, toute la journée.

Dès qu'elle eut raccroché, Déborah courut partager son angoisse avec Boaz et Zipporah.

A son grand soulagement, elle retrouva Éli à leur *srif*. Et s'il fallait en juger d'après l'épaisseur de la fumée de cigarette, il devait être là depuis des heures et des heures. Sursautant à l'entrée de sa mère, il la salua d'un regard lourd de reproches.

– Éli...

Il lui tourna le dos, ostensiblement. Elle s'écria, plaidant sa cause :

– Tu es en droit de me détester. Il y a longtemps que j'aurais dû tout te dire.

Boaz se hâta d'intercéder :

– Aucun de nous n'est blanc comme neige. Comme j'essaie de l'en convaincre depuis qu'il est là. C'est nous qui t'avons poussée à agir ainsi, Deb.

Zipporah se contenta d'approuver en silence.

Et brusquement, la rage d'Éli se retourna contre son « grand-père » :

– Comment avez-vous pu faire une chose pareille ? Profaner la mémoire de votre propre fils ?

A cette question-là, du moins, Boaz était en mesure de répondre :

– Je... Nous avons agi par amour.

Le gosse, révolté, ricana :

– Par amour de qui ? Du chrétien qui couchait avec ma soi-disant rabbin de mère ?

Déborah explosa, horrifiée :

– Éli ! Tu n'as pas le droit de parler comme ça !

– Ah non ? Tu devrais avoir honte !

Il suffoquait, à court de mots, pour exprimer sa rage. C'était au tour de Déborah d'essayer de lui faire entendre raison.

– Tu as raison, Éli. J'ai honte. Mais seulement de n'avoir jamais eu le courage de tout te raconter. Ce que je veux que tu comprennes, c'est que tu es venu au monde parce que j'aimais ton père. Il était bon et tendre. Il avait le cœur pur. Et je te jure que notre amour était réciproque.

Éli se retourna pour quêter, du regard, l'appui de Boaz et de Zipporah qui, contrairement à son attente, approuvèrent avec ensemble.

– Ton père était un *mensch*, mon petit, dit Boaz.

– Lequel ? Ton fils à toi, ou le « prêtre » de ma mère ?

Ses yeux passaient, rapidement, d'un visage à l'autre et Déborah, pour l'instant, n'avait plus la force de réagir, mais Boaz s'en chargea, s'échauffant à mesure qu'il parlait :

– Inutile de te rappeler quelle sorte d'homme était mon fils. Voilà quatorze ans qu'on t'en rebat les oreilles ! Le seul mensonge qu'on t'ait jamais fait, c'est qu'il était ton père. Et même si tu ne dois jamais plus m'adresser la parole, Éli, je te serai toujours reconnaissant de l'avoir un peu fait revivre en toi, jusqu'à ce jour.

« Maintenant, c'est à Déborah que je veux demander pardon. Elle l'a très peu connu, et pour ce mensonge-là, c'est sur moi que doit retomber ta colère.

Éli ne savait plus sur quel pied danser.

– Mais Boaz... pourquoi serais-je en colère après toi ?

– Pourquoi ? Parce que mon petit conte de fées, en faisant de ton père chrétien un juif, t'a encouragé à diviser le monde en « eux », et « nous ». Le genre de pensée tordue qui a conduit à l'Holocauste. J'ai le droit de le dire parce que cette haine arbitraire m'a coûté, et mes parents, et mon fils ! La chose la plus importante au monde n'est pas d'être juif ou chrétien, mais d'être un homme digne de ce nom. J'ai connu ton père, Éli, et je peux te dire que c'était un homme.

Déborah revint à la charge avec une paisible assurance :

– *C'est* un homme ! Tim est toujours en vie... Maintenant, je vous dois, à lui comme à toi, Éli, de vous mettre en présence.

– Jamais ! cria le gosse. Je ne veux pas voir cet homme !

Furieuse, Déborah s'emporta :

– Pour quelle raison ? Tu veux continuer à nous punir tous de t'avoir préservé d'une vérité que tu étais trop jeune pour comprendre ? De quoi as-tu peur ? De ne pas pouvoir l'aimer ?

– Je ne pourrai jamais... après ce qu'il a fait.

– Mais qu'a-t-il fait ? Tu aurais tort de croire qu'il m'a abandonnée. Il voulait renoncer à sa vocation. Quitter la prêtrise et vivre à Jérusalem. C'est moi qui l'en ai dissuadé. De plus, je ne lui ai jamais parlé de toi. Aujourd'hui encore, il ignore ton existence.

La consternation s'étendit sur le visage d'Éli tandis que Déborah poursuivait :

– Dieu sait que je t'aime, Éli, et que j'ai essayé d'être une bonne mère pour toi. Aujourd'hui, je sais que j'avais tort. Je ne me pardonnerai jamais de t'avoir laissé grandir sans la présence d'un père.

L'adolescent pleurait à présent. Zipporah, qui s'était cantonnée jusque-là dans le rôle de témoin, prit soudain la parole.

– Ça va durer longtemps, ces excuses et ces auto-mortifications ? On est tous en vie, pas vrai ? Hier encore, on s'aimait comme aucune autre famille au monde. Ce n'est pas un simple bout de papier qui va tout flanquer par terre, dit-elle, le regard fixé sur Éli. On va se prendre un petit verre de schnaps. Un tout petit verre pour toi, *boychik* ! Après ça, on essaiera de se rappeler qui nous sommes et ce que nous signifions les uns pour les autres.

Ils discutèrent toute la nuit, et quand chacun eut vidé son sac, le rabbin Déborah Luria dit à son fils :

– Voilà, Éli. Quand veux-tu que nous partions pour Rome ?

A quoi l'adolescent riposta, soufflant désespérément sur les tisons de sa colère :

– Jamais.

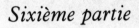

Sixième partie

74

TIMOTHY

L'esprit de Timothy lui jouait des tours. Après dix heures de vol, les moteurs du DC-10 des Varig Airlines semblaient donner des signes de fatigue. Il demanda à l'une des hôtesses de lui rapporter du café noir et suggéra qu'elle en fît autant pour le pilote. Souriant au sens de l'humour de Sa Grâce, la jeune femme se dépêcha d'exécuter sa commande.

Pendant que les autres passagers de première classe dormaient autour de lui, Tim avait travaillé, d'arrache-pied, à la préparation de sa première mission en tant que nonce du pape. Chaque fois qu'il lui avait été possible d'émerger, à Rome, de ses cours intensifs de langue portugaise, il s'était rendu au bureau de von Jakob pour y étudier le volumineux dossier d'Ernesto Hardt. Et créer, en vue du voyage, sa propre version condensée.

Né à Manaus, sur le Rio Negro, en 1918, d'un immigrant suisse et d'une *mameluca*, métisse indo-portugaise, Ernesto Hardt était entré chez les franciscains pour y faire ses études et n'en était ressorti que pour aller passer, à Rome, son doctorat au Grégorien, puis enseigner à Lisbonne et revenir occuper, en 1962, la première chaire de théologie catholique à la nouvelle université de Brasilia.

Ces données biographiques emplissaient à peine une page. Le reste du dossier se composait de l'abondante bibliographie du personnage, ainsi que des critiques rédigées par divers exégètes conservateurs du Vatican. Soulignées de ses initiales, les annotations marginales de von Jakob lui-même brillaient par leur fréquence, et leur férocité.

Dans la partie correspondance, figuraient surtout des lettres de blâme sanctionnant sa conduite dissidente, et des réponses polies, mais évasives, du genre : « Il est bien difficile de prêcher la parole de Dieu dans un pays dont Il semble avoir oublié l'existence. »

Tim continua de feuilleter les publications d'Ernesto Hardt, en langue espagnole, largement diffusées à travers toute l'Amérique latine. Plaidoyer infatigable en faveur des déshérités, elles n'en reposaient pas moins, très solidement, sur l'interprétation parfois tendancieuse des Saintes Écritures. De l'Ancien Testament, en particulier.

On pouvait accrocher bien des étiquettes au cou d'Ernesto Hardt. Mais celle de « marxiste » ne convenait pas plus que celle de « chrétien fondamentaliste », même s'il fallait, d'après lui, prendre la Bible au sens le plus littéral. Cette anecdote, par exemple, rapportée dans trois des quatre Évangiles, où le jeune homme riche demande à Jésus ce qu'il convient de faire pour être sûr d'accéder à la vie éternelle. Et le Christ lui répond : « Si tu veux être parfait, va, vends tout ce que tu possèdes, donnes-en le produit aux pauvres et tu auras ta récompense dans les cieux. »

Quel chrétien à l'esprit sain eût assimilé l'injonction du Sauveur au simple socialisme ?

Tim s'était attendu à rencontrer, dans ces pages, de nombreuses diatribes incendiaires, entachées d'hérésie. Jusque-là, cependant, il n'avait rien trouvé qui conduisît à croire qu'Ernesto Hardt se fût jamais consacré à autre chose que la diffusion de la parole de Dieu.

Conçue pour ressembler à un avion, du haut des airs, Brasilia évoque davantage, aux yeux de ceux qui la connaissent, un crucifix en cours de détérioration.

Jusqu'aux années 1940, l'immense Mato Grosso brésilien était demeuré l'ultime grand espace inexploré de la planète. Depuis près de deux siècles, toutefois, les gouvernements du Brésil rêvaient d'y bâtir une capitale intérieure, asile de lumière au cœur des ténèbres.

Presque toutes les histoires de l'architecture moderne contiennent aujourd'hui des photographies de la réalisation stupéfiante d'Oscar Niemeyer, passée, en un peu plus de trois ans, de la planche à dessin à son expression concrète. Dès 1960, l'extraordinaire cathédrale conique à la flèche effilée était prête à recevoir des milliers de fidèles.

Serviette à la main, drapé dans un imper noir, en prévision de la saison des pluies, Tim passa dans le vaste hall dallé de marbre où l'attendait Monsignore Fabrizio Lindor. Quoique plutôt rondouillard sous son léger costume, l'ambassadeur du Vatican semblait remarquablement frais, en dépit de l'heure tardive. Il se dirigea vers Tim, d'un pas vif, la main tendue.

– *Benvenuto, Vostra Grazia.* Vous devez être épuisé. Donnez vos cartes pour les bagages au père Raphaël et venez vous reposer dans la voiture.

A bout de résistance, Tim se borna à hocher la tête et

suivit le diplomate jusqu'à la Mercedes noire ostensiblement parquée dans une zone interdite.

– Nous avons reçu instruction du cardinal von Jakob de vous retenir une chambre d'hôtel. J'ai réservé pour vous au Nacional, le meilleur, mais je me demandais si vous ne vous sentiriez pas plus en sécurité... enfin... plus à l'aise dans une chambre d'ami, à l'ambassade.

Intrigué, malgré sa torpeur. Tim releva, à retardement :

– En sécurité... contre quoi ?

L'ambassadeur haussa les épaules.

– Nous sommes très loin du Vatican, ici, Votre Grâce. Et très près de la jungle.

Le caractère sibyllin de la réponse rappela à Tim sa résolution d'obtenir, aussitôt que possible, des éclaircissements sur certains points demeurés obscurs.

– Monsignore Lindor, vous avez connu mon... prédécesseur ?

– L'archevêque Rojas ?

– Oui. Vous l'avez bien connu ?

– Bien serait beaucoup dire. Il n'est pas resté longtemps parmi nous.

– Oh ? Serait-il tombé sous le charme légendaire d'Ernesto Hardt ?

Le ton badin, presque indifférent de la question parut rassurer l'ambassadeur.

– En quelque sorte... Il a adhéré à sa théologie de la libération et, sur sa demande, est allé travailler pour l'évêque Casaldáliga, en Amazonie.

– Je pourrais lui parler, d'une façon ou d'une autre ?

– J'ai bien peur que non.

L'ambassadeur retrouvait, peu à peu, toute sa nervosité.

– L'archevêque Rojas est mort. Tué par balle.

– On a arrêté le coupable ?

Secouant la tête, Fabrizio Lindor expliqua :

– D'après le bruit qui court, l'attentat visait Casaldáliga, mais comme ils marchaient bras dessus, bras dessous, à la tête d'un défilé de protestation, c'est Rojas qui a été touché. Manque de chance !

Dans la voiture qui filait à travers les rues de la cité vidées par la nuit, entre les grands buildings dressés à contre-ciel comme d'immenses stalagmites illuminées de l'intérieur, l'ambassadeur Lindor s'étendit longuement sur sa nostalgie de la bonne ville de Rome, et Tim en déduisit que le représentant du Vatican ne se sentait pas très à l'aise dans ce lugubre Disneyland.

A l'approche de l'hôtel, Lindor proposa cordialement :

– Je pense que vous voudrez vous reposer demain matin, mais si vous voulez je viendrai vous chercher en début d'après-midi pour vous faire visiter la ville.

– Je vous en remercie, Monsignore, mais je doute de dormir beaucoup, cette nuit, tant il me tarde de prendre la route. Le père Hardt a-t-il été prévenu de mon arrivée ?

L'ambassadeur hésita.

– Eh bien... selon vos instructions, nous ne lui avons envoyé aucun bristol gravé, ni convenu du moindre rendez-vous. Mais franchement... le téléphone arabe marche toujours, chez les franciscains. Je serais étonné que votre visite le prenne à l'improviste.

– Je ne me faisais aucune illusion sur ce point. Mais d'après mes notes, il enseigne sur place une fois par semaine et passe le reste de son temps, selon l'euphémisme employé, « sur le terrain ». Je crois que demain est précisément le jour de sa conférence, et je ne voudrais pas manquer ça.

Vaillamment, l'ambassadeur fit un dernier essai :

– J'ai tous ses cours sur bande. Vous pourriez les écouter dans le confort de mon bureau.

– J'ai déjà lu de nombreuses transcriptions dactylographiées. Et rien ne peut valoir le spectacle de l'homme en pleine action !

Tim regarda, bien en face, le gros diplomate qui s'agitait nerveusement.

– N'ayez pas peur, Monsignore, je n'ai pas l'intention de déserter.

– S'il faut tout vous dire, Votre Grâce, c'est un nouveau Savonarole.

Timothy s'informa, sans la moindre acrimonie :

– Entendez-vous par là que nous devrions envoyer le père Hardt au bûcher ?

– Bien sûr que non.

Mais Lindor ajouta, après une courte pause :

– Ce serait trop bon pour lui !

Un panier de fruits et une bouteille de vin attendaient Tim dans sa suite de l'hôtel Nacional. Mais il préféra ouvrir une boîte d'Antartica, la bière locale prélevée dans le mini-bar et, tout en la dégustant assis sur son lit, constata dans le miroir mural qu'en dépit de sa fatigue il avait l'air au mieux de sa forme. En fait, le seul signe de vieillissement qu'il trahît de temps à autre était l'apparition de fils blancs dans sa chevelure. Sa véritable hantise, toutefois, était la calvitie. Non par narcissisme, mais parce que s'il perdait ses cheveux, il finirait, tôt ou tard, par ressembler à l'ignoble Tuck Delaney.

Rejetant la boîte de bière vide, il s'allongea tout habillé, et s'endormit comme une masse en travers de son lit.

Il déjeunait, le lendemain matin, de fruits frais et de café fort, quand le téléphone sonna.

– Vous aviez raison, annonça l'ambassadeur. Hardt

donne ses cours cet après-midi, de quatre à six. Vous voulez que je vous envoie une voiture de l'ambassade ?

Tim nota, en passant, que le diplomate ne lui offrait pas de l'accompagner.

– Inutile, Monsignore. Je crois que je vais me régaler à prendre le bus.

L'université de Brasilia, autre joyau signé Niemeyer, était située à la lisière nord-est de la cité. Tim descendit à la station de l'Université, dans l'*Eixo Rodoviário*. Il remarqua, en traversant le campus, l'extraordinaire diversité des étudiants, tant dans leurs costumes que dans leur couleur de peau. Lui aussi était en « civil », sans même sa croix pectorale.

Normalement, les cours sur la religion avaient lieu à l'*Instituto de Teologia,* mais ceux d'Ernesto Hardt avaient tant de succès qu'ils emplissaient le grand amphithéâtre de la section scientifique. Chose assez savoureuse, Hardt discutait les paroles de Dieu dans un endroit où la science était reine. Son estrade était entourée de becs Bunsen et autres équipements de laboratoire.

A quatre heures un quart, Ernesto Hardt monta les marches. Grand, voûté, avec un visage boucané au front haut couronné d'une longue crinière blanche, il portait un pantalon de velours côtelé et une chemise kaki à manches courtes suffisamment ouverte pour révéler, pendue à son cou, une petite croix d'or.

Discrètement assis dans le fond de la salle, Tim se leva, en signe de respect, avec tout le reste de l'auditoire. Hardt ne portait ni serviette, ni livres, pas même un dossier contenant ses notes. Rien qu'une Bible à la couverture de cuir élimée qu'il n'ouvrit qu'une fois ou deux en plus d'une heure et demie.

Le sujet du jour était le Sermon de Jésus sur la Mon-

543

tagne. Mais quand Ernesto Hardt cita « Heureux sont les pauvres d'esprit », il interpréta le verset comme un éloge de la pauvreté matérielle.

– Comment faut-il entendre les paroles de Notre-Seigneur « Heureux ceux qui ont faim et soif *d'équité* » ? Jésus se référait-il simplement à quelque concept abstrait de la justice ? Évidemment non. Les mots clefs sont « faim » et « soif ». Dans notre religion, « équité » ne peut signifier qu'une juste répartition de la nourriture entre les peuples de la terre.

« La même pensée est exprimée clairement dans les Manuscrits de la mer Morte, en particulier dans les documents appelés *Témoignage de reconnaissance* et *Guerre,* qui remontent à l'époque de Jésus. Nous ne pouvons donc plus conserver le moindre doute, quant aux intentions de Notre-Seigneur.

Il balaya du regard pénétrant de ses yeux gris l'ensemble de l'auditoire avant de proclamer d'une voix forte :

– Il n'y aura pas de justice en ce monde tant qu'une partie de l'humanité ne mangera pas à sa faim !

Tim se demanda si la foule entourant Jésus avait réagi aussi violemment que les auditeurs de Hardt qui, debout, acclamaient l'orateur.

Sortant un mouchoir froissé de sa poche, Hardt épongea la sueur qui ruisselait sur son front et ses joues.

– Dans le cadre du service de Dieu, le premier acte n'est pas la prière, mais le don de soi. A quoi bon pratiquer les rites si l'on ne sait pas donner ? C'est alors, et alors seulement, qu'il est permis de parler d'équité.

Son visage bronzé était rouge, à présent. Il avait atteint son but. Sans jamais citer le nom de son adversaire, il avait damné l'Église catholique. Il avait pris le Christ à Rome pour l'amener, vivant et prêchant, au cœur de la jungle brésilienne.

Adossé au mur, juste au-dessous de l'écriteau « *E proibido fumar* », Hardt tira de sa poche un paquet de Marlboro, et c'est en aspirant voluptueusement la fumée qu'il revint au pupitre.

– Le cours est officiellement terminé, mais s'il en est parmi vous que le sujet intéresse, je voudrais dire quelques mots sur la liberté.

Personne ne bougea. Hardt poursuivit :

– N'importe quel écolier sait que l'abominable pratique de l'esclavage fut abolie dans notre pays par Joachim Nabuco, en 1888. Mais certains ne semblent pas avoir encore appris la nouvelle. C'est pourquoi, au lieu d'aller à la messe, dimanche prochain, nous nous rendrons au ranch Da Silva à São Jodo, pour y manifester notre réprobation. Que ceux qui veulent peindre des pancartes s'adressent à Jorge et Victoria.

Il désigna deux jeunes assistants vêtus à peu près comme lui et tout prêts à noter, bloc en main, les noms de ceux qui allaient s'enrôler dans l'armée de la justice.

– Notre cours de la semaine prochaine traitera des réminiscences de l'Ancien Testament dans les Évangiles. N'oubliez pas d'amener vos textes. *Vai com Deus.*

Les étudiants se dispersèrent, beaucoup d'entre eux se faisant inscrire, au passage, sur les listes de Jorge et de Victoria. L'exode fut si rapide que Timothy se retrouva brusquement seul, dans le fond de la salle, en face de son « gibier » hérétique.

Hardt l'interpella le premier :

– Bonjour, Votre Grâce. J'espère que mon cours ne vous a pas semblé trop élémentaire ?

– Au contraire, Dom Ernesto. Je l'ai trouvé très édifiant. Puis-je vous inviter à prendre une tasse de café ?

Le professeur sourit. Il y avait dans son comportement

quelque chose d'indéfinissable que Tim n'avait jamais vu à l'œuvre, auparavant, chez un homme de Dieu. Tout en lui, à commencer par son regard clair et direct, exprimait une grande paix d'esprit.

– Pas dans un pays où le café est précisément la seule denrée qui ne soit pas un luxe, Votre Grâce. Mais puisque c'est le Vatican qui paie, je suppose, si nous transigions pour une bonne bouteille de *vinho verde* ?

– D'accord pour le *vinho verde*. Où et quand ?

– Si vous appréciez une cuisine très simple, venez dîner chez moi ce soir.

– Avec plaisir. Dites-moi simplement...

– C'est un peu compliqué. Je passe vous prendre à sept heures et demie ?

– Je m'en réjouis d'avance.

L'expression d'Ernesto Hardt se fit malicieuse.

– Moi aussi. Et la fête sera complète si votre budget vous permet d'apporter plusieurs bouteilles. *Cenabis bene apud me...* si vous connaissez bien votre Catulle.

– *Constat,* renvoya Tim.

Hardt sourit, et ajouta :

– *Pax tecum.*

Là-dessus, il tourna les talons et repartit vers la porte de derrière où Jorge et Victoria l'attendaient.

75

TIMOTHY

Dès sept heures un quart, Tim se planta, dans son costume noir le plus léger, devant l'hôtel Nacional avec deux bouteilles vertes sous le bras.

Dans quelle sorte de véhicule Hardt allait-il venir le ramasser ? Probablement quelque chose d'agressivement prolétarien, comme un camion-benne ou même un âne.

Il avait raison et tort à la fois. Avec une petite minute d'avance, c'était son côté suisse, Hardt arriva dans une Land Rover tellement vieille que si le *vinho verde* avait eu le même âge, son étiquette eût porté la mention *gran reserva*.

Hardt lança, cordial :

– En voiture ! En voiture !

Il regarda les bouteilles pendant que Timothy s'installait auprès de lui sur le siège de la guimbarde.

– Je vois que vous êtes un homme de parole ! Mais avec des crus de cette qualité, vous allez ruiner la trésorerie du Vatican !

Après un démarrage en force, le véhicule prit sa vitesse de croisière et les deux hommes se mirent à parler de choses et d'autres, en particulier de la vie chère qui sévissait dans la capitale brésilienne. Bientôt, ils débouchèrent de *l'Eixo Rodoviário Norte* sur l'autoroute.

Au bout d'une dizaine de minutes, Tim commenta :

– Vous avez toujours vécu aussi loin du centre ?

– Non. Quand j'étais encore dans les petits papiers de l'Église, j'avais un meublé près de la cathédrale. Maintenant, je suis dans une des « anti-Brasilias ». C'est moins commode, mais j'y suis plus près du peuple.

– Anti-Brasilias ? releva Tim.

– Nom local des *favelas*. Des bidonvilles, si vous préférez. Pas besoin de vous rappeler que la construction de cette ville a été la plus soigneusement planifiée de toute l'histoire de l'architecture. Ses concepteurs n'ont oublié qu'une chose : prévoir des logements pour les *candangos,* les pionniers qui ont effectivement construit la ville.

« Aujourd'hui, les pauvres gens sont coincés dans des *favelas* qui entourent la cité comme les perles d'un collier... en beaucoup moins joli. Certaines sont à trente bons kilomètres de la ville.

– Incroyable !

Hardt s'esclaffa, cynique.

– Je ne vous le fais pas dire, Votre Grâce. Les éminents bâtisseurs de la cité ont pensé à tout, sauf au peuple. Un peu comme le Vatican, non ?

Une demi-heure plus tard, ils tournèrent dans un chemin de terre qui conduisait à une étonnante agglomération de taudis. Les matériaux les plus hétéroclites s'y mêlaient à la tôle ondulée et aux blocs d'aggloméré empruntés aux nombreux chantiers de la ville. Mais sur chacune des tristes cabanes, une antenne de télévision pointait désespérément vers le ciel.

La « rue » était encore plus étroite et pleine d'ornières que le chemin. Hardt donnait incessamment du klaxon pour chasser les gosses et les poulets qui venaient se flanquer devant ses roues.

A peine moins minable que les autres, le domicile d'Ernesto Hardt possédait un générateur électrique dont on percevait de l'extérieur, en plus de la pulsation sourde, l'odeur composite de vieille machine surchauffée et de gaz d'échappement. Deux fois plus âgé, ou presque, que son invité, Hardt n'en fut pas moins le premier à terre et courut autour de la voiture pour aider Tim à descendre.

– Ne vous en faites pas, je regarde où je mets les pieds !

– Je sais, Dom Timoteo. Mais j'avais peur pour le *vinho* !

– Papa ! Papa !

Hardt attrapa, au vol, le petit garçon aux pieds nus, âgé d'une dizaine d'années, qui jaillissait de la cahute, en short et T-shirt, et le montra fièrement à Timothy.

– Mon fils, Alberto.

D'une façon ou d'une autre, dans la lumière crépusculaire de la sordide *favela*, cette vivante violation du vœu de célibat d'Ernesto Hardt perdait la totalité de son importance.

Tim jeta un coup d'œil circulaire. Comment des êtres humains pouvaient-ils vivre dans de telles conditions ? Mais l'unique commentaire qui lui vint à l'esprit fut :

– Un sacré tableau !

– Oui, je crois qu'après ça, l'enfer ressemblerait à la plage de Miami. Savez-vous combien...

Une voix lui coupa la parole :

– Pas de sermons, Ernesto. C'est notre invité.

Tim, en se retournant, découvrit une jeune femme d'à peine plus de trente ans dont les cheveux noirs et la peau sombre accentuaient, par contraste, la blancheur éclatante du sourire.

– Pardonnez-lui son manque de vernis mondain. Personne ne leur apprend, chez les franciscains, à présenter leur femme !

La main tendue, elle ajouta :

– Je suis Isabella. J'espère que le décalage horaire ne vous empêchera pas d'apprécier la soirée.

– Merci, dit Tim.

La spontanéité, le naturel de cette jeune femme dont Ernesto Hardt eût pu être le père enchantaient Timothy.

549

Et subodorant, sans grand mérite, ce que pensait son invité, Hardt enchaîna :

– Vous vous demandez comment un *velho* décrépit comme moi a pu débusquer une aussi tendre gazelle, hein, Tim ?

Isabella intervint :

– N'entrez surtout pas dans son jeu. C'est un affreux macho qui espère toujours s'entendre dire le contraire. En réalité, nous nous sommes rencontrés comme de bons catholiques brésiliens. Au cours d'une manifestation. J'étudiais le droit à l'université...

Et béatement, Hardt termina l'anecdote :

– Elle a eu pitié d'un pauvre célibataire qui ne savait pas encore qu'une bonne épouse est plus précieuse que les perles...

Tim connaissait le verset et compléta dans le latin de saint Jérôme :

– *Mulierem fortem quis inveniet.*

Hardt en gloussa d'allégresse.

– Quel plaisir d'entendre un catholique citer l'Écriture. Habituellement, ils se contentent de citer d'autres catholiques !

Ses yeux gris scrutaient les yeux bleus de Timothy, cherchant à provoquer un sourire qu'il obtint, finalement.

– Ah, au moins, ils ne m'ont pas envoyé un rabat-joie ! Puis-je vous offrir un verre de porto ?

– Avec plaisir, sourit Timothy en cédant à la pression amicale de la main qui le poussait doucement vers l'intérieur de la cabane.

Bien qu'éclairées par une seule ampoule clignotante, les étagères de bois de charpente posées sur des briques ne contenaient pas seulement des livres, mais aussi les derniers magazines de théologie et de critique biblique.

– Vous avez fait la Pug ? s'enquit Hardt.

Tim acquiesça.

– L'Institut biblique, ensuite ?

– Non. Le droit canon.

Déçu, Hardt s'éclaircit la gorge :

– Ha ! Une totale perte de temps ! Nous allons boire au temps perdu, d'accord ?

– D'accord, mais avec toutes réserves.

L'homme aux cheveux blancs s'empara d'une bouteille sans étiquette et servit deux rasades d'un liquide ambré.

– Les seules réserves acceptées, ce soir, seront celles du *vinho verde* !

Il fit asseoir Timothy sur un vieux sofa déglingué, et s'installa lui-même derrière son bureau pour écouter la première question sérieuse du jeune archevêque.

– Ernesto, vous étiez au courant de mon arrivée. Vous m'avez repéré tout de suite. Je suis surpris que vous ne connaissiez pas tout mon curriculum vitae.

– N'en prenez pas offense, Timóteo, mais il n'existe encore aucun dossier vous concernant. En fait, je crois que c'est une des raisons pour lesquelles on vous a choisi.

Il s'interrompit pour boire une gorgée.

– A votre avis, pourquoi le Vatican déploie-t-il tant d'efforts pour essayer de bâillonner les voix qui crient dans la jungle brésilienne ?

– Le mot « bâillonner » me paraît un peu brutal, Ernesto.

Hardt se pencha en avant, sans chercher le moins du monde à dissimuler une fureur renaissante.

– « Silence pénitentiel » également. C'est pourtant comme ça que von Jakob a muselé mon cher frère et ami Leonardo Boff. Quand vous reverrez Son Éminence le cardinal von Jakob, dites-lui qu'il a oublié l'Évangile selon saint Jean, chapitre 8, verset 32 !

Tim cita :

– « Vous connaîtrez alors la vérité, et la vérité vous fera libres. »

– Bravo. Vous savez ça par cœur. Au moins la musique. Mais croyez-vous aux paroles ?

– Naturellement.

– Alors, pourquoi ne pas consacrer votre énergie à une meilleure cause ?

– Telle que ?

Ernesto Hardt souriait à peine en articulant, l'œil sévère :

– Telle que faire publier mon bouquin en langue anglaise.

Comme à point nommé, la tête d'Isabella apparut dans l'encadrement de la porte.

– Venez pendant que c'est chaud. Vous pourrez parler tout à loisir une fois à table.

La salle à manger consistait en une étroite et longue table poussée près d'une des cloisons de la cuisine, dans la chaleur du poêle à bois où cuisaient les aliments. Alberto était déjà assis à table, en compagnie de sa sœur cadette, Anita.

– J'espère, s'inquiéta Isabella, que ça ne vous ennuie pas de dîner avec toute la famille. Ernesto est si souvent sur la route qu'il en a rarement l'occasion lui-même.

Tim la rassura d'un sourire.

– Au contraire. J'aime beaucoup parler avec les enfants.

– Surtout les plus jeunes, confirma Hardt. Ceux qui n'ont pas encore appris à mentir.

Il prit une énorme marmite sur le poêle et la plaça au milieu de la table, sur un dessous de plat en tôle ondulée. Puis toute la famille baissa la tête tandis qu'il disait les grâces dans leur dialecte. Relevant les yeux, il suggéra ensuite à « l'homme du pape » :

– Dom Timoteo... en tant que notre invité d'honneur, Sa Grâce voudrait-elle dire ses grâces ?

Les enfants rirent sous cape, prouvant ainsi qu'ils connaissaient mieux l'anglais que Tim ne l'avait supposé au départ.

Saisi du besoin tardif de réaffirmer son orthodoxie, Tim ne manqua pas l'occasion de réciter :

– *Benedicat dominus panem et pietatem nostram, amen.*

A l'aide d'une grosse louche, Hardt emplit l'assiette d'un ragoût appelé, dit-il, *xinxim de galinha.* En dépit de son nom exotique, ce n'était rien de plus qu'une soupe plutôt claire. Le plat de résistance de toute la *favela.* Hardt n'attendit pas longtemps pour déboucher, avec enthousiasme, les deux bouteilles de *vinho verde.*

Au cours du repas, Tim découvrit une Isabella très versée tant dans les matières profanes que dans les affaires ecclésiastiques. Elle lui expliqua que sa licence de droit lui permettait de travailler trois jours par semaine pour un cabinet qui apportait aux Indiens l'assistance légale dont ils avaient fréquemment besoin.

Bien qu'il ne comprît pas un mot de leur dialecte, la compagnie de ces enfants turbulents et adorables toucha le cœur de Tim. Ils participaient, à leur insu, au lavage de cerveau qui lui était infligé, et qu'il demeurait déterminé à repousser de toutes ses forces.

Après dîner, les deux hommes retournèrent dans le bureau où Ernesto sortit de son tiroir un de ses rares trésors : une bouteille de *ginjinha,* liqueur forte à base de cerises *morello.* Il en servit deux petits verres et se carra dans son vieux fauteuil.

– Timothy... comment von Jakob peut-il s'imaginer un instant que, même si je brûle mon manuscrit, mes idées partiront en fumée ? Vous avez assisté à la conférence. Ils étaient au moins quatre cents, papier et crayon en main, qui prenaient des notes. J'ai même aperçu quelques magnétophones.

« Est-ce que Jésus distribuait des tracts ? Aucun irrespect là-dedans, je vous assure. Il prêchait la bonne parole. Il prêchait la loi mosaïque, mais avec une nouvelle dimension : l'amour. L'histoire n'a donc pas enseigné à von Jakob qu'on pouvait brûler les vieux livres, voire empêcher de paraître les nouveaux, mais que nul n'avait le pouvoir de tuer le Verbe !

Tim réfléchit un instant avant de questionner :

– Que reprochez-vous exactement à l'Église catholique, Ernesto ?

– Je vous dirai simplement ce qui ne colle pas, ici, à Brasilia, Tim. Vous avez vu notre cathédrale ? C'est une des plus belles églises qui aient jamais été bâties. La représentation concrète, à mes yeux, de ce que seraient les prières d'un peuple si elles pouvaient se convertir directement en pierre.

Il éleva la voix, martelant son bureau au rythme des syllabes :

– Mais elle est *vide*, Tim ! Un beau symbole, et rien derrière !

« Comment pourrais-je, en tant que prêtre, célébrer l'Eucharistie et glisser une minuscule gaufrette ronde dans la bouche de ceux qui n'ont pas de pain ? Je vous le demande, Tim. Est-ce que tous ces gens qui crèvent de faim devront attendre le retour du Messie pour avoir de quoi manger ?

Il allongea les jambes et se renversa sur son siège grinçant.

– Savez-vous, Timóteo, que la moitié de la terre du Brésil appartient à cinq mille individus, pas davantage ?

« Vous pouvez imaginer ça, Tim ? Tout le territoire compris entre New York et Chicago propriété indivise de moins de gens qu'il n'en faut pour remplir le Yankee Stadium ?

« Et au même moment, soixante-dix millions de personnes souffrent de malnutrition ; et en Afrique, plus précisément en Côte-d'Ivoire, on construit une cathédrale deux fois plus importante que Saint-Pierre de Rome. C'est monstrueux !

Atterré, Timothy chuchota :

– Tout cela est dans votre livre ?

– Ne soyez pas idiot. Ce genre d'information figure dans tous les ouvrages de référence.

– Alors, que pouvez-vous y exprimer d'encore pire ?

– Rien. Simplement, au lieu de me borner à égrener des statistiques, j'accuse en prise directe Notre Sainte Mère l'Église !

Brusquement, il baissa les yeux vers sa montre.

– Mon Dieu, bientôt une heure ! Vous devez être à moitié épuisé, du voyage et de toutes mes tirades !

– Non, non, pas du tout, mais il serait temps, effectivement, que je rentre à l'hôtel.

– Je vais vous y reconduire.

– Pas question. Je vais...

– ... appeler un taxi ? Nous n'avons pas le téléphone. Et le premier bus démarre à cinq heures, bourré d'ouvriers. Ou je vous reconduis ou vous dormez dans ce vieux canapé, qui est convertible. Étant donné la quantité d'alcool que j'ai absorbée cette nuit, je vous conseille plutôt le canapé.

– Va pour le canapé ! concéda Tim avec bonne humeur.

– Parfait. Je vais vous trouver quelque chose pour dormir.

Il revint, en quelques secondes, avec un survêtement aux couleurs de l'équipe nationale de football du Brésil.

– La seule contribution de la droite à notre cause. Don personnel de José Madeiros, le capitaine de l'équipe. Un de ces jours, je le mettrai aux enchères. Vous avez besoin d'autre chose ?

Tim secoua la tête, les paupières lourdes.

– Non, non, tout va bien.

– Oh, à propos... Ce que vous autres Américains du Nord appelez « le petit coin » se trouve au fond du jardin, là-bas derrière. Ou si vous vous sentez d'humeur conviviale, les latrines collectives sont à droite de la route. Il y a une torche électrique sur mon bureau... et vous trouverez l'endroit sans grand mal...

Enfin seul, Tim se déshabilla, pliant soigneusement ses vêtements sur le dossier du fauteuil d'Ernesto. La température nocturne avait baissé et il remercia, mentalement, l'équipe du Brésil de fournir à ses athlètes les meilleurs survêts Adidas.

Regardant autour de lui, il songea, tout à coup, que le manuscrit d'Ernesto ne devait pas être caché bien loin, peut-être derrière les livres. Avec l'aide de cette torche électrique si généreusement offerte...

Puis il se ravisa. Était-il prêtre ou agent secret ? Par ailleurs, il savait déjà qu'il ne lirait pas ce manuscrit pour le compte de von Jakob, mais pour son propre compte. Il avait envie de mieux connaître Ernesto Hardt. De partager, avec lui, ses pensées les plus secrètes.

76

TIMOTHY

La première bouilloire du matin était destinée au café, la seconde à la barbe.

Debout, auprès de son hôte, devant l'unique miroir disponible, Hardt s'informa :

– Quelque chose de prévu pour aujourd'hui ?

– Pas vraiment. Je peux très bien sauter l'invitation permanente à dîner de l'ambassadeur. L'essentiel est que je rentre pour célébrer la messe dimanche matin.

– Après ce que je vais vous montrer aujourd'hui, vous déciderez vous-même si vous en avez encore envie. Il n'est pas exclu que votre ferveur en prenne un coup !

Non et non, pensa Tim, ce séduisant hérétique ne m'empêchera pas de célébrer l'Eucharistie.

Toute la famille Hardt se retrouva autour de la table pour un petit déjeuner composé de bananes frites... et d'une autre bouilloire de café.

Désignant le survêtement que portait toujours Tim, le jeune Alberto chantonna, ravi :

– *Futebol, futebol...*

– *Sim,* riposta Tim, joyeusement. *Te gosta de futebol ?*

– *Sim, senhor.* Vous allez venir au match ?

– Tout va dépendre de ce que ton père a prévu pour aujourd'hui. Ernesto ?

– Ne vous inquiétez pas, Tim. C'est inclus dans notre grande tournée des bas-fonds.

Les deux hommes aidèrent à desservir la table, puis y reprirent place pendant qu'Isabella infligeait un bon shampooing, sur l'évier, à une Anita hurlante. Achevant de boire son café, Tim suggéra, alors qu'Ernesto allumait sa troisième cigarette :

– Vous devriez renoncer à fumer. Ça vous tuera.

– Et vous, vous devriez renoncer au célibat, ça vous tuera encore plus vite !

– Pourquoi dites-vous ça ? protesta Timothy, mal à l'aise.

– Je ne vous ai pas quitté de l'œil pendant que vous parliez avec Alberto. A ce propos, c'est lui qui va me tuer si je ne suis pas là pour le regarder jouer. Filons !

Tim suivit Hardt dans les rues boueuses où ses souliers noirs impeccablement cirés s'enfonçaient jusqu'à la cheville dans l'eau trouble des ornières.

En entamant cette visite des *favelas,* Tim comprit très vite à quel point l'obscurité lui avait caché, jusque-là, toute l'horreur sordide du bidonville. Bruyant, délabré, malodorant, insalubre... Pas plus d'une demi-douzaine d'autres habitations possédaient un générateur semblable à celui des Hardt. Et deux pompes communales alimentaient tout le village en eau potable.

Potable ? Hardt lut la question sur le visage de Tim et confirma :

– Oui, Dom Timoteo. Elle est polluée. Mais rassurez-vous, rien ne vous a été servi qui n'ait longuement bouilli auparavant. C'est là que mes frères et moi-même avons introduit quelques progrès. Dieu merci, un peu d'hygiène élémentaire a suffi pour réduire énormément le nombre des cas de dysenterie.

Sortant de l'atmosphère suffocante du groupe de taudis, ils débouchèrent dans un champ gorgé d'eau où deux douzaines de gosses, dont Alberto, pratiquaient un football approximatif, mais acharné, entre deux buts délimités par des fûts d'essence vides.

Sans interrompre le cours du jeu, tous trouvèrent le moyen d'adresser de grands signes à leur prêtre résident.

– *Oi, Dom Ernesto. Como vai ?*

– *Bem ! Bem !*

Tim s'émerveilla, tandis que son compagnon agitait les deux bras au-dessus de sa tête :

– Ils y mettent tout leur cœur. Quelles autres activités peuvent-ils avoir ?

– Aucune. Et nous sommes trop occupés pour accorder beaucoup d'attention à ceux qui se portent bien. Venez.

En retraversant le village, Hardt continua :

– Comme vous pouvez l'imaginer, ici, dans ce que vous autres Américains du Nord appelez le tiers monde, nous avons un taux de natalité considérable.

– Je n'en ai jamais douté.

– En contrepartie, et c'est ce qui maintient dans des limites raisonnables une démographie par ailleurs galopante, nous avons l'un des taux de mortalité infantile les plus élevés du monde. Né ici, un bébé a dix fois plus de chances de mourir en bas âge que... disons dans l'Ohio.

« A l'autre bout de la vie, si l'on ose appeler ainsi l'existence que mènent ces gens dans les *favelas,* le Brésilien moyen mourra dix bonnes années avant son cousin gringo de New York.

Côte à côte, ils arpentèrent, en silence, la chaussée fangeuse jusqu'à ce que Timothy s'avisât, peu à peu, d'un curieux phénomène :

– Je ne voudrais pas vous sembler paranoïaque, Ernesto, mais de loin en loin, nous croisons des types du genre costaud qui ont l'air de... comment dire... de me soupeser du regard !

– Rien à craindre, Tim. Ils ne vous ennuieront pas.

– C'est qui, au juste ? Une bande organisée ?

– Un bien vilain mot, Votre Grâce ! Non seulement ce sont de bons citoyens de cette *favela,* mais ce sont, aussi, les membres de notre *associaçăo dos moradores.* Notre milice locale, en quelque sorte. Ils font pour nous ce que le gouvernement ne fait pas.

Ils atteignirent une sorte de longue grange peinte en blanc qui semblait avoir deux étages et dont la solidité apparente contrastait étrangement avec le reste du décor. Dans un bref accès d'humour noir, Ernesto ironisa :

– Ce somptueux gratte-ciel est notre hôpital.

– Et ces types qui bavardent, devant la porte, ce sont des médecins ou des *moradores* ?

– Ni l'un ni l'autre. Ce sont des croque-morts... Vous n'êtes pas obligé d'entrer, Tim. Certaines des maladies sont fort contagieuses.

Tim prit son courage à deux mains pour répondre :

– Ça ne me fait pas peur.

Mais rien ne l'avait préparé à ce qui l'attendait dans cet hôpital de fortune. Car s'il lui était arrivé, très souvent, d'avoir à visiter des malades et des mourants, dans de nombreux hôpitaux, jamais il n'avait eu à assister des agonisants que la médecine avait totalement abandonnés.

Gémissements des jeunes et râles des vieux se mêlaient en une sorte de chant lamentable. Tout à coup, la main d'Ernesto Hardt se posa, affectueuse, sur l'épaule de Tim.

– Je vous comprends, mon frère. Depuis dix ans que je viens ici tous les jours, je n'y suis pas encore habitué...

L'estomac de Timothy se serrait atrocement, à mesure qu'ils progressaient dans les salles surpeuplées.

– Mais où sont les médecins ?

– Oh, les médecins... Ils viennent, ils font trois petits

tours et puis s'en vont. Quelquefois, quand une grosse compagnie pharmaceutique s'est montrée particulièrement généreuse, ils laissent des sédatifs et des analgésiques, ou bien encore quelques-uns de ces remèdes d'avant-garde...

– C'est mieux que rien, non ?

– Pas sûr. Il faut bien comprendre que les grands labos n'aiment guère donner. Ils préfèrent vendre, c'est le commerce. Voilà pourquoi les drogues qui nous sont attribuées ont presque toujours été déclarées, pour une raison ou une autre, impropres à la consommation « civilisée ». Inutile de vous dire quelles quantités de Thalidomide nous avons reçues gratis !

« Donc, pas de médecins résidents, mais quelques infirmières. Une ou deux sont même qualifiées. Les autres sont des *moradoras* qui font les piqûres, changent les draps et déménagent les morts. C'est là que je voudrais être médecin et non prêtre. Tout ce que je peux faire pour eux, c'est de leur administrer les derniers sacrements en essayant de leur expliquer pourquoi Dieu les rappelle à lui... si jeunes !

Pivotant sur lui-même, Tim contempla un instant les malades répartis, en trop grand nombre, autour de la salle. Certains s'agitaient, d'autres avaient des convulsions, la plupart demeuraient inertes. C'était à cela que devait ressembler l'enfer de Dante.

– Est-ce qu'on n'entend pas des enfants pleurer ?

Plongés dans les yeux de Tim, ceux d'Ernesto Hardt recelaient une immense sympathie.

– Si, bien sûr. Ils sont à l'étage au-dessus... où c'est dix fois pire que tout ce que vous voyez ici. Vous êtes sûr de pouvoir encaisser le choc ?

La ferveur, dans le regard de Tim, répondit à la question d'Ernesto bien avant qu'il trouvât les mots pour l'exprimer.

– Le Seigneur n'a-t-il pas dit : « Laissez venir à moi les petits enfants... car le royaume des cieux est à eux » ?

Hardt lui prit le bras, chaleureusement.

– Bien, mon frère. Mais je vous admire.

Il l'entraîna dans l'escalier aux marches gémissantes, bricolé par quelque amateur, qui conduisait au premier étage.

Le spectacle – et l'odeur – étaient infiniment plus atroces qu'à l'étage au-dessous. Décharnés, livides, de misérables petits corps au ventre ballonné, pour la plupart, reposaient sur des matelas douteux ou dans les bras des mères. Ce dortoir n'était rien de plus qu'un mouroir.

– Ernesto... Combien de ces bébés vont ressortir vivants d'ici ?

Malgré son goût pour la polémique, Hardt lui-même, cette fois, ne trouvait plus les mots susceptibles de traduire une telle réalité.

– Combien ? insista Timothy.

L'interpellé ne pouvait plus que secouer la tête, douloureusement.

– Quelquefois, Tim... Quelquefois, Dieu fait un miracle... Mais pas très souvent.

Intensément malheureux, terrassé par le sentiment de sa propre impuissance, Tim hoqueta :

– De quoi souffrent-ils ?

– Des fléaux infantiles habituels, dysenterie, typhus, malaria et naturellement, puisque la maladie est bien le seul domaine où nous soyons toujours à la page... maintenant le sida.

– C'est inhumain ! Est-ce qu'il n'y a pas six grands hôpitaux, à Brasilia ?

562

– Exact. Mais nous ne sommes pas sur leur territoire.

Sous le coup d'une idée soudaine, Tim implora :

– Vous pouvez me conduire à mon hôtel et me ramener ici ?

– Bien sûr, mais pourquoi ?

– Je veux faire quelque chose pour ces enfants.

– Alors, allez donc aider les types du rez-de-chaussée à clouer des petits cercueils.

Tim s'emporta :

– Pour une fois, Dom Ernesto, je vous parle en tant qu'archevêque. Faites ce que je vous dis.

Surpris, Hardt haussa les épaules et se dirigea vers l'escalier.

Voyant s'arrêter, devant l'hôtel, la Land Rover boueuse d'Ernesto, le portier du Nacional s'apprêtait à la déplacer lorsqu'il reconnut le conducteur.

– *Bom dia, padre.* Puis-je mettre votre voiture au parking ?

– Merci beaucoup, nous repartons tout de suite.

– Dans ce cas, vous pouvez la laisser là. Je vais la surveiller comme un lion aux aguets.

Hardt décocha à Tim une œillade qui signifiait : « Vous voyez qui est le patron, ici ? »

En trois minutes, Tim redescendit avec sa valise noire qu'il jeta sur le siège arrière. Sans perdre une seconde Hardt redémarra.

– Je peux vous demander ce que vous trimballez là-dedans ?

– Non, mon frère. Affaires officielles de l'Église.

Durant tout le reste du voyage, ils écoutèrent, à la radio, le compte rendu épique d'un match de football entre deux équipes locales.

De retour au village, Tim s'excusa et alla se changer dans le bureau d'Ernesto. Il put entendre Isabella et Ernesto manifester leur curiosité, puis reparut en un temps record, drapé, de pied en cap, dans la pourpre cardinalice, avec tous les accessoires.

Hardt s'étrangla :

– Mais sur quelle planète croyez-vous être ? Vous avez deux mois d'avance, pour le carnaval.

Tim ne daigna pas sourire.

– Je retourne à l'hôpital. Inutile de m'accompagner. Je connais le chemin.

Mais quand il partit à grands pas, dans les flaques et les ornières, Ernesto et Isabella, subjugués, s'élancèrent dans son sillage.

Vingt minutes plus tard, ils purent constater que la théologie de la libération ne régentait pas, malgré tout, l'intégralité du ciel et de la terre.

L'un après l'autre, Tim s'agenouilla auprès de chaque enfant, leur parlant dans un langage qu'ils ne comprenaient pas et surtout les *touchant,* doucement, de ses longues mains caressantes. Les Hardt virent qu'il parvenait à faire rire les enfants, et pleurer les mères. Chaque fois qu'il faisait le signe de la croix et passait au suivant, les mères éplorées le bénissaient et cherchaient instinctivement à lui baiser la main.

Quand il atteignit l'autre extrémité du dortoir, Tim se retourna vers la longue rangée de petits malades et vit qu'Ernesto et Isabella souriaient, eux aussi. Lui-même avait clairement conscience de terminer l'office le plus important qu'un prêtre pût jamais célébrer au cours de son sacerdoce.

Plus tard, chez lui, devant une tasse de café, Hardt s'informa :

– Était-ce une démonstration de secours spirituel réservée à mon usage, Tim ?

– Si vous y avez puisé quelque enrichissement, Ernesto, je suis le plus heureux des hommes. Je voulais surtout prouver, à vous ainsi qu'à moi-même, qu'il y a quelque chose de bon dans le pouvoir de Notre Sainte Mère l'Église.

Hardt n'était toujours pas convaincu.

– Tim, avec cette pureté d'esprit qui est la vôtre, vous auriez agi sur ces enfants, de la même façon, déguisé en Père Noël.

Isabella intervint à son tour.

– Non, là, je ne suis pas d'accord. Toutes ces femmes savent que les évêques portent la pourpre. Elles n'en avaient jamais vu, c'est tout... et c'est vous qui avez raison, Dom Timóteo.

– Merci, Isabella... J'aimerais célébrer la messe à l'hôpital, demain matin. Une fois à chaque étage.

Hardt eut alors une réaction surprenante.

– Et moi, j'aimerais vous assister, Dom Timóteo.

A mesure que la « visite » de Tim se prolongeait, et que les semaines devenaient des mois, ses relations avec les Hardt se faisaient plus intimes. Finalement, Tim décida même d'abandonner le luxe de son hôtel au profit de la chaleur amicale de la *favela*. Souvent, les deux hommes passaient la nuit entière à discuter. Du sens des Écritures et de leurs propres réactions profondes aux choses de la vie...

Un soir, en tirant sur sa cigarette, Hardt amorça :

– Dites-moi, mon jeune ami. Avez-vous jamais aimé une femme ?

Tim hésita. Jamais il n'avait parlé de Déborah à âme qui vive, excepté dans le secret de la confession. Et même quand il l'avait fait, il n'avait parlé que de péché, pas d'amour. Cette nuit, il brûlait d'ouvrir son cœur à cet homme qui lui inspirait une si grande admiration.

Le prêtre brésilien l'écouta sans l'interrompre, même lorsque le récit se fit plus elliptique et quelque peu confus.

A la fin de ce récit, Hardt déclara en sourdine :

– Vous auriez dû l'épouser, Tim.

– Je m'étais déjà engagé. J'épousais l'Église, Ernesto.

– Perpétuant ainsi un dogme erroné ! Quoi de plus ironique, quand on y pense, que le chapitre 3 de la *Première Épître à Timotée*. Vous n'avez pas oublié, j'en suis sûr, qu'aux yeux de saint Paul en personne, le bon évêque doit être « sans reproche, vigilant, sobre... ».

Sans avoir à réfléchir, Timothy compléta la citation :

– « ... et mari d'une seule femme. »

– Dites-moi franchement, il vous arrive toujours de penser à elle ?

Tim détourna les yeux pour ne pas avoir à observer la réaction de son aîné.

– Oui, Ernesto. Souvent, je revois son visage.

Compatissant, Hardt murmura :

– Je vous plains. Car vous ne connaîtrez jamais l'amour très spécial que je partage avec mon Alberto et mon Anita.

Tim haussa les épaules. Hardt insista :

– Vous sauriez comment la retrouver ?

Tim hésita de nouveau, puis avoua :

– Ce ne serait pas impossible.

Ils laissèrent, un instant, s'épaissir le silence. Puis :

– Je vais prier pour vous, mon frère.

– Pour quelle raison, exactement ?

Toute l'affection d'Ernesto s'exprima dans sa réponse :

– Pour que vous trouviez, un jour, le courage nécessaire.

77

DANIEL

C'était comme si je débarquais d'une machine à explorer le temps. A un moment donné, je marchais dans les
rues sophistiquées du Montréal gaulois, et l'instant
d'après, je me retrouvais dans un quartier qui rappelait à
s'y méprendre l'East Side new-yorkais du siècle dernier.

Les noms des rues sonnaient bien : rue Saint-Urbain,
boulevard Saint-Laurent. Mais là s'arrêtait le côté « canadien » du secteur, car tout au long du boulevard plus
communément appelé « Grand-Rue » par les gens du coin,
les noms des boutiques étaient inscrits en yiddish, la même
langue qui présidait, autour de moi, aux tractations véhé-
mentes entre les marchands des quatre-saisons et leurs
clients barbus, vêtus de noir. Depuis bientôt six ans que je
vivais dans la partie rurale de la Nouvelle-Angleterre, j'y
retrouvais les tons et les images de mon enfance et ne pouvais me défendre d'une certaine nostalgie. Seule différence : je n'arborais plus l'uniforme de l'équipe ! Mon
costume n'avait plus rien de juif, et les gens du quartier
me regardaient comme si j'avais deux têtes. Dont aucune
ne portait la calotte.

Il n'en restait pas moins que la meilleure façon, pour

moi, de recharger mes batteries ethniques, c'était de suivre le boulevard jusqu'à la rue Saint-Urbain, et je m'offrais cette joie aussi souvent que possible.

Chaque fois que j'avais besoin d'un livre juif récent, ou bien au contraire d'un ouvrage très vieux et très rare, c'est à Montréal, grande ville la plus proche, que je venais – tous les deux ou trois mois – savourer le plaisir toujours renouvelé de prendre en main et de feuilleter, longuement, des livres que je ne connaissais pas encore.

En ce samedi mémorable, l'estomac dûment lesté d'une paire de sandwiches au pastrami chaud (régal introuvable dans le nord de la Nouvelle-Angleterre), je marchai, d'un pas ferme, vers mon objectif intellectuel de prédilection, la librairie de la Lumière éternelle, dans Park Avenue.

J'annonçais toujours ma visite, par téléphone, pour être sûr d'y trouver le rabbin Vidal, propriétaire érudit de la boutique. Je savais pouvoir compter sur lui pour me tenir au courant de tout ce qui se publiait de nouveau sur l'Ancien Testament. Mais lorsque j'entrai dans le magasin, ce jour-là, il n'était nulle part en vue et l'unique vieil employé au dos voûté bavardait là-bas dans le fond, en yiddish, avec un petit groupe de clients.

Je m'approchai de la table des « nouveautés ».

Comment décrire cette sensation ? A Brooklyn, je l'avais toujours acceptée sans jamais l'apprécier à sa juste valeur. Ici, c'était bien différent. Tel un évadé de quelque jungle hermétique, je savourais pleinement la joie de manipuler ces livres imprimés dans la langue sacrée.

Je tuai le temps, ainsi, durant une petite demi-heure. Puis je commençai à m'impatienter et m'avançai jusqu'à l'antique caisse enregistreuse. Peut-être le rabbin avait-il laissé un message à mon intention ?

C'est à ce moment précis que ma vie bascula.

Assise derrière le comptoir, se tenait une jeune personne de vingt ans à peine, aux cheveux noir corbeau, avec les yeux marron les plus extraordinaires qu'il m'eût été donné de voir au cours de mon existence. Même d'où j'étais, je percevais l'irradiation intangible de ce que les mystiques appellent *shekinah* : la quintessence du rayonnement divin.

Je fis, respectueusement, les quelques pas qui me séparaient d'elle.

– Excusez-moi, je cherche le rabbin Vidal. Je me demandais si...

Instantanément, elle me tourna le dos, derrière son comptoir.

Dieu, quel païen j'étais devenu ! Aucune jeune fille orthodoxe bien élevée ne parle en direct à un homme. Elle n'était là, bien évidemment, que pour servir la clientèle féminine.

Ne sachant trop comment rattraper le coup, j'aggravai les choses en bégayant :

– Pardonnez-moi, je vous prie... Je ne voulais pas vous offenser... Je...

Elle appela, en yiddish, le vieil employé bavard :

– Tonton Abe, tu veux t'occuper de ce client ?

– Tout de suite, Miriam. Qu'est-ce que c'est que ce *shaygetz* ? Passe dans l'arrière-boutique.

Je me hérissai des pieds à la tête. *Shaygetz* ! *Moi*, un « gentil ». La pire injure, dans la bouche d'un juif orthodoxe.

J'aurais bondi sur place si mon apparence extérieure ne lui avait donné pleinement raison. Avec mon chandail en V et mon col ouvert, ma tête nue et mes « pattes » plus que réduites, je ne pouvais être qu'un étranger.

L'oncle Abe m'observait à travers le magasin. Je l'entendis murmurer : « Quel *chutzpah* ! » En conséquence, il prenait tout son temps avec ses autres clients, espérant sans doute que j'allais disparaître sans insister davantage.

Finalement, il joua, en virtuose, de la caisse enregistreuse et la boutique se vida. Quand je m'approchai de lui, il lança :

– Oui, *monsieur* [1] ?

Pour qui diable me prenait-il ? Pour Yves Montand ? Ma réponse, en yiddish, le surprit et le rassura, sans faire de moi quelqu'un de totalement acceptable.

– Je cherche le rabbin Vidal. Je l'ai prévenu de ma visite par téléphone.

Son regard acheva de s'éclaircir.

– Oh, c'est vous, le cow-boy !

– Le quoi ?

– C'est comme ça que mon frère vous appelle. Il a fallu qu'il conduise sa femme à l'hôpital, et il m'a chargé de vous transmettre ses excuses.

– Rien de sérieux, j'espère ?

Il haussa les épaules.

– Quand on a passé son enfance à Bergen-Belsen au lieu de l'école maternelle, tout est sérieux. Mais si Dieu le veut, ce ne sera rien de plus qu'une autre crise d'hypertension. Puis-je vous être utile ?

– Vous exprimerez au rabbin Vidal tous mes vœux de prompt rétablissement, pour son épouse. A part ça, j'aimerais jeter un œil au bouquin d'Alfred J. Kolatch, *Le Livre juif des Pourquoi*.

Il releva, comme en écho :

– Pourquoi ?

– C'est le titre du bouquin.

– Je n'ignore pas que c'est le titre du bouquin, comme

---

1. En français dans le texte. *(N.d.T.)*

vous dites, jeune homme. J'aimerais simplement savoir en quoi il peut vous intéresser. Vous êtes juif ?

– Ça ne se voit pas ?

– Pas à vos vêtements. Mais je vous crois sur parole. Maintenant, dites-moi pourquoi vous voulez un livre que tout *yeshiva bocher* de six ans connaît par cœur !

Je ripostai, avec une pointe de sarcasme :

– Il se peut que ça vous étonne, mais tout le monde n'a pas eu le privilège de fréquenter une yeshiva. J'ai des tas d'étudiants qui brûlent de mieux connaître leur héritage et qui ne lisent pas l'hébreu. Voudriez-vous avoir l'obligeance de me montrer cet ouvrage ?

Non sans un second haussement d'épaules, il sortit de sous son comptoir un volume à couverture bleu et rouge qu'il me tendit. Une simple minute d'examen me convainquit que nous disposions là d'un tableau fidèle, peint sous des couleurs attrayantes, de nos coutumes juives.

– Formidable ! Vous pouvez m'en commander deux douzaines ?

– C'est faisable, admit-il.

Visiblement, un oui lui aurait écorché la bouche.

Juste à ce moment-là, réapparut sa ravissante nièce.

– Tonton Abe, papa te demande au téléphone.

Il m'ordonna :

– Attendez-moi là.

Puis, en passant derrière le comptoir :

– Ne parle pas au cow-boy, Miriam !

Tout comme moi, elle regarda le vieil homme irascible disparaître dans l'arrière-boutique.

Je savais, chapitre et verset à l'appui, que ce que j'allais faire était mal. Mais je le fis tout de même, et pour une raison qui ne figurera jamais dans aucun *Livre juif des Pourquoi*. J'adressai la parole à la jeune fille.

– Miriam, vous allez toujours à l'école ?

Elle hésita, regarda furtivement par-dessus son épaule, puis se retourna vers moi pour acquiescer d'un léger signe de tête en murmurant :

– Nous ne devrions pas parler comme ça.

Mais elle n'avait pas pris la fuite. J'approuvai :

– C'est vrai. *Code des Lois juives*, 152.1 et *Shoulkhân Aroukh Even Ha Ezer*, 22.1 et 2.

Elle s'étonna :

– Vous connaissez le *Shoulkhân Aroukh* ?

– Je l'ai pas mal étudié. La version intégrale, non condensée.

– Oh ? C'est sans doute pour ça que papa vous aime bien.

A mon tour de m'étonner :

– Le rabbin Vidal a parlé de moi ?

Elle rougit, jetant derrière elle un nouveau coup d'œil légèrement fébrile.

– Mon oncle va revenir. Il vaut mieux que je...

– Non, non, attendez. Juste une petite seconde. Qu'est-ce que votre père a dit, exactement ?

– Que vous étiez... très érudit. Mais que c'était dommage...

– Quoi ? Qu'est-ce qui était dommage ?

– Que vous...

C'est à ce moment, frustrant entre tous, que l'oncle Abe revint, le sourcil plus sévère que jamais.

– Tu as parlé à cet étranger ?

Je me hâtai d'intercéder en sa faveur :

– C'est ma faute, monsieur. Je voulais simplement savoir quelle heure il était.

– Vous n'avez pas de montre ?

– Si, mais... elle est arrêtée.

Ce n'était même pas un mensonge. Car au sens cosmique du terme, le temps s'était arrêté à la seconde même où j'avais aperçu Miriam Vidal.

Il enjoignit à sa nièce d'aller l'attendre dans l'arrière-boutique pendant qu'il « s'occupait de ce touriste ». Et mon cœur battit plus fort en voyant que Miriam désobéissait au vieux ronchon. Rivée à son poste, derrière le comptoir, elle suivait les événements avec une attention soutenue.

– Eh bien, jeune homme, c'est tout ce que vous désiriez ?

– Oh non. Je n'ai pas fait trois cents kilomètres juste pour commander un livre. J'espérais parler avec le rabbin Vidal des dernières publications sur le mysticisme.

– Ce sera pour la prochaine fois. Bon retour !

Il allait me tourner le dos. Je l'en empêchai en articulant :

– Scholem ?

Ce qu'il prit, ou qu'il affecta de prendre pour une mauvaise prononciation le fit ricaner dans sa barbe.

– *Shalom* à vous aussi.

– Non, je veux parler de Gershom Scholem, auteur d'ouvrages sur la Kabbale.

Il me voyait venir avec mes gros sabots. Mais ne put, toutefois, éviter de me répondre :

– Vous avez en tête un titre précis ?

– J'aimerais surtout voir ce que vous avez.

Son index montra, impérieusement, le mur du fond.

– Là-bas. Les trois rayons du haut. Tout ce que nous avons sur le mysticisme. Si vous avez besoin de renseignements, pressez la sonnette du comptoir et je reviendrai. Maintenant, si vous voulez bien m'excuser...

Il se retourna vers sa nièce.

– Miriam, je ne t'ai pas demandé de sortir ?

– Mais je ne lui parle pas.

– Tu le regardes. Et ça, le *Code* l'interdit.

C'était le moment que j'attendais. Je me débrouillai pour accumuler, dans une seule phrase, toute la réprobation dont j'étais capable.

– Et dans quel traité figure cette interdiction ?

L'oncle Abe était choqué :

– Quoi ? Quelle importance ? C'est interdit, voilà tout !

– Selon le chapitre 152.1 du *Code,* il m'est interdit, à *moi,* de regarder Miriam, ce que, vous en êtes témoin, je ne fais aucunement. S'il m'était permis de la regarder, je dirais qu'elle a les plus jolis cheveux qui soient au monde, et que sa voix est la plus agréable que j'aie jamais entendue. Mais naturellement, je n'oserais jamais faire une chose pareille.

Un regard en coulisse, dans la direction de Miriam, me renseigna sur son humeur : elle souriait.

– Dans tous les cas, j'ai déjà tous les Scholem que vous avez en rayon, alors, on en reparlera la prochaine fois. Puis-je vous charger d'un message pour le rabbin Vidal ?

– Tout dépend de quel message ! grogna le vieil ours, maussade.

– Je vais évidemment le lui confirmer par lettre, dans toutes les règles, mais d'ores et déjà, je sollicite l'honneur d'être présenté à sa fille... en présence d'un chaperon, naturellement.

– Pas question ! C'est une jeune personne très pieuse...

– Ne vous inquiétez pas, je porterai la calotte. Ainsi que des vêtements noirs et un chapeau de fourrure, s'il le faut.

– Jeune homme, êtes-vous en train de vous payer ma tête ?

– Non, je veux simplement vous convaincre que je ne

574

suis pas indigne d'avoir une entrevue officielle avec votre nièce. Puis-je vous demander, au moins, de laisser son père en décider ?

– Il refusera, j'en suis sûr ! Vous sortez de je ne sais où, et nous ne connaissons même pas votre famille.

Pour la première fois de ma vie, j'étais fier de mes antécédents et de l'éducation que j'avais reçue. Car il me suffisait, à présent, d'être exactement ce que j'étais.

– Vous avez le *Grand Livre des chansons hassidiques* ?

– Naturellement. Les deux volumes. Vous désirez l'acheter ?

Je répondis, à sa question, par une autre question :

– Vous connaissez les refrains qu'il contient ?

Il perdait pied de seconde en seconde.

– Quelques-uns. Les plus célèbres.

J'enregistrai, d'un nouveau regard oblique, la stupéfaction béate de Miriam et, sans autre transition, me mis à fredonner :

– *Biri biri biri biri boum.*

Le vieil homme me regarda comme si j'étais dément.

Encouragé par sa consternation, j'élevai la voix, claquant des doigts pour marquer le rythme.

– Cette mélodie-là, vous la reconnaissez, Rav Abraham ?

– Pour qui me prenez-vous ? Elle est de Moïse Luria, feu le rabbin de Silcz, puisse-t-il reposer en paix. Tout le monde la connaît.

– Eh bien, je suis son fils... *biri boum !*

Je perçus un drôle de petit hoquet et me retournai juste à temps pour voir Miriam porter une main à sa bouche. Dommage de cacher quelque chose d'aussi joli. Par bonheur, elle n'alla pas jusqu'à dissimuler ses yeux, qui étaient pleins d'étoiles. Quant au tonton, bouche bée, il ne trouvait plus rien à dire.

575

Une voix claironnante emplit soudain la boutique :

– Abe ! Qu'est-ce que tu fabriques ?

L'imposant rabbin Vidal faisait son entrée. Désarçonné, le pauvre Abe bafouilla :

– C'est ce *meshuggener* qui s'est mis à chanter dans le magasin. Il prétend qu'il est...

– Je sais, Abe, je sais. Ce que je demande, c'est pourquoi.

– Pourquoi quoi ?

– Pourquoi tu ne chantes pas aussi !

Le rabbin Vidal éclata d'un grand rire sonore qui ébranla toutes les vitres de la boutique.

Inutile de dire que l'entrevue sollicitée me fut accordée. Mieux encore, je fus convié à passer le Sabbat en famille. Pour la nuit, l'oncle Abraham m'hébergerait dans son rez-de-chaussée de Clark Street.

Durant tout le reste de la semaine, j'essayai désespérément d'accélérer la croissance de mes « pattes ». Dieu merci, mes cheveux très bruns pourraient au moins faire illusion.

En ouvrant ma valise dans la chambre d'ami de tonton Abe – laquelle, par son confort et ses dimensions, ressemblait plutôt à un grand placard –, je me remémorai ma fièvre des derniers jours. Pas si facile d'allier l'orthodoxie à la meilleure coupe de vêtements disponible sur le marché. Alors que je m'admirais dans la glace, j'entendis une voix qui disait : « Hé, Danny, d'où est-ce que tu sors ? » et compris que c'était la mienne.

La mère de Miriam avait mis les petits plats dans les grands et deux cousins d'un certain âge, Sophie et Mendele, participaient aux agapes. J'avais apporté une bouteille de Château Baron de Rothschild, un bordeaux rouge parfaitement kasher. Ma hantise, en le servant, était d'en répandre quelques gouttes sur leur précieuse nappe blanche, car depuis mon arrivée chez le rabbin, je n'avais d'yeux que pour Miriam, plus ravissante encore, si possible, dans une robe bleue et blanche à col et poignets de dentelle. Angélique au sein de la lumière dansante des bougies, son visage exprimait un bonheur paisible.

Je me sentais, moi-même, bizarrement écartelé entre des sentiments contradictoires. J'étais heureux, flatté, même, que le rabbin Vidal eût évidemment compulsé tous les recueils de sa boutique pour être sûr de pouvoir chanter autant de mélodies lurianesques que possible. Mais d'un autre côté, je commençais à me demander combien de temps je supporterais encore de n'être accepté qu'en tant que fils de mon père. Je me persuadai, toutefois, que si notre ancêtre biblique Jacob avait travaillé quatorze ans dans les champs de Laban pour gagner sa bien-aimée Rachel, je pouvais, à mon tour, sacrifier tout ou partie de mon amour-propre sur l'autel de la célébrité du rabbin de Silcz. Pourvu qu'au bout du compte, Miriam devînt mienne.

– Au fait, attaqua le rabbin Vidal en préparant adroitement son poisson, j'ai vu dans *La Tribune* que votre oncle défrayait la chronique !

– Pour quel motif ?

Je tombais vraiment de la lune. J'appelais bien maman toutes les semaines, mais l'essentiel de ses préoccupations tournait autour d'un thème unique aux variations infinies : pensais-je à bien me couvrir ?

Un peu surpris de mon ignorance, Vidal expliqua :

– Il a signé dans le *New York Times,* avec d'autres rabbins, conservateurs et réformistes, une pétition demandant à l'État d'Israël d'abandonner, en échange de la paix, certains territoires de la rive ouest. Une attitude sans précédent, chez un homme occupant sa position.

J'en mourais de fierté. Non seulement Saul se conduisait comme un chef digne de ce nom, en travaillant pour *l'avenir* de son peuple, mais il s'y employait bravement, au grand jour.

– D'après ce que j'ai lu, poursuivait le père de Miriam, beaucoup de rabbins orthodoxes critiquent sa conduite, et il a dû perdre beaucoup d'amis à Brooklyn. Vous pensez qu'il a bien agi ?

– Absolument. La première obligation d'un chef est de préserver la survie de son peuple. En outre, Saul avait aussi d'excellentes raisons doctrinales. La Bible elle-même ne fixe-t-elle pas à l'État juif des frontières fort capricieuses ? Depuis la *Genèse* 15.18 qui parle généreusement de « l'Euphrate au Nil » jusqu'aux *Juges* 20.1, qui ne nous accordent qu'un territoire compris entre Dan et Beersheba... ce qui nous priverait même de Haïfa et du Neguev.

– Oui, j'ai peur, opina le rabbin Vidal, que le problème ne soit pas simple.

On chanta, on mangea et on chanta encore. Moi, de tout mon cœur, pour que Miriam pût distinguer ma voix au sein du chœur familial, elle, si doucement, avec tant de réserve, que je crus un instant qu'elle se contentait de remuer les lèvres, sans chanter vraiment.

Et pendant le repas, je ne pus m'empêcher de remarquer, du coin de l'œil, que tous les membres de la famille, Abe compris, échangeaient des regards et des petits signes de tête approbateurs.

Vers dix heures et quelques, je pris congé des Vidal, à contrecœur, et rentrai chez Abe avec lui. Je ne reverrais pas ma Miriam – plût à Dieu qu'elle fût bientôt « ma

Miriam » – avant le lendemain midi. Certes, je pourrais l'apercevoir en louchant, à la dérobée, vers la galerie des dames, mais je savais, d'avance, que je ne commettrais pas ce genre d'incorrection.

Veuf de longue date, Abe appréciait ma compagnie. Assis dans l'obscurité de son salon, nous échangeâmes des anecdotes familiales, mais naturellement, il connaissait déjà la plupart des miennes. Il se donna beaucoup de mal pour souligner que leur famille descendait en ligne directe de Chaim Vital, qui avait partagé les études d'Isaac Luria en Terre sainte, au XVIe siècle.

Leur branche s'était établie dans le sud de la France où les papes du Moyen Age permettaient aux juifs de vivre dans certaines régions telles que celles d'Avignon et Aix-en-Provence. Ils étaient restés français pendant plus de cinq cents ans, jusqu'à ce que les nazis décident de les déporter pour alimenter leurs fours. Ceux qui, ayant survécu à la guerre, ne parlaient pas un mot d'anglais, avaient émigré au Québec où la famille était désormais implantée.

J'entamai, prudemment, une enquête délicate :

– Quel âge a Miriam ?

– Dix-huit ans, Dieu la bénisse.

– Et pas encore mariée ? Attention, je ne m'en plains pas !

Il sourit.

– Mon frère n'a jamais trouvé le prétendant idéal. Mais quand on n'a qu'une fille et que cette fille est une perle telle que Miriam, il est permis d'être un peu difficile !

« Depuis un an, il a pris des contacts avec quelques familles et je pense même qu'il ne voyait pas d'un trop mauvais œil le fils Dessler, mais c'est Miriam elle-même qui a dit non.

– Pour quelles raisons ?

Pourvu, Grand Dieu, que ce ne soit pas parce que Dessler avait à peu près mon âge...

– Elle a dit qu'il n'était pas assez *frum*.

J'accusai durement le choc, assommé par l'ironie de la conjoncture. Si j'avais marché sur les brisées de mon père, nul, jamais, ne se fût posé la moindre question quant à mon orthodoxie. Alors que là, aux yeux du rabbin Vidal, j'étais un « cow-boy », presque une créature d'un autre monde.

Je passai une nuit blanche à me tourner et me retourner dans mon lit. Sachant très bien que même un père aimant et possessif tel que celui de Miriam ne laisserait jamais sa fille demeurer célibataire au-delà du cap des *dix-neuf ans*. Je n'avais que quelques mois pour me repentir et changer de conduite.

A la *shoule*, le lendemain, m'échut l'honneur singulier d'être appelé au pupitre pour lire le texte des Prophètes. Sans posséder les talents vocaux de Déborah, j'ai tout de même une solide paire de poumons et j'étais bien décidé à compenser, par la puissance, la musicalité relativement pauvre de ma voix.

En montant sur l'estrade, j'étais encore plus nerveux qu'à ma propre *bar mitzvah*. Mon cœur battait à tout rompre, mes mains étaient moites. Car en ce jour mémorable où j'étais devenu un homme, si j'avais oublié ou savonné mes prières, une seconde chance m'eût été donnée. Mais aujourd'hui, j'ambitionnais de devenir un mari. Et je ne doutais pas que la pieuse Miriam, sur son balcon, n'eût l'intention de suivre chaque syllabe dans son livre.

A la fin de ma prestation, monta, de l'assistance masculine, le bourdonnement de cent conversations chuchotées. Je parvins même à distinguer des bouts de phrases du genre :

– C'est le fils du rabbin Luria...

– Cette fois, Vidal a tiré le bon numéro...

– Si Miriam fait la fine bouche, comme d'habitude, moi, je le demande pour ma fille...

Une chose merveilleuse arriva au cours du déjeuner qui suivit, chez les Vidal. Le rabbin cherchait quel texte des Écritures il allait commenter, la semaine suivante, et je citais, de mémoire, Rashi et tous les autres commentateurs qui me passaient par la tête, quand un ange vint me changer mon couvert.

Hasard ou volonté délibérée, de la part de Miriam, nous étions si proches l'un de l'autre qu'il me fallut toute mon énergie pour continuer à répondre au rabbin en sentant, sur ma joue, la caresse immatérielle du souffle de ma bien-aimée.

Après les grâces, je demandai à Vidal l'autorisation d'emmener sa fille en promenade. En sa compagnie, bien sûr, et celle de son épouse.

Il y consentit en souriant.

– Si ma femme en a envie... Un peu de soleil nous fera du bien à tous...

C'était la première fois que nous étions seuls. Car Vidal et sa femme marchaient lentement, à dessein, et bientôt, nous eûmes sur eux vingt mètres d'avance.

De nouveau, j'étais très nerveux. Je ne savais trop par quel bout commencer, même si je savais fort bien où je désirais en venir.

Mais je ne tardai pas à m'apercevoir qu'en dépit de sa timidité apparente, Miriam possédait de nombreux points communs avec Déborah. C'est elle qui, tout à coup, prit l'initiative et m'adressa, pour la première fois, directement la parole.

– Dites-moi, Daniel... qu'est-ce que vous faites, exactement ?

– Eh bien, des tas de choses... Mais surtout, j'enseigne. Il y a en Nouvelle-Angleterre des quantités de juifs dispersés qui ont bien besoin de s'organiser. C'est difficile de garder son identité religieuse quand on est beaucoup moins nombreux que les arbres !

– Sont-ils orthodoxes ?

J'hésitai une courte seconde, ne voulant ni éluder sa question, ni trahir ceux qui m'avaient fait confiance.

– Pas exactement, Miriam. Avant que les gens puissent faire des études, il faut leur apporter la lumière qui leur permettra de s'y consacrer. Mon travail est d'enflammer leurs âmes pour les amener à creuser leur religion aussi loin, aussi profond qu'ils le peuvent. Vous voyez ce que je veux dire ?

– Oui. Bien que l'idée soit plutôt nouvelle... En somme... vous les aidez à se repentir.

Bien que transi d'amour, je répétai, mal à l'aise :

– Pas exactement, Miriam. Ils ne sont coupables que d'ignorance et n'ont pas à s'en repentir. Vous savez que selon le *Code*, si vous ignorez comment prier, il vous suffit d'écouter la prière de quelqu'un d'autre et de dire « Amen ». Il y a six ans, tous ces gens-là ne savaient pas faire autre chose que dire « Amen ». Ils en sont maintenant à la « Shema [1] ». Vous ne trouvez pas ça formidable ?

Elle réfléchit un long moment, se demandant, peut-être, ce que penseraient ses professeurs de ma philosophie à l'emporte-pièce. Finalement :

– J'admire votre idéalisme, Danny. Mais avez-vous l'intention de faire ça toute votre vie ?

La question cruciale. Et plus qu'une question, un véritable champ de mines ouvert sous mes pas. Je la regardai droit dans les yeux, avant d'articuler lentement :

---

1. La prière juive fondamentale. Équivalent du « Notre Père ». *(N.d.T.)*

– Pour être tout à fait sincère, Miriam, et je jure d'être sincère toujours avec vous, je n'en sais rien encore. Mon père voulait que je lui succède, mais j'avais des doutes.

– D'être à la hauteur des responsabilités ?

– Oui, Miriam, j'avais peur. Et vous ? Quelles sont vos ambitions ?

Ma question parut la surprendre.

– Je n'ai pas d'ambitions, Danny. Rien que des rêves.

– Alors, quels sont vos rêves ?

– De faire une bonne épouse, une *eshes chayil*, pour un homme pieux et savant.

– Et vous n'avez pas encore trouvé quelqu'un d'assez pieux ?

Bizarrement, cette autre question sembla la gêner.

– Probablement. Mais pour en revenir à ces rêves...

– Oui ?

Elle baissa les yeux.

– J'ai toujours rêvé de rencontrer quelqu'un d'aussi savant, et d'aussi pieux que mon père. Quelqu'un qui ne sache pas seulement prier, mais...

Après une sorte d'hésitation, comme si la suite eût été trop audacieuse :

– ... mais qui sache rire, aussi. Il y a tant de joie dans notre religion.

Mentalement, j'exécutai un saut périlleux.

– Miriam... je crois que je sais rire.

– Moi, je le sais. Depuis le moment où vous vous êtes mis à chanter, dans le magasin, je sais que le Père de l'Univers ne vous a pas envoyé par hasard. Vous avez tant de joie en vous, Daniel. Elle vous environne comme une aura.

Puis, rougissant soudain :

– Mais je parle trop !

583

– Non, non, continuez, je vous en supplie...

Elle sourit, l'air embarrassé, et conclut dans un souffle :

– Le reste, ce n'est pas à moi de le dire.

Je pris rendez-vous avec le rabbin et lui demandai la main de sa fille, dans toutes les règles. Incapable de me répondre, sur le moment, il jeta ses deux bras autour de moi, riant et pleurant d'émotion débridée, ce que malgré toutes mes incertitudes j'interprétai comme un signe éminemment positif.

Plein d'orgueil, il annonça la nouvelle au reste de la famille et proposa que nous attendions une heure de plus, d'être sûrs que les étoiles fussent également levées sur New York pour appeler mon oncle afin de discuter du contrat de mariage.

Mes doigts tremblaient en composant le numéro, et sitôt que j'entendis décrocher l'appareil, à l'autre bout du fil, je ne pus m'empêcher d'exploser :

– C'est moi, Danny. J'ai une merveilleuse nouvelle.

Le silence absolu, sur la ligne, finit par se frayer un chemin jusqu'à mon cerveau embrumé.

– Maman, c'est toi ? Qu'est-ce qui se passe ?

Puis j'écoutai, sentant croître, autour de moi, l'anxiété de la famille Vidal.

Ils m'entendirent déclarer, finalement, avec le peu de voix qui me restait :

– Je saute dans le premier avion et j'arrive.

Après ça, les jambes coupées, je reposai l'appareil et déclarai à mes hôtes :

– Il va falloir remettre cette conversation à plus tard. Il est... il est arrivé quelque chose de terrible.

– Qu'est-ce que c'est, Danny ? demanda Miriam, la voix anxieuse.

– Mon oncle Saul... Il a... Ils me cherchaient dans le New Hampshire... On lui a tiré dessus.

Tiré dessus. Tout juste si je pouvais y croire. Il semblait, d'après ma mère, que le nommé Éfraim Himmelfarb, un des anciens, fou de rage que mon oncle eût fait cette déclaration politique dans le *New York Times,* se fût procuré un revolver pour l'abattre à bout portant, au cours de l'office du Sabbat.

Dans la voix du rabbin Vidal, résonnait l'écho du choc que je venais de subir.

– Comment va-t-il ?

– Il a reçu plusieurs balles. Dont une dans la tête. On l'opère actuellement, mais ses chances de survivre sont...

– ... d'une sur deux ?

Un brasier flambait dans ma poitrine lorsque je m'entendis répondre en secouant la tête :

– Une sur un million.

Trop ébranlé par l'énormité du fait, je me réfugiais dans une sorte d'anesthésie intellectuelle, me demandant comment Himmelfarb pourrait justifier cette violation du Sabbat qu'il avait commise en *transportant* quoi que ce soit sur sa personne.

J'entendis les mots que prononça le rabbin Vidal sur le ton de la plus grande compassion.

– Asseyez-vous, Danny, je vais téléphoner à l'aéroport.

Mon oncle bien-aimé, si sage, si courageux... Puis la main de Miriam se substitua à ce visage intangible qui flottait devant mes yeux. Elle me tendait un verre d'eau pétillante.

– Buvez, Daniel. Ça va vous faire du bien.

Je résistai, de justesse, à l'envie de lui prendre la main. Rien n'eût pu me consoler davantage que de prendre cette main dans la mienne.

Le rabbin Vidal revint lentement dans la pièce et murmura :

– Je regrette, Daniel... Il n'y a aucun vol avant sept heures demain matin.

Je bondis sur place.

– Non ! Il sera mort à mon arrivée. Je vais prendre la voiture.

La forte poigne du rabbin Vidal me rabattit sur ma chaise.

– Pas question, Danny, je vous l'interdis. Une catastrophe suffit. Inutile d'en risquer une autre. Je ne vous laisserai pas conduire dans l'état où vous êtes.

Il avait raison, mais j'étais si désespéré que j'avais besoin de faire quelque chose. Il le comprit et me proposa :

– Vous voulez que nous allions à la synagogue ?

J'approuvai d'un signe. Il se retourna vers sa femme et sa fille.

– Nous allons prier. Ne nous attendez pas.

– Bien sûr que nous allons vous attendre, papa, protesta fermement Miriam.

Et c'était moi qu'elle regardait, avec une affection profonde.

Alors que nous enfilions nos manteaux, le rabbin Vidal ajouta :

– Je crois que pas mal d'entre nous aimeraient également prier pour le rabbin de Silcz, Danny. Ça vous ennuierait que je les appelle ?

– Non, non, au contraire.

Peut-être la présence d'une foule m'aiderait-elle à mieux supporter ma douleur ?

Réunis dans la petite synagogue, nous récitâmes des psaumes, sans désemparer, durant plusieurs heures. Nous étions un peu plus d'une vingtaine. De loin en loin, quelqu'un se levait pour aller boire un verre d'eau, mais c'était la seule pause dans la concentration de tous ces fidèles qui priaient comme si le sort du monde eût été en jeu. J'étais de mon côté terrassé par la douleur et le sentiment de ma propre culpabilité.

Le jour de la *bar mitzvah* d'Éli, à Jérusalem, n'avais-je pas prononcé des mots qui avaient déterminé le sort de notre communauté ? N'avais-je pas convaincu Saul, en privé, de ne pas faire construire ce dortoir dans les territoires occupés ? Jusqu'à ce qu'il assumât, publiquement, la responsabilité de mes opinions ? Ce n'était pas à lui, c'était à moi que ces balles étaient destinées.

Pendant que les autres chantaient, je tombai à genoux devant l'Arche sainte :

– O Seigneur, Dieu de mes pères, je me prosterne humblement devant Toi. Garde Saul en vie. Ne punis pas le juste. Épanche sur moi ta colère. Accorde-moi cette grâce, ô Seigneur, et je Te servirai toute ma vie, dans la loyauté. *Amen.*

Nous persévérâmes jusqu'à l'aube, puis, après les prières du matin, nous rentrâmes à la maison, physiquement et moralement accablés par un poids trop lourd. Les femmes qui avaient également veillé, de leur côté, nous attendaient avec du café et des croissants chauds. J'avais peur de demander si elles avaient reçu des nouvelles, dans l'intervalle, mais Mme Vidal n'attendit pas ma question pour déclarer, d'une voix tremblante :

– Danny... votre mère a rappelé...

– Oui ?

Je n'aurais pu en dire davantage.

– Votre oncle... On l'a opéré... extrait la balle qui l'avait touché à la tête... Il est... Il est en vie.

– Co... comment ?

– Le chirurgien lui-même dit que c'est un miracle.

J'étais trop choqué pour trouver la force d'échanger plus qu'un regard avec le rabbin Vidal, dont les yeux fatigués s'embuèrent de larmes lorsqu'il parvint à murmurer :

– Quelquefois... au moment même où notre foi menace de s'éteindre... le Père de l'Univers nous fournit la preuve qu'il a entendu nos prières.

Il avait raison. Mon heure était venue. Je ne pouvais plus échapper à mon destin.

78

DANIEL

Mon ordination ne fut pas une simple formalité, loin de là. A la demande de mon oncle, quatre sages renommés – *Gedolei Hatorah* – issus de différentes sectes, vinrent tester mes connaissances.

Ce qui m'étonne le plus, rétrospectivement, c'est que je ne fis aucune « révision », en vue de ces examens. Je ne passai pas de nuits à apprendre par cœur les sujets d'interrogation les plus probables. Toute cette période difficile, je la traversai comme un somnambule. J'étais toujours en état de choc. Obsédé par l'image de ce rabbin abattu près de l'Arche ouverte par quelqu'un qui était censé être des nôtres. Et, contrebalançant cette horreur, l'amour et la joie immenses qui me venaient de Miriam...

Finalement, après bien des errances, j'étais enfin le fils de mon père. Le Rav Daniel Luria, le rabbin de Silcz.

Bien que je fusse arrivé, ce jeudi, avec plus d'une demi-heure d'avance, la synagogue était déjà pleine à craquer.

Je remontai, lentement, l'allée centrale, portant un châle de prière qui avait appartenu à mon père. Sur mon passage, s'inclinaient les têtes et jaillissaient des paroles de bienvenue :

– *Yasher koyakh !* Que la puissance de Dieu soit avec vous !

– Puissiez-vous vivre cent vingt ans !

Je montai les trois marches, m'arrêtai devant l'Arche sainte et priai.

« Puisses-Tu agréer ma prière, et que Ton amour me conduise... »

Je me retournai vers la congrégation, posai mes deux mains sur le pupitre et promenai mon regard sur la mer blanche des fidèles drapés dans leurs châles de prière. Au premier rang, siégeait l'oncle Saul, dans son fauteuil roulant, avec Éli à son côté.

Je levai les yeux jusqu'à la galerie des dames où je devinais le regard intense, rivé sur moi, des trois personnages que j'aimais le plus au monde. Ma mère, ma sœur, et désormais assise entre les deux, Miriam, ma bien-aimée, qui dans moins d'un mois serait mon épouse.

L'espace d'un instant, je gardai le silence. Puis je récitai la seule prière qui fût réellement digne de l'occasion :

Béni sois-tu, ô Seigneur notre Dieu,
Roi de l'Univers,
Qui nous a gardés en vie, soutenus et
conduits à cet instant merveilleux.

Et comme, sans y être invitée, la congrégation se mettait à prier, je cachai mon visage dans mes mains.

Pour pleurer.

79

TIMOTHY

Au réveillon du Nouvel An, après le départ des autres invités – prêtres-ouvriers, étudiants, voisins –, Hardt emmena Tim dans son bureau, servit deux larges rasades de *ginjinha* et leva son verre.

– Buvons.

– A qui en particulier ? questionna Tim en levant le sien.

Pour toute réponse, Hardt sortit d'un tiroir une épaisse liasse de feuillets qu'il plaqua sur sa table de travail.

– A ça. Il est terminé. Le livre que von Jakob veut détruire à tout prix. Je vous l'offre, ce soir, en gage de fraternité.

– Je ne comprends pas, Ernesto.

– Il est à vous. Vous pouvez le lire cette nuit et le brûler demain matin. Ou même le brûler tout de suite.

Puis, non sans un sourire légèrement contraint :

– Ou bien encore m'aider à le publier. Bonne année, Dom Timóteo.

Il quitta la pièce. Lentement, Tim s'assit dans le vieux fauteuil de son ami et braqua la lampe orientale sur le manuscrit. La secrétaire de Hardt, à l'université, avait dû passer bien des heures à le taper au propre, le relier et fignoler le titre, en grandes capitales : *LA CRUCIFIXION DE L'AMOUR*.

Tim n'eut pas besoin de lire les quatre cent dix-huit pages pour savoir ce qu'elles contenaient. Le thème essentiel de Hardt était l'impossibilité et, s'il fallait l'en croire, l'inutilité de l'abstinence sexuelle des prêtres.

Ce qui constituait le caractère potentiellement explosif de son volumineux réquisitoire, c'était l'abondance de la documentation. Hardt offrait des études de cas et des témoignages qu'il avait recueillis dans le monde catholique, de la bouche de prélats qui non seulement avaient accepté d'être nommés dans ces pages, mais s'étaient engagés à témoigner ouvertement, si les choses allaient jusque-là. Tous ces hommes continuaient d'assumer leurs fonctions sacerdotales en menant, de front, une vie normale incluant la consommation d'un amour physique.

Tim savait que l'histoire de l'Église tout entière fourmillait, en fait, de ces prêtres « déchus », de ces papes qui logeaient leurs « neveux » dans le palais apostolique. Mais il n'en fut pas moins frappé par les statistiques propres à l'Amérique du Nord.

Richard Sipe, psychothérapeute de Baltimore et ancien moine bénédictin, estimait qu'une bonne moitié des cinquante mille prêtres catholiques officiant aux États-Unis ne respectaient pas leurs vœux de célibat.

L'ouvrage d'Ernesto Hardt, cependant, ne visait pas à dégrader l'image de l'Église. Il cherchait plutôt à rendre leur dignité aux hommes qui, tout en servant Dieu avec ferveur, ne renonçaient pas, pour autant, à la vie telle que Dieu l'avait créée.

Lorsque, vers quatre heures et demie du matin, Tim referma le manuscrit, ce fut avec la certitude que la meilleure illustration de la thèse défendue tout au long de ces pages était, bel et bien, la double vie familiale et sacerdotale d'Ernesto Hardt en personne.

Au petit déjeuner, le lendemain, Hardt ne s'occupa que des enfants, évitant délibérément d'aborder le sujet de son livre, mais il était évident qu'Isabella elle-même attendait avec anxiété la réaction de Tim.

Un peu après huit heures, elle empoigna le garçon et la fille et, bien qu'à contrecœur, partit avec eux vers l'école que dirigeait un des adjoints d'Ernesto.

Souriant avec malice, Hardt s'enquit d'un ton désinvolte :

– Avez-vous bien dormi, mon frère ?

Timothy décida de prendre l'initiative.

– Votre livre est dangereux, Ernesto. Dangereux, séditieux... et très important. Von Jakob a raison de craindre sa publication.

– Bien ! Alors, j'ai bien fait mon travail !

– C'est le moins que je puisse dire. Mais comment avez-vous fait, sans bouger d'ici, pour réunir une telle masse d'informations ?

– Tim ! C'est mon nom qui est inscrit sur la couverture, mais j'ai eu, littéralement, des centaines de coauteurs qui m'ont aidé à glaner ces informations dans le monde entier. Pas plus tard que cette semaine, j'ai reçu, de Tchécoslovaquie, un rapport déposé par coursier à mon bureau de l'université. Car en contrepartie des prêtres et des évêques nommés clandestinement par l'Église, il y existe, depuis des années, un clergé souterrain dont la plupart des membres sont mariés.

– Von Jakob est au courant, d'après vous ?

Hardt haussa les épaules.

– Le Saint-Père est au courant ! Je vais peut-être vous surprendre, mais nous manquons de prêtres à un tel point, en Amazonie, que le pape vient d'accorder des dispenses autorisant deux hommes mariés à recevoir l'ordination et servir là-bas.

Tim s'étonna :

– Comment a-t-il pu faire quelque chose d'aussi diamétralement opposé à ses propres convictions ?

Hardt martela :

– C'est parce qu'il est réaliste. Et que son premier devoir en tant que vicaire du Christ est de garder l'Église en vie. Un point de vue que nous partageons, lui et moi.

– Alors, au nom du ciel, pouvez-vous me dire ce que je fais ici ?

– Vous n'avez jamais songé que Dieu vous avait choisi, peut-être, pour proclamer la vérité, non pour l'étouffer dans l'œuf ? Dites-moi sincèrement ce que vous en pensez, maintenant.

Tim prit le temps de réfléchir, longuement, avant de répondre :

– Eh bien, pour parler en réaliste... si un prêtre marié peut servir en Amazonie, pourquoi pas au Vatican ?

Hardt lui sourit avec affection.

– Merci, mon frère. Mais qu'allez-vous leur dire, en rentrant à Rome ?

Il était grand temps, pour l'archevêque Timothy Hogan, de reprendre le contrôle des opérations.

– Je sais ce que vous aimeriez entendre, Ernesto. Mais laissez-moi vous dire autre chose. La vérité, si admirable soit-elle, n'est pas toujours le meilleur moyen d'atteindre l'objectif visé. Ne parlons pas de moi, mais disons que vous publiez votre ouvrage... et qu'ils vous excommunient.

– Je n'en ai pas peur ! s'esclaffa Ernesto.

– Je sais. Mais moi, je ne veux pas que l'Église vous perde.

– Quelle importance ? Qu'est-ce que Rome a jamais fait pour mon peuple ?

– Et si nous tentions de changer ça ? Si vous m'aidiez à construire quelque chose ?

– Quoi, par exemple ?

– Un hôpital, pour commencer. Parmi les plus grandes

593

joies de ma vie de prêtre, viennent au premier rang les baptêmes que j'ai célébrés ici. Et parmi les plus grandes douleurs... tous ces enterrements. Donnez-moi une chance de recueillir les fonds nécessaires à la construction d'un hôpital pour enfants.

Hardt, désabusé, soupira :

– Jusqu'à ce que le peuple dirige l'Église, vous ne verrez pas les hôpitaux pousser dans la jungle, Timóteo.

– Si vous me laissez le temps d'essayer, non seulement je vous aiderai à publier votre livre en anglais, mais je le traduirai moi-même, Ernesto. Je connais de nombreux laïcs pleins d'argent qui s'intéresseraient à notre cause.

Hardt hésita un très court instant, puis parla avec douceur :

– Vous venez de dire *notre* cause, Tim. Rien que pour ça, je suis prêt à différer la publication.

– Combien de temps ?

– Aussi longtemps qu'il le faudra.

Ernesto Hardt sourit malicieusement à une pensée soudaine.

– Autrement dit, jusqu'à ce que vous-même, vous perdiez patience !

Debout dans la chaleur du foyer, à quelques heures du départ de son vol pour Rome, Tim cherchait, vainement, les mots susceptibles d'exprimer ce qu'il ressentait.

Tout à coup, Hardt s'empara d'une liasse de papiers et la jeta sur les bûches. Elle se mit à flamber aussitôt.

– Qu'est-ce que vous avez fait, Ernesto ? cria Tim.

– Comme ça, vous n'aurez pas à mentir au Saint-Père, Timóteo. Vous pourrez lui dire, en toute franchise, que vous m'avez vu brûler mon livre.

594

– Mais je vous avais demandé d'attendre. Pas de le détruire.

Hardt arborait un sourire.

– Vous éviterez de prononcer le mot « détruire », Tim. J'ai un petit cadeau d'adieu, pour vous.

Il passa dans son bureau, revint avec quelques disquettes de plastique noir.

– On n'arrête pas le progrès, mon frère. Même dans les universités en lisière de la jungle, on trouve aujourd'hui des ordinateurs. Enveloppez ces trucs-là dans du papier d'aluminium avant d'aller prendre votre avion.

– Mais pourquoi me les confier, à moi ?

– Simple précaution. Si quelque chose devait m'arriver, à moi ou à mon ordinateur, je saurais que mon livre est en très bonnes mains. *Adeus,* Tim, et priez pour moi.

Les deux hommes s'embrassèrent.

80

TIMOTHY

Une voiture du Vatican le cueillit à l'aéroport et Timothy se servit du téléphone de bord pour appeler le père Ascarelli.

– Tim, mon fils, comment m'auriez-vous réveillé puisque, depuis votre départ, il a bien fallu que je me remette au travail ? J'ai même été forcé d'éduquer ma main gauche...

– Comment ça ?

– Rien, rien. Vous venez me voir aux aurores ?

– Je viendrais même tout de suite, si ça ne vous dérange pas.

– Mais comment donc ! Je prépare le thé sans attendre.

Quelques minutes plus tard, la longue limousine noire s'arrêta devant le Governatorio. Tim en jaillit, sa serviette bien serrée sous son bras, et courut d'un trait jusqu'à la porte de son vieux professeur. Il frappa doucement. A travers le battant, lui parvint le pas familier de son mentor. La porte s'ouvrit sur Ascarelli, qui portait toujours sa vieille robe de chambre usée jusqu'à la corde.

– *Benvenuto, figlio mio.*

Tim se rendit compte, en l'embrassant, que la main qui lui tapotait le dos, chaleureusement, était la seule valide. La main gauche. Tout le côté droit offrait une rigidité anormale.

– Qu'est-ce qui vous est arrivé, mon père ?

– Rien, rien. Un petit incident de parcours.

Il raconta, non sans humour, de quelle façon inopinée une petite attaque de rien du tout lui avait coûté l'usage de sa main droite, l'obligeant, au large des quatre-vingts ans, à dresser, tant bien que mal, cette pauvre main gauche indocile.

Le sifflet de la bouilloire interrompit leur dialogue. Tim persuada son hôte trop zélé de s'asseoir tranquillement à table pendant qu'il s'occuperait du thé. Plaçant une tasse à portée commode de la main gauche du vieil homme, il s'assit en face de lui.

– Ne vous faites pas de soucis, mon fils. J'ai bien l'intention de m'accrocher jusqu'à ce que vous coiffiez la barrette de cardinal !

– Me croiriez-vous si je vous disais que tout ça n'a plus guère d'importance, à mes yeux ?

596

– Que ça vous plaise ou non, tout le secrétariat bourdonne de votre exploit. Pendant que vous étiez au Brésil, Hardt n'a pas écrit un seul texte hérétique. Je suis sûr que von Jakob envisage de vous récompenser.

– Erreur, mon père. Hardt a beaucoup écrit, durant cette période. Il n'a pas publié, c'est tout. Pas encore !

Tim expliqua au père Ascarelli quel marché il avait conclu avec Hardt.

– Un hôpital pour enfants, c'est merveilleux... sur le papier. Où allez-vous trouver les millions de dollars nécessaires pour mener à bien ce projet digne d'éloges ? Le monde est plein de généreux catholiques, mais ils sont humains. Ils veulent que leurs amis puissent admirer les fruits de leur charité, en se rendant à leur travail !

– Cette partie du problème me concerne uniquement, mon père. Puis-je vous demander une faveur ? J'ai un exemplaire du livre de Hardt.

– Vraiment ? Faites voir !

Tim sortit de sa serviette un petit carré d'environ dix centimètres de côté, enveloppé de papier d'aluminium.

Ascarelli s'informa, soupçonneux :

– Qu'est-ce que c'est que ça ? Un sandwich ?

Tom rit en sourdine.

– Pour se nourrir l'esprit !

Il développa, rapidement, les six disquettes.

– Vous vous souvenez du sujet de ma thèse ?

– Bien entendu. « Les Obstacles au mariage des prêtres ».

Tim déclara paisiblement :

– Ce bouquin renverse tous les obstacles.

– Vous en êtes sûr ?

Jamais le cardinal von Jakob n'avait été aussi près de sourire.

– Certain, Votre Éminence. Je l'ai vu, de mes yeux, brûler son livre.

– *Deo gratias.* Vous avez fait un travail remarquable.

Mais incomplet, puisque la question suivante fut :

– Avez-vous également dressé la liste de ses contacts et de ses sources d'information ?

Cachant de son mieux le mépris que lui inspirait le Grand Inquisiteur, Timothy riposta :

– J'ai rempli ma mission au pied de la lettre. Personne ne m'avait donné une microcaméra ou demandé de jouer les James Bond.

L'Allemand acquiesça.

– Personne ne vous le reprochera, non plus. Dommage, simplement, d'avoir laissé passer l'occasion. Mais je peux vous promettre que le Saint-Père ne vous oubliera pas...

La récompense immédiate de Timothy fut un bureau petit, mais élégant, à l'intérieur même du palais apostolique.

Après y avoir rangé ses livres, il appela le standard et donna son premier coup de fil en qualité de coadjuteur du pape.

Ravie d'entendre sa voix, la princesse Santiori l'invita aussitôt à déjeuner, le lendemain midi.

– Tout le monde parle de vous, *caro.* Réservez-moi votre après-midi, que je puisse entendre toute l'histoire.

Plein d'optimisme, Timothy revint au Governatorio pour tenir sa promesse d'emmener le père Ascarelli dîner chez Marcello, dans le Trastevere.

Il frappa à la porte. Personne ne répondit. Le scribe s'était-il endormi en l'attendant ? Tim frappa plus fort, attirant l'attention du *portiere* qui passait l'aspirateur, à l'autre bout du couloir.

598

– Je suis navré, Votre Grâce, mais le père Ascarelli a
été transporté au Santa Croce, cet après-midi.

Timothy se sentit blêmir.

– Grave ?

– Il a quatre-vingts ans bien sonnés, Votre Grâce.
Qu'est-ce qui n'est pas grave, à cet âge-là ?

Tim courut jusqu'à l'hôpital. S'attirant, à l'un des quelque douze carrefours qui l'en séparaient, ce commentaire
d'un autre ecclésiastique :

– Encore un de ces fous d'Irlandais comme Murphy !
Toujours à cavaler dans tous les sens !

Terrassé par une nouvelle attaque, Ascarelli se cram-
ponnait encore à ce monde. Le professeur Rivieri affirma
qu'il serait vraisemblablement en état de recevoir une
visite, dans la soirée.

Tim pria longuement à la chapelle de l'hôpital, puis alla
se promener le long du Tibre alors que la nuit s'épaissis-
sait sur la ville. Et dans son cœur. Il savait qu'il allait
devoir affronter, prochainement, une catégorie de chagrin
qu'il n'avait pas encore éprouvée : la perte d'un parent
proche.

A son retour, le professeur Rivieri précisa :

– J'ai bien peur qu'il n'ait subi de gros dégâts. Ce n'est
plus qu'une question de temps...

Avec l'autorisation du médecin, Tim s'assit au chevet de
son vieil ami, bavardant de choses et d'autres et lui récitant, parfois, quelque poésie latine.

De loin en loin, le malade relevait, d'un grognement,
une citation incorrecte. Il savait que cette pédanterie était
probablement la dernière joie que lui permît son érudition.

Tim eût annulé son déjeuner du lendemain avec la

principessa si Ascarelli n'avait insisté, pour qu'il « donnât priorité aux enfants affamés plutôt qu'à un vieil homme mourant ».

Oublieux de la beauté du jour et de la frénésie de la circulation, Timothy gagna lentement le Palazzo où la tristesse de la nouvelle refroidit quelque peu l'enthousiasme de la *Principessa*. Elle donna immédiatement des instructions pour que l'on apportât des fleurs au malade.

Tim était nerveux. Jusque-là, ses recherches de fonds n'avaient jamais eu d'autre objet que la réfection d'un toit paroissial ou tout autre programme d'aussi faible envergure. Mais là, comment pourrait-il jamais prononcer un chiffre de cette importance ? Les répétitions mentales auxquelles il s'était livré, en cours de route, n'avaient pas fait grand-chose pour fortifier sa confiance.

Après déjeuner, tandis qu'ils prenaient le café dans le patio, Tim puisa un certain réconfort dans les expressions de pitié sincère qui altéraient la sérénité du visage de la *Principessa,* à l'audition des malheurs de l'enfance brésilienne.

– Principessa, les enfants ont besoin de cet hôpital. Est-ce qu'à notre époque, ils devraient mourir encore de la rougeole ou de la dysenterie ?

– Bien sûr que non. Et combien coûterait un tel hôpital ?

Le cœur de Tim manqua un battement ou deux. C'était la minute de vérité. Buvant une lampée d'eau minérale, il énonça aussi négligemment que sa gorge nouée le lui permit :

– Ce serait de l'ordre de huit millions de dollars.

Il y eut un silence. La princesse, impassible, pesait, visiblement, ce qu'elle venait d'entendre. Finalement, elle dit avec ferveur :

600

– Vous aurez cet argent, Timoteo. J'y veillerai personnellement.

Il était au bord des larmes.

– Dieu vous bénisse, Cristina.

Devait-il se lever ? Jeter ses bras autour d'elle ?

Mais déjà, elle enchaînait :

– Écoutez-moi, Timoteo. Nous allons former un comité. Je vais réunir toutes les plus grandes familles de Rome et croyez-moi, je les connais, même celles qui sont loin de notre Église. Je vais les convoquer tous ici et vous leur parlerez. Dès le début de la prochaine saison mondaine, nous allons lancer cette œuvre avec un magnifique gala. Je vous promets que Sa Sainteté nous honorera de sa présence.

Elle était en train de faire la démonstration de cet art suprêmement romain qui consiste à dire oui en pensant le contraire.

– Cristina..., dit-il en sentant la colère s'emparer de lui, pendant que nous prenons le café en planifiant des galas de bienfaisance, ces enfants agonisent et meurent dans les bras de leurs mères. La collecte de fonds n'est pas ma partie. Mais si vous rassemblez, très vite, quelques amis, et que je puisse leur parler... s'ils sont tous aussi sensibles, aussi charitables que vous, ils vous donneront immédiatement des chèques. Des gros chèques.

La perplexité de la princesse n'était nullement feinte. Timothy se méprenait-il sur la sincérité de ses sentiments, l'authenticité de ses bonnes intentions ? Quand elle lui parla, ce fut en grande personne réprimandant avec gentillesse un enfant déraisonnable.

– Mon cher garçon... il est impossible d'être aussi... brutal dans ce genre d'affaire. Si mes amis devaient donner de l'argent, sans prendre le temps de réfléchir, à toutes les

601

œuvres de Rome, voilà beau temps qu'ils n'auraient plus rien pour vivre !

– Ça, j'en doute !

Tim savait qu'il s'enferrait. Mais il savait, aussi, qu'il n'obtiendrait rien, aujourd'hui, sinon de vagues promesses, alors pourquoi ne pas dire franchement ce qu'il avait en tête ?

– Princesse, je suis sûr que vous-même, vous pourriez signer ce chèque sans que votre vie en soit affectée le moins du monde.

Elle trancha, rondement :

– Votre Grâce, vous parlez à tort et à travers.

Tim se leva. Il avait besoin de marcher de long en large pour garder sous contrôle les passions violentes qui ne demandaient qu'à s'extérioriser.

– Écoutez... au fond de moi, je suis toujours le gamin naïf de Brooklyn. Je ne connais rien au monde de l'argent. Mais même si je n'étais pas son archevêque honoraire, je n'ignorerais pas que votre église Santa-Maria-delle-Lacrime occupe un site que le Vatican vous paierait cinq fois le prix de cet hôpital.

Elle riposta, très sèche :

– Vous êtes fou ! Osez-vous suggérer que je vende une église qui appartient aux Santiori depuis des siècles ? Pour le plaisir d'offrir une clinique à je ne sais quelles peuplades arriérées ?

Tim se battait contre lui-même pour tenter de garder son sang-froid. Il avait une femme en face de lui. Une femme âgée. Une femme seule. Mais il n'avait plus la force de se contenir.

– Votre Altesse, vous avez des tableaux, dans votre salle à manger, qui honoreraient les plus grands musées du monde. Tous les jours, on peut lire dans les journaux

602

quelles sommes astronomiques ont atteintes les œuvres de tel ou tel grand maître, dans les ventes aux enchères. Des millions et des millions de dollars. Et votre maison regorge de ces chefs-d'œuvre.

Hors d'haleine et en sueur, il parvint à retrouver son calme. Pas un instant, la princesse n'avait réellement perdu le sien.

– Je crois que Votre Grâce devrait se retirer, maintenant...

– Oui, je regrette. Je me suis laissé emporter. Je vous demande de m'en excuser. Sincèrement...

Elle souriait.

– Mon cher Timothy, je n'ai jamais rencontré d'âme plus pure que la vôtre. Je vous admire et vous conserverai toujours mon estime.

Manière élégante de lui signifier son congé.

En d'autres temps, après avoir subi une telle humiliation, Tim eût recherché le soutien de la seule épaule quasi paternelle qu'il eût jamais connue, celle d'Ascarelli. Mais aujourd'hui, le scribe gisait sur son lit de mort, attendant probablement le retour glorieux du fils prodigue, et Tim avait honte de revenir le voir les mains vides.

Quand le ciel fut redevenu encore plus sombre que son humeur, il s'y décida finalement. Le professeur Rivieri l'attendait, le visage grave. D'instinct, Tim craignit le pire.

– Il est mort, *professore* ?

Le médecin secoua la tête.

– Non, mais il nous fait des complications cardiaques. Je doute qu'il passe la nuit.

– Est-il encore assez lucide pour me reconnaître ?

– Oui, Monseigneur Hogan. Vous êtes probablement la seule personne dont il n'ait pas oublié le nom.

603

Il ajouta, plus grave :

– Il a demandé que vous lui donniez l'extrême-onction.

– L'aumônier de l'hôpital va pouvoir me prêter son étole et les autres...

Tim se tut, incapable de poursuivre, alors que la main du médecin se posait, compatissante, sur son épaule.

– Votre Grâce, il a vécu une vie longue et heureuse. J'ai rarement vu un patient aussi calme, aussi serein à l'approche de la mort.

Quelques minutes plus tard, Tim était de retour auprès du malade. Le vieil homme respirait avec difficulté, mais en fidèle serviteur de l'Église, il consacra tout ce qu'il lui restait d'énergie à répéter les paroles rituelles. Et bien entendu, en latin.

Sous les yeux de Tim assis à son chevet, il sombra ensuite dans un sommeil comateux qui risquait fort d'être le dernier. Mais si le jésuite reprenait conscience, ne fût-ce qu'un instant, Tim voulait être là pour lui apporter le réconfort de son affection et de sa présence.

Vers onze heures, sa sollicitude fut récompensée. Le scribe ouvrit à demi les yeux. Chuchota :

– C'est vous, Timoteo ?

– C'est moi, mon Père. Essayez de ne pas vous fatiguer.

– Ne vous... tracassez pas, *figlio*.

La respiration du vieillard se faisait plus courte, plus saccadée de seconde en seconde.

– Comme a dit... le poète... *nox est perpetua... una dormienda*... Je vais avoir... une longue nuit... pour me reposer.

Afin de prouver, sans doute, que sa tête était toujours là, il pria Tim de lui décrire son entrevue avec la *Principessa*. A quoi bon lui communiquer cette mauvaise nouvelle ? Mais d'un autre côté, puisqu'il avait eu la force de poser la question, pourquoi ne pas lui offrir, une dernière fois, l'occasion de pratiquer son sport favori, la dénonciation de l'hypocrisie sous toutes ses formes ?

Tim raconta toute l'histoire en se donnant carrément le rôle du bouffon, appuyant sur les aspects comiques de cette comédie des erreurs. A la fin, cependant, il ne put trouver de chute assez drôle pour cacher son amertume.

Le vieillard soupira, philosophe, avec un regard qui disait, mieux que toute parole : « Que pouvions-nous attendre d'une telle hypocrite ? » Puis il changea de sujet.

– Vous savez, Timoteo, pour un pédant comme moi, même la mort est une expérience instructive. Tout l'après-midi, pendant votre absence, j'ai ruminé ces vers écrits par Sophocle alors qu'il avait, lui aussi, un pied dans la tombe. Vous vous souvenez d'*Œdipe à Colone,* quand le vieux roi s'adresse à ses filles ?

La sueur ruisselait sur son front tandis qu'il s'efforçait de repêcher, dans sa mémoire, la citation exacte :

– Un seul mot compense toutes les vicissitudes de la vie et ce mot, c'est *amour.* En grec...

– *To philein,* compléta Timothy. Le bien humain.

Contemplant son jeune protégé, les yeux mi-clos, Ascarelli sourit faiblement.

– Vous ne me décevez jamais. C'est cela qui a donné un sens à ma vie. Quoi de plus facile, pour un homme d'Église, que d'aimer Dieu ? Et combien plus difficile d'aimer son prochain. Mais si ce n'était pas important, pourquoi serions-nous sur terre ? Je bénis Dieu de vous avoir amené jusqu'à moi, Timoteo. Il m'a donné quelqu'un avec qui partager l'amour que je Lui porte.

Épuisé, le vieillard laissa retomber sa tête sur son oreiller. Puis, au terme d'un long silence, il retrouva la force de dire :

605

– Grazie, figlio mio...

Ce furent ses derniers mots. Deux minutes plus tard, le professeur Rivieri constata le décès et remplit un certificat officiel au nom du père Paolo Ascarelli, S. J., scribe du Saint-Père.

Et Tim se vit seul au monde.

Présent dans le bureau du médecin, en compagnie de Guillermo Martinez, Père général de la Société de Jésus, Monsignore Murphy, secrétaire du pape, déclara, solennel :

– La mort du père Ascarelli attriste profondément Sa Sainteté. Je suis chargé d'organiser le cortège funèbre qui va aller déposer le père Paolo dans le caveau de sa famille, dans le Piémont.

– Monsignore Murphy, intervint Timothy, pourrez-vous me réserver une place ?

Sans laisser au secrétaire papal le temps de répondre, le père Martinez renchérit :

– Aucun problème ! Paolo vous aimait, Votre Grâce. Il parlait de vous sans cesse avec autant d'affection que d'admiration.

La gorge serrée, Tim put enfin répondre :

– L'affection... et l'admiration... étaient réciproques.

Le surlendemain, Timothy se retrouva, en compagnie de quatre prêtres jésuites et du père Martinez, dans la limousine papale qui filait à travers les riches terres arables de la vallée du Pô. Certes, ils portaient dans leur cœur le deuil de l'ami disparu, mais son départ avait été si discret, si paisible, qu'il inspirait à tous moins de chagrin réel que de réminiscences attendries.

Perché au flanc d'un des points culminants de cette

606

région vallonnée, le caveau de famille des Ascarelli dominait, de très haut, le magnifique panorama du lac de Garde. Neveux, nièces, cousins et amis du défunt assistaient à l'inhumation, ainsi que de vieilles connaissances parmi lesquels figurait un personnage qui tint à se présenter sous le nom de *Dottore* Leone, notaire de la famille.

Le service fut bref et, conformément au désir exprimé par le défunt dans son testament, il n'y eut pas d'éloge funèbre. Quand tout fut terminé, les parents invitèrent les prêtres venus de Rome à une *collazione*. Le cortège de voitures prit la route lentement, traversa le glorieux paysage des vignobles du Piémont, et longea un long mur de pierre blanche avant d'entrer dans l'enceinte par un grand portique métallique. Ils parcoururent encore cinq cents mètres au milieu des vignes avant d'arriver devant la maison.

Tout comme le scribe l'eût également souhaité, toasts et anecdotes se succédèrent, autour des deux longues tables chargées de spécialités locales, transformant cette cérémonie mortuaire en commémoration affectueuse d'une vie riche et bien remplie.

Vers le milieu de l'après-midi, Leone sollicita du Père général et de Timothy lui-même l'honneur d'une conversation privée. Ils pénétrèrent dans la haute et vaste bibliothèque où le notaire prit place derrière le bureau antique dressé face à l'immense fenêtre qui, du sol au plafond, s'ouvrait sur le paysage.

– J'espère que vous n'y verrez aucun manque de tact, mais nous sommes si loin de Rome que j'ai jugé préférable de vous parler sans attendre du testament de Paolo... dont il vous a nommés, l'un et l'autre, exécuteurs.

Le jésuite se contenta de hocher la tête, mais Timothy, surpris, murmura :

– Bien sûr, *dottore...*

Leone attendit qu'ils fussent assis pour tirer de sa serviette un document qu'il plaça devant lui.

– Ses instructions sont parfaitement claires. Même le récent codicille ne saurait soulever, à mon sens, aucune difficulté.

Chaussant ses lunettes, le notaire reprit le testament, y jeta un bref regard et le reposa sur le bureau.

– Je vous fais grâce du charabia légal... J'ai d'autant plus le droit de le trouver horrible que je l'ai rédigé moi-même... Puis-je vous résumer simplement les choses ?

Il enregistra, d'un œil sourcilleux, l'approbation muette des deux hommes d'Église, ôta ses lunettes et continua :

– Paolo étant seul enfant mâle, son père lui avait légué le plus gros des vignobles, exclusion faite de parts symboliques destinées à ses sœurs, le ciel ait leurs âmes. En tant que fidèle jésuite, Paolo lègue tous ses biens, propriétés et usufruits, à la Société de Jésus, en lui demandant de les consacrer, spécifiquement, au tiers monde. Sur ce point explicitement souligné, il prie respectueusement le Père général de suivre les suggestions de l'archevêque Hogan qui, lorsque ce document a été rédigé, œuvrait chez les pauvres du Brésil.

Le regard que Timothy et le père Martinez échangèrent exprimait leur volonté réciproque de travailler ensemble à l'accomplissement des vœux du cher disparu.

– C'est tout, *dottore* ? questionna Tim.

– C'est tout, Votre Grâce. C'est l'alpha et l'oméga. Chaque année, après la vente des récoltes, vous devrez décider, conjointement, quel emploi réserver à la part de Paolo. Je suis également exécuteur testamentaire, mais ne dispose d'aucun droit de vote dans ce domaine.

Le premier, Martinez rompit un silence qui menaçait de s'éterniser :

– J'espère qu'il y aura une somme suffisante pour créer un prix annuel de latin en l'honneur de Paolo dans quelque séminaire du voisinage.

Surpris, le notaire ouvrit de grands yeux.

– Peut-être me suis-je mal fait comprendre ? Le père Ascarelli a toujours vécu modestement, de ses seules allocations papales. Voilà plus de trente ans que je place ses avoirs et rien qu'avec cette partie de son héritage, vous pourriez certainement construire plusieurs écoles.

– A ce point-là ? s'effara le chef des jésuites.

Leone sourit.

– Oh, il vous a légué de gros problèmes... Vous ne serez pas trop de deux, chaque année, pour discuter pendant quelques mois de la meilleure manière de dépenser son argent.

– Si vous nous donniez des chiffres, suggéra le père Martinez, la respiration coupée.

– Eh bien, le prix du vin ne cesse de grimper, n'est-ce pas ? Et le barolo que produisent ces vignobles est toujours de la meilleure qualité. L'année dernière, j'ai ajouté près de trois milliards de lires aux fonds que j'administre.

Réduit au mutisme, depuis un long moment, Timothy calcula que la somme approchait les deux millions de dollars. Il puisa dans la langue latine l'expression adéquate à sa stupéfaction :

– *Deo gratias !*

– Non, *Ascarellio gratias !* corrigea le jésuite avec bonne humeur.

Il se retourna vers l'homme de loi.

– Vous avez parlé d'un codicille, il me semble ?

– Oui. La veille de sa mort, Paolo m'a appelé pour discuter du désir de l'archevêque Hogan d'édifier un hôpital pour enfants, à Brasilia. Il m'a chargé d'insister auprès de vous sur l'urgence prioritaire de ce projet, et laissé un petit mot manuscrit, authentifié par le témoignage de deux infirmières. Naturellement, ce codicille n'a pu être notarié, mais...

Le père Martinez leva la main.

– La légalité n'entre pas dans cette affaire, mon cher maître. Paolo avait à son côté le seul témoin nécessaire.

Tim sourit.

– Le père veut parler de Dieu lui-même.

Alors que tout le monde se préparait au long voyage de retour à Rome, Timothy fit quelques pas au sein des vignobles de la famille Ascarelli dont l'étendue, jusqu'à l'horizon, lui apparaissait maintenant dans toute son ampleur.

Sitôt qu'il fut assez loin des autres pour ne plus risquer d'être entendu, il leva les yeux vers le ciel écarlate et lança dans le vent :

– Dieu vous bénisse, père Ascarelli. Vous allez sauver des milliers d'enfants malades.

Puis il baissa la voix pour ajouter, dans un souffle :

– Et mon âme, par-dessus le marché !

De retour à Rome, émotionnellement et physiquement vidé de toute énergie, Tim comprit qu'il ne trouverait pas le repos avant d'avoir prié pour l'âme de son guide bien-aimé.

La place Saint-Pierre, à l'approche de minuit, était aussi déserte que chichement éclairée. Tim pouvait entendre ses pas résonner en échos lugubres sur les dalles des pavois. Quand il atteignit l'entrée principale, il s'étonna de ne pouvoir ouvrir les énormes portes de bronze.

Puis il se souvint que la basilique fermait au coucher du

610

soleil et, remontant vers le fleuve, par la Via della Conciliazione, il se remémora les paroles du Christ rapportées
par Matthieu, au chapitre six de son Évangile :

« Pour toi, quand tu pries, retire-toi dans ta chambre,
ferme sur toi la porte et prie ton Père qui est là, dans le
secret, et ton Père, qui voit dans le secret, t'entendra. »

Et tout comme prêchait le Sauveur, Tim murmura dans
le secret de son âme :

« Notre Père, qui êtes aux cieux,
que Votre nom soit sanctifié,
que Votre règne arrive,
que Votre volonté soit faite
sur la terre comme au ciel. »

ÉPILOGUE

81

TIMOTHY

Par une fenêtre de son bureau, l'archevêque-coadjuteur de Chicago contemplait les rues grises de son domaine, le plus vaste diocèse des États-Unis. Simultanément, il dictait une lettre à un jeune séminariste de Sainte-Marie-du-Lac, dont le crayon s'essoufflait à suivre son rythme.

Le jeune prêtre dut s'interrompre pour répondre au téléphone. Tout de suite, il changea d'expression, visiblement très ému.

– Oh ? Oh, mon Dieu...

– Qui est-ce ? s'impatienta George Cavanagh.

– C'est Rome, Votre Grâce. Quand je pense que j'ai le Vatican au bout du fil, même s'il ne s'agit que d'un secrétaire.

– Demandez donc de la part de qui, insista George.

Il cherchait, lui-même, à se comporter comme si ce genre de chose arrivait tous les jours. Le jeune prêtre s'exécuta, puis, recouvrant l'appareil d'une main :

– C'est un nommé Timothy Hogan.

– Mon petit Jerzy, l'admonesta George, faussement courroucé, vous parlez d'un archevêque et nonce du pape tout spécialement distingué.

615

Il s'empara du téléphone :

– *Salve,* Votre Grâce. Que me vaut l'honneur de vous entendre ?

– Tu peux m'accorder cinq minutes ?

La voix de Timothy, bizarrement étouffée, intrigua Cavanagh, mais il attribua ses intonations sourdes à la mauvaise qualité de la communication.

– Pour toi, Timo, j'irai même jusqu'à six. Quel est ton problème ?

Tim commença par lui annoncer la mort d'Ascarelli.

– Toutes mes condoléances. Je sais ce qu'il signifiait pour toi.

– Merci, George. J'ai à te parler d'une chose considérable. Tu es seul ?

Le coadjuteur de l'archevêque de Chicago demanda poliment à son secrétaire de se retirer.

– Avec toutes mes excuses, Jerzy. C'est une affaire strictement confidentielle.

Le jeune prêtre s'inclina et quitta la pièce.

– OK, Timo. Si mes ennemis ne m'ont pas encore placé sur écoute, nous sommes seuls.

– Oh ? Tu as vraiment des ennemis ?

– Je ne ferais pas mon boulot si j'étais sûr du contraire. Mais je pense que tu peux y aller sans trop de risques.

– J'ai lu quelque part que tu étais devenu gérant d'un truc appelé Presse catholique américaine. C'est bien ça ?

– Presque. Il s'agit de la *Nouvelle* Presse catholique américaine. Ne me dis pas que tu as écrit un livre.

– Mieux que ça. Qu'est-ce que tu dirais de publier la traduction en langue anglaise du plaidoyer d'Ernesto Hardt en faveur du mariage des prêtres ?

– Ernesto Hardt ?

Il y avait du respect dans la voix de George.

– Quand puis-je avoir le manuscrit ?

Tim eut un petit rire de bonheur.

– Juste pour le cas où le pouvoir ne te serait pas encore monté à la tête, je t'ai déjà envoyé les disquettes par courrier express. Elles sont rédigées en portugais, mais je pense que ma traduction anglaise sera prête dans moins d'un mois.

– Sans nom de traducteur, je suppose ?

– Tu la crois si mauvaise ? Non, George, tu pourras y faire figurer mon nom.

– En gage de reconnaissance, mon frère, je me dois de te dire que tu vas jouer avec ta carrière.

– Aucune importance. Je n'ai plus de carrière.

– Quoi ?

– Tu ferais mieux de t'asseoir, George. J'en ai pour un bon moment.

Cavanagh écouta, avec une stupéfaction croissante, le récit de la descente initiatique de Tim aux enfers, sous la conduite d'Ernesto Hardt. Profondément bouleversé, il commenta :

– Je ne sais trop que dire, Tim. J'aurais bien aimé te voir sur le trône de Saint-Pierre. Mais ce que tu fais à présent déboucherait plutôt sur la sainteté. Tu veux que je t'aide à trouver un boulot d'enseignant aux États-Unis ?

– Non, George. Je crois que je vais m'éloigner un peu de l'Église, pour une période sabbatique indéterminée.

– Avec quelle intention ?

– Désolé, Votre Excellence. Mais je peux te donner un indice : *Jean*, 4.8. Merci pour tout. Dieu te bénisse.

Après que Tim eut raccroché, George Cavanagh se remémora la citation de l'Évangile selon saint Jean :

« Celui qui n'aime pas n'aime pas Dieu. Car Dieu est amour. »

Il réfléchit une seconde avant d'ajouter, pour lui-même :

– Dieu te bénisse, Timo ! J'espère que tu es tombé sur quelqu'un d'aussi joli et d'aussi pieux que cette fille avec qui je t'ai vu, ce jour-là, à Jérusalem.

82

DÉBORAH

Assis sur les marches de son *srif*, Éli regarda venir le visiteur avec une méfiance grandissante.

– Tu es son fils ? demanda l'inconnu.

Il était grand, costaud, le visage bronzé, la chevelure blonde rendue presque blanche par on ne savait quel soleil exotique. Sa façon de parler l'hébreu, avec un accent américain, achevait de le cataloguer comme un étranger.

Éli proposa :

– Vous aimeriez mieux parler anglais ?

– Oui, merci. Je manque un peu de pratique, dans la langue sainte. Puis-je entrer ?

Bien que méfiant, Éli n'était nullement discourtois. Mais quelque chose, chez cet homme, lui hérissait le poil. Sa réplique suivante visait, ouvertement, à décourager toute insistance :

– Ma mère n'est pas là. Elle ne rentrera de ses cours que bien après cinq heures.

– Oh, elle est enseignante ?

– Pourquoi posez-vous toutes ces questions ?

– Parce que je suis un vieil ami. Et j'ai fait un long voyage pour venir la voir.

– Si long que ça ?

– Du Brésil. C'est assez loin pour toi ?

– Vous rigolez ?

– Non. Tu me laisseras entrer si je te le demande en portugais ? Ton sens de l'hospitalité ne me paraît pas très au point.

Pris à contre-pied, Éli concéda :

– Ouais, je crois que vous avez raison. C'est juste parce que... je n'attendais personne. Vous voulez un café ? Ou un coca ?

– Tu n'as rien de plus fort ?

– Si vous voulez vraiment quelque chose de fort, il y a de la bière à la cantine.

– Alors, va pour le café. Si ça ne te dérange pas trop.

Éli lui tourna le dos sous le prétexte de brancher la bouilloire électrique. Il avait besoin de se retrouver seul avec lui-même. Le temps d'encaisser le choc qu'il venait de subir. Sans broncher d'un cil. Du moins, il l'espérait.

L'étranger, de son côté, l'observait attentivement. Pensant : « Je connais ce gosse. Non seulement parce qu'il a certains traits de Déborah, mais parce que son comportement me rappelle quelque chose. »

En ouvrant le placard pour y prendre le bocal de café instantané, Éli jeta un coup d'œil à la photo fixée par une punaise à l'intérieur de la porte et dont le papier de journal devenait chaque jour un peu plus cassant, un peu plus jaune et friable comme une feuille d'automne.

Aucune méprise possible. Sans se retourner, il lança par-dessus son épaule :

– Un sucre ou deux, mon père ?

– Un, merci. Comment as-tu deviné que j'étais prêtre ? Ça se voit tant que ça, même en chemisette ?

Éli pivota sur lui-même.

– Oh, vous n'avez pas du tout l'air d'un prêtre. Je dirais plutôt d'un archevêque !

– Vraiment ?

Un peu déconcerté, mais bien décidé à entrer dans le jeu de ce drôle de garçon, le visiteur enchaîna :

– Vous recevez beaucoup d'archevêques dans votre kibboutz ?

– Non, c'est une première. Mais comme mon papa est de la partie...

Les traits de l'homme se crispèrent. Il n'arrivait plus à trouver ses mots.

– Tu n'es pas sérieux ?

– C'est vous qui ne l'étiez pas, à une certaine époque !

Ils se défiaient du regard, à présent, chacun reconnaissant ses yeux dans le visage de l'autre. L'Américain chuchota :

– Elle ne me l'a jamais dit.

– Ça aurait changé quelque chose ?

– Tout. Ça aurait tout changé, dit-il de toute son âme.

– Eh bien, vous avez loupé le coche, révérend ! Vous avez même loupé ma *bar mitzvah*. Mais naturellement, ce n'est pas vous qu'on aurait pu appeler au pupitre pour lire la Torah.

Tim n'avait jamais reculé au cours d'une bagarre.

– Écoute, *boychik*, si tu veux jouer aux citations bibliques, on sera deux !

– Mais pas en hébreu !

– En hébreu, en araméen et même en syriaque, si nécessaire. A propos, quand as-tu potassé pour la dernière fois les Manuscrits de la mer Morte ?

Éli en resta bouche bée. Il y eut un moment d'hésitation chez les deux protagonistes. Enfin :

– Ma mère sait que vous venez ?

– Non. Il n'y a pas plus de quelques jours, je ne le savais pas moi-même.

C'est en disant ces mots que Tim comprit à quel point ils pouvaient exprimer une réalité concrète. Trois jours plus tôt, il s'était retrouvé à la croisée des chemins. Toujours prêt à servir Dieu, jusqu'à son dernier souffle, et pourtant incapable de combler, avec l'espoir d'une autre vie, le vide de sa vie sur cette Terre. Il avait besoin de Déborah. Il avait toujours eu besoin d'elle.

Mais était-il possible qu'après tant de temps, elle éprouvât encore les mêmes sentiments, à son égard ?

– Vous comptez rester combien de temps ?

– Ça dépendra.

– De quoi ?

– De si... ta mère est heureuse de me revoir.

– Espérons qu'elle ne le sera pas. Elle mérite d'avoir un mari. Un vrai. Pas une espèce de cosmonaute chrétien qui met dix ans à retomber sur terre !

– Quatorze, rectifia Tim. Et toi ? Tu n'aimerais pas avoir un vrai père ?

Le gosse haussa les épaules.

– Je m'en suis passé, jusque-là, non ? Qu'est-ce que vous êtes allé faire au Brésil ?

Le visiteur souligna, ironique :

– J'apprécie beaucoup ton sens de la diversion !

Brusquement, Éli donna libre cours à sa fureur :

– Qu'est-ce que vous croyez ? Vous vous amenez sans crier gare, comme le prophète Élie, et vous voudriez que je vous saute au cou ? Qu'est-ce que vous avez fait, pendant toutes ces années où j'ai grandi loin de vous ?

Il pleurait presque. Bouleversé, Tim faillit le prendre dans ses bras, mais il eut peur, s'il tentait ce geste, de broyer contre sa poitrine cet être encore fragile qui était son fils.

— Ne pleure pas, je t'en supplie, ne pleure pas.

Éli sanglotait à présent.

— Je ne pleure pas ! J'en ai gros sur le cœur, c'est tout. Je vous en voudrai toujours d'avoir largué ma mère ! Vous ne savez pas ce qu'elle a pu en baver !

Le visage du visiteur s'adoucit.

— Et toi pareil, j'en suis sûr.

— Comment vous pouvez l'être ?

— J'ai connu un jeune garçon qui te ressemblait pas mal. Et qui, lui aussi, a grandi sans père.

— Un autre de vos enfants ?

— Non. Surpeupler la planète n'a jamais été mon objectif. Je ne savais même pas que je t'avais, toi. Jusqu'à ce que je m'amène aujourd'hui, comme tu dis.

— Hé ! Vous ne *m'avez* pas ! Je ne suis pas un paquet qu'on peut ranger et ressortir du placard quand on veut. Je suis un être humain.

— Il s'appelle comment, l'être humain ?

— Éli.

— Comme dans le psaume 22. « *Éli, Éli, lama azavtani...* ».

— Dans le mille, monsieur l'archevêque. Mais si vous êtes venu pour me convertir, autant y renoncer tout de suite !

— Tout ce que je te demande, c'est une tasse de café.

La cruche avait refroidi, entre-temps. Éli la déposa sur la table alors que l'homme contemplait, à l'écart, une photo de Déborah portant un bébé de six semaines. Des paroles caustiques montèrent aux lèvres d'Éli, mais l'expression du nouveau venu l'arrêta.

— Combien de temps encore avant le retour de ta mère ? demanda Tim avec un frémissement dans la voix.

– Est-ce que je sais ? Une demi-heure, peut-être. Vous voudriez partir avant ?

– Non. Je me demandais si tu aimerais taper dans un ballon de foot.

– Pourquoi pas ? Il y a toujours une partie ouverte à tous sur le terrain du kibboutz, près d'ici. Une demi-heure, c'est plus qu'il n'en faut pour récolter pas mal de bleus.

– Je suis assez grand pour me défendre. Je peux me changer quelque part ?

– Dans la chambre, à côté. Besoin de quelque chose ?

– Non, Éli. Et je peux te dire que ma tenue de foot va faire des envieux.

Le gosse, incorrigible, s'esclaffa :

– Votre costume d'archevêque ?

– Mieux que ça. Tu vas voir !

Quelques minutes plus tard, il ressortit dans le maillot bleu flamboyant de l'équipe de football du Brésil. Le gosse fit :

– Wouah !

Et la porte s'ouvrit.

– Éli, qu'est-ce qui se passe ? A qui est cette voiture ?

Puis Déborah le vit.

– Mon Dieu...

Ils se regardaient. Sans mot dire parce que même après tout ce temps, chacun d'eux savait très bien quelles pensées tourbillonnaient dans la tête de l'autre.

Enfin, Timothy chuchota :

– Déborah... si tu savais combien de fois j'ai rêvé de vivre ce moment...

– Moi aussi... mais je ne croyais pas que ce serait en ce monde.

Elle se retourna vers son fils.

– Vous avez fait connaissance, tous les deux ?

Il se composa une expression faussement blasée.

– Oui, oui, les présentations sont faites. Et je vais me tirer en vitesse avant de vous voir sombrer dans les sentiments à l'eau de rose.

Mais en sortant il avait bien du mal à contenir ses propres larmes.

Tous deux se retrouvèrent face à face. Seuls. Ensemble. Après des millions de jours et de nuits d'errance.

– Oh, Déborah, il est merveilleux. Tu dois être si fière de lui.

– Pas toi ?

– Je n'en ai pas encore le droit. L'amour se gagne, au fil du temps. Et je n'ai pas été souvent là, durant toutes ces années.

– Tu n'as jamais quitté mes pensées.

– Ni toi les miennes. Et je refuse de courir le risque...

– Quel risque ?

– Le pari sur la foi. L'espoir de te retrouver dans une autre vie. Je préfère être ici, maintenant...

Il eut une courte hésitation.

– Tu crois que nous pouvons tout recommencer ?

– Non, mon amour.

Elle conclut, dans un sourire :

– Nous allons simplement continuer.

Chers lectrices et lecteurs,

Je vous offre ACTES DE FOI, de très loin le roman le plus personnel que j'aie jamais écrit et, d'après quelques réactions de la presse, celui qui a suscité le plus de controverses.

J'ai aussi reçu une quantité de lettres énigmatiques disant toutes plus ou moins la même chose: dans LOVE STORY, j'ai pleuré à la fin. Dans ACTES DE FOI, j'ai pleuré quatre fois plus. A quels endroits, je me le demande?

Peut-être me le direz-vous

Bien cordialement,

Erich Segal

FICHE D'IDENTITÉ

Naissance : Erich Segal est né le 16 juin 1937 à Brooklyn, New York (USA).

Situation de famille : marié, deux filles.
Études : Études secondaires à Midwood School, Brooklyn et à l'Institut Monivert, Lausanne, Suisse.
Licence de Lettres classiques avec mention, Harvard University, 1958.
Doctorat de littérature comparée, Harvard University, 1964.

Profession : Professeur d'université, département des Lettres classiques, Yale University, 1964-1981.
Professeur associé à l'université de Munich, 1973.
Professeur associé à l'université de Princeton, 1975.
Chargé de cours au Wolfson College, 1985.

Il a publié de nombreux articles pour l'American Philological Association et pour l'Association internationale d'études classiques.

Outre des ouvrages spécialisés, il a publié plus de cinquante articles et études sur la littérature gréco-romaine et le sport dans l'Antiquité.

Cinéma et télévision

– Cinéaste : il a écrit les scénarios de plusieurs films parmi lesquels *Yellow Submarine* (1968), *The Games* (1969), *Love Story* (1970), [*Golden Globe Award, Academy Award Nomination RPM* (1971)], *A Change of Seasons* (1983).

– A joué dans *Sans mobile apparent* (1971) (réalisateur Philippe Labro).

II

Erich Segal (devant l'université de Harvard-1985).

– Commentateur pour les chaînes ABC TV et RTL aux jeux Olympiques de 1972 et de 1976.

– Hôte et commentateur des cinq émissions consacrées par PBS TV à la pièce d'Eugene O'Neill, *Le deuil sied à Électre*, 1981.

– Sera prochainement l'hôte de *Coup de foudre*, série télévisée des Productions Parafrance.

Littérature

Roman Laughter : the Comedy of Plautus, son ouvrage le plus important dans le domaine des études classiques, a été publié par Harvard University Press en 1968. En 1984, Oxford University Press en a publié une version revue et annotée.

Il a également supervisé la publication des *Oxford Readings in Greek Tragedy* (1983), des *Oxford Readings in Aristophanes* (1983) et une édition des *Dialogues de Platon* (1986). Il a collaboré à la publication des *Sept Essais de César Auguste,* ouvrage qu'a publié Oxford University Press en 1984.

Il est l'auteur de cinq romans :
– *Love Story,* 1970.
– *Oliver's Story,* 1977.
– *Un homme, une femme, un enfant,* 1980.
– *La Classe,* 1985 – Prix Deauville.
– *Docteurs,* 1989.
– *Actes de foi,* 1992.

LA CHAÎNE D'OR

par Erich SEGAL

Je suis né avec une chaîne d'or autour de mon âme.

Aussi loin que remontent les mémoires, chacune des générations de ma famille a produit un rabbin. Un guide spirituel. Un homme de Dieu.

Puis j'ai brisé la chaîne (et probablement le cœur de mon père). Bien que je sois devenu professeur de latin et de grec, à Yale, parfois, cette « rupture avec la foi » m'a hanté.

Actes de foi n'est pas une autobiographie, mais il y a des points communs entre mon héros, Danny Luria, et moi-même.

Je me souviens d'avoir été battu plus d'une fois, durant mon enfance, à Brooklyn, par les semblables de Tim Hogan, sur le chemin de mon école hébraïque. Je n'ai jamais pu comprendre pourquoi, en me voyant coiffé de ma calotte, ils entraient dans de telles rages.

Il y a d'autres points communs entre Danny et moi, dont je n'avais pas conscience jusqu'à ce que des amis me les fassent remarquer. Comme lui, j'ai été élevé dans un foyer traditionnel, « encouragé » par mon père (le mot est faible) à faire de très longues études. (J'ai même passé un an et demi au Séminaire théologique juif). Et puis, tout à coup, je me suis retrouvé dans un monde nouveau, flamboyant, cerné par les tentations terrestres. Je n'ai peut-être pas été le Fils prodigue, mais je m'en suis sérieusement approché.

Et finalement, comme Danny, je suis rentré au bercail.

Erich Segal menant un relais 4 x 800 m. (Université de Harvard-1957).

Actes de foi n'est pas un manuel religieux. Pourtant, en racontant l'histoire d'amour d'un homme et d'une femme issus de mondes différents, je n'ai pu m'empêcher de noter certaines similarités frappantes.

Mais en les faisant ressortir autant qu'en révélant des aspects moins connus de leurs religions respectives, je n'ai pas manqué, non plus, de prendre certaines susceptibilités à rebrousse-poil.

Par exemple : quelques lecteurs juifs m'ont reproché d'avoir dépeint les femmes orthodoxes comme des citoyens de deuxième classe.
Ma seule réponse sera celle-ci : c'est, hélas, la vérité.

Chaque matin, les orthodoxes de sexe mâle récitent la prière spéciale : « Béni sois-tu, O Seigneur notre Dieu, Roi de l'Univers, qui ne m'a pas fait naître femme. »
Et quand il manque un homme à la dizaine nécessaire pour certains rites, aucune femme, si pieuse et si connue soit-elle, ne saurait s'y substituer... alors qu'un garçon de six ans peut remplir ce rôle !

Est-ce toujours ainsi en 1992 ?
Les juifs traditionnels ne permettent pas qu'une femme soit appelée à lire la Torah, durant les offices. Il n'en a pas toujours été ainsi au cours de l'histoire. Jusqu'à ce que les Sages édictent cette interdiction, sous prétexte que les femmes risqueraient de « gêner la congrégation », l'une des gênes possibles étant leur éventuelle incapacité à lire suffisamment bien.

Mais à qui la faute ?
Le Talmud déclare que la simple vision d'une femme, ses cheveux ou même le son de sa voix susciteraient chez l'homme en prière des pulsions sexuelles inopportunes.

Erich Segal, sa femme, Karen, et leur fille, Francesca-1982.

Les enseignants ultra-orthodoxes insistent sur le fait qu'un homme doit toujours se défier de « l'Inclination au Mal ». Détourner son regard à l'approche d'une femme. Les deux sexes dînent séparément, lors des mariages, et ne dansent pas ensemble. Cette législation puritaine va jusqu'à proclamer qu'un homme ne doit pas rester seul avec une fille *de plus de trois ans,* une femme, avec un garçon *de plus de neuf*!

Le sexe constitue le point de divergence le plus marquant entre catholicisme et judaïsme orthodoxe.

Dans le Nouveau Testament, sexe et péché sont virtuellement synonymes. Saint Paul l'a répété bien des fois : l'acte, au mieux, est un mal nécessaire. Et naturellement, à qui sert l'Église, il est strictement interdit. Pourtant, le Christ lui-même n'a jamais prêché le célibat. En fait, durant le premier millénium, aucune règle n'interdisait le mariage des prêtres. Auparavant, même les évêques n'étaient pas célibataires, ainsi qu'en témoigne saint Paul en personne dans *1 Timothée,* chapitre 3. L'abstinence sexuelle n'est devenue un dogme, dans l'Église romaine, qu'à partir du douzième siècle !

De la bouche des prêtres « déchus » qu'il m'a été donné d'interviewer, j'ai appris que cette interdiction avait produit l'effet contraire. La preuve en est apportée par une récente étude approfondie du clergé catholique américain qui révèle qu'un tiers au moins de ceux qui ont prononcé leurs vœux de célibat et de chasteté entretiennent des relations durables, significatives, émotionnelles et *physiques* [1].

---

1. A. W. Richard Sipe : *Un monde secret :* sexualité et quête du célibat, New York 1990.

X

Mon héros catholique, Tim Hogan, souffre du conflit essentiel de tout prêtre moderne. Aggravé, dans son cas, parce qu'il est amoureux d'une femme juive. Et puis, il y a la question de la foi elle-même. Après la rigueur de ma propre éducation religieuse, j'ai éprouvé un certain désespoir, surtout lorsque j'ai eu l'âge d'étudier ce que Martin Buber appelle « l'éclipse de Dieu ». Il m'était difficile d'admettre qu'une divinité juste et équitable ait pu tolérer le massacre de six millions d'innocents.

Après la mort de mon père, un homme pieux et bon qui avait consacré sa vie au service de Dieu, foudroyé par une attaque cardiaque à cinquante ans, j'ai erré (comme Danny Luria) dans une sorte de crépuscule moral, cherchant en quoi, en qui croire.

Deux choses m'ont ramené à la religion, ainsi qu'à une foi renouvelée, plus forte que celle de mon enfance.

Quand j'ai commencé à enseigner, à Yale, j'ai constaté que fort peu de professeurs juifs annulaient leurs cours, lors des Jours les Plus Saints. J'étais peut-être devenu agnostique, mais je n'avais pas totalement renié mon héritage. A l'occasion de la Nouvelle Année et du Yom Kippour, j'ai reprogrammé mes cours et participé aux offices des étudiants. Le spectacle de tant de jeunes gens réunis pour prier *de leur plein gré* a réveillé quelque chose en moi. Je devais aux millions de martyrs de conserver la foi pour laquelle ils étaient morts : « Je crois en la venue du Messie. Et même s'Il s'attarde en chemin, je continuerai de croire. »

Tandis que je faisais les recherches nécessaires à l'écriture d'*Actes de foi*, j'ai rencontré des chrétiens qui avaient traversé les flammes d'autres enfers, et gardé intact leur dévouement au Seigneur. Il n'est pas facile, pour un prêtre déchu, de recevoir de l'Église l'annulation de ses vœux.

Beaucoup d'entre eux en sont si profondément touchés (et humiliés) qu'ils abandonnent complètement la religion. Ceux qui demeurent croyants sont aussi forts que les soldats de l'armée de Gédéon.

« Il se peut que je ne veuille plus être prêtre, a dit l'un d'eux, mais je suis bien décidé à rester catholique. »

Il attend toujours que Rome lui envoie ses papiers.

Bien que ses enfants soient à la veille d'entamer leurs études secondaires, il est fermement résolu à faire sanctifier son mariage civil par une messe nuptiale. Mon propre mariage m'a aidé à ranimer ma foi. Ma femme et moi partageons un héritage commun que nous nous réjouissons de transmettre à nos enfants. Nous avons deux filles infiniment précieuses à nos yeux. Et je ne saurais dire à quel point je serais fier si l'une d'elles devenait rabbin.

Car alors, la chaîne d'or serait renouée.

Cet ouvrage a été imprimé
sur du papier bouffant des
papeteries Empire Fine Papers Ltd.
et relié par Mohndruck Gütersloh (Allemagne)

Achevé d'imprimer
le 29-1-1993
par Mohndruck Gütersloh
pour France Loisirs

N° d'éditeur: 21955
Dépôt légal: Janvier 1993
Imprimé en Allemagne